SCHITTERENDE RUÏNES

Jess Walter

Schitterende ruïnes

Uit het Engels vertaald door
Nicolette Hoekmeijer

Voor Anne, Brooklyn, Ava en Alec

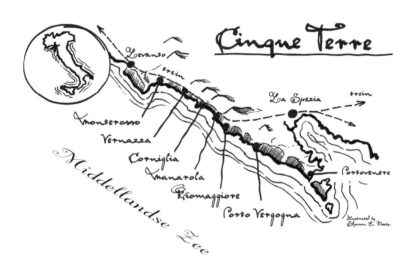

Cinque Terre

Levanto
trein
La Spezia   trein
Monterosso
Vernazza
Corniglia
Manarola
Riomaggiore
Porto Vergogna
Portovenere

Middellandse Zee

Illustrated by
Shanni E. Davis

De grootste architectonische meesterwerken van de oude Romeinen
zijn gebouwd om er wilde dieren in te laten vechten.

– VOLTAIRE, Briefwisselingen

Cleopatra: Ik wil niet de slaaf zijn van de liefde.
Marcus Antonius: Dan zul je geen liefde kennen.

– Uit de rampenfilm *Cleopatra*, 1963

[Dick] Cavett heeft in 1980 vier lange interviews gehouden met
Richard Burton... Burton, met vierenvijftig jaar al een schitterende
ruïne, was ongekend charismatisch.

– 'Talk Story' door LOUIS MENAND,
The New Yorker, 22 november 2010

1

De doodzieke actrice

April 1962
Porto Vergogna, Italië

De doodzieke actrice arriveerde in zijn dorp op de enige manier waarop je er rechtstreeks kon komen – met een motorboot die de baai in voer, stampend de strekdam rondde, en vervolgens tegen de steiger bonkte. Heel even stond ze wankelend op de voorplecht en toen stak ze een ranke hand uit om de mahoniehouten reling te pakken; met haar andere hand drukte ze een breedgerande hoed tegen haar hoofd. Overal om haar heen braken banen zonlicht op de glinsterende golven.

Twintig meter verderop had Pasquale Tursi het gevoel dat hij droomde toen hij de vrouw zag aankomen. Of eigenlijk, zou hij achteraf bedenken, was dit het tegenovergestelde van een droom: een plotselinge helderheid na zijn hele leven te hebben geslapen. Pasquale strekte zijn rug en staakte de werkzaamheden waar hij dat voorjaar al de hele tijd druk mee in de weer was: een poging een strand aan te leggen bij het verlaten *pensione* van zijn ouders. Pasquale stond tot aan zijn oksels in de koude Ligurische Zee en gooide stenen zo groot als een kat op zijn golfbreker, in de hoop die dusdanig te verstevigen dat zijn bescheiden hoopje bouwzand niet zou worden meegevoerd door de golven. Pasquales strandje was niet breder dan twee vissersboten, en de grond onder zijn laagje zand bestond uit geschulpt gesteente, maar er was in het hele dorp geen vlakker stuk kust te bekennen: een gehuchtje van niets dat gekscherend – of misschien

9

hoopvol – *Porto* was genoemd, terwijl er geen andere boten af- en aanvoeren dan die van het handjevol ansjovis- en sardientjesvissers uit het dorp. Het tweede deel van de naam, *Vergogna*, betekende schande, en was een overblijfsel uit de tijd dat het dorp was ontstaan, in de zeventiende eeuw, toen zeelieden en vissers er kwamen voor de vrouwen... met een zekere flexibiliteit in moreel en commercieel opzicht.

Op de dag dat hij de mooie Amerikaanse voor het eerst zag waadde Pasquale ook tot aan zijn oksels in dagdromen, waarin hij het armoedige Porto Vergogna zag als een vakantieoord in opkomst, en zichzelf als een gevierd zakenman, echt een man van de jaren zestig, een man met ongekende mogelijkheden aan het begin van een roemrijke, moderne tijd. Hij zag overal tekenen van *il boom* – de opkomende rijkdom en geletterdheid die Italië een ander aanzien gaven. Dus waarom niet ook hier? Pasquale was onlangs teruggekeerd van vier jaar in het bruisende Florence, en bij thuiskomst in het achtergebleven gehuchtje van zijn jeugd verbeeldde hij zich dat hij essentiële kennis meebracht uit de rest van de wereld – een wonderschoon tijdperk van glanzende *macchine*, van televisies en telefoons, van dubbele martini's en vrouwen die een broek droegen met smalle pijpen, van een wereld die voorheen alleen maar in films leek te bestaan.

Porto Vergogna was niet meer dan een handvol oude, witgekalkte huisjes, een vergeten kapelletje en het enige bedrijf in het plaatsje – het kleine hotel met café, dat werd gerund door Pasquales familie – allemaal dicht tegen elkaar aan, als een kudde slapende geiten in een spleet tussen de steile kliffen. Achter het dorp liepen de rotsen een kleine tweehonderd meter omhoog naar een wand van zwarte, gegroefde bergen. Aan de voet van het dorpje kabbelde het zeewater in een rotsachtig, garnaalvormig baaitje, waar de vissers elke dag uitvoeren en weer terugkeerden. Afgeschermd door de rotsen erachter en de zee ervoor hadden er nooit auto's of karren in het gehucht kunnen komen, en de straten, voor zover je daarvan kon spreken, waren niet meer dan smalle paadjes tussen de huizen – weggetjes met aan weerszijden bakstenen, nog smaller dan een stoep, steile steegjes en trappetjes die zo smal waren dat je werkelijk overal in het plaatsje, behalve op het piazza San Pietro, het dorpspleintje, alleen maar je armen hoefde te strekken om zowel links als rechts een muur te raken.

In die zin verschilde het afgelegen Porto Vergogna niet zo veel van de schilderachtige dorpjes iets meer ten noorden in de Cinque Terre, alleen was het kleiner, nog meer afgelegen en minder pittoresk. Sterker nog, de hotel- en restauranteigenaren in het noorden hadden hun eigen koosnaampje voor het gehucht dat was ingeklemd tussen de hoge rotswanden: *culo di baldracca* – de hoerenspleet. Maar ondanks het dedain van de naburige dorpen was Pasquale, in navolging van zijn vader, de overtuiging toegedaan dat Porto Vergogna op een dag net zo welvarend kon worden als de rest van Levanto, de kustlijn ten zuiden van Genua waar de Cinque Terre onder viel, of zelfs als de grotere toeristische steden aan de Ponente – Portofino en de mondaine Italiaanse Rivièra. Als er al eens een toerist met een bootje of te voet verzeild raakte in Porto Vergogna was het meestal een verdwaalde Fransman of een Zwitser, maar Pasquale koesterde de hoop dat de jaren zestig een toevloed van Amerikanen zou brengen, onder aanvoering van de *bravissimo* Amerikaanse president, John Kennedy, en zijn vrouw, Jacqueline. Als zijn dorpje ook maar enige kans wilde maken om uit te groeien tot de *destinazione turistica primaria* waar hij van droomde, dan zou het dergelijke vakantiegangers moeten trekken, en daartoe moest het plaatsje – om te beginnen – een strand hebben, had Pasquale bedacht.

Zodoende stond hij half onder water, met een grote steen onder zijn kin, op het moment dat de boot van rood mahoniehout deinend zijn baai binnenkwam. Zijn oude vriend Orenzio stond aan het roer, in dienst van de rijke wijnhandelaar en hotelier Gualfredo, die het toerisme ten zuiden van Genua bestierde maar wiens dure, tien meter lange motorboot zelden Porto Vergogna aandeed. Pasquale zag de boot vaart minderen in de korte golfslag, en hij wist niets anders te verzinnen dan hard 'Orenzio!' roepen. Zijn vriend was even in de war door die begroeting; Pasquale en hij waren al bevriend vanaf hun twaalfde, maar ze waren geen schreeuwers, eerder... hoofdknikkers, lipkrullers, wenkbrauwfronsers. Orenzio knikte bars. Hij was altijd heel ernstig wanneer hij toeristen aan boord had, met name wanneer het Amerikanen waren. 'Het zijn serieuze mensen, die Amerikanen', had Orenzio een keer aan Pasquale uitgelegd. 'Nog argwanender dan Duitsers. Als je te veel glimlacht denken Amerikanen dat je ze een poot uitdraait.' Die dag had Orenzio wel een heel stugge uitstraling, en hij wierp een snelle blik op de vrouw achter in zijn boot, een vrouw met een lange, geelbruine jas dicht om haar slanke taille getrokken, en met een slappe hoed op die een groot deel van haar gezicht bedekte.

Toen zei de vrouw op zachte toon iets tegen Orenzio, en haar stem droeg over het water. Koeterwaals, dacht Pasquale eerst, totdat hij hoorde dat het Engels was – Amerikaans, om precies te zijn: 'Neem me niet kwalijk, maar wat doet die man daar nou?'

Pasquale wist dat zijn vriend onzeker was over zijn gebrekkige Engels, en dat hij zijn antwoorden in die verfoeide taal meestal zo kort mogelijk hield. Orenzio wierp een blik op Pasquale, die een grote steen in zijn hand had voor zijn golfbreker in aanbouw, en hij probeerde het Engelse woord voor strand te zeggen – *beach* – wat er enigszins ongelukkig uitkwam als 'bitch'. De vrouw hield haar hoofd een beetje schuin alsof ze hem niet goed had verstaan. Pasquale schoot te hulp en mompelde dat de bitch voor de toeristen was, *'per i turisti'*. Maar de mooie Amerikaanse leek het niet te horen.

Het was iets wat Pasquale van zijn vader had meegekregen, die droom over het toerisme. Carlo Tursi had er de laatste tien jaar van zijn leven aan gewijd om de vijf grotere plaatsen van de Cinque Terre zover te krijgen dat Porto Vergogna als zesde aan de reeks werd toegevoegd. ('Zo veel mooier,' zei hij altijd, *'Sei Terre*, de zes landen. Cinque Terre is heel lastig uit te spreken voor toeristen.') Maar het kleine Porto Vergogna ontbeerde de aantrekkingskracht en de politieke invloed van de vijf grotere buren. Dus terwijl de vijf met elkaar werden verbonden door telefoonlijnen en uiteindelijk zelfs een spoortunnel, en ze elk seizoen werden overspoeld door toeristen met al hun geld, schrompelde het zesde plaatsje ineen, als een extra vinger. Carlo had zich ook vergeefs ingezet voor het doortrekken van de spoortunnel met een kilometer, wat van levensbelang was om Porto Vergogna in verbinding te stellen met de grotere kustdorpen. Maar zover kwam het niet, en omdat de dichtstbijzijnde weg onder aan de terrassen met wijnranken liep, op de hellingen aan de achterkant van de bergen van de Cinque Terre, bleef Porto Vergogna afgesloten van de buitenwereld, moederziel alleen in de plooi van de zwarte, gegroefde hellingen, met aan de voorkant slechts de zee en aan de achterkant enkel steile paadjes de berg op.

Op de dag dat de stralende Amerikaanse arriveerde, was Pasquales vader acht maanden dood. Carlo was snel en rustig heengegaan, er was een bloedvat in zijn hoofd geknapt terwijl hij een van zijn geliefde kranten zat te lezen. Pasquale liet keer op keer de laatste tien minuten van het leven van zijn vader de revue passeren: hij nam een slokje van zijn espresso, een trekje van zijn sigaret, lachte om iets in de Milanese krant (Pasquales moeder had de krant bewaard maar er nooit iets grappigs in kunnen ontdekken), en zakte vervolgens voorover alsof hij was ingedommeld. Pasquale was in Florence, waar hij studeerde, toen hij hoorde dat zijn vader was overleden. Na afloop van de begrafenis smeekte hij zijn oude moeder om naar Florence te verhuizen, maar het idee alleen al stuitte haar tegen de borst. 'Wat voor echtgenote zou ik zijn als ik je vader in de steek zou laten, alleen maar omdat hij dood is?' Het was een uitgemaakte zaak – in elk geval voor Pasquale – dat hij terug naar huis moest om voor zijn broze moeder te zorgen.

Zodoende nam Pasquale weer zijn intrek in zijn oude kamer in het hotel. En misschien was het uit schuldgevoel dat hij zo afwijzend had gereageerd toen hij jong was, maar ineens zag hij het helemaal voor zich – het familiehotel – met de ogen die hij van zijn vader had geërfd. Ja, dit plaatsje zou een Italiaans vakantieoord nieuwe stijl kunnen worden – een plek waar Amerikanen hun toevlucht zochten, de rotsachtige kust vol parasols, het klikken van fototoestellen, overal Kennedy's! Misschien speelde er ook iets van eigenbelang mee in zijn verlangen het verlaten pensione om te toveren tot een hotel van wereldformaat, maar dat was dan maar niet anders: het oude hotel was zijn enige erfenis, zijn enige kapitaal in een samenleving die er rijp voor was.

Het hotel bestond uit een *trattoria* – een restaurantje met drie tafeltjes – een keuken en twee bescheiden appartementen op de begane grond, en daarboven de zes kamers van het oude bordeel. Met het hotel erfde hij ook de zorg voor de enige vaste bewoners, *le due streghe*, zoals de vissers hen noemden, de twee heksen: Pasquales hulpbehoevende moeder, Antonia, en Valeria, haar zus met het haar als een bos stro, de kenau die het meest in de keuken stond, als ze niet tekeerging tegen de luie vissers of de sporadische gast die in het hotel verzeild was geraakt.

Als Pasquale íéts was, dan was het wel verdraagzaam, en hij berustte in het excentrieke gedrag van zijn melodramatische *mama* en zijn gekke *zia*, zoals hij ook het gedrag van de onbehouwen vissers gelaten over zich heen liet komen – die elke ochtend hun *peschereccio* naar de waterlijn trokken en de zee op duwden, kleine houten scheepjes die als vuile slabakken op de golven deinden, trillend door het *pruttel-de-pruttel* van hun walmende buitenboordmotor. Elke dag opnieuw wisten de vissers net genoeg ansjovis, sardientjes en zeebaars te vangen, die ze verkochten op de markten of aan de restaurantjes in het zuiden, waarna ze huiswaarts keerden om grappa te drinken en scherpe, zelf gerolde sigaretten te roken. Zijn vader had altijd benadrukt dat er een groot verschil bestond tussen enerzijds hijzelf en zijn zoon – afstammelingen van een vooraanstaande Florentijnse handelsfamilie, aldus Carlo – en anderzijds deze ordinaire vissers. 'Moet je ze nou zien', zei hij dan tegen Pasquale, vanachter een van zijn vele kranten die wekelijks met de postboot werden bezorgd. 'In een tijd die meer beschaving kende, zouden ze onze dienaren zijn geweest.'

Carlo, die al twee oudere zoons had verloren in de oorlog, was niet van zins zijn jongste zoon op een vissersboot te laten werken, of in de visfabriek in La Spezia, of op de wijnterrassen, of in de marmergroeven in de Apennijnen, of op welke plek dan ook waar een jongen een vak zou kunnen leren waar hij iets aan had, waar hij het gevoel van zich af zou kunnen schudden dat hij een slappeling was voor wie geen plek was in deze harde wereld. In plaats daarvan hadden Carlo en Antonia – die al veertig was toen Pasquale werd geboren – hem min of meer voor zichzelf gehouden, en pas na vele smeekbeden hadden zijn ouders, die toen al aardig op leeftijd waren, erin toegestemd dat hij naar Florence zou gaan om te studeren. Toen Pasquale na de dood van zijn vader terugkeerde, wisten de vissers niet goed wat ze met hem aan moesten. Zijn merkwaardige gedrag – met zijn neus in de boeken, in zichzelf praten, van alles en nog wat opmeten, zakken vol zand uitstorten over de rotsen en dat uitkammen als een ijdel man die zijn laatste plukken haar over zijn schedel drapeert – werd aanvankelijk toegeschreven aan verdriet. De vissers boetten hun netten en zagen hoe de tengere eenentwintigjarige stenen verplaatste in de hoop te voorkomen dat zijn strand zou worden meegevoerd door een storm, en hun ogen werden vochtig bij de herinnering aan alle onvervulde dromen van hun eigen overleden vader. Maar al snel begonnen de vissers Carlo Tursi en de goedmoedige plagerijtjes te missen.

Nadat ze Pasquale enkele weken met zijn strand in de weer hadden gezien, hielden de vissers het niet meer uit. Op een dag wierp Tomasso de Oudere de jonge man een lucifersdoosje toe, met de woorden: 'Hier heb je een stoel voor je strandje, Pasquale!' Na een paar weken van geforceerde vriendelijkheid was het plaagstootje een opluchting, als een onweersbui die eindelijk losbarstte boven het dorpje. Alles was weer bij het oude. 'Pasquale, ik zag gisteren een stuk van je strand bij Lerici liggen. Zal ik de rest van het zand daar ook heen brengen of wacht je liever tot de stroming het meeneemt?'

Maar een strand was tenminste wel iets wat de vissers konden begrijpen; er waren tenslotte ook stranden in Monterosso al Mare en in de plaatsen noordelijker aan de Rivièra, waar de vissers het grootste deel van hun vangst verkochten. Toen Pasquale liet weten dat hij van plan was een tennisbaan uit te hakken op een uitstekend stuk rots, zeiden de vissers dat er bij hem nog meer steekjes loszaten dan bij zijn vader. 'Die jongen is niet goed bij zijn hoofd', zeiden ze terwijl ze op het kleine piazza sigaretten rolden en Pasquale over de rotsen zagen scharrelen om met een touw de contouren van zijn toekomstige tennisbaan aan te geven. 'Het is een familie van *pazzi*. Nog even en hij praat met katten.' Omdat hij alleen maar steile rotswanden ter beschikking had, was een golfbaan onbegonnen werk, begreep Pasquale. Maar niet ver van zijn hotel was een natuurlijk plateau, gevormd door drie uitstekende stukken rots, en als hij erin slaagde de bovenkant af te vlakken en de spleten te overspannen, kon hij misschien wel een bekisting maken en daar voldoende beton in storten om een effen, rechthoekig vlak te creëren voor een tennisbaan – als een visioen dat opdoemt uit de rotswand – zodat bezoekers die met de boot kwamen in een oogopslag zouden zien dat dit een eersteklas vakantieoord was. Als hij zijn ogen sloot zag hij het voor zich: mannen in een smetteloos witte broek die een bal in een hoge boog over en weer sloegen op een schitterende tennisbaan die uit de rotswand stak, twintig meter boven het strand, terwijl niet ver ervandaan vrouwen in een zomerjurk met zonnehoed onder een parasol aan hun drankje nipten. Dus hakte hij in op de rotswand, met een pikhouweel, met hamer en beitel, in de hoop een vlak te maken dat groot genoeg was voor een tennisbaan. Hij harkte zijn laagje zand. Hij wierp stenen in zee. Hij verdroeg de plagerijen van de vissers. Hij nam af en toe een kijkje bij zijn stervende moeder. En hij wachtte – zoals hij dat altijd had gedaan – totdat hij het leven op zijn pad zou vinden.

Zo zag het leven van Pasquale Tursi eruit, de eerste acht maanden na het overlijden van zijn vader. Hij mocht dan niet echt gelukkig zijn, hij was ook niet ongelukkig. Je zou kunnen zeggen dat hij ergens in die immense leegte zweefde waarin de meeste mensen zich bevinden, ergens tussen verveling en tevredenheid.

En misschien zou hij hier altijd zijn blijven hangen als niet op deze frisse, zonnige middag de mooie Amerikaanse was verschenen, terwijl Pasquale twintig meter verderop tot aan zijn oksels in het water stond en zag hoe de mahoniehouten boot tot stilstand kwam bij de houten bolders van de aanlegsteiger, met op de voorplecht de vrouw; een briesje deed het zeewater om haar heen rimpelen.

Ze was onwaarschijnlijk dun maar toch had ze prachtige rondingen, deze mooie Amerikaanse. Vanaf de plek waar Pasquale stond, in zee – het zonlicht dat achter haar schitterde, de wind die met haar stroblonde haar speelde – leek het haast alsof ze tot een andere diersoort behoorde, langer en etherischer dan alle andere vrouwen die hij ooit had gezien. Orenzio wilde haar helpen en na een lichte aarzeling pakte ze zijn uitgestoken hand. Hij hielp haar van zijn boot op de smalle steiger.

'Dank u,' klonk een klein stemmetje onder de hoed, gevolgd door *'grazie'*, het Italiaanse woord met veel nadruk uitgesproken, duidelijk onwennig. Ze zette haar eerste stap richting het dorpje, leek even te wankelen, hervond toen haar evenwicht. Dat was het moment waarop ze haar hoed afzette om het dorpje beter te kunnen bekijken, het moment waarop Pasquale haar gezicht goed kon zien en met lichte verbazing constateerde dat de mooie Amerikaanse... tja... niet eens zo mooi was.

O, ze was aantrekkelijk, dat zonder meer, maar niet op de manier die hij had verwacht. Om te beginnen was ze net zo lang als Pasquale, ongeveer één meter tachtig. En vanaf de plek waar hij stond leken haar gelaatstrekken misschien wat te uitgesproken voor zo'n klein gezicht – zo'n krachtige kaaklijn, zulke volle lippen, zulke ronde en grote ogen dat het leek alsof ze ergens van was geschrokken. En kon een vrouw té slank zijn, zodat haar rondingen abrupt leken, verontrustend? Haar lange haar zat in een paardenstaart en haar huid was licht gebronsd en lag glad over een gezicht dat op een bepaalde manier te scherp en tegelijkertijd te week was – de neus te klein voor de kin, voor de hoge jukbeenderen, voor de grote donkere ogen. Nee, dacht hij, hoewel ze aantrekkelijk was, was ze geen echte schoonheid.

Maar toen draaide ze haar hoofd zijn kant op, en de onverenigbare elementen van haar krachtige gelaatstrekken vloeiden samen tot een volmaakt geheel. Pasquale herinnerde zich van zijn studie dat sommige gebouwen in Florence vanuit een bepaalde hoek tegenvielen terwijl het totaalplaatje altijd wist te overtuigen, het altijd goed deed op foto's; dat de verschillende gezichtspunten waren bedoeld om een geheel te vormen; datzelfde gold voor bepaalde mensen, bedacht hij. Ze glimlachte en Pasquale was ogenblikkelijk verliefd, voor zover dat mogelijk is, en zou dat de rest van zijn leven blijven – niet eens zozeer verliefd op de vrouw, die hij helemaal niet kende, maar verliefd op het moment.

Hij liet de steen die hij in zijn handen had, vallen.

Ze draaide haar hoofd – naar rechts, toen naar links, toen weer naar rechts – alsof ze de rest van het dorpje zocht. Pasquale keek met haar ogen: een handjevol morsige huizen, waarvan sommige leegstonden, die zich als mosselen in de spleet tussen de rotsen hadden gehecht. Op het piazza scharrelden wat wilde katten, maar verder was het verlaten, de vissers waren met hun boten het water op. Pasquale voelde steevast de enorme teleurstelling wanneer een wandelaar bij toeval in het dorpje verzeild raakte, of wanneer iemand die de kaart niet goed had gelezen of die de taal niet goed verstond er met een bootje aanlegde – mensen die dachten dat ze naar de lieflijke toeristenplaatsjes Porto*venere* of Porto*fino* gingen, en dan ineens in het *bruto* vissersdorpje Porto Vergogna terechtkwamen.

'O, neem me niet kwalijk', zei de mooie Amerikaanse in het Engels, en ze draaide zich weer naar Orenzio. 'Zal ik ook wat dragen? Of is dat inbegrepen bij... ik bedoel... ik weet niet goed waar wel en niet voor is betaald.'

Orenzio hield het voor gezien met dat vervloekte Engels na dat 'beach'-gedoe, en hij haalde alleen zijn schouders op. Met zijn gedrongen postuur, zijn flaporen en de doffe blik in zijn ogen gedroeg hij zich ook nog eens zo dat toeristen dachten dat hij een hersenbeschadiging had. Meestal waren ze zo onder de indruk van de kundige wijze waarop deze simpele ziel met zijn lodderige ogen een motorboot bestuurde dat ze hem een royale fooi gaven. Orenzio begreep op zijn beurt dat hoe dommer hij zich voordeed, en hoe slechter hij Engels sprak, hoe meer geld hij zou krijgen. Dus keek hij onnozel voor zich uit en knipperde met zijn ogen.

'Moet ik mijn bagage zelf dragen?' vroeg de vrouw nogmaals, op geduldige en enigszins hulpeloze toon.

'*Bagagli, Orenzio*', riep Pasquale naar zijn vriend, en op dat moment begon het Pasquale te dagen: deze vrouw wilde haar intrek nemen in zíjn hotel! Pasquale waadde in de richting van de steiger en likte zijn lippen ter voorbereiding op zijn stroeve Engels. '*Please,*' zei hij tegen de vrouw, zijn tong als een stuk kraakbeen in zijn mond, 'ik heb de eer en Orenzio uw tas dragen. Naar Hotel Re-de-lijk Uitzicht.' Zijn woorden leken de Amerikaanse in verwarring te brengen, maar dat ontging Pasquale. Hij wilde zwierig eindigen en probeerde te bedenken wat de juiste aanspreekvorm voor haar was (*Madam?*) maar het liefst wilde hij nog iets mooiers. Hij had het Engels nooit echt onder de knie gekregen, maar hij wist genoeg om een gezonde angst te hebben voor de grillige gestrengheid, de botte onzinnigheid; de taal was onvoorspelbaar, als een bastaardhond. Zijn eerste woorden Engels had hij geleerd van de enige Amerikaan die ooit in het hotel had gelogeerd, een schrijver die elk voorjaar naar Italië kwam om noest te schrijven aan zijn levenswerk – een epische roman over zijn ervaringen in de Tweede Wereldoorlog. Pasquale probeerde te bedenken wat de lange, charmante schrijver tegen deze vrouw zou zeggen, maar hij kwam niet op de woorden en hij vroeg zich af of er een Engels equivalent bestond voor het Italiaanse *bella*: mooi. Hij waagde een poging: 'Toe. Kom. Mooi Amerika.'

Ze keek hem heel even indringend aan – het langste moment van zijn leven tot dan toe – glimlachte toen en sloeg zedig haar blik neer. 'Dank u. Is dit uw hotel?'

Pasquale was bij de steiger gekomen en waadde niet langer door het water. Hij trok zichzelf omhoog, schudde het water uit zijn broekspijpen en stelde zich voor – op en top de innemende hotelhouder. 'Ja. Is mijn hotel.' Pasquale wees naar het kleine, met de hand beschilderde bordje aan de linkerkant van het piazza. 'Kom.'

'En... u hebt een kamer voor ons gereserveerd?'

'O ja. Veel kamer. Alle kamer voor u. Ja.'

Ze keek naar het bordje en toen weer naar Pasquale. Het warme briesje was weer opgestoken en joeg de ontsnapte haren uit haar paardenstaart als wimpels langs haar gezicht. Ze keek glimlachend naar het plasje van al het water dat van zijn magere lijf drupte, keek toen in zijn zeeblauwe ogen en zei: 'Wat hebt u een prachtige ogen.' Toen zette ze de hoed weer op haar hoofd en liep in de richting van het kleine pleintje, het centrum van het onbekende dorpje dat voor haar lag.

Porto Vergogna had nooit een *un liceo* gehad – een middelbare school – en als kind was Pasquale dan ook altijd met de boot naar La Spezia gegaan. Daar had hij Orenzio leren kennen, zijn eerste echte

19

vriend. Ze waren bij toeval bij elkaar in de klas terechtgekomen: de verlegen zoon van de oude hotelhouder en de kleine jongen van de kade, met zijn flaporen. Pasquale had ook wel bij Orenzio en zijn familie gelogeerd, in de winter, als de overtocht moeilijk was. De winter voordat Pasquale naar Florence ging, hadden Orenzio en hij een spel bedacht dat ze speelden onder het genot van glazen Zwitsers bier. Ze zaten tegenover elkaar op de kade van La Spezia en slingerden elkaar beledigingen naar het hoofd, net zo lang totdat ze niets nieuws meer wisten te bedenken of in herhaling vervielen, en dan moest de verliezer het glas dat voor zijn neus stond leegdrinken. En nu, terwijl Orenzio de bagage van de Amerikaanse op zijn schouders hees, boog hij zich iets naar Pasquale en speelde een drankloze versie van hun spel. 'Wat zei ze, halvegare?'

'Ze vindt dat ik mooie ogen heb', zei Pasquale, die het spel niet meespeelde.

'Ja hoor, ballenknijper', zei Orenzio. 'Ik geloof er helemaal niets van.'

'Nee, echt. Ze is verliefd op mijn ogen.'

'Je bent een leugenaar, Pasqo, en je knijpt de kat graag in het donker.'

'Het is echt zo.'

'Dat je de kat graag in het donker knijpt?'

'Nee. Ze zei het echt, van mijn ogen.'

'Je bent een geitenneuker. Die vrouw is een filmster.'

'Zeg dat', zei Pasquale.

'Nee, idioot, ze speelt echt in films. Ze hoort bij een Amerikaans bedrijf dat in Rome een film opneemt.'

'Welke film?'

'*Cleopatra*. Lees je dan helemaal geen kranten, hasjkikker?'

Pasquale keek over zijn schouder naar de Amerikaanse actrice, die over de trap naar het dorpje liep. 'Maar ze heeft een veel te lichte huid om Cleopatra te spelen.'

'Elizabeth Taylor, de hoer die mannen verslindt, speelt Cleopatra', zei Orenzio. 'Zij speelt een ander personage. Lees je dan echt helemaal geen kranten, billentikker?'

20

'Wie speelt zij dan?'

'Hoe moet ik dat weten? Er zijn vast heel veel personages.'

'Hoe heet ze?' wilde Pasquale weten. Orenzio liet hem de getikte instructiebrief zien die hij had ontvangen. Op het vel papier stond haar naam, en dat ze naar het hotel in Porto Vergogna gebracht moest worden, en dat de rekening kon worden gestuurd naar de man die het hele uitstapje had geregeld, Michael Deane, die verbleef in het Grand Hotel in Rome. Op dat ene vel papier stond dat Michael Deane *special production assistant* was bij 20th Century Fox Pictures. En de naam van de vrouw was...

'Dee... Moray', las Pasquale voor. Het klonk hem niet bekend in de oren, maar er waren zoveel Amerikaanse filmsterren – Rock Hudsons, Marilyn Monroes, John Waynes – en net wanneer hij dacht dat hij ze allemaal kende werd er iemand anders beroemd, haast alsof ergens in Amerika een fabriek stond waar gezichten werden gemaakt voor dat enorme witte doek. Pasquale keek nog een keer naar haar, al op het trappetje dat naar de spleet in de rotsen voerde, en naar het dorpje dat in afwachting was. 'Dee Moray', zei hij nog een keer.

Orenzio las mee over zijn schouder. 'Dee Moray', zei Orenzio. De naam had iets intrigerends en de beide mannen bleven hem maar herhalen. 'Dee Moray', zei Orenzio nog een keer.

'Ze is ziek', zei Orenzio tegen Pasquale.

'Wat heeft ze dan?'

'Hoe moet ik dat weten? Die man zei alleen maar dat ze ziek is.'

'Ernstig?'

'Dat weet ik ook niet.' En toen, als om het af te leren, alsof hun oude spelletje zelfs hem begon te vervelen, voegde Orenzio er nog een scheldwoord aan toe, *un mangiaculo* – 'konteter.'

Pasquale zag Dee Moray in de richting van zijn hotel lopen, met kleine stapjes over het stenen paadje. 'Zo ziek kan ze niet zijn', zei hij. 'Ze is beeldschoon.'

'Maar niet zo mooi als Sophia Loren', zei Orenzio. 'Of Marilyn Monroe.' Dat was ook iets wat ze de afgelopen winter hadden gedaan, naar de film gaan en de vrouwen die ze zagen, rangschikken.

'Nee, zij is mooi op een heel intelligente manier... zoals Anouk Aimée.'

'Ze is zo mager', zei Orenzio. 'En ze is geen Claudia Cardinale.'

'Nee', moest Pasquale erkennen. Claudia Cardinale was pure perfectie. 'Maar haar gezicht heeft iets heel ongewoons.'

Het werd allemaal iets te genuanceerd voor Orenzio. 'Als ik met een hond met drie poten was komen aanzetten, Pasqo, was je daar verliefd op geworden.'

Toen begon Pasquale zich zorgen te maken. 'Orenzio, weet je wel zeker dat ze hier naartoe wilde?'

Orenzio sloeg met vlakke hand op het papier dat Pasquale in zijn hand hield. 'Die Amerikaan, Deane, die haar naar La Spezia heeft gebracht? Ik heb tegen hem gezegd dat hier niemand komt. Ik heb gevraagd of hij misschien Portofino of Portovenere bedoelde. Hij vroeg wat Porto Vergogna voor plaatsje was, en ik heb gezegd dat hier een hotel is en verder helemaal niets. Hij vroeg of het een rustig plaatsje was. Ik heb gezegd dat alleen de dood stiller is, en toen zei hij: "Precies wat ik zoek."'

Pasquale keek zijn vriend met een glimlach aan. 'Dank je, Orenzio.'

'Geitenneuker', zei Orenzio zachtjes.

'Die heb je al een keer gebruikt', zei Pasquale.

Orenzio maakte een gebaar alsof hij een biertje achteroversloeg.

Toen keken ze allebei naar de rots, veertig meter hoger op de helling, waar de eerste Amerikaanse gast sinds de dood van zijn vader naar de voordeur van zijn hotel keek. Dit is de toekomst, dacht Pasquale.

Dee Moray bleef staan en draaide zich naar hen om. Ze schudde haar paardenstaart los en haar door de zon gebleekte haren dansten wild om haar gezicht, terwijl zij het uitzicht vanaf het dorpsplein op de zee op zich liet inwerken. Toen keek ze naar het uithangbord en hield haar hoofd een beetje schuin, alsof ze probeerde te begrijpen wat er stond:

HOTEL REDELIJK UITZICHT

Vervolgens klemde de toekomst haar slappe hoed onder de arm, duwde de deur open, bukte en ging naar binnen.

Nadat ze in het hotel was verdwenen speelde Pasquale even met de niet te onderdrukken gedachte dat hij haar op de een of andere manier tot leven had gewekt, dat hij, na hier jaren te hebben gewoond, na maanden van stil verdriet, na in alle eenzaamheid op de komst van de Amerikanen te hebben gewacht, deze vrouw had samengesteld uit oude filmfragmenten en boeken, uit de verloren gegane artefacten en ruïnes van zijn dromen, uit zijn heroïsche, geïsoleerde bestaan. Hij wierp een blik op Orenzio, die met íemands bagage zeulde, en ineens leek de hele wereld zo onvoorstelbaar, de tijd dat wij op aarde zijn zo kort, als een droom. Niet eerder had hij zo'n afstandelijke, existentiële gewaarwording gekend, zo'n angstaanjagende vrijheid gevoeld – het was alsof hij boven het dorpje zweefde, boven zijn eigen lichaam – en hij vond het opwindend op een manier die hij met geen mogelijkheid zou kunnen uitleggen.

'Dee Moray', zei Pasquale Tursi ineens, hardop, waarmee hij een eind maakte aan zijn mijmeringen. Orenzio keek zijn kant op. Pasquale keerde hem de rug toe en zei nogmaals de naam, ditmaal heel zachtjes, nauwelijks meer dan een fluistering, in verlegenheid gebracht door de hoopvolle ademtocht die deze woorden voortbracht. Het leven, dacht hij, is domweg een kwestie van verbeeldingskracht.

2

De laatste pitch

Kort geleden
Hollywood, Californië

Nog voor zonsopkomst, nog voor de Guatemalaanse tuinman-nen met hun vieze gedeukte trucks, nog voor de Caraïben die komen koken, schoonmaken, aankleden, nog voor Montessori, Pilates en Coffee Bean, nog voordat de Mercedessen en BMW's de door palmbomen omzoomde straat op draaien en de gehaaide advocaten met hun headset het werk voortzetten waaraan nooit een einde komt – *de verheffing van de Amerikaanse samenleving* – zijn er de sproeiers: ze komen uit de grond omhoog en besproeien sputterend de noordwesthoek van Greater Los Angeles, van het vliegveld tot aan de heuvels, van downtown tot aan de stranden, het sluimerende puin van het entertainmentregime.

In Santa Monica fluisteren ze tegen Claire Silver, in de stilte van haar appartement, vlak voor het aanbreken van de dag – *hé psst* – haar rode krullen op het kussen gevlijd alsof ze zelfmoord heeft gepleegd. Ze fluisteren nog een keer – *hé psst* – en Claires wimpers bewegen heel licht; ze haalt diep adem, weet even niet waar ze is, werpt een blik op de gemarmerde schouder van haar vriendje, die breeduit ligt te slapen op zijn zeventig procent van het tweepersoonsbed. Daryl zet het slaapkamerraam achter hun bed vaak op een kier als hij laat thuiskomt, en dan wordt Claire altijd op deze manier wakker – *hé psst* – van het water dat de rotstuin buiten besprenkelt. Ze heeft de huisbaas gevraagd waarom een rotstuin 's

25

ochtends om vijf uur water moet krijgen (waarom hij überhaupt water moet krijgen), maar uiteindelijk gaat het natuurlijk helemaal niet om die sproeiers.

Claire is nog niet wakker of ze hunkert naar informatie; op de tast zoekt ze haar BlackBerry op het overvolle nachtkastje, neemt een digitaal shot. Veertien mails, zes tweets, vijf vriendschapsverzoeken, drie sms'jes, en haar agenda – het hele leven in je handpalm. Ook algemene informatie: vrijdag, 19 graden, oplopend tot 23. Vijf telefoontjes voor vandaag in de agenda. Zes *pitch meetings*. En dan ziet ze, in de stortvloed aan informatie, een mailtje dat haar leven zal veranderen, van affinity@arc.net. Ze klikt het aan.

Beste Claire,

Nogmaals dank voor je geduld in dit langdurige proces. Bryan en ik zijn beiden zeer enthousiast over je cv en de indruk die we tijdens het sollicitatiegesprek van je kregen en we zouden graag nog wat langer met je praten. Heb je vanochtend misschien tijd voor een kop koffie?

Hartelijke groet,
James Pierce
Museum of American Screen Culture

Claire schiet overeind. Allejezus. Ze willen haar die baan aanbieden. Of toch niet? *Nog wat langer met je praten?* Ze hebben al twee sollicitatiegesprekken gevoerd; waar willen ze het in godsnaam nog meer over hebben? Zou dit het zijn? Is dit de dag dat ze haar droombaan gaat opzeggen?

Claire is *chief development assistant* van de legendarische filmproducent Michael Deane. Die titel stelt niets voor – haar taak bestaat enkel uit assisteren, er komt geen *development* bij kijken, en ze is al helemaal geen *chief*. Ze bedient Michael op zijn wenken. Beantwoordt zijn telefoontjes en zijn mails, haalt broodjes en koffie voor hem. Het belangrijkste is het leeswerk dat ze voor hem verricht: stapels scripts en synopsissen, wervende teksten en draaiboeken – een overstelpende hoeveelheid materiaal dat nergens toe leidt.

Ze had er zo veel meer van verwacht toen ze haar doctoraal-studie filmwetenschap eraan gaf om te gaan werken voor een man die in de jaren tachtig en negentig bekendstond als 'Deane – de man die de dienst uitmaakt in Hollywood'. Ze had films willen maken – intelligente, ontroerende kwaliteitsfilms. Maar toen ze drie jaar eerder was aangetreden, bevond Michael Deane zich net in het diepste dal van zijn carrière – het enige recente succes waar hij op kon bogen was de onafhankelijke zombiehit *Night Ravagers*. In de drie jaar dat Claire bij Deane Productions werkte hadden ze geen enkele andere film gemaakt; sterker nog, hun enige productie was een televisieprogramma: de succesvolle realityshow en de daarbij behorende datingsite Hookbook. (Hookbook.net).

En met het doorslaande succes van deze cross-media gruwel is het fenomeen film bij Deane Productions verworden tot een vage herinnering. En dus slijt Claire haar dagen met het aanhoren van pitches voor televisieprogramma's die zo stuitend zijn dat ze bang is eigenhandig het einde der tijden te bespoedigen: *Rolmodel* ('We zetten zeven fotomodellen in een huis vol corpsballen!') en *Nimfonachten* ('We filmen de dates van mensen die zijn gediagnosticeerd als seksverslaafd!') en *Een huis vol dronken dwergen* ('Ja, het gaat om een huis... vol dronken dwergen!')

Michael drukt haar voortdurend op het hart dat ze haar verwachtingen moet bijstellen, dat ze haar elitaire houding moet laten varen, dat ze de cultuur moet nemen voor wat zij is, dat ze het begrip 'kwaliteit' ruimer moet definiëren. 'Als je zo nodig iets met kunst wilt,' mag hij graag zeggen, 'ga je toch lekker solliciteren in het *Loe-vruh*.'

Dat heeft ze dus min of meer gedaan. Een maand geleden heeft Claire gesolliciteerd op een vacature die ze op een website zag staan, voor een 'conservator in een nieuw, particulier filmmuseum'. En nu, bijna drie weken na haar sollicitatiegesprek, lijkt het erop dat de zelfverzekerde zakenmannen in de raad van bestuur van het museum haar de baan willen aanbieden.

Misschien is het wel iets om over na te denken, maar niet al te lang: bij het beoogde Museum of American Screen Culture (MASC) zal ze meer verdienen en meer vrije tijd hebben, en daarnaast zal ze meer hebben aan haar UCLA-master Moving Image Archive Studies. Maar bovenal hoopt ze in deze baan weer eens haar verstand te kunnen gebruiken.

Michael wuift haar intellectuele bezwaren stelselmatig weg en zegt dat het er gewoon bij hoort, dat iedere producent een paar jaar moet ronddolen – dat ze, in Michaels bondige, onnavolgbare taaltje 'de klerezooi van het koren' moet leren scheiden, dat ze zich eerst moet bewijzen met een tiental kaskrakers om later te kunnen doen wat ze echt wil. En daar staat ze dan, op een van de belangrijke kruispunten in het leven: gewoon maar kijken hoever ze kan komen met het grove geschut en haar droom om ooit een echt mooie film te maken, of in alle rust relikwieën catalogiseren uit een tijd dat er nog echt belang werd gehecht aan film.

Wanneer Claire voor dergelijke keuzes staat (school, vriendjes, universiteit) maakt ze voor-tegenlijstjes, zoekt ze naar tekenen, sluit ze deals – en ook nu sluit ze een deal, met zichzelf, of met de voorzienigheid: *of er dient zich vandaag een goed, levensvatbaar idee aan voor een film – of ik neem ontslag.*

Het is natuurlijk een deal van niks. Michael is ervan overtuigd dat er tegenwoordig alleen nog maar geld valt te verdienen met televisie en hij heeft dan ook al twee jaar lang elke filmpitch, elk script en elk draaiboek afgewezen. En alles wat zíj ziet zitten wijst hij van de hand als te duur, te obscuur, te gedateerd, niet commercieel genoeg. En alsof dat allemaal nog niet genoeg is om de doorslag te geven, is het ook nog eens Wild Pitch Friday: de laatste vrijdag van de maand, waarop er in het wilde weg gepitcht kan worden door al Michaels oude makkers en collega's, en door allerlei uitgebluste en uitgerangeerde types die hun beste tijd hebben gehad of juist hopen dat hun beste tijd nog gaat komen. En op deze Wild Pitch Friday hebben zowel Michael als zijn coproducent, Danny Roth, een vrije dag. Vandaag – *hé psst* – krijgt zij al die klotepitches op haar bordje.

Claire werpt een blik op Daryl, die naast haar in bed ligt te maffen. Ze voelt zich een beetje schuldig dat ze hem niets heeft verteld over die baan bij het museum; deels omdat hij bijna de hele week tot diep in de nacht was wezen stappen, deels omdat ze sowieso niet zoveel hebben gepraat, deels omdat ze overweegt ook met hem te stoppen.

'Nou?' zegt ze zachtjes. Daryl maakt een geluidje van diepe slaap – iets wat het midden houdt tussen een kreun en een piep. 'Ja,' zegt ze, 'dat dacht ik al.'

Ze staat op en rekt zich uit, loopt naar de badkamer. Maar halverwege blijft ze staan bij Daryls broek, die als een vermoeide danser op de vloer ligt, op de plek waar hij hem heeft uitgetrokken – *psst niet doen*, waarschuwen de sproeiers – maar heeft ze eigenlijk wel een keuze, een jonge vrouw op een kruispunt in haar leven, op zoek naar tekenen? Ze bukt, raapt de broek op, voelt in de zakken: zes dollarbriefjes, wat muntgeld, een luciferboekje, en... ja hoor, daar is het dan:

Een knipkaart van een tent met de ontwapenende tekst: ASSTACU-LAR: DE BESTE NAAKTDANSERESSEN VAN SOUTHLAND. Daryls verzetje. Ze draait het kaartje om. De finesses van de entertainmentindustrie voor volwassenen zijn niet aan Claire besteed, maar ze heeft het idee dat ASSTACULAR, met zo'n knipkaart, niet bepaald het Four Seasons onder de toplesstenten is. Ach, kijk: nog twee knipjes en Daryl heeft recht op een gratis lapdance. Wat fijn voor hem! Ze legt het kaartje naast de snurkende Daryl, op het kussen, in het kuiltje waar eerst haar hoofd lag.

Dan loopt Claire naar de badkamer en maakt Daryl tot onderdeel van haar deal met de Voorzienigheid, als een gijzelaar *(Als ik vandaag geen fantastisch voorstel voor een film krijg, is het striptentvriendje er geweest!)*. Ze gaat de namen in haar agenda af en vraagt zich af of er iemand tussen zit die er als door een wonder uit zal springen. Ze ziet ze als vlaggetjes op een kaart: haar afspraak van half tien die in Culver City een eiwitomelet eet terwijl hij nog een keer zijn pitch doorneemt, haar afspraak van kwart over tien die tai chi doet op Manhattan Beach, haar afspraak van elf uur die iemand bevredigt in een badkamer in Silver Lake. Het is een bevrijdende gedachte dat haar beslissing nu in hún handen ligt, dat zij er alles aan heeft gedaan, en Claire voelt zich bijna verlost als ze zich onbevangen, naakt, overgeeft aan de wispelturigheid van het Lot – of in elk geval aan de warme douche.

En dat is het moment waarop één weemoedige gedachte zich losmaakt uit haar verder zo vastberaden geest: een wens, of misschien een smeekbede, dat er tussen alle troep van die dag één... fatsoenlijke... pitch zit – één idee voor een fantástische film – zodat ze niet de enige baan waar ze ooit van heeft gedroomd de rug hoeft toe te keren.

Buiten spugen de sproeiers hun klaterlach uit over de rotstuin.

Achthonderd kilometer verderop, in Beaverton, Oregon, vraagt Claires laatste afspraak van die vrijdag, haar afspraak van vier uur, die ook naakt is, zich af wat hij zal aantrekken. Shane Wheeler, nog net geen dertig, is lang en slank, en hij heeft iets dierlijks, met zijn smalle gezicht dat wordt omlijst door een golvende zee van bruine krullen en twee bakkebaarden als tafelpoten. Shane is al twintig minuten bezig om iets bij elkaar te zoeken uit de kleren die als een hoop herfstbladeren op de grond liggen: gekreukelde polo's, merkwaardige tweedehands T-shirts, goedkope cowboyoverhemden, spijkerbroeken met smalle pijpen, spijkerbroeken met scheuren, trainingsbroeken, kakibroeken en corduroy broeken, geen van alle geschikt voor de nonchalante te-getalenteerd-om-ijdel-te-zijnuitstraling die hem het meest geschikt lijkt voor de allereerste pitch van zijn leven.

Shane wrijft afwezig over de tatoeage op zijn linkeronderarm, het woord DOEN! in krullerige gangsterkalligrafie, een verwijzing naar een favoriet Bijbelcitaat van zijn vader en, tot voor kort, Shanes lijfspreuk – *Doe alsof u het geloof heeft en het zal u toevallen.*

Zijn kijk op het leven was gekleurd door jaren sporadisch televisiekijken, door inspirerende docenten en trainers, lintjes van wetenschapskampen, medailles, voetbal- en basketbalbekers, en bovenal door twee zorgzame en plichtsgetrouwe ouders, die hun vijf voorbeeldige kinderen opvoedden met de overtuiging – sterker nog, met het geboorterecht – dat alles binnen hun bereik lag zolang ze maar in zichzelf geloofden.

Dus op de middelbare school had Shane gedaan alsof hij heel hard kon lopen en was twee keer in het schoolteam gekomen, had gedaan alsof hij tot de besten van de klas behoorde en had negens gehaald, had gedaan alsof hij een bepaalde cheerleader om zijn vinger had gewonden waarop zíj hém mee uit had gevraagd, had gedaan alsof hij topscoorder was bij Cal-Berkeley en was vervolgens toegelaten en ook Sigma Nu had hem toegelaten als aspirant-lid, had gedaan alsof hij Italiaans sprak en had een jaar in het buitenland gestudeerd, had gedaan alsof hij schrijver was en was toegelaten tot het masterprogramma creative writing aan de universiteit van Arizona, had gedaan alsof hij verliefd was en was getrouwd.

Maar de laatste tijd begon zijn overtuiging scheurtjes te vertonen – met alleen doen alsof kwam je er niet – en het was in de aanloop naar zijn scheiding geweest dat zijn aanstaande ex (*'Ik ben al dat gezeik van je zo zat, Shane...'*) alles onderuithaalde: het Bijbelcitaat dat hij en zijn vader onvermoeibaar aanhaalden, 'Doe alsof u het geloof heeft...' stónd helemaal niet in de Bijbel. Sterker nog, zij wist niet beter of het was afkomstig uit het slotpleidooi van Paul Newmans personage in *The Verdict*.

Deze informatie was niet de oorzaak van Shanes problemen, maar op de een of andere manier leek zij er wel een verklaring voor. Dat gebeurt er wanneer je je leven niet laat bepalen door God maar door David Mamet: je kunt geen baan vinden als leerkracht en je huwelijk loopt op de klippen, net op het moment dat je je studiebeurs moet gaan terugbetalen en het project waaraan je zes jaar hebt gewerkt, je masterscriptie – een boek met verhalen die een link met elkaar hebben, getiteld *Linked* – wordt afgewezen door de literair agent die je in de arm hebt genomen. (Literair agent: *Het werkt gewoon niet*. Shane: *In jouw ogen niet, bedoel je*. Literair agent: *In het Engels niet, bedoel ik*.) Gescheiden, werkloos, blut en gefnuikt in zijn literaire aspiraties, zag Shane zijn besluit om schrijver te worden als een zes jaar lange omweg naar nergens. Hij zat in de eerste dip van zijn leven en kon zelfs zijn bed niet meer uitkomen nu DOEN! niet langer een houvast was. Aan zijn moeder de taak om hem zijn bed uit te schoppen, hem over te halen antidepressiva te nemen, in de hoop zo de onbekommerde, zelfverzekerde jongeman terug te krijgen die ze samen met zijn vader had grootgebracht.

'Als we nou nog heel erg gelovig waren geweest... Maar we gingen alleen met Kerstmis en Pasen naar de kerk. Oké, je vader heeft die uitspraak uit een film van éénendertig jaar terug, en niet uit een tweeduizend jaar oud boek. Maar daarom hoeft het toch nog niet minder waar te zijn? Sterker nog, misschien is het daardoor alleen maar méér waar.'

Gesterkt door zijn moeders diepe geloof in hém, en door de lage dosering selectieve-serotonine-heropnameremmers die hij sinds enige tijd gebruikte, ervoer Shane iets wat niet anders genoemd kon worden dan een openbaring:

Was film eigenlijk niet de religie van zijn generatie – het ware geloof? Was de bioscoop niet onze tempel, de enige plek die we ieder voor zich betreden maar waar we twee uur later als één uitkomen, met dezelfde ervaring, dezelfde gestuurde emoties, dezelfde moraal? Op honderdduizenden scholen werden honderdduizenden curricula gevolgd, honderdduizenden kerken boden onderdak aan honderdduizenden sektes met wel een miljoen preken, maar in elke bioscoop in het land werd dezelfde film vertoond. En we gingen er allemaal naartoe! In die ene zomer, de zomer die je nooit zult vergeten, werd in elke bioscoop dezelfde verzameling thematische en narratieve beelden getoond – dezelfde *Avatar*, dezelfde *Harry Potter*, dezelfde *Fast and the Furious*, flakkerende beelden die zich in onze geest etsten en onze eigen herinneringen verdrongen, archetypische verhalen die onze gedeelde geschiedenis zouden gaan vormen, die ons leerden wat we van het leven konden verwachten, die onze normen en waarden bepaalden. Als dat geen religie was.

Bovendien was er met film meer geld te verdienen dan met boeken.

Dus besloot Shane zijn geluk in Hollywood te beproeven. Om te beginnen nam hij contact op met zijn vroegere schrijfdocent, Gene Pergo, die uit onvrede met zijn bestaan als docent en miskend essayist een thriller had geschreven, *Night Ravagers* (zombies scheuren in opgevoerde auto's door postapocalyptisch Los Angeles, op zoek naar overlevenden die ze tot slaaf kunnen maken), en de filmrechten had verkocht voor meer geld dan hij in tien jaar had verdiend met lesgeven en allerlei bescheiden publicaties, waarna hij halverwege het semester zijn baan als universitair docent had opgegeven. Shane zat destijds in het tweede jaar van zijn master, en iedereen sprak er schande van dat Gene was overgelopen – zowel studenten als docenten hadden er geen goed woord voor over dat Gene de kathedraal der literatuur had bezoedeld.

Shane wist Pergo op te sporen in LA, waar hij werkte aan het script van het tweede deel van wat was uitgegroeid tot een trilogie – *Night Ravagers 2: De afrekening op straat (3-D)*. Gene zei dat 'vrijwel alle studenten en collega's met wie ik ooit heb gewerkt' de afgelopen twee jaar contact met hem hadden gezocht; degenen die de meeste aanstoot hadden genomen aan zijn literaire abdicatie hadden als eerste aan de telefoon gehangen. Gene gaf Shane de naam door van een filmagent, Andrew Dunne, en twee titels van boeken over scenarioschrijven, van Syd Field en Robert McKee, en als klap op de vuurpijl noemde hij de inspirerende autobiografie van de producent Michael Deane, en dan met name het hoofdstuk over pitchen: *De methode Deane: hoe ik het moderne Hollywood heb gepitcht in Amerika en hoe ook jij je leven tot een succes kunt maken*. Er stond een zinnetje in Deanes boek – 'Er is maar één ding waarin je hoeft te geloven, en dat ben je zelf. JIJ bent het verhaal' – dat Shane weer even iets van zijn oude DOEN!-zelfvertrouwen had teruggegeven, waarop hij nog wat aan zijn pitch had geschaafd, op zoek was gegaan naar een appartement in LA en zelfs zijn oude literair agent had gebeld. (Shane: *Ik wil je even laten weten dat ik het officieel voor gezien hou met de literatuur*. Agent: *Ik zal het Nobelprijscomité op de hoogte stellen*.)

En vandaag werpt dit alles dan zijn vruchten af, met de eerste pitch van Shanes leven, bij een Hollywoodproducent, en niet de eerste de beste, maar Michael Deane in eigen persoon – dat wil zeggen, de assistente van Michael Deane, Claire Huppeldepup. Vandaag zal Shane Wheeler, met behulp van Claire Huppeldepup, zijn eerste stap zetten buiten de duistere studeerkamer van de literatuur en de felverlichte danszaal van de film betreden ... Zodra hij weet wat hij aan moet trekken. Alsof het zo is afgesproken roept Shanes moeder op dat moment naar boven: 'Je vader staat klaar om je naar het vliegveld te brengen.' Als hij niet reageert, probeert ze het nog een keer: 'Straks kom je nog te laat, lieverd.' En dan: 'Ik heb wentelteefjes voor je gemaakt.' En: 'Ben je er nog steeds niet uit wat je aan moet trekken?'

'Ik kom!' roept Shane, en uit frustratie – voornamelijk over zichzelf – geeft hij een trap tegen de hoop kleren. In de daarop volgende stoffenexplosie ziet hij de ideale outfit door de lucht zweven: een stonewashed boot-cut spijkerbroek en een cowboyhemd met schouderstukken en drukknopen. Helemaal áf met zijn motorlaarzen met dubbele gesp. Shane kleedt zich snel aan, keert zich naar de spiegel en rolt zijn mouwen zo ver op dat het uitroepteken van zijn tatoeage net zichtbaar is. 'Oké,' zegt Shane Wheeler tegen zijn aangeklede zelf, 'wij gaan eens even een film pitchen.'

Om half acht is het bomvol bij Claires vaste Coffee Bean, aan elk tafeltje zit een norse, blanke scenarioschrijver met bril, elke bril gericht op een Mac Pro laptop, op het beeldscherm van elke Mac Pro is een Definitieve Versie van een Script geopend – op één tafeltje na, dan, want aan het kleine tafeltje helemaal achterin zitten twee frisse zakenmannen in pak, met tegenover hen een stoel die ze voor haar hebben vrijgehouden.

Claire loopt erheen en de ogen van de Coffee Bean-scenarioschrijvers gaan naar haar rokje. Ze heeft een hekel aan hoge hakken, voelt zich net een beslagen paard. Dan is ze bij het tafeltje en ze glimlacht terwijl zij opstaan. 'Dag, James. Dag, Bryan.'

Ze gaan zitten en bieden hun excuses aan dat het zo lang heeft geduurd voordat ze iets lieten horen, maar verder verloopt het gesprek precies zoals ze had verwacht – *goed cv, prachtige getuigschriften, indruk gemaakt tijdens sollicitatiegesprek.* Ze hebben een vergadering gehad met het voltallige bestuur van het museum, en na langdurig overleg (ze hebben iemand anders gevraagd maar die heeft bedankt, veronderstelt ze) hebben ze besloten haar de baan aan te bieden. En op dat moment knikt James even naar Bryan, die haar over het ronde tafeltje een manilla envelop toeschuift. Claire pakt de enveloppe en maakt de flap een heel klein stukje open, net voldoende om de woorden 'geheimhoudingsverklaring' te zien. Voor ze verder kan gaan steekt James een waarschuwende hand op. 'Ik moet je nog één ding vertellen voor je naar ons bod kijkt', zegt hij, en voor het eerst verbreekt één van hen het oogcontact: Bryan kijkt om zich heen, of er niemand meeluistert.

Shit. Claire gaat haastig worstcasescenario's af: *Ze krijgt uitbetaald in cocaïne; ze moet eerst de interim-conservator omleggen; het is een* pornofilmmuseum...

In plaats daarvan zegt James: 'Claire, wat weet jij van Scientology?'

Tien minuten later – nadat ze een weekend heeft weten te bedingen om over hun genereuze aanbod na te denken – rijdt Claire naar haar werk en denkt: Dit verandert niets aan de zaak, toch? Oké, haar droomfilmmuseum is een dekmantel voor een sekte – nee wacht, dat is niet terecht. Ze kent mensen die lid zijn van de Scientology-kerk en die zijn niet enger dan de stijve lutheranen in de familie van haar moeder of de seculiere joden in de familie van haar vader. Maar zal niet iedereen het zo zien? Dat ze een museum beheert vol rotzooi die Tom Cruise aan niemand kon slijten tijdens zijn *garage sale*?

James was er heel stellig over dat het museum geen banden zou hebben met de Scientologykerk, afgezien van het startkapitaal; dat de aanvankelijke collectie zou bestaan uit donaties van enkele leden, maar dat zij het grootste deel van de collectie zou mogen aankopen. 'Voor de kerk is dit een manier om iets terug te doen voor de film-industrie, die jaar in, jaar uit zo goed is geweest voor onze leden', zei Bryan. En ze vonden haar ideeën geweldig – interactieve computer graphics-tentoonstellingen voor kinderen, een stommefilmkelder, een wekelijks roterend filmprogramma, één keer per jaar een thematisch filmfestival. Ze slaakt een zucht; waarom moeten het nou uitgerekend aanhangers van Scientology zijn?

Claire peinst erover tijdens het rijden – puur instinctief, als een zombie. Het ritje naar de studio is een soort tweede natuur – een doolhof van afslagen en voorsorteervakken, vluchtstroken, carpoolwisselstroken, straten in woonbuurten, steegjes, fietspaden en parkeerplaatsen, zo ontworpen dat ze elke dag precies achttien minuten nadat ze de deur uit is gegaan bij de studio aankomt. Met een knikje naar de bewaker rijdt ze door het hek het studioterrein op en parkeert haar auto. Ze grist haar tas van de passagiersstoel en loopt naar het kantoor; zelfs haar voetstappen lijken in dubio (*weggaan, blijven, weggaan, blijven*). Michael Deane Productions is gevestigd in een oud schrijvershuis op het Universalterrein, ingeklemd tussen opnamestudio's, kantoren en filmsets. Michael werkt niet langer voor Universal, maar omdat hij in de jaren tachtig en negentig zoveel omzet heeft gegenereerd, heeft men besloten hem aan te houden, als een zeis aan de muur van een maaimachinefabriek. Het onderkomen op het studioterrein maakt deel uit van een *first look*-production deal die Michael een paar jaar terug heeft gesloten, toen hij geld nodig had, een deal waarbij de studio het eerste recht verwierf op alles wat hij zou produceren (bar weinig, bleek).

Eenmaal in het kantoor doet Claire het licht aan, kruipt achter haar bureau en zet haar computer aan. Ze klikt meteen door naar de bezoekersaantallen van donderdagavond, de premières, de films die net in roulatie zijn gegaan en de films die zijn geprolongeerd, op zoek naar een hoopvol teken dat ze wellicht over het hoofd heeft gezien, een onverwachte kentering – maar de cijfers tonen al jaren hetzelfde beeld: het zijn allemaal kinderfilms en waardeloze pre-sold tekenfilms, 3D-computeranimaties, en dat alles binnen het kader van bepaalde algoritmische bezoekersaantallenvoorspellingen gebaseerd op eerdere-resultaten-trailers-posters-buitenlandsemarktonderzoeken-publieksreacties. Film is teruggebracht tot een vorm van concessieverlening, reclame voor nieuw speelgoed, het in de markt zetten van videogames. Bij een redelijke goede film wachten volwassenen gewoon drie weken totdat ze hem *on demand* thuis kunnen bekijken, of ze kijken smart-tv – waardoor de zogenaamde

36

bioscooppremière is verworden tot een uitvergrote videogame voor jongens bij wie de hormonen door het lijf gieren en hun boulimische vriendinnetje. De film – haar eerste liefde – is dood.

Ze weet nog precies wanneer de vonk oversprong: op 14 mei 1992, om één uur 's nachts, twee dagen voor haar tiende verjaardag. Ze hoorde een geluid in de woonkamer dat op lachen leek, en toen ze haar slaapkamer uitkwam zat haar vader, met in zijn hand een hoog glas vol donkere vloeistof, met tranen in zijn ogen op de bank naar een oude film te kijken – *Kom maar even bij me zitten, liefje* – en zwijgend keken ze samen naar het resterende tweederde deel van *Breakfast at Tiffany's*. Claire stond versteld van het leven dat zich aftekende op dat kleine schermpje, alsof ze zich er een voorstelling van had gemaakt zonder het ooit te hebben gekend. Dat was de kracht van film: het was een soort déjà vu-droom. Drie weken later liet haar vader het gezin in de steek om te kunnen trouwen met de rondborstige Leslie, de vierentwintigjarige dochter van zijn voormalige compagnon, maar voor Claire zou het altijd Holly Golightly zijn die haar vader had ingepikt.

We behoren niemand toe en niemand behoort ons toe.

Ze volgde filmkunde aan een kleine designopleiding en haalde vervolgens haar master aan UCLA. Net toen ze op het punt stond om daar te gaan promoveren deden zich kort achter elkaar twee gebeurtenissen voor. Om te beginnen kreeg haar vader een kleine beroerte, wat Claire confronteerde met zijn sterfelijkheid, en daarmee ook met die van haarzelf. En niet lang daarna had ze een visioen van zichzelf, over dertig jaar: een alleenstaande bibliothecaresse in een appartement vol katten, die allemaal waren vernoemd naar nouvelle vague-regisseurs (*Laat dat, Godard, dat speeltje is van Rivette…*)

Met haar *Breakfast at Tiffany's*-ambitie in gedachten stapte Claire uit het promotieprogramma en keerde het veilige academische wereldje de rug toe om tenminste een poging te wagen films te máken en ze niet alleen te analyseren.

Ze probeerde het eerst bij een van de grote *talent agencies*, waar de agent die ze te spreken kreeg haar cv nauwelijks een blik waardig keurde en zei: 'Claire, weet je wat *coverage* betekent?' De agent

37

sloeg een toon aan alsof ze het tegen een zesjarige had en legde uit dat Hollywood 'een en al bedrijvigheid was', dat er mensen rondliepen die agenten, managers, accountants en juristen in dienst hadden. Publiciteitsagenten werkten aan het image, assistenten deden van alles en nog wat, tuinmannen maaiden het gras, werksters hielden de boel schoon, au pairs voedden de kinderen op, een hondenservice liet de hond uit. En al die drukbezette mensen werden overstelpt met scripts en boeken en draaiboeken; dus het lag voor de hand dat ze daar ook iemand voor inschakelden, nietwaar? 'Claire,' zei de agent, 'ik zal je een geheimpje verklappen: Er wordt hier níéts gelezen.'

Na de films die ze onlangs had gezien, leek dat Claire niet bepaald een geheim.

Maar ze slikte haar woorden in en werd proeflezer, schreef samenvattingen van boeken, scripts en draaiboeken, vergeleek ze met kaskrakers, gaf haar mening over personages, dialogen en commerciële potentie, zodat de agenten en hun klanten niet alleen de indruk konden wekken dat ze het materiaal hadden bekeken, maar ook dat ze er een diepgravende analyse van hadden gemaakt:

Titel: TWEEDE LESUUR: DOOD
Genre: HORROR VOOR JONGVOLWASSENEN
Samenvatting: Een kruising tussen The Breakfast Club *en* Nightmare on Elm Street. *In* TWEEDE LESUUR: DOOD *moet een groep leerlingen de strijd aanbinden met een gestoorde invalleerkracht die weleens een vampier zou kunnen zijn...*

Claire was net drie maanden bezig toen ze een dikke semi-intellectuele bestseller las, een of ander slap gothic verhaal, en bij het bespottelijke deus ex machina-einde gekomen (door een storm waait er een elektriciteitsmast om en een van de kabels slaat in het gezicht van de slechterik) besloot ze het domweg... te veranderen. Het ging moeiteloos, alsof je in een kledingwinkel een rommelige stapel truien even netjes legt. In haar synopsis gaf ze de heldin een actieve rol in haar eigen redding, en daarmee was voor haar de kous af.

Maar twee dagen later ging haar telefoon. 'Michael Deane', zei een stem aan de andere kant van de lijn. 'Weet je wie ik ben?' Natuurlijk wist ze dat, al keek ze ervan op dat hij nog leefde: 'Deane, de man die de dienst uitmaakte in Hollywood', zoals men ooit zei, de man achter enkele van de belangrijkste films aan het einde van de twintigste eeuw – al die gangster- en monsterfilms, al die romantische komedies – een voormalig studiobaas en producent met een hoofdletter P, uit een tijdperk waarin die term stond voor macht en woedeaanvallen, mensen maken of breken, actrices pakken en coke snuiven.

'En jij,' zei hij, 'bent het proefleesmeisje dat nog iets heeft weten te maken van die ingebonden hoop bagger waar ik net een ton voor heb neergeteld.' En zo had ze ineens een heuse baan, maar liefst bij een heuse studio, maar liefst bij Michael Deane, als zijn chief development assistant, die tot taak had Michael weer 'op de kaart te zetten'.

Aanvankelijk kon ze haar geluk niet op. Na het moeizame geploeter tijdens haar studie was deze nieuwe baan een en al opwinding – de besprekingen, de dynamiek. Er kwamen elke dag weer nieuwe scripts binnen, draaiboeken, romans. En dan die pitches! Ze genoot echt van die pitches – *Het gaat over een man, en als hij op een ochtend wakker wordt blijkt zijn vrouw te zijn veranderd in een vampier* – de schrijvers en producenten die binnen kwamen lopen (flesjes water voor iedereen!) om hun mening te geven – *Tijdens de aftiteling zien we een ruimteschip en dan gaat het beeld over naar een man achter een computer* – en zelfs als Claire bij voorbaat al wist dat een pitch nergens in zou resulteren, vond ze het nog leuk. Het pitchen was een kunst op zich, een soort existentiële performancekunst waarin alles werd vertaald naar het heden. Het deed er niet toe hoe oud een verhaal was: een film over Napoleon werd neergezet in het heden, net als een film over de holenmens, of zelfs de Bijbel: *Het gaat over een man, Jezus, die op een dag herrijst uit de dood... een soort zombie...*

Ze was nog maar net achtentwintig en ze werkte al bij een studio, waar ze weliswaar niet deed waar ze altijd van had gedroomd, maar waar ze deed wat iedereen in het wereldje deed: overleggen, scripts lezen, pitches aanhoren – doen alsof je het allemaal even leuk vond en ondertussen talloze argumenten aandragen om er geen vervolg aan te geven. En toen gebeurde het ergst denkbare: succes...

Ze kan de pitch nog horen: *Hookbook, noemen we het. Het is een soort video-Facebook waarin we mensen aan elkaar koppelen. Wie een video op de site plaatst doet automatisch auditie voor het tv-programma. We pikken de aantrekkelijkste, geilste mensen eruit, volgen ze vanaf hun eerste date en leggen alles vast: het moment dat het aan gaat, dat het uit gaat, dat ze trouwen. Het mooiste is: het casten regelt zichzelf. We hoeven niemand ook maar een cent te betalen!*

Michael bracht het programma op een tweederangs kabelzender, en ineens had hij zijn eerste succes in tien jaar, een ranzige versmelting van tv en internet die Claire nauwelijks kon aanzien. Michael Deane was terug! En Claire begreep waarom mensen zo hun best deden niéts te verwezenlijken – want zodra je iets had neergezet was dat jouw ding, het enige wat je kon. Inmiddels hoort Claire dan ook de hele dag pitches aan voor programma's als *Eat It* (zwaarlijvige mensen die een wedstrijdje doen wie als eerste een enorm bord eten op krijgt) of *Rich MILF, Poor MILF* (hitsige vrouwen van middelbare leeftijd die worden gekoppeld aan hitsige jonge mannen).

Het was inmiddels zo erg dat ze zich zelfs verheugde op Wild Pitch Friday, de enige dag dat ze zomaar ineens een pitch voor een film voorgeschoteld kon krijgen. Helaas is het merendeel van de vrijdag-pitches afkomstig uit Michaels verleden: mensen die hij kent van de AA, mensen die hij iets verschuldigd is, of die hem iets verschuldigd zijn, mensen die hij kent van de club, voormalige golfmaatjes, voormalige cokedealers, vrouwen met wie hij in de jaren zestig en zeventig naar bed is geweest, mannen met wie hij in de jaren tachtig naar bed is geweest, vrienden van exen of van zijn drie wettige kinderen of van zijn drie oudere, allesbehalve wettige kinderen, het kind van zijn dokter, het kind van zijn tuinman, het kind van de jongen die zijn zwembad schoonhoudt, de jongen die het zwembad van zijn kind schoonhoudt.

Neem nou Claires afspraak van half tien: een man met levervlek-ken die scenario's schrijft voor tv, die in het tijdperk Reagan met Michael heeft gesquasht en die nu een realityshow wil maken over zijn kleinkinderen (hun foto's vol trots uitgespreid op de vergadertafel). 'Schattig', zegt Claire. En 'oh' en 'wat lief' en 'ja, de diagnose autisme wordt tegenwoordig wel heel makkelijk gesteld'.

Maar Claire kan zich niet beklagen over deze besprekingen, want dan wordt ze getrakteerd op Michael Deanes Preek over Loyaliteit: dat Michael Deane als een van de weinigen in deze harteloze stad nooit zijn vrienden zal vergeten, dat hij ze in de armen sluit en diep in de ogen kijkt: *Je weet dat ik je werk geweldig vind, (NAAM INVUL-LEN). Kom vrijdag maar even praten met Claire, mijn rechterhand.* Vervolgens pakt Michael een visitekaartje, zet zijn handtekening erop en drukt het de persoon in kwestie in de hand – en daarmee gaan er deuren open. Wie een gesigneerd visitekaartje van Michael Deane heeft zou naar een première kunnen, of aan het telefoonnummer van een bepaalde acteur of actrice kunnen komen, of een gesigneerde filmposter kunnen krijgen, maar wat men meestal wil is wat iedereen hier lijkt te willen: pitchen.

Pitchen staat hier gelijk aan leven. Er worden kinderen gepitcht op de betere scholen, er wordt gepitcht voor huizen die mensen niet kunnen betalen, en als iemand in de armen van de verkeerde wordt betrapt, worden er de meest onlogische verklaringen gepitcht. Ziekenhuizen pitchen kraamklinieken, crèches pitchen liefdevolle zorg, middelbare scholen pitchen succes... autoverkopers pitchen luxe, therapeuten een gevoel van eigenwaarde, masseuses een happy ending, begraafplaatsen eeuwige rust... Er komt geen einde aan het pitchen – eindeloos, opzwepend, afstompend en meedogenloos als de dood. Het hoort er net zo bij als de sproeiers in de vroege ochtend.

Een gesigneerd visitekaartje van Michael Deane geldt hier als een soort betaalmiddel – en hoe ouder hoe beter, heeft ze het idee. Als Claires afspraak van kwart over tien een visitekaartje toont uit Michaels tijd als studiobaas hoopt ze op een filmpitch, maar in plaats daarvan komt de man met een pitch voor een realityprogramma dat zo verschrikkelijk klinkt dat het weleens briljant zou kunnen zijn: 'Paranoid Palace: we nemen een aantal psychiatrisch patiënten, zetten hun medicatie stop, stoppen ze in een huis vol verborgen camera's en proberen ze helemaal gek te maken; als ze het licht aandoen gaat de muziek aan, als ze de koelkast opendoen spoelt de wc door...'

Over medicatie gesproken, haar afspraak van half twaalf lijkt met zijn medicatie te zijn gestopt: de zoon van de buren van Michael Deane komt binnen met een cape om en een opgeplakte baard, en zonder haar een blik waardig te keuren begint hij aan zijn pitch over een miniserie voor tv, over een fantasiewereld die hij helemaal in zijn hoofd heeft zitten ('Zodra ik het opschrijf gaat er iemand anders mee vandoor'), De Veraglim Quatrologie geheten – waarin Veraglim een alternatief universum is in een achtsnarige dimensie, en Quatrologie 'zoiets als een trilogie, maar dan met vier verhalen in plaats van drie'. Terwijl hij doorzaagt over de fysica van deze fantasiewereld (in Veraglim heb je een onzichtbare koning, een eeuwige opstand van centaurs, en de mannelijke penis is elk jaar een week lang stijf), werpt Claire een blik op het trillende mobieltje op haar schoot. Als ze nog een teken nodig had, zou dit er een zijn: haar waardeloze vriendje, met zijn stripclubs maar zonder werk, is net op – om tien over half twaalf – en heeft haar dit sms'je gestuurd van één woord zonder interpunctie: melk. Ze ziet voor zich hoe Daryl in zijn onderbroek voor de koelkast staat, geen melk kan vinden en dit wezenloze sms'je tikt. Denkt hij nou echt dat ze ergens een voorraadje melk heeft staan? Ze tikt wasmachine en terwijl de Veraglim-vent doorzaagt over zijn paranoia fantasiewereld vraagt Claire zich onwillekeurig af of de voorzienigheid haar in de zeik neemt, haar belachelijk probeert te maken met haar deal, door met de ergste Wild Friday Pitch ooit te komen – misschien wel de ergste dag sinds groep acht, toen ze vreselijk ongesteld was en de dromerige Marshall Aiken tijdens een potje kickbal met gemengd gym naar de uitdijende vlek in haar gymbroekje keek en naar de leraar schreeuwde: Claire bloedt leeg. Nu heeft ze het gevoel dat haar hoofd leegbloedt, dat alles uitvloeit over de vergadertafel terwijl die mafketel van wal steekt met deel twee van *De Veraglim Quatrologie (Flandor haalt zijn schaduw-sabel uit de schede!)* en er weer een sms'je van Daryl oplicht op de BlackBerry op haar schoot: *cornflakes*.

Vliegtuigbanden gieren, grijpen de landingsbaan, Shane Wheeler schrikt wakker en kijkt op zijn horloge. Moet lukken. Zijn vliegtuig heeft weliswaar een uur vertraging, maar zijn afspraak is pas over drie uur en het is maar twintig kilometer rijden. Hoelang kan het duren om twintig kilometer af te leggen? Als zijn vliegtuig bij de gate is, strekt hij zijn armen en benen, gaat van boord en loopt als in een droom door de lange, betegelde luchthavengangen, langs de bagageband en door een draaideur, naar een zonovergoten stoep, springt in een bus naar de autoverhuur, sluit aan in de rij achter de Disney-gangers (die vast dezelfde $24-huurautocoupon op internet hebben gezien), en als hij aan de beurt is schuift hij de medewerkster zijn rijbewijs en zijn creditcard toe. Ze spreekt zijn naam zo nadrukkelijk uit ('Shane Whééler?') dat hij heel even in de waan verkeert dat hij vooruit is gesneld in tijd en bekendheid, en dat zij op de een of andere manier van hem heeft gehoord – maar ze is natuurlijk gewoon blij dat ze zijn reservering heeft gevonden. We leven in een wereld van banale wonderen.

'Bent u hier voor zaken of voor vakantie, meneer Wheeler?'

'Verlossing', zegt Shane.

'Verzekering?'

Shane wijst de volledige dekking af, bedankt voor een upgrade, wil geen duur navigatiesysteem en kiest voor afleveren met een volle tank, waarna hij op pad gaat met een huurovereenkomst, een stel sleutels en een kaart die lijkt getekend door een crackverslaafde kleuter. Shane stapt in een rode Kia, schuift de bestuurdersstoel dicht naar het stuur, haalt diep adem, draait het contactsleuteltje om en oefent de eerste paar woorden van de eerste pitch van zijn leven: *Het gaat over een man die…*

Een uur later is hij op de een of andere manier alleen maar vérder van de plek waar hij moet zijn. Shanes Kia staat op het stuurslot en ook nog eens met zijn neus de verkeerde kant op, vermoedt hij (de huurprijs voor het navigatiesysteem lijkt nu een lachertje). Shane smijt de waardeloze huurautokaart weg en probeert Gene Pergo te bellen: voicemail. Hij probeert de agent te bereiken die de afspraak heeft geregeld, maar de assistente van de agent zegt: 'Sorry, ik heb Andrew even niet' – wat dat ook mag betekenen. Met tegenzin belt hij het mobiele nummer van zijn moeder, vervolgens dat van zijn vader en, tot slot hun vaste lijn. Shit, waar zijn ze? Het eerstvolgende nummer dat bij hem opkomt is dat van zijn ex. Eigenlijk is Saundra wel de láátste die hij nu zou willen bellen – maar hij is echt ten einde raad.

Kennelijk verschijnt zijn naam nog altijd op haar schermpje, want haar eerste woorden luiden: 'Ik mag hopen dat je belt om te zeggen dat je het geld hebt dat ik nog van je krijg.'

Dat is nou precies wat hij had gehoopt te voorkomen – deze hele wie-heeft-wiens-geld-over-de-balk-gesmeten- en wie-heeft-wiens-auto-gejat-discussie die hun verhouding al een jaar lang bepaalt. Hij slaakt een zucht. 'Toevallig ben ik net op pad om te zorgen dat jij je geld krijgt, Saundra.'

'Je zit toch niet weer bij de bloedbank?'

'Nee, ik zit in LA, om een film te pitchen.'

Ze lacht en begrijpt dan dat het geen grapje was. 'Wacht even. Begrijp ik goed dat je nu een film aan het schrijven bent?'

'Nee. Ik ben een film aan het pítchen. Je moet een film eerst pitchen, en dan pas ga je hem schrijven.'

'Geen wonder dat het allemaal bagger is', zegt ze. Typisch Saundra: een serveerster met de pretenties van een dichteres. Ze hebben elkaar leren kennen in Tucson, waar zij in Cup of Heaven werkte, de koffiebar waar Shane elke ochtend zat te schrijven. Hij viel voor haar benen, haar lach, het feit dat ze schrijvers op een voetstuk plaatste en bereid was hem te steunen – in die volgorde.

Zij viel voornamelijk voor zijn slappe geouwehoer, zei ze na afloop.

'Luister,' zegt Shane, 'kun je dat cultuurpessimisme even voor een andere keer bewaren en een kaart van Universal City voor me opzoeken op internet?'

'Heb je echt een afspraak in Hollywood?'

'Ja', zegt Shane. 'Met een vooraanstaand producent, op een studioterrein.'

'Wat heb je aan?'

Hij slaakt een zucht en herhaalt de woorden van Gene Pergo, dat het niet uitmaakt wat je aantrekt naar een pitch meeting ('tenzij je een bullshit-proof pak in de kast hebt hangen').

'Ik durf te wedden dat ik weet wat je aan hebt', zegt Saundra, en ze beschrijft zijn outfit, tot zijn sokken aan toe.

Shane heeft spijt dat hij haar heeft gebeld. 'Help me nou gewoon even en zeg welke kant ik op moet.'

'Hoe heet je film?'

Shane slaakt een zucht. Hij houdt zich voor dat ze niet meer getrouwd zijn; haar enigszins verbitterde cynisme heeft geen vat meer op hem. '*Donner!*'

Saundra is heel even stil. Maar ze kent zijn interesses, zijn leestafelobsessies. 'Ben je een film aan het schrijven over kannibalen?'

'Ik ga een film pítchen, zeg ik net, en hij gaat niet over kannibalen.'

Het is natuurlijk een hachelijke onderneming om een film te maken over de zogeheten Donner Party. Maar bij een pitch gaat het er allemaal om hoe je het bréngt, zoals Michael Deane schreef in het veelvuldig geciteerde hoofdstuk 14 van zijn memoires/zelfhulpklassieker, *De methode Deane*:

> Een idee is als een voorhuid. Elke eikel heeft er een. Waar het om gaat is hoe je het brengt. Ik kan zo bij Fox binnenlopen en ze een film verkopen over een restaurant dat gebakken apenballen serveert, als ik het maar goed weet te brengen.

En Shane weet precies hoe hij het moet brengen. *Donner!* wordt niet het klassieke verhaal van de Donner Party – een groep pioniers die vast komt te zitten in de bittere kou, waarna velen omkomen en ze elkaar uiteindelijk opeten – maar het verhaal van William Eddy, een meubelmaker die zich heeft aangesloten bij de Donner Party. William Eddy voert een klein groepje mensen aan, voornamelijk jonge vrouwen, dat op pad gaat om hulp te zoeken, en wanneer Eddy, na een uitputtende, heroïsche tocht door de bergen weer op krachten is gekomen – *attentie! derde akte!* – gaat hij terug om zijn vrouw en kinderen te redden! Toen Shane dit idee per telefoon pitchte bij Andrew Dunne, de agent, voelde hij gewoon hoe hij zelf werd meegezogen in de kracht van het verhaal: Uiteindelijk is het een triomftocht, zei hij tegen de agent, een heroïsch verhaal over veerkracht! Moed! Vastberadenheid! Liefde! Nog diezelfde middag had de agent een afspraak geregeld met Claire Silver, development assistant van... hou je vast... Michael Deane!

'Hm', zegt Saundra als ze het hele verhaal heeft aangehoord. 'En denk je echt dat je dat kunt slijten?'

'Jazeker', zegt Shane, en dat is ook zo. Het is een cruciale pijler van Shanes op films geïnspireerde DOEN-alsof-zelfvertrouwen: het heilige geloof van zijn generatie in een *seculier episodische voorzienigheid*, de overtuiging – gevormd door vele decennia entertainment – dat vrijwel alles na dertig of zestig of honderdtwintig minuten vol verwikkelingen op zijn pootjes terechtkomt.

'Goed dan', zegt Saundra – die er nog altijd een zwak voor heeft dat Shane tegen de klippen op in zichzelf blijft geloven – en ze vertelt hem hoe hij moet rijden. Als hij haar bedankt zegt ze: 'Succes straks, Shane.'

'Dank je', zegt Shane. En de afstandelijke, volkomen oprechte goedaardigheid van zijn ex heeft dezelfde uitwerking op hem als altijd: hij voelt zich ongekend eenzaam.

Dat was het dan. Wat een belachelijke deal: één dag om met een fantastisch idee voor een film te komen? Hoe vaak heeft Michael het niet tegen haar gezegd: *We werken niet in de film business, we werken in de buzz business.* Oké, de dag is nog niet helemaal voorbij, maar haar afspraak van kwart voor drie zit aan een korstje op zijn voorhoofd te pulken terwijl hij een politieserie pitcht (*Het gaat over een agent –* pulk *– een zombie-agent*) en Claire heeft het gevoel alsof er binnen in haar iets afsterft, het einde van een zeker optimisme. Haar afspraak van vier uur lijkt het te laten afweten (ene Shawn Weller...) en als Claire een blik op haar horloge werpt – tien over vier – is het met slaperige, waterige ogen. Dat was het dan. Het zit erop. Ze zal niet tegen Michael over haar ontgoocheling beginnen – wat heeft dat voor zin? Ze zal braaf haar laatste twee weken uitdienen, haar spullen inpakken en dit kantoor verlaten om souvenirs te gaan beheren voor de Scientologykerk.

En Daryl? Zet ze vandaag ook een punt achter hun relatie? Kan ze dat opbrengen? Ze heeft al eerder geprobeerd het uit te maken, maar het is haar nooit gelukt. Alsof je soep probeert te snijden – je hebt nergens houvast. Zij zegt bijvoorbeeld: *Daryl, we moeten praten*, waarop hij even lacht, zoals alleen hij dat kan, en voor ze er erg in heeft liggen ze in bed. Ze vermoedt zelfs dat hij het wel opwindend vindt. Als zij zegt *Ik weet niet of dit wel zo'n goed idee is*, trekt hij zijn shirt uit. Als ze haar beklag doet over de striptenten kijkt hij haar geamuseerd aan. Zij: *Beloof je dat je er niet meer naartoe gaat?* Hij: *Ik beloof dat* jij *er niet naartoe hoeft*. Hij maakt nooit ruzie, liegt nooit, trekt zich nooit ergens iets van aan; hij eet, ademt, neukt. Hoe moet je de banden verbreken met iemand die zich nooit bindt?

Ze heeft hem leren kennen bij wat nu de enige film lijkt te zijn waar ze ooit aan zal hebben meegewerkt – *Night Ravagers*. Claire heeft altijd al een zwak gehad voor inkt en Daryl, die het toneel op kwam lopen (slingeren? wankelen?) als zombie nummer 14, had van die brede, gespierde armen vol tattoos. Tot dan toe had ze altijd intelligente, gevoelige vriendjes gehad (waardoor haar eigen intelligente gevoeligheid overbodig leek) en een paar keer van die snelle zakenjongens (met hun ambitie als een tweede pik). Ze had het nog nooit gedaan met het type werkloze acteur. En was dat niet het hele idee geweest, toen ze uit de academische cocon kroop: in contact komen met het gevoel, het aardse? En aanvankelijk werd die belofte van het aardse/het gevoel helemaal waargemaakt (ze herinnert zich nog dat ze zich afvroeg: *Is hij de eerste die me aanraakt?*). Zesendertig uur later, toen ze helemaal voldaan in bed lag met de knapste man met wie ze het ooit had gedaan (soms vindt ze het lekker om alleen maar naar hem te kijken), zei Daryl tussen neus en lippen door dat zijn vriendin hem er net uit had gezet en dat hij nergens terecht kon. Nu, bijna drie jaar later, is *Night Ravagers* nog altijd het hoogtepunt van Daryls carrière, en is zombie nummer 14 nog altijd een lekker stuk in haar bed. Nee, ze gaat het niet uitmaken met Daryl. Niet vandaag. Niet na de Scientology-lui en de trotse opa's, de mafkezen, de zombie-agenten en de korstjespulkers. Ze geeft Daryl nog één kans, ze gaat zo naar huis, geeft hem een biertje, kruipt lekker tegen hem aan, tegen zijn brede, gespierde schouder; ze gaan lekker samen tv kijken (hij is dol op die programma's op Discovery Channel, met vrachtwagens die over het ijs rijden) en dan zal ze vanzelf weer een beetje het gevoel krijgen dat ze leeft, al is dat gevoel nog zo broos. Nee, het is niet het leven waar mensen van dromen, maar het is het leven dat zovele Amerikanen leiden, een heel volk van *Night Ravager*-zombies die langs de einder rijden, de olieproductie tot ongekende hoogte opstuwen teneinde thuis met holle ogen naar *Ice Road Truckers* en *Hookbook* te kunnen kijken op een 55 inch flatscreentelevisie (die Daryl de Sammy Hagar noemt, vanwege Hagars hit *I Can't Drive 55*).

Claire pakt haar jas en loopt naar de deur. Ze blijft nog even staan, werpt een blik over haar schouder op het kantoor waarvan ze dacht dat ze er grootse dingen zou gaan doen – *haar naïeve Holly Golighty-droom* – en kijkt nog een laatste keer op haar horloge: 4.17 uur – en de tijd tikt door. Ze stapt naar buiten, draait de deur op slot, haalt diep adem en loopt weg.

Het klokje in Shanes gehuurde Kia geeft ook 4.17 uur aan – hij is meer dan een kwartier te laat en hij hééft het niet meer. 'Shit shit shit!' Hij bonst op het stuur. Zelfs nadat hij er uiteindelijk in was geslaagd te keren was hij verstrikt geraakt in verschillende verkeersopstoppingen en had vervolgens de verkeerde afslag genomen. Tegen de tijd dat hij tot stilstand komt bij het hek van het studioterrein en de bewaker hem schouderophalend vertelt dat hij bij het ándere hek moet zijn, is hij al vierentwintig minuten te laat, en zijn zorgvuldig uitgezochte het-zal-allemaal-wel-kleren zijn nat van het zweet. Als hij bij het juiste hek staat is hij achtentwintig minuten te laat, dertig wanneer hij eindelijk zijn identiteitsbewijs terugkrijgt van de bewaker, met trillende handen een parkeerkaartje op zijn dashboard kwakt en het parkeerterrein op draait.

Shane bevindt zich op slechts zestig meter afstand van Michael Deanes bungalow, maar hij stapt aan de verkeerde kant uit zijn auto, doolt rond tussen de enorme opnamestudio's – de schoonste pakhuizenbuurt ter wereld – en loopt uiteindelijk in een cirkel, totdat hij bij een groepje bungalows komt waar net een treintje voorbijkomt vol toeristen met heuptasjes, die een rondleiding krijgen over het studioterrein, camera's en mobiele telefoons in de aanslag terwijl ze luisteren naar de met een microfoontje uitgeruste gids, die de meest onwaarschijnlijke verhalen opdist over de magie van vervlogen tijden. De mensen-met-fototoestel luisteren ademloos, in de hoop een link te kunnen leggen met hun eigen verleden (*O ja, geweldig programma was dat!*). Wanneer Shane enigszins onvast op hun treintje af komt lopen halen de naar sterren smachtende toeristen zijn warrige haar, brede bakkebaarden en scherpe, gespannen gelaatstrekken door de database van duizenden sterren die ze in hun hoofd hebben zitten – *Is het een Sheen? Een Baldwin? Een ster die net is afgekickt?* – en hoewel ze Shanes op een vreemde manier aantrekkelijke uiterlijk niet kunnen plaatsen, nemen ze voor alle zekerheid toch maar een paar foto's.

De gids ratelt in zijn headset en vertelt de treintjesmensen in iets wat aan Engels verwant is dat een beroemde hooglopende ruzie uit een bekende televisieserie is gefilmd 'op deze legendarische plek', en als Shane op de gids afstapt geeft die met een handgebaar te kennen dat hij eerst even zijn verhaal wil afmaken. Badend in het zweet, bijna in tranen, zwelgend in zelfverachting en met een haast onbedwingbaar verlangen zijn ouders te bellen – zijn DOEN!-lijfspreuk niet meer dan een vage herinnering – kijkt Shane strak naar het naambordje van de gids: ANGEL.

'Mag ik even?' zegt Shane.

Angel legt een hand over het microfoontje van de headset en zegt met een zwaar accent: 'Wat mot je?' Angel is ongeveer net zo oud als hij, dus probeert Shane het op de kameraadschappelijke toon van mannen van eind twintig. 'Gast, ik ben veel te laat. Weet jij waar Michael Deane zit?'

Om een of andere reden lijkt die vraag reden voor een andere toerist om een foto van Shane te maken. Angel gebaart alleen heel kort met zijn duim en laat het treintje optrekken, waardoor er een bord zichtbaar wordt, met een pijl naar een bungalow: MICHAEL DEANE PRODUCTIONS.

Shane kijkt op zijn horloge. Zesendertig minuten te laat inmiddels. Shit shit shit. Hij rent de hoek om en dan is hij er – maar voor de deur staat een oude man met een stok. Heel even denkt Shane dat het Michael Deane is, al had de agent gezegd dat Deane niet bij het gesprek aanwezig zou zijn, dat alleen zijn development assistant er zou zijn, Claire Huppeldepup. En het is Michael Deane ook helemaal niet. Het is gewoon een oude vent, ergens in de zeventig, in een donkergrijs pak en met een antracietkleurige gleufhoed op, een stok aan zijn arm gehaakt, een visitekaartje in de hand. Terwijl Shanes schoenen op het asfalt tikken, draait de oude man zich om en neemt zijn hoed af. Hij blijkt een stevige bos blauwachtig grijs haar te hebben en ogen met een opmerkelijke kleur, koraalblauw.

Shane schraapt zijn keel. 'Gaat u naar binnen? Want ik... Ik ben veel te laat.'

De man steekt hem een visitekaartje toe: verweerd, vlekkerig en gekreukeld, met vage letters. Het is een kaartje van een andere studio, 20th Century Fox, maar de naam klopt wel: Michael Deane.

'Ja, u moet hier zijn', zegt Shane. Hij laat zijn eigen Michael Deane-visitekaartje zien – het nieuwere model. 'Ziet u wel? Hij zit nu bij déze studio.'

'Ja, ik ga deze', zegt de man, met een zwaar Italiaans accent – Shane kan het thuisbrengen omdat hij een jaar in Florence heeft gestudeerd. Hij wijst op het kaartje van 20th Century Fox. 'Ze zeggen, ga deze.' Hij wijst naar de bungalow. 'Maar... is dicht.'

Shane kan het niet geloven. Hij loopt om de man heen en voelt aan de deur. Inderdaad, op slot. Einde verhaal.

'Pasquale Tursi', zegt de man, en hij steekt zijn hand uit.

Shane schudt hem de hand. 'Grote Eikel', zegt hij.

Claire heeft Daryl een sms'je gestuurd, waar hij trek in heeft. Zijn antwoord, *kfc*, wordt gevolgd door een tweede berichtje: *ruwe versie hookbook* – ze heeft Daryl verteld dat ze van plan zijn een ongecensureerde, pikantere versie van de show uit te zenden, met alle naaktbeelden en alle ranzige rotzooi die niet op de gewone televisie kan. Goed dan, denkt ze. Ze gaat wel even terug om die apocalyptische tv-show op te halen, rijdt snel naar de KFC drive-through, kruipt lekker weg bij Daryl en bedenkt maandag wel hoe het verder moet met haar leven. Ze keert, de bewaker gebaart dat ze kan doorrijden, en ze zet haar auto op de parkeerplaats boven Michaels bungalowkantoor. Als Claire Silver naar het kantoortje loopt om het ruwe materiaal te halen, ziet ze in de bocht van het pad niet één kansloze Wild Friday Pitch voor de deur van de bungalow staan... maar twee. Ze blijft staan, speelt met de gedachte weer weg te gaan.

Soms probeert ze zich een beeld te vormen van de Wild Friday Pitchers, en dat doet ze nu ook: ragebol bakkebaarden in voorgescheurde spijkerbroek en nep-cowboyhemd? *De zoon van Michaels vroegere cokedealer.* En de oude man met het zilvergrijze haar, de blauwe ogen en het donkergrijze pak? Lastiger. *Een of andere vent die Michael in 1965 heeft leren kennen tijdens het kontlikken op een of andere orgie bij Tony Curtis thuis?*

De nerveuze jonge man ziet haar aan komen lopen. 'Bent u Claire Silver?'

Nee, denkt ze. 'Ja', zegt ze.

'Ik ben Shane Wheeler en het spijt me echt verschrikkelijk. Er stonden files en ik ben verdwaald en... Zou onze afspraak misschien alsnog door kunnen gaan?'

Ze kijkt met een hulpeloze blik naar de oudere man, die zijn hoed afneemt en het visitekaartje laat zien. 'Pasquale Tursi', zegt hij. 'Ik zoek... meneer Deane.'

Lekker: twee hopeloze gevallen. Een knul die de weg niet weet in LA, en een Italiaan die een tijdreis heeft gemaakt. De mannen kijken haar allebei strak aan, steken haar Michael Deanes visitekaartjes toe. Ze pakt de kaartjes aan. Zoals te verwachten is het kaartje van de jonge man nieuwer. Ze draait het om. Onder Michaels handtekening staat een krabbel van Andrew Dunne, de agent. Ze heeft Andrew nog niet zo heel lang geleden genaaid, niet in de zin dat ze met hem naar bed is geweest – dat zou nog tot daar aan toe zijn – maar ze heeft hem gevraagd om nog even te wachten met het naar buiten brengen van een demo voor *If the Shoe Fits*, het nog niet nader uitgewerkte modeprogramma van een van zijn cliënten, zodat Michael er nog even over kon nadenken. Uiteindelijk nam Michael een optie op een concurrerend programma, *Shoe Fetish*, waarna het idee van Andrews klant zo de prullenbak in kon. Het krabbeltje van de agent: 'Hopelijk vind je het wat!' Een pitch om haar terug te pakken: Dit wordt echt een nachtmerrie.

Het andere visitekaartje is een raadsel, het oudste Michael Deane-visitekaartje dat ze ooit onder ogen heeft gehad, vervaagd en gekreukeld, van Michaels allereerste studio, 20th Century Fox. Het is de functie die het hem doet – publiciteit? Is Michael begonnen als publiciteitsmedewerker? Hoe oud is dit kaartje?

Echt, als Daryl niet *kfc* en *ruwe versie hookbook* had ge-sms't, had ze deze lui het liefst gezegd dat ze het verder wel konden vergeten – ze had die dag al genoeg aan liefdadigheid gedaan. Maar dan denkt ze weer aan de voorzienigheid en de deal die ze heeft gesloten. Wie zal het zeggen? Wie weet heeft een van deze twee... vooruit dan maar. Ze draait de deur van het slot en vraagt nogmaals naar hun naam. Snel en shabby = Shane. Puilende ogen = Pasquale.

'Nou, kom allebei maar mee naar de vergaderkamer', zegt ze.

In de vergaderkamer zitten ze onder posters van Michaels klassiekers (*Mind Blow*; *The Love Burglar*). Geen tijd voor allerlei plichtplegingen; het is de eerste pitch meeting ooit waar geen flesjes water worden uitgereikt. 'Meneer Tursi, misschien wilt u beginnen?'

Hij kijkt om zich heen, in de war. 'Meneer Deane... is niet hier?' Hij heeft een zwaar accent, alsof hij op elk woord kauwt.

'Ik vrees dat hij er vandaag niet is, nee. Bent u een oude vriend van hem?'

'Ik ken hem...' Hij kijkt strak naar het plafond. *'Eh, nel sessant-adue.'*

'Negentientweeënzestig', zegt de jongere man. Als Claire hem onderzoekend aankijkt, haalt Shane zijn schouders op. 'Ik heb een jaar in Italië gestudeerd.'

Claire heeft een beeld voor ogen van Michael en deze oude man, die destijds in een convertible door Rome toerden, met Italiaanse actrices naar bed gingen en grappa dronken. Nu kijkt Pasquale Tursi verdwaasd om zich heen. 'Hij zegt... ooit... *ik iets kan doen voor jou.*'

'Ja, natuurlijk', zegt Claire. 'Ik beloof u dat ik Michael over uw pitch zal vertellen. Als u nou eens gewoon bij het begin begint.'

Pasquale knijpt zijn ogen tot spleetjes, alsof hij het niet begrijpt. 'Mijn Engels... is lang...'

'Het begin', zegt Shane tegen Pasquale. '*L'inizio.*'

'Het gaat over een man...' helpt Claire hem op weg.

'Een vrouw', zegt Pasquale Tursi. 'Zij komt naar mijn dorp, Porto Vergogna... in...' Hij kijkt Shane vragend aan.

'Negentien tweeënzestig?' zegt Shane weer.

'Ja. Zij is... mooi. En ik maak... eh... strand, ja? En tennis?' Hij wrijft over zijn voorhoofd, het verhaal dreigt hem al te ontglippen. 'Zij is... in de film?'

'Een actrice?' vraagt Shane Wheeler.

'Ja.' Pasquale Tursi knikt en staart voor zich uit.

Claire werpt een blik op haar horloge en doet haar best deze pitch op gang te helpen. 'Goed... er komt dus een actrice naar dat plaatsje en ze wordt verliefd op de man die een strand aanlegt?'

Pasquale kijkt weer naar Claire. 'Nee. Voor mij... misschien, ja. E– *l'attimo,* ja?' Met zijn ogen zoekt hij steun bij Shane. '*L'attimo che dura per sempre.*'

'Het moment dat eeuwig duurt', zegt Shane zachtjes.

'Ja', knikt Pasquale. 'Eeuwig.'

Claire is getroffen door de opeenvolging van die woorden, *moment* en *eeuwig.* Wel iets anders dan KFC en Hookbook. Ineens is ze razend – op haar naïeve ambitie en haar romantische inborst, op het feit dat ze altijd voor de verkeerde mannen valt, op die gestoorde Scientology-lui, op haar vader die naar die stomme film zat te kijken en hem vervolgens smeerde, op zichzelf omdat ze terug is gegaan naar kantoor – op zichzelf omdat ze maar blijft hopen dat alles beter wordt. En op Michael, die achterlijke Michael met zijn achterlijke werk en zijn achterlijke visitekaartjes en zijn achterlijke oude vrienden en die achterlijke verplichtingen aan al die achterlijke lui die hij ooit heeft genaaid in de tijd dat hij naaide wat er maar te naaien viel.

Pasquale Tursi slaakt een zucht. 'Ze was ziek.'

Claire loopt rood aan van ongeduld. 'Wat had ze dan? Lupus? Psoriasis? Kanker?'

Bij het woord kanker kijkt Pasquale op en mompelt in het Italiaans: '*Sì. Ma non è così semplice...*'

En op dat moment valt die knul, Shane, hen in de rede. 'Eh, mevrouw Silver? Ik geloof niet dat dit een pitch is.' En hij zegt heel langzaam, in het Italiaans, tegen de man: '*Questo è realmente accaduto? Non in un film?*'

Pasquale knikt. '*Sì. Sono qui per trovarla.*'

'Ja, dit is echt gebeurd', zegt Shane tegen Claire. Hij richt zich weer tot Pasquale. '*Non l'ha più vista da allora?*' Pasquale schudt nee en Shane keert zich weer tot Claire. 'Hij heeft die actrice bijna vijftig jaar geleden voor het laatst gezien. Hij is hier om haar te zoeken.'

'*Come si chiama?*' vraagt Shane Wheeler.

De Italiaan kijkt van Claire naar Shane, en weer terug. 'Dee Moray', zegt hij.

En Claire voelt iets trekken in haar borstkas, alsof er diep vanbinnen iets verschuift, alsof er een scheurtje ontstaat in haar zwaar bevochten cynisme, het gevoel van onrust dat ze op afstand probeert te houden. De naam van de actrice zegt haar niets, maar de oude man lijkt ineens een ander mens nu hij de naam heeft uitgesproken, alsof hij dat in geen jaren meer heeft gedaan. Ook bij haar maakt de naam iets los – met een schok herkent ze iets van het romantische verlangen, die woorden, *moment* en *eeuwig* – alsof ze vijftig jaar hunkering vóélt in die ene naam, vijftig jaar van een verlangen dat ook in haar sluimert, dat misschien wel in iedereen sluimert totdat het wordt opgerakeld, en het is zo'n beladen moment dat ze strak naar de grond moet kijken omdat ze de tranen voelt branden in haar ogen, en als Claire heel even zijdelings naar Shane kijkt ziet ze dat hij het ook voelt, de naam die heel even in de lucht blijft hangen... tussen hen drieën in... om dan als een afgevallen blad naar de vloer te dwarrelen, terwijl de Italiaan het rustig gadeslaat, en Claire verwacht, hoopt, bidt dat de oude man de naam nog een keer zal zeggen, nu iets zachter – om het belang ervan te onderstrepen, zoals vaak in scenario's gebeurt – maar hij doet het niet. Hij staart naar de vloer, waar de naam is neergedwarreld, en Claire Silver bedenkt dat ze veel te veel waardeloze films heeft gezien.

3
Hotel Redelijk Uitzicht

April 1962
Porto Vergogna, Italië

Hij had de hele dag gewacht tot ze naar beneden zou komen, maar die eerste middag en avond bleef ze in haar kamer op de tweede verdieping. Dus ging Pasquale maar aan het werk, als je het werk kon noemen – het had meer weg van het ondoorgrondelijke gedrag van een waanzinnige. Maar Pasquale wist niet goed wat hij anders moest doen, en gooide stenen op de golfbreker in de baai, hakte verder aan zijn tennisbaan en keek zo nu en dan op naar de witgeverfde luiken voor haar ramen. Zo tegen het einde van de middag, toen de wilde katten op de stenen lagen te zonnen en een fris briesje kleine golfjes maakte in het zeewater, ging Pasquale naar het piazza om in zijn eentje een sigaret te roken, nog voordat de vissers er wat kwamen drinken. Op de bovenste verdieping van Redelijk Uitzicht klonk geen enkel geluid, uit niets bleek de aanwezigheid van de mooie Amerikaanse, en opnieuw was Pasquale bang dat hij het allemaal had verzonnen – Orenzio's boot die op hoge snelheid de baai in kwam, de lange, slanke Amerikaanse die over de smalle trap naar de mooiste kamer van het hotel liep, op de tweede verdieping, die de luiken openzwaaide, de zilte lucht inademde, het allemaal 'schitterend' vond, en Pasquale zelf die zei dat ze het vooral moest zeggen als hij haar ergens mee 'van dienst kon zijn', haar 'dank je wel', waarna ze de deur dichtdeed en hij in zijn eentje de kleine, donkere trap afdaalde.

Tot Pasquales afgrijzen maakte zijn tante Valeria voor het avondeten haar befaamde *ciuppin*, een soep van zeebaars, tomaten, witte
wijn en olijfolie.

'Je denkt toch niet dat ik een Amerikaanse filmster die smerige
vissenkopstoofpot voorzet?'

'Als het haar niet zint, kan ze vertrekken', zei Valeria. Dus toen
de vissers tegen de schemering hun boot op het droge trokken, liep
Pasquale over de smalle trap die in de rotswand was uitgehakt. Hij
klopte zachtjes op de deur op de tweede verdieping.

'Ja?' riep de Amerikaanse aan de andere kant van de deur. Hij
hoorde de springveren van het bed kraken.

Pasquale schraapte zijn keel. 'Het spijt me ik storen. U eet anti-
pasti en zeep, ja?'

'Zeep?'

Pasquale was boos dat hij zijn tante niet had weten over te halen
iets anders te maken dan die ciuppin. 'Ja. Is zeep. Met vis en *vino*.
Viszeep?'

'O, soep. Nee. Nee, dank je. Ik geloof niet dat ik al iets kan eten',
zei ze, haar stem gesmoord achter de deur. 'Ik voel me nog niet goed
genoeg.'

'Ja', zei hij. 'Ik begrijp.'

Hij liep de trap af en herhaalde stilletjes het woord *soep*. Op zijn
eigen kamer, op de eerste verdieping, at hij het eten van de Amerikaanse op. De ciuppin was best lekker. De postboot bracht nog altijd
een keer per week de kranten van zijn vader, en hoewel Pasquale ze
niet zo grondig las als zijn vader had gedaan, keek hij ze nu door, op
zoek naar informatie over de Amerikaanse verfilming van *Cleopatra*. Maar hij vond er niets over.

Toen hij wat later gestommel hoorde in de trattoria kwam hij zijn
kamer uit, maar hij wist wel dat het niet Dee Moray was; ze leek geen
vrouw om te stommelen. En inderdaad zaten aan beide tafels vissers, die hoopten een blik op te vangen van de spectaculaire Amerikaanse – hun pet voor zich op tafel, hun vieze haar vol brillanti-
ne, keurig glad over de schedel gekamd. Valeria zette hun soep voor,
maar de vissers waren eigenlijk alleen gekomen om met Pasquale

te praten, aangezien zij met hun boot op zee waren geweest toen de Amerikaanse arriveerde.

'Het schijnt dat ze tweeënhalve meter is', zei Lugo de Overspelige Oorlogsheld, die bekendstond om zijn twijfelachtige bewering dat hij in de Tweede Wereldoorlog van elke belangrijke speler op het Europese strijdtoneel tenminste één soldaat had gedood. 'Het is een reuzin.'

'Doe niet zo idioot', zei Pasquale, terwijl hij hun glazen vol wijn schonk.

'Wat voor vorm hebben haar borsten?' wilde Lugo in alle ernst weten. 'Zijn het ronde kolossen of zijn ze spits en puntig?'

'Ik zal jullie eens iets vertellen over Amerikaanse vrouwen', zei Tomasso de Oudere, die een neef had die met een Amerikaanse was getrouwd, wat hem tot een autoriteit maakte op het gebied van Amerikaanse vrouwen, en op elk ander gebied. 'Amerikaanse vrouwen koken maar één keer per week, maar ze pijpen al voor het huwelijk. Dus ook hier geldt dat er voor- en nadelen zijn.'

'Jullie zouden uit een trog moeten eten, als varkens!' bitste Valeria vanuit de keuken.

'Trouw met me, Valeria!' riep Tomasso de Oudere terug. 'Ik ben te oud voor seks en binnenkort ben ik waarschijnlijk doof. We zijn voor elkaar geschapen.'

De visser met wie Pasquale het het beste kon vinden, de bedachtzame Tomasso de Communist, kauwde op zijn pijp. Hij haalde hem uit zijn mond om een duit in het zakje te doen. Hij beschouwde zichzelf als een echte filmkenner, en als groot liefhebber van het Italiaanse neorealisme moest hij niets hebben van Amerikaanse films, die volgens hem de vreselijke *commedia all'italiana*-beweging in gang hadden gezet, de malle kluchten die de serieuze existentiële cinema van de late jaren vijftig hadden verdrongen. 'Hoor eens, Lugo,' zei hij, 'als het een Amerikaanse actrice is, dan draagt ze een korset in cowboyfilms en kan ze vooral goed gillen.'

'Mooi. Ik wil wel zien hoe die grote borsten zich met lucht vullen als ze gilt', zei Lugo.

'Misschien ligt ze morgen wel naakt op Pasquales strand,' zei Tomasso de Oudere, 'en dan kunnen we die enorme borsten met eigen ogen zien.'

Al driehonderd jaar lang waren de vissers in het plaatsje afkomstig uit een poel van jonge mannen die er waren geboren en getogen. De vaders lieten hun boot en uiteindelijk ook hun huis na aan hun uitverkoren zoon, gewoonlijk de oudste, die meestal was getrouwd met de dochter van een visser uit een naburig kustplaatsje, die in sommige gevallen ook in Porto Vergogna kwam wonen. Er trokken ook wel kinderen weg, maar toch bleef er altijd een zeker evenwicht in het *villagio*, en waren de huizen, een stuk of twintig, altijd bewoond. Maar na de oorlog groeide de visserij, zoals alles, uit tot een echte industrie, en legden de vissersfamilies het af tegen de grote treilnetvissers die wekelijks uitvoeren in Genua. De restaurants kochten nog wel vis van een paar oude vissers, omdat de toeristen het leuk vonden om te zien hoe de oude mannen hun vangst aan land brachten, maar eigenlijk voelde het een beetje als werken in een pretpark: het was niet het echte werk, en er zat geen toekomst in. Een hele generatie jongens uit Porto Vergogna trok weg in de hoop werk te vinden in een fabriek, in de visverwerkende industrie of in de handel, in La Spezia of in Genua of zelfs nog verder weg. De uitverkoren zoon aasde niet langer op de vissersboot; zes van de huizen stonden al leeg, waren dichtgetimmerd of gesloopt; er zouden er ongetwijfeld nog meer volgen. In februari was de jongste dochter van Tomasso de Communist, de schele Illena, met een jonge leraar getrouwd en naar La Spezia verhuisd. Tomasso had dagen lopen mokken. En op een frisse lenteochtend, toen Pasquale de oude vissers mopperend en met slepende tred naar hun boot zag lopen, drong het met een schok tot hem door: inmiddels was hij de enige inwoner onder de veertig.

Pasquale liet de vissers in de trattoria zitten en ging naar zijn moeder, die een van haar sombere perioden had en al twee weken lang weigerde uit bed te komen. Hij deed de deur open en zag hoe ze naar het plafond lag te staren, haar springerige grijze haar tegen het kussen geplakt, haar armen gekruist op haar borst, haar gezicht in de kalme doodsgrimas waarop ze zo graag mocht oefenen. 'U moet opstaan, mama. Kom uit bed en eet met ons mee.'

'Vandaag niet, Pasqo', kraste ze. 'Vandaag hoop ik te sterven.' Ze haalde diep adem en deed één oog open. 'Ik hoor van Valeria dat er een Amerikaanse in het hotel zit.'

'Ja, mama.' Hij keek naar haar doorligplekken, maar zijn tante had er al poeder op gedaan.

'Een vrouw?'

'Ja, mama.'

'Dan zijn ze er eindelijk, de Amerikanen van je vader.' Ze wierp een blik op het donkere raam. 'Hij zei dat ze zouden komen en nu zijn ze er dus. Je moet met die vrouw trouwen en naar Amerika gaan om een echte tennisbaan te maken.'

'Nee, mama. Je weet dat ik nooit...'

'Ga weg voordat dit dorp je dood wordt, zoals het ook je vaders dood is geworden.'

'Ik zou je nooit alleen laten.'

'Maak je over mij geen zorgen. Ik ga binnenkort dood en dan ben ik weer bij je vader, en bij die arme broers van je.'

'Je gaat niet dood', zei Pasquale.

'Vanbinnen ben ik al dood', zei ze. 'Je zou me de zee op moeten duwen en me moeten verdrinken, zoals die zieke oude kat.'

Pasquale vloog op. 'Je zei dat mijn kat was weggelopen. Toen ik in Florence zat.'

Vanuit haar ooghoek keek ze hem aan. 'Het is maar een uitdrukking.'

'Onzin. Dat is helemaal geen uitdrukking. Hebben papa en jij mijn kat verzopen toen ik studeerde?'

'Ik ben ziek, Pasqo! Waarom kwel je me zo?'

Pasquale ging weer naar zijn kamer. Die nacht hoorde hij voetstappen op de tweede verdieping toen de Amerikaanse naar het toilet ging, maar ook de volgende ochtend kwam ze haar kamer niet uit, dus ging hij maar verder met zijn strand. Toen hij voor het middageten terugkeerde naar het hotel, zei tante Valeria dat Dee Moray naar beneden was gekomen voor een espresso, een stuk *torta*, en een sinaasappel.

'Wat zei ze?' wilde Pasquale weten.

'Hoe moet ik dat weten? Die vreselijke taal. Alsof ze een graat in haar keel heeft.'

Pasquale sloop de trap op en legde zijn oor tegen de deur, maar Dee Moray was muisstil.

Hij ging weer naar buiten, naar zijn strand, maar het viel moeilijk te zeggen of de stroming nog meer zand had meegevoerd. Hij klauterde naar boven, tot boven het hotel, naar de uitstekende stukken rots waar hij zijn tennisbaan had gemarkeerd. De zon stond hoog boven de kust en werd aan het zicht onttrokken door wolkenslierten, die de hemel afplatten en Pasquale het gevoel gaven dat hij zich onder een glasplaat bevond. Hij keek naar de paaltjes die zijn toekomstige tennisbaan markeerden en hij voelde zich een idioot. Zelfs áls hij al mallen zou weten te maken die groot genoeg waren voor de hoeveelheid beton die hij nodig had om zijn tennisbaan te effenen – aan de randen moesten ze wel twee meter hoog zijn – en als hij een deel zou weten te overspannen zodat het uit de rotswand naar voren kwam, dan nog zou hij aan de zijkant een stuk moeten opblazen met dynamiet, teneinde de noordoosthoek vlak te krijgen. Hij vroeg zich af of een kleinere tennisbaan ook een optie was. Misschien met kleinere rackets?

Hij had net een sigaret opgestoken om daarover na te denken toen hij Orenzio's mahoniehouten boot de punt bij Vernazza zag ronden. Hij zag dat de boot de korte golfslag vlak onder de kust meed en hij hield zijn adem in toen hij Riomaggiore voorbijvoer. Toen de boot dichterbij kwam zag hij dat Orenzio twee mensen aan boord had. Waren het nog meer Amerikanen die naar zijn hotel kwamen? Het was bijna te mooi om waar te zijn. Nou ja, de boot zou natuurlijk doorvaren, naar het pittoreske Portovenere, of naar La Spezia, om de punt. Maar nee, de boot minderde vaart en draaide zijn kleine baai in.

Pasquale verliet zijn tennisbaan, sprong van rotspunt op rotspunt naar beneden. Na enige tijd liep hij over het smalle paadje naar de kustlijn, maar hij vertraagde zijn pas toen hij zag dat het geen toeristen waren die Orenzio in zijn boot had, maar twee mannen: Gualfredo, de bastaard-hotelier, en een reusachtige man die Pasquale nooit eerder had gezien. Orenzio meerde af en de grote man stapte van boord. Gualfredo had een driedubbele onderkin en een grote, borstelige snor. De andere man, de reus, leek uit graniet gehouwen. In de boot sloeg Orenzio zijn blik neer, alsof hij Pasquale niet in de ogen durfde te kijken.

Toen Pasquale dichterbij kwam, stak Gualfredo zijn handen uit. 'Het is dus echt waar. De zoon van Carlo Tursi is teruggekeerd als een man, en ontfermt zich nu over de hoerenspleet.'

Pasquale grinnikte nors en kortaf. 'Dag, signor Gualfredo.' Hij had de bastaard niet eerder in Porto Vergogna gezien, maar langs de kust kende iedereen Gualfredo's verhaal: zijn moeder had een langdurige verhouding gehad met een rijke Milanese bankier, en om zich te verzekeren van haar discretie had deze bankier haar zoon, een klein boefje, aandelen gegeven in hotels in Portovenere, Chiavari en Monterosso al Mare.

Gualfredo glimlachte. 'Je hebt een Amerikaanse actrice in die oude hoerenkast van je?'

'Ja', zei Pasquale. 'We hebben weleens Amerikaanse gasten.'

Gualfredo fronste – zijn snor leek zwaar op zijn gezicht en zijn massieve nek te drukken. Hij wierp een blik op Orenzio, die deed alsof hij de motor van de boot naliep. 'Ik heb tegen Orenzio gezegd dat er een vergissing in het spel moet zijn. Deze vrouw moest natuurlijk naar mijn hotel in Portovenere. Maar hij beweert dat ze per se naar dit...' Hij keek om zich heen. 'Dat ze per se naar dit dorp wilde.'

'Ja', zei Pasquale. 'Ze houdt van rust.'

Gualfredo kwam iets dichter bij hem staan. 'We hebben het hier niet over een Zwitserse boer die op vakantie is, Pasquale. Amerikanen verwachten een bepaalde mate van comfort waarin jij niet kunt voorzien. Vooral die Amerikaanse filmlui. Geloof me: Ik zit al heel lang in dit vak. Het zou zeer te betreuren zijn als je de Italiaanse Rivièra een slechte naam bezorgde.'

'We zorgen goed voor haar', zei Pasquale.

'Dan vind je het vast niet erg dat ik even met haar ga praten, om zeker te weten dat er geen vergissing in het spel is.'

'Dat zal niet gaan', zei Pasquale, te snel. 'Ze slaapt.'

Gualfredo wierp een blik op Orenzio in de boot en keek toen weer met zijn holle ogen naar Pasquale. 'Of jij probeert me bij haar weg te houden, omdat die arme vrouw erin is geluisd door twee vrienden die misbruik hebben gemaakt van haar gebrekkige Italiaans en haar hebben overgehaald om naar Porto Vergogna te gaan in plaats van naar Portovenere, zoals de bedoeling was.'

Orenzio had zijn mond al open om tegen te sputteren, maar Pasquale was hem voor. 'Natuurlijk niet. Hoor eens, je bent van harte welkom om terug te komen als ze niet ligt te slapen en dan mag je haar vragen wat je wilt, maar je kunt haar nu niet wakker maken. Ze is ziek.'

Een glimlach drukte de uiteinden van Gualfredo's snor omhoog en hij gebaarde naar de reus aan zijn zijde. 'Ken je signor Pelle, van de toeristenbond?'

'Nee.' Pasquale probeerde de grote man in de ogen te kijken, maar dat waren niet meer dan speldenpuntjes in het vlezige gezicht. Zijn zilverkleurige pak spande om zijn kolossale lijf.

'Voor een bescheiden jaarlijkse bijdrage en een redelijke belasting kunnen alle erkende hotels gebruikmaken van de diensten van de toeristenbond; vervoer, reclame, belangenbehartiging ...'

'*Sicurezza*', voegde signor Pelle eraan toe, met een stem als een brulkikker.

'Ach ja, dank u, signor Pelle. Bescherming', zei Gualfredo, waarbij de helft van zijn borstelsnor meesmuilend de hoogte in ging.

Pasquale vroeg niet: *Bescherming waartegen?* Hij wist wel beter. Het was duidelijk dat signor Pelle bescherming bood tegen signor Pelle.

'Ik heb mijn vader nooit over die belasting gehoord', zei Pasquale, en hij zag dat Orenzio hem een waarschuwende blik toewierp. Pasquale probeerde al een tijdje uit te vogelen in welke van de talloze afpersings- en omkopingspogingen, die onlosmakelijk waren verbonden met het zakendoen in Italië, hij moest meegaan, en welke hij zonder problemen kon negeren.

Gualfredo glimlachte. 'O, reken maar dat je vader die belasting betaalde. Een jaarlijkse bijdrage en een bescheiden heffing per nacht voor buitenlandse gasten... die we niet altijd hebben geïnd omdat we er, eerlijk is eerlijk, niet van uitgingen dat er buitenlandse gasten in de hoerenspleet verbleven.' Hij haalde zijn schouders op. 'Tien procent. Stelt niets voor. De meeste hotels berekenen de heffing door aan hun gasten.'

Pasquale schraapte zijn keel. 'En als ik niet betaal?'

Nu glimlachte Gualfredo niet. Orenzio keek Pasquale indringend aan, met een waarschuwende blik in zijn ogen. Pasquale sloeg zijn armen over elkaar om te voorkomen dat ze gingen beven. 'Als je me iets zwart op wit kunt geven over die belasting, zal ik betalen.'

Gualfredo was lange tijd stil. Uiteindelijk lachte hij en keek om zich heen. 'Signor Tursi wil het graag zwart op wit hebben', zei hij tegen Pelle.

Pelle deed langzaam een stap naar voren.

'Goed dan', zei Pasquale, die zichzelf wel voor zijn kop kon schieten dat hij zich zo snel gewonnen had gegeven. 'Ik hoef het niet zwart op wit.' Hij zou willen dat hij Pelle de bullebak tot meer dan één stap had gedwongen. Hij keek over zijn schouder om zich ervan te vergewissen dat de luiken van de Amerikaanse nog gesloten waren en dat ze er geen getuige van was geweest hoe laf hij was. 'Ik ben zo terug.'

Met gloeiende wangen liep hij door de spleet naar zijn hotel. Hij kon zich niet heugen dat hij zich ooit zó had geschaamd. Tante Valeria sloeg alles vanuit de keuken gade.

'Zia', zei Pasquale. 'Betaalde mijn vader belasting aan de toeristenbond?'

Valeria, die Pasquales vader nooit had gemogen, zei honend: 'Ja, wat dacht jij dan?'

In zijn kamer paste Pasquale het geld af en op de terugweg naar het steigertje probeerde hij zijn woede te beteugelen. Pelle en Gualfredo stonden met hun gezicht naar de zee, Orenzio zat met zijn armen over elkaar in de boot.

65

Pasquales hand trilde toen hij het geld overhandigde. Gualfredo gaf een paar klopjes op Pasquales wang, alsof hij een schattig klein kind was. 'We komen wel weer terug om met haar te praten. Dan kijken we meteen even naar de toeslagen en de achterstallige belasting.' Pasquale liep weer rood aan, maar hij beet op zijn tong. Gualfredo en Pelle stapten in de mahoniehouten boot en Orenzio duwde af, waarbij hij Pasquales blik meed. De boot deinde even op de korte golfslag; toen vond de rochelende motor zijn stem en ronkten de mannen weer weg, langs de kust.

Pasquale zat te mokken op de veranda van zijn hotel. Het was die nacht volle maan en de vissers waren uitgevaren en maakten gebruik van het extra licht om de zwenkende scholen van de voorjaarstrek te vangen. Pasquale leunde over de houten balustrade die hij had gemaakt, rookte en peinsde over het smerige handeltje van Gualfredo en de reusachtige Pelle, en fantaseerde dat hij ze dapper van repliek diende (*Weet je wat jij kan doen, Gualfredo? Die belasting met je slangentong in die vette reet van je grote vriend douwen*) toen hij de scharnieren van de deur open en dicht hoorde draaien. Hij keek over zijn schouder en daar stond ze – de mooie Amerikaanse. Ze droeg een strakke zwarte broek en een witte trui. Haar haren hingen los, blonde en bruine lokken, tot over haar schouders. Ze had iets in haar handen. Volgetikte vellen papier.

'Mag ik erbij komen?' vroeg ze in het Engels.

'Ja. Is een eer', zei Pasquale. 'U voelt goed?'

'Een stuk beter, dank u. Het slapen heeft me goedgedaan. Mag ik?' Ze stak een hand uit en Pasquale wist eerst niet goed wat ze wilde. Na een tijdje haalde hij zijn sigarettenkoker uit zijn zak. Hij klapte hem open en zij pakte er een sigaret uit. Pasquale bedankte zijn handen dat ze onbewogen gehoorzaamden toen hij een lucifer afstreek en haar die voorhield.

'Ik ben blij dat u Engels wilt spreken', zei ze. 'Mijn Italiaans is vreselijk.' Ze leunde over de balustrade, nam een stevige trek en liet de rook met een zucht ontsnappen. '*Whoooooo*. Daar was ik echt aan toe', zei ze. Ze keek naar de sigaret in haar hand. 'Sterk.'

'Spaans', zei Pasquale, en toen viel er verder niets meer te zeggen.
'Ik moet vragen: u kiest voor hier te komen, ja, in Porto Vergogna?'
zei hij uiteindelijk. 'Niet Portovenere of Portofino?'
'Nee, ik moet echt hier zijn', zei ze. 'Ik heb hier morgen met
iemand afgesproken. Het was zijn idee. Hopelijk komt hij morgen.
Ik heb begrepen dat het hier heel rustig is, en... discreet?'
Pasquale knikte, en zei: 'Ja, zeker.' En hij nam zich voor *dus-kreet*
op te zoeken in het Engels-Italiaanse woordenboek van zijn vader.
Hij hoopte dat het romantisch betekende.
'O, ja. Ik heb dit in mijn kamer gevonden. In het bureautje.' Ze
gaf Pasquale de keurige stapel papier die ze mee naar beneden had
genomen: *De glimlach van de hemel*. Het was het eerste hoofdstuk
van de roman van de enige andere Amerikaanse gast die het hotel
ooit had gehad, de schrijver Alvis Bender, die elk jaar zijn draagbare schrijfmachine en een pak carbonpapier meezeulde om twee weken lang te komen drinken en zo nu en dan wat te schrijven. Hij had
een doorslag van het eerste hoofdstuk achtergelaten zodat Pasquale
en zijn vader zich erover konden buigen.
'Is bladzijden van boek', zei Pasquale. 'Van Amerikaan, ja? ...
Schrijver. Hij komt in hotel. Elk jaar.'
'Denkt u dat hij er bezwaar tegen heeft? Ik heb niets te lezen bij
me en volgens mij hebt u hier alleen Italiaanse boeken.'
'Is goed, ik denk, ja.'
Ze pakte de vellen papier, bladerde ze even door en legde de stapel
op de balustrade. Ze bleven een paar minuten zwijgend staan en ke-
ken naar de weerspiegeling van de lampen op het zeewater, deinend
als twee slingers vol lichtjes.
'Schitterend', zei ze.
'Mmm', zei Pasquale, maar toen bedacht hij weer dat Gualfredo
had gezegd dat de vrouw hier eigenlijk helemaal niet had moeten zijn.
'Met uw welnemen', zei hij, wat hij uit een oud taalgidsje had opgepikt.
'Ik informeer uw accommodatie?' Toen ze zweeg voegde hij eraan toe:
'Is uw bevrediging, ja?'
'Ik heb geen... neem me niet kwalijk... wat bedoelt u?'
Hij likte zijn lippen voor een nieuwe poging. 'Ik probeer zeggen...'

Ze hielp hem uit de brand. 'Aha. Bevredigend', zei ze. 'Accommodatie. Ja. Het is allemaal naar wens, meneer Tursi.'

'Toe... voor u, ik ben Pasquale.'

Ze glimlachte. 'Goed dan, Pasquale. En noem je mij dan Dee?'

'Dee', zei Pasquale met een glimlach, en hij knikte. Het was net of hij iets verbodens deed, iets duizelingwekkends, toen hij haar met Dee aansprak – en het woord ontsnapte nogmaals aan zijn lippen. 'Dee.' Hij realiseerde zich dat hij iets anders moest bedenken om te zeggen, wilde hij niet de hele nacht Dee blijven herhalen. 'Kamer is dicht bij toilet, ja, Dee?'

'Bijzonder prettig', zei ze. 'Dank je, Pasquale.'

'Hoelang jij blijft?'

'Ik... ik weet het niet. Mijn vriend moet nog een paar dingen afmaken. Hopelijk komt hij morgen, en dan kunnen we bedenken wat we doen. Heb je de kamer nodig voor een andere gast?'

En hoewel Alvis Bender ook elk moment kon arriveren zei Pasquale snel: O, nee. Is niemand anders. Alles voor jou.'

Het was stil. Fris. Het water kabbelde.

'Wat zijn ze daar eigenlijk aan het doen?' vroeg ze, en ze wees met haar sigaret naar de lichtjes die op het water dansten. Voorbij de golfbreker lieten de vissers hun lampen aan de rotswand bungelen om de vissen te lokken met een vals ochtendgloren, waarna ze hun netten in het water wierpen, boven op de heen en weer schietende scholen vis.

'Vissen', zei Pasquale.

'Vissen ze 's nachts?'

'Soms 's nachts. Maar meestal overdag.' Pasquale beging de vergissing om recht in die peilloos diepe ogen te kijken. Hij had nog nooit van zijn leven zo'n gezicht gezien, een gezicht dat er van elke kant weer anders uitzag, langgerekt, en met iets van een paard als je van opzij keek, open en sierlijk als je recht van voren keek. Hij vroeg zich af of ze daarom actrice was geworden, omdat ze over meer dan één gezicht beschikte. Hij realiseerde zich dat hij haar aanstaarde en hij moest zijn keel schrapen, van haar wegkijken.

'En die lampjes?' wilde ze weten.

Pasquale keek uit over het water. Nu ze het zei, ja – het uitzicht was inderdaad adembenemend, met al die vislantaarns zwevend boven hun eigen weerspiegeling in de donkere zee. 'Is... voor...' Hij zocht naar de woorden. 'Om vis te... eh...' Hij liep tegen een muur in zijn hoofd op en deed met zijn hand een vis na die naar de oppervlakte zwom. 'Omhoog.'

'Het licht lokt de vissen naar de oppervlakte?'

'Ja', zei Pasquale met een enorm gevoel van opluchting. 'Oppervlakte. Ja.'

'Nou, het is schitterend', zei ze nog een keer. Ergens achter hen hoorde Pasquale een paar korte woordjes, gevolgd door een 'ssst' dat achter het raam naast de veranda vandaan kwam, waar Pasquales moeder en tante zonder twijfel ineengedoken in het donker zaten te luisteren naar een gesprek waar ze geen van beiden een woord van verstonden.

Een wilde kat, die valse zwarte met het slechte oog, ging vlak bij Dee Moray liggen. Hij blies toen Dee Moray hem wilde aaien, en ze trok haar hand terug. Toen staarde ze naar de sigaret in haar andere hand en lachte om iets heel ver weg.

Pasquale dacht dat ze lachte om zijn sigaretten.

'Ze zijn duur', schoot hij in de verdediging. 'Spaans.'

Ze gooide haar hoofd in haar nek. 'Dat is het niet. Ik moest eraan denken dat mensen soms jarenlang niets anders doen dan wachten totdat hun leven begint. Alsof het een film is. Begrijp je wat ik bedoel?'

'Ja', zei Pasquale, die de draad was kwijtgeraakt na *mensen*, maar die zo overrompeld was door het golven van haar glanzende blonde haren en door haar vertrouwelijke toon dat hij er zonder problemen in zou hebben toegestemd zijn nagels te laten uittrekken en ze vervolgens op te eten.

Ze glimlachte. 'Precies. Zo heb ik me ook gevoeld. Jaren en jaren. Alsof ik een personage in een film was en de echte actie elk moment kon beginnen. Maar ik heb het idee dat sommige mensen eeuwig blijven wachten, en zich pas tegen het einde van hun leven realiseren dat hun leven zich heeft voltrokken terwijl zij zaten te wachten tot het zou beginnen. Begrijp je wat ik bedoel, Pasquale?'

69

Hij begreep precies wat ze bedoelde! Het was precies hoe hij zich voelde – als iemand die in een bioscoopzaal zat te wachten totdat de film begon. 'Ja!' zei hij.

'Ja, hè?' zei ze, en ze lachte. 'En als het leven dan écht begint? Het opwindende deel, bedoel ik, waarin het allemaal gebeurt? Dan gaat het zó snel.' Ze liet haar ogen over zijn gezicht glijden en hij bloosde. 'Soms kun je het nauwelijks geloven... heb je ook weleens het gevoel dat je er los van staat, alsof je naar onbekenden kijkt die lekker zitten te eten?'

Hij was de draad weer kwijt. 'Ja, ja', zei hij toch maar.

Ze lachte ontspannen. 'Ik ben zo blij dat je me begrijpt. Stel je nou eens voor dat je een actrice bent uit een klein plaatsje, dat je op zoek bent naar werk en dat de eerste rol die je krijgt aangeboden in *Cleopatra* is. Kun jij je dat voorstellen?'

'Ja', antwoordde Pasquale nu iets stelliger omdat hij het woord *Cleopatra* had herkend.

'Serieus?' Ze lachte. 'Nou, ik niet.'

Pasquale grijnsde. Hij had het verkeerde antwoord gegeven. 'Nee', probeerde hij.

'Ik kom uit een klein plaatsje in Washington.' Ze maakte een weids gebaar, met de sigaret in haar hand. 'Niet zo klein als dit, natuurlijk. Maar wel zo klein dat ik nogal wat indruk maakte. Het is bijna gênant. Cheerleader. De prinses van de County Fair.' Ze moest er zelf om lachen. 'Na de middelbare school ben ik naar Seattle verhuisd om te kunnen acteren. Het leven nam zijn loop, alsof ik opsteeg van de zeebodem. Ik hoefde alleen maar mijn adem in te houden en ik kwam als vanzelf naar de oppervlakte. Wat me daar wachtte was een zekere roem, een zeker geluk of... ik weet het niet zo goed...' Ze keek naar de grond. 'Iets.'

Maar Pasquale was blijven haken aan het enige woord waarvan hij zeker wist dat hij het goed had verstaan: prinses? Hij had altijd gedacht dat de Amerikanen geen koninklijk huis hadden, maar als dat nou wél het geval was... wat zou het dan voor zijn hotel betekenen dat er een prinses bij hem logeerde?

'Iedereen zei altijd: "Je moet naar Hollywood gaan... je moet het bij de film proberen." Ik speelde bij een theatergezelschap en daar werd geld ingezameld zodat ik de gok kon wagen. Ongelooflijk, hè?' Ze nam nog een trek van haar sigaret. 'Misschien wilden ze me gewoon kwijt.' Ze boog wat dichter naar hem toe, nam hem in vertrouwen. 'Ik had een... affaire met een acteur. Hij was getrouwd. Het was stom van me.'

Ze staarde voor zich uit, begon toen te lachen. 'Dit heb ik niemand ooit verteld, maar ik ben twee jaar ouder dan men denkt. Die vent die de casting doet voor *Cleopatra*? Die heb ik gezegd dat ik twintig ben. Maar eigenlijk ben ik tweeëntwintig.' Ze bladerde wat in het pak doorslagen van Alvis Benders novelle, alsof de vellen papier haar levensverhaal vertelden. 'Ik had ook een nieuwe naam aangenomen, dus ik dacht, waarom niet ook een nieuwe leeftijd? Als je ze vertelt hoe oud je echt bent, maken ze, waar je bij zit, die vreselijke rekensom, hoe lang je nog mee kunt in het vak. Dat kon ik niet aan.' Ze haalde haar schouders op en legde het boek weer weg. 'Is het erg, dat ik dat heb gedaan?'

Hij had vijftig procent kans om het dit keer goed te hebben. 'Ja?'

Zijn antwoord leek haar teleur te stellen. 'Ja, misschien heb je wel gelijk. Die dingen komen vroeg of laat toch uit. Daar heb ik nog het meeste moeite mee. Dat ik zo ijdel ben. Misschien is dat ook wel de reden...' Ze maakte haar gedachte niet af. In plaats daarvan nam ze een laatste trekje van haar sigaret, liet het peukje op de houten veranda vallen en maakte het uit met haar bootschoen. 'Het is fijn om met je te praten, Pasquale', zei ze.

'Ik ook. Ik ook fijn.' Ze deed een stapje bij de balustrade vandaan, sloeg haar armen om haar schouders en keek weer naar de lichtjes van de vissers. Met haar armen om haar schouders leek ze nog langer en slanker. Ze keek peinzend voor zich uit. En toen zei ze, zachtjes: 'Hebben ze verteld dat ik ziek ben?'

'Ja. Mijn vriend, Orenzio, hij vertelt het.'

'Heeft hij ook verteld wat ik mankeer?'

'Nee.'

Ze legde een hand op haar buik. 'Ken je het woord kanker?'

'Ja.' Helaas kende hij dat woord. *Cancro* in het Italiaans. Hij keek strak naar zijn gloeiende sigaret. 'Komt goed, ja? Doktoren. Zij kunnen...'

71

'Ik denk het niet', antwoordde ze. 'Het is een naar soort kanker. Ze zeggen wel dat ze er iets aan kunnen doen, maar volgens mij zeggen ze dat alleen om de klap te verzachten. Ik vertel het je zodat je begrijpt waarom ik zo... frank en vrij spreek. Ken je die uitdrukking, frank en vrij?'

'Frank? Frank Sinatra?' opperde Pasquale, die zich afvroeg of dat de man was op wie ze wachtte.

Ze schoot in de lach. 'Nee. Hoewel, ja natuurlijk, maar het betekent ook... oprecht, eerlijk.'

De eerlijke Sinatra.

'Toen ik hoorde hoe ziek ik ben... ik heb besloten om voortaan gewoon te zeggen waar het op staat, me niet langer zorgen te maken of ik wel aardig genoeg ben, me af te vragen hoe anderen over me denken. Voor een actrice is dat een hele stap, om niet langer door de ogen van anderen naar jezelf te kijken. Het is bijna niet te doen. Maar het is belangrijk dat ik geen tijd meer verspil door dingen te zeggen die ik niet echt meen. Ik hoop dat je dat niet erg vindt.'

'Nee', zei Pasquale zachtjes, en tot zijn opluchting zag hij aan haar gezicht dat hij dit keer wel het goede antwoord had gegeven.

'Mooi. Laten we dan iets afspreken, jij en ik. We doen en zeggen precies wat we bedoelen. En we trekken ons niets aan van wat anderen vinden. Als we willen roken, dan roken we. Als we willen vloeken, dan vloeken we. Wat zeg je ervan?'

'Ik zeg heel goed', zei Pasquale.

'Mooi.' Ze boog zich naar hem toe en gaf hem een kus op zijn wang, en toen haar lippen langs zijn stoppelige wang streken voelde hij zijn adem stokken en merkte hij dat hij net zo trilde als bij Gualfredo's dreigementen.

'Slaap lekker, Pasquale', zei ze. Ze pakte de achtergelaten pagina's van Alvis Benders boek en liep naar de voordeur, maar ineens bleef ze staan en keek naar het uithangbord: HOTEL REDELIJK UITZICHT. 'Hoe ben je in godsnaam op die naam gekomen?'

Pasquale, die nog helemaal van slag was en niet goed wist hoe hij de naam moest uitleggen, wees enkel naar het manuscript in haar hand. 'Hij.'

Ze knikte en liet haar blik over het gehuchtje glijden, langs de rotsen en de kliffen. 'Pasquale, mag ik je iets vragen... Hoe is het om hier te wonen?' En nu kostte het hem geen enkele moeite om op het juiste Engelse woord te komen. 'Eenzaam', zei Pasquale.

Pasquales vader, Carlo, kwam uit een familie van restaurateurs in Florence, en hij was er altijd van uitgegaan dat zijn zoons hem zouden opvolgen. Maar zijn oudste zoon, de knappe Roberto met het gitzwarte haar, had er altijd van gedroomd piloot te worden, en toen de Tweede Wereldoorlog op uitbreken stond had hij niet geweten hoe snel hij zich moest aanmelden bij de Regia Aeronautica. Roberto zou inderdaad gaan vliegen – drie keer, totdat de motor van zijn gammele Saetta-jachtvliegtuig boven Noord-Afrika afsloeg en hij als een neergeschoten vogel uit de lucht tuimelde. De andere zoon van de Tursi's, Guido, meldde zich vervolgens vrijwillig bij de infanterie, wat Carlo een machteloze woedeaanval bezorgde: 'Als je echt op wraak uit bent, zet die Engelsen dan uit je hoofd en ga op zoek naar de werktuigbouwkundige die je broer in die bak roestige ellende de lucht in heeft laten gaan.' Maar Guido hield voet bij stuk en hij vertrok met de elitetroepen van het Achtste Leger, die door Mussolini waren ingezet om te bewijzen dat Italië bereid was de nazi's te helpen bij de invasie van Rusland. ('Konijntjes trekken erop uit om een zwarte beer te verslinden', zei Carlo.)

Tijdens zijn pogingen om zijn vrouw te troosten na de dood van Roberto, had de eenenveertigjarige Carlo kennelijk nog een laatste gezond zaadje weten te vinden, dat hij had doorgegeven aan de negenendertigjarige Antonia. Eerst weigerde ze te geloven dat ze zwanger was, toen ging ze ervan uit dat het tijdelijk was (na de eerste twee kinderen had ze een lange geschiedenis van miskramen gekend). Maar toen haar buik steeds dikker werd zag Antonia haar oorlogszwangerschap als een onmiskenbaar teken van God, een teken dat Guido levend zou terugkeren. Ze noemde haar blauwogige *bambino miraculo* Pasquale, wat verwees naar Pasen, om haar deal met God te bekrachtigen – in de hoop dat de rest van

73

haar gezin gespaard zou blijven voor al het geweld dat de wereld teisterde.

Maar Guido sneuvelde ook, door een kogel in zijn keel op de ijzige slagvelden buiten Stalingrad, in de winter van '42. Zijn ouders waren kapot van verdriet en wilden niets meer te maken hebben met de rest van de wereld, ook om hun wonderkind in bescherming te nemen tegen alle waanzin. Dus deed Carlo zijn aandeel in het familiebedrijf over aan een paar neven en kocht zelf het piepkleine Pensione di San Pietro, op de meest afgelegen plek die hij maar kon vinden: Porto Vergogna. Daar hielden ze zich schuil voor de wereld.

Goddank hadden de Tursi's het merendeel van de opbrengst van hun Florentijnse bezit apart gezet, want het hotel had nauwelijks klandizie. Zo heel nu en dan kwam er een verwarde Italiaan langs, of een andere Europeaan, en de trattoria met de drie tafeltjes was een ontmoetingsplek voor de steeds kleinere vissersfamilies uit Porto Vergogna, maar er konden ook maanden voorbijgaan zonder echte gasten. Totdat er, in het voorjaar van 1952, een watertaxi de baai in gleed en er een lange, aantrekkelijke en smaakvol geklede jonge Amerikaan van boord stapte, met een dun snorretje en achterovergekamd bruin haar. De man had duidelijk gedronken, en met een sigaartje tussen zijn lippen stapte hij de steiger op, met een koffer en zijn draagbare schrijfmachine. Hij liet zijn blik over het dorpje glijden, krabde op zijn hoofd en zei, in opmerkelijk vloeiend Italiaans: 'Qualcuno sembra aver rubato la tua città' – Het lijkt erop dat iemand uw stad heeft gestolen. Hij stelde zich aan de Tursi's voor als 'Alvis Bender, scrittore fallito ma ubriacone di successo' – mislukt schrijver maar geslaagd dronkaard – en installeerde zich vervolgens op de veranda, waar hij wijn dronk en zes uur lang over politiek en geschiedenis praatte, en uiteindelijk ook over het boek dat hij niet schreef.

Pasquale was elf, en afgezien van een enkel bezoekje aan familie in Florence, was al zijn kennis over de wereld afkomstig uit boeken. Hij vond het fantastisch om een echte schrijver te zien. Hij had altijd onder de vleugels van zijn ouders geleefd, in dit gehucht, en hij was volkomen in de ban van deze lachende Amerikaan die hoog boven hem uittorende, die overal leek te zijn geweest en alles leek te weten. Pasquale ging aan de voeten van de schrijver zitten en vroeg honderduit. 'Hoe ziet Amerika eruit? Wat is de beste auto? Is het leuk om in een vliegtuig te zitten?' En op een keer: 'Waar gaat je boek over?'

Alvis Bender reikte de jongen zijn wijnglas aan. 'Schenk even bij, dan zal ik het je allemaal vertellen.'

Toen Pasquale terugkwam met nieuwe wijn, liet Alvis zich onderuitzakken en streek over zijn dunne snorretje. 'Mijn boek gaat erover dat noch de geschiedenis noch de ontwikkeling van de mensheid ons veel meer heeft gebracht dan het besef dat het leven draait om de dood, dat de dood de diepere zin des levens is.'

Pasquale had Alvis al eerder zulke verhalen tegen zijn vader horen afsteken. 'Nee', zei hij. 'Waar gáát het over? Wat gebéúrt er?'

'Ja, je hebt gelijk. Het grote publiek wil een verhaal.' Alvis nam nog een slok wijn. 'Goed dan. Mijn boek gaat over een Amerikaan die in de oorlog in Italië vecht, daar zijn beste vriend verliest en niet langer van het leven houdt. Hij gaat terug naar Amerika, waar hij Engelse les hoopt te geven en een boek wil schrijven over zijn ontgoocheling. Maar het enige wat hij doet is drinken en piekeren en achter de vrouwen aan zitten. Hij krijgt geen letter op papier. Misschien uit schuldgevoel omdat hij nog leeft terwijl zijn vriend is gesneuveld. En schuldgevoel grenst soms aan jaloezie; zijn vriend heeft een zoontje achtergelaten en wanneer de man na afloop van de oorlog de zoon van zijn vriend opzoekt, zou hij willen dat hij ook een dierbare herinnering was, in plaats van het weerzinwekkende wrak dat hij is geworden. De man raakt zijn baan als leraar kwijt en keert terug naar het familiebedrijf, de autohandel. Hij drinkt en piekert en zit achter de vrouwen aan. Hij begrijpt dat er maar één manier is om ooit dat boek te schrijven en zijn verdriet te verzachten, en dat is terugkeren naar Italië, naar de plek die het geheim kent van zijn verdriet. Maar hij is niet bij machte die plek te beschrijven als hij niet daar is, als een droom die hem niet helemaal scherp voor ogen staat. Dus gaat de man elk jaar twee weken terug naar Italië om aan zijn boek te werken. Maar het punt is, Pasquale, en dit mag je aan niemand vertellen, want dit is de verbogen crux van het verhaal, het punt is dat hij zelfs in Italië niet echt tot schrijven komt. Hij drinkt. Hij piekert. Hij zit achter de vrouwen aan. En hij zit in een klein gehuchtje wat te praten met een slimme jongen, over de roman die hij nooit zal schrijven.'

Het bleef stil. Het leek Pasquale een saai boek. 'Hoe loopt het af?'

Alvis Bender staarde heel lang naar zijn wijnglas. 'Ik weet het niet, Pasquale', zei hij uiteindelijk. 'Hoe vind jij dat het zou moeten aflopen?'

Daar dacht de kleine Pasquale over na. 'Nou, misschien moet hij tijdens de oorlog niet terugkeren naar Amerika, maar kan hij naar Duitsland gaan om te proberen Hitler te vermoorden.'

'Aha', zei Alvis Bender. 'Ja. Dat is precies wat er gebeurt, Pasquale. Hij wordt dronken op een feestje en iedereen waarschuwt hem dat hij niet achter het stuur moet kruipen, maar hij neemt met veel misbaar afscheid, stapt in zijn auto en rijdt per ongeluk Hitler dood.'

Pasquale vond dat het geen ongeluk mocht zijn, Hitlers dood. Dan was het niet spannend meer. 'Hij zou hem ook dood kunnen schieten, met een machinegeweer', opperde hij behulpzaam.

'Nog beter, ja,' zei Alvis. 'Onze held verlaat met een hoop misbaar het feestje. Iedereen waarschuwt hem dat hij te dronken is om een machinegeweer te gebruiken. Maar hij houdt voet bij stuk en schiet per ongeluk Hitler dood.'

Toen Pasquale dacht dat Bender hem in de maling nam, begon hij over iets anders. 'Hoe heet je boek, Alvis?'

'*De glimlach van de hemel*', zei hij. 'Van Shelley.' En hij deed zijn best om het te vertalen: 'De fluisterende golven waren half in slaap/ de wolken waren aan het spelen/Over de bossen en de bodem van de zee/lag de glimlach van de hemel.'

Pasquale bleef een poosje zitten en dacht na over het gedicht. *Le onde andavano sussurrando* – de fluisterende golven, die woorden kende hij wel. Maar de titel, *De glimlach van de hemel – Il sorriso del Paradiso* – klopte niet, voor zijn gevoel. Hij associeerde de hemel niet met een glimlach. Als mensen die een doodzonde hadden begaan naar de hel gingen en gewone zondaars zoals hijzelf naar het vagevuur, dan zouden er in de hemel alleen heiligen, priesters, nonnen en gedoopte baby's zijn die waren overleden voordat ze de kans hadden gekregen een misstap te begaan.

'Waarom glimlacht de hemel in je boek?'

'Ik weet het niet.' Bender sloeg de wijn achterover en hield Pasquale opnieuw zijn lege glas voor. 'Misschien omdat iemand eindelijk die hufter van een Hitler heeft vermoord.'

Pasquale stond op om nog meer wijn te halen. Maar hij was bang dat het toch geen plagerijtje was geweest van Bender. 'Ik vind dat Hitlers dood geen ongeluk mag zijn', zei Pasquale.

Alvis keek de jongen met een vermoeide glimlach aan. 'Alles is een ongeluk, Pasquale.'

Pasquale kon zich niet herinneren dat Alvis in al die jaren meer dan een paar uur had geschreven; hij vroeg zich weleens af of de man zijn schrijfmachine eigenlijk wel uit het koffertje haalde. Maar hij keerde steeds terug, jaar in jaar uit, en uiteindelijk overhandigde hij Carlo het eerste hoofdstuk van zijn boek, in 1958, het jaar dat Pasquale ging studeren. Zeven jaar. Eén hoofdstuk.

Pasquale begreep er niets van dat Alvis naar Porto Vergogna kwam, aangezien hij zo weinig werk verzette. 'Waarom kom je uitgerekend hiernaartoe, van alle plekken op de hele wereld?'

'Deze kust is een bron van inspiratie voor schrijvers', zei Alvis. 'Petrarca heeft hier in de buurt het sonnet bedacht. Byron, James, Lawrence; ze gingen allemaal hierheen om te schrijven. Boccaccio heeft hier het realisme uitgevonden. Shelley is niet ver hiervandaan verdronken, slechts een paar kilometer van de plek waar zijn vrouw het horrorgenre heeft uitgevonden.'

Pasquale begreep niet wat Alvis Bender bedoelde wanneer hij zei dat die schrijvers iets hadden 'uitgevonden'. Bij uitvinders dacht hij aan mensen als Marconi, de beroemde man uit Bologna die de draadloze telegrafie had uitgevonden. Wat viel er nog uit te vinden nadat het eerste verhaal was verteld?

'Uitstekende vraag.' Sinds hij zijn baan als docent was kwijtgeraakt, liet Alvis geen gelegenheid voorbijgaan om te doceren, en hij vond een gretig gehoor bij deze tiener die zo beschermd was opgegroeid. 'Stel je de waarheid voor als een immense bergketen, waarvan de toppen tot in de wolken reiken. Schrijvers onderzoeken die waarheden, proberen voortdurend nieuwe paden naar die toppen te ontdekken.'

'De verhalen zijn dus paden?' wilde Pasquale weten.

'Nee', zei Alvis. 'Verhalen zijn stieren. Schrijvers die volwassen worden bruisen van de energie en voelen de drang om de oude verhalen uit de kudde te verjagen. De kudde wordt een tijdje geleid door een bepaalde stier, maar wanneer die zijn vitaliteit verliest neemt de jonge stier het over.'

'Dus verhalen zijn stieren?'

'Nee.' Alvis Bender nam een slok. 'Verhalen zijn landen, koninkrijken. Ze kunnen net zo lang meegaan als het oude Rome, of net zo kort als het Derde Rijk. Verhaal-landen komen op en gaan ten onder. Ze krijgen andere regeringen, er ontstaan nieuwe trends, ze lijven buurlanden in. Het epische gedicht heeft het enkele eeuwen weten vol te houden en is doorgedrongen tot in alle uithoeken van de wereld, net zoals het Romeinse Rijk. De opkomst van de roman ging gelijk op met die van het Britse Rijk, maar wacht eens even... wat is er momenteel in opkomst in Amerika? De film?'

Pasquale grinnikte. 'En als ik vraag of verhalen wereldrijken zijn, zeg je...'

'Verhalen zijn mensen. Ik ben een verhaal, jij bent een verhaal... je vader is een verhaal. Onze verhalen schieten alle kanten op, en soms, als we geluk hebben, schuiven onze verhalen in elkaar, en dan zijn we een tijdje minder alleen.'

'Maar je hebt nog geen antwoord gegeven op de vraag', zei Pasquale. 'Waarom jíj hiernaartoe komt.'

Peinzend keek Bender naar de wijn die hij in zijn hand hield. 'Om echt goed te kunnen schrijven heb je vier dingen nodig, Pasquale: hartstocht, teleurstelling en de zee.'

'Dat zijn er maar drie.'

Alvis sloeg zijn wijn achterover. 'Teleurstelling telt dubbel.'

Je zou kunnen zeggen dat Alvis, in een roes van te veel wijn, Pasquale behandelde als een jonger broertje, en Carlo Tursi op zijn beurt voelde eenzelfde soort genegenheid voor de Amerikaan. Beide mannen zaten tot diep in de nacht te drinken en voerden parallelle gesprekken, zonder echt naar elkaar te luisteren. Naarmate de jaren vijftig zich ontrolden en het leed van de oorlog iets minder begon te schrijnen, ging Carlo weer iets meer als een zakenman denken en hij besprak zijn plannen om de toeristen naar Porto Vergogna te halen met Alvis – alhoewel Alvis hem op het hart drukte dat het toerisme de doodsteek zou betekenen voor het dorpje.

'Ooit werd elke plaats in Italië omsloten door stadswallen', doceerde Alvis. 'Tot op de dag van vandaag gaat vrijwel elke heuveltop in Italië over in een grauwe kasteelmuur. Als er gevaar dreigde zochten de boeren hun toevlucht achter deze muren, waar ze veilig waren voor bandieten en legers. In het grootste deel van Europa is de boerenstand zo'n dertig, veertig jaar geleden verdwenen, maar niet in Italië. Inmiddels, na twee oorlogen, zie je ook wel huizen opduiken op de vlakte en in rivierdalen, buiten de stadsmuren. Maar het neerhalen van de muren betekende ook de neergang van de Italiaanse cultuur, Carlo. Italië verliest zijn karakter, maar wordt wel overspoeld door toeristen die op zoek zijn naar het "het authentieke Italië".'

'Ja', zei Carlo. 'En daar wil ik een graantje van meepikken!'

Alvis wees naar de grillig gevormde rotsen boven en achter hen. 'Maar hier, aan deze kust, zijn de muren door God gemaakt... of door vulkanen. Deze muren zijn niet neer te halen. En er kan ook niet buiten de muren gebouwd worden. Dit dorpje zal nooit meer zijn dan een handvol zeepokken tegen een rots. Maar het is niet uitgesloten dat het op een dag het laatste Italiaanse plaatsje in heel Italië is.'

'Zo is dat', zei Carlo, aangeschoten. 'En dan komen de toeristen en masse hierheen, toch, Roberto?'

Het bleef stil. Alvis Bender was precies zo oud als Carlo's oudste zoon zou zijn geweest wanneer hij niet in die kist naar beneden was getuimeld boven Noord-Afrika. 'Sorry. Alvis, bedoelde ik natuurlijk.'

'Natuurlijk', zei Alvis, en hij legde even een hand op de schouder van de oudere man.

Pasquale viel geregeld in slaap met op de achtergrond de stemmen van zijn vader en Alvis, en wanneer hij dan uren later wakker werd zaten ze er nog altijd, en weidde de schrijver uit over een of ander schimmig onderwerp ('Het riool is dan ook het belangrijkste wapenfeit van de mensheid, Carlo, het verwerken van stront is de culminatie van al het uitvinden, vechten en voortplanten').

Maar Carlo wist het gesprek uiteindelijk altijd weer op het toerisme te brengen, en hij wilde van zijn enige Amerikaanse gast weten hoe hij het Pensione di San Pietro aantrekkelijker zou kunnen maken voor Amerikanen.

Alvis Bender liet zijn fantasie de vrije loop, al kwam het er meestal op neer dat hij Carlo op het hart drukte alles bij het oude te laten. 'Deze hele kust zal snel genoeg verpest worden. Je hebt hier echt goud in handen, Carlo. Ware afzondering. En natuurschoon.'

'Dan moet ik die dingen dus aanprijzen, misschien met een Engelse naam? Hoe zou je zeggen : *L'albergo numero uno, tranquillo, con una bella vista del villagio e delle scogliere?*'

'De nummer één rustige herberg met het meest schitterende uitzicht in het dorp op de kliffen', zei Alvis Bender. 'Mooi. Een beetje lang, misschien. En sentimenteel.'

Carlo vroeg wat hij bedoelde met *sentimentale*.

'Woorden en emoties zijn eenvoudige valuta. Als we die te veel opdrijven, verliezen ze hun waarde, net als geld. Voor je het weet betekenen ze niets meer. Gebruik 'schitterend' om een broodje te beschrijven en het woord betekent niets meer. Sinds de oorlog is er geen ruimte meer voor gezwollen taal. Woorden en gevoelens zijn nu pretentieloos; zuiver en precies. Ingetogen, als dromen.'

Carlo Tursi nam zijn goede raad ter harte. In 1960, toen Pasquale naar Florence was vertrokken om te studeren, keerde Alvis Bender terug voor zijn jaarlijkse bezoekje – hij liep de trap op naar het hotel en zag Carlo daar staan, vol trots, met voor zijn neus de verbijsterde vissers en boven zijn hoofd een nieuw, met de hand geschreven uithangbord: HOTEL REDELIJK UITZICHT.

'Wat betekent dat?' wilde een van de vissers weten. 'Verlaten hoerenkast?'

'*Vista adeguata*', vertaalde Carlo voor hen.

'Welke gek zegt nou dat het uitzicht uit zijn hotel niet meer is dan redelijk?' zei de visser.

'*Bravo*, Carlo', zei Alvis. 'Kon niet beter.'

De mooie Amerikaanse moest overgeven. In zijn donkere kamer kon Pasquale haar boven horen kokhalzen. Hij deed zijn licht aan en pakte zijn horloge van het nachtkastje. Het was vier uur 's ochtends. Hij kleedde zich stilletjes aan en liep over de donkere, smalle trap naar boven. Vier treden voor de overloop zag hij haar staan; happend naar adem zocht ze steun bij de deurpost van de badkamer. Ze droeg een dunne, witte nachtjapon die tot een paar centimeter boven haar knieën reikte – haar benen waren zo ongelooflijk lang en glad dat Pasquale geen stap meer kon verzetten. Ze was haast zo wit als haar nachtjapon.

'Het spijt me, Pasquale', zei ze. 'Ik heb je wakker gemaakt.'

'Nee, is goed', zei hij.

Ze draaide zich weer naar de wasbak en begon te kokhalzen, maar haar maag was leeg en ze klapte dubbel van de pijn.

Pasquale wilde de laatste paar treden nemen, maar toen spookten de woorden van Gualfredo door zijn hoofd, dat Porto Vergogna en het Hotel Redelijk Uitzicht niet over voldoende faciliteiten beschikten voor Amerikaanse toeristen. 'Ik laat halen dokter', zei hij.

'Nee,' zei ze, 'het gaat wel.' Maar op hetzelfde moment greep ze naar haar zij en zakte op de vloer in elkaar. 'O.'

Pasquale hielp haar in bed en ging snel naar beneden, naar buiten. De dichtstbijzijnde dokter woonde een kleine vijf kilometer verderop aan de kust, in Portovenere. Het was een vriendelijke oude *dottore*, Merlonghi geheten, een keurige weduwnaar die uitstekend Engels sprak en die eens per jaar de dorpjes aan de kust afging om alle vissers te onderzoeken. Pasquale wist precies welke visser hij naar de dokter moest sturen: Tomasso de Communist, wiens vrouw de deur opendeed en hem meteen binnenliet. Tomasso deed zijn bretels om en aanvaardde zijn taak met een zekere gewichtigheid; hij nam zijn pet af en zei dat Pasquale op hem kon rekenen.

Pasquale ging weer naar het hotel, waar zijn tante Valeria bij Dee Moray op de kamer zat en Dee's haren bijeenhield terwijl zij over een grote kom gebogen zat. Het was een krankzinnig gezicht, deze twee vrouwen zo vlak bij elkaar – Dee Moray met haar bleke, gave huid, haar glanzende, blonde haar; Valeria met haar rimpelige gezicht vol zwarte haren, een bos stro op haar hoofd. 'Ze moet water drinken zodat ze wat te spugen heeft', zei Valeria. Op het nachtkastje stond een glas water, naast de vellen papier van Alvis Benders boek.

Pasquale begon te vertalen wat zijn tante had gezegd, maar Dee Moray leek het woord *acqua* te hebben begrepen. Ze pakte het glas aan en nam een paar slokjes.

'Het spijt me dat ik jullie zoveel last bezorg', zei ze.

'Wat zegt ze?' vroeg Valeria.

'Het spijt haar dat ze ons zoveel last bezorgt.'

'Zeg maar dat dat niemendalletje van haar een hoerenvod is', zei Valeria. 'Dát bezorgt ons pas last, dat ze mijn neef verleidt, als een ordinaire hoer.'

'Dat ga ik echt niet tegen haar zeggen!'

'Zeg tegen die vuile hoer dat ze moet vertrekken, Pasqo.'

'Zo is het wel weer genoeg, Zia!'

'Het is Gods werk dat ze ziek is, omdat Hij niets moet hebben van ordinaire snollen in zulke niemendalletjes.'

'Hou toch je mond, oude gek.'

Dee Moray had hun woordenwisseling gadegeslagen. 'Wat zegt ze?' wilde ze weten.

'Eh.' Pasquale slikte. 'Ze vindt het naar voor je dat je ziek bent.'

Valeria stak haar onderlip naar voren en wachtte. 'Heb je die hoer verteld wat ik heb gezegd?'

'Ja', zei Pasquale tegen zijn tante. 'Ik heb het haar verteld.'

Het was stil in de kamer. Dee Moray sloot haar ogen en een nieuwe golf van misselijkheid deed haar sidderen; schokschouderend probeerde ze over te geven.

Toen het weer voorbij was, zat Dee Moray te hijgen. 'Je moeder is een lieverd.'

'Is niet mijn moeder', zei Pasquale in het Engels. 'Is mijn tante. Zia Valeria.'

Valeria keek naar hun gezichten terwijl ze Engels spraken, en bij het horen van haar eigen naam leek haar achterdocht gewekt. 'Ik hoop maar dat je niet met deze hoer gaat trouwen, Pasquale.'

'Zia...'

'Je moeder denkt dat je met haar gaat trouwen.'

'Zo is het wel genoeg, Zia!'

Valeria streek voorzichtig het haar uit de ogen van de mooie Amerikaanse. 'Wat heeft ze?'

'Cancro', zei Pasquale zachtjes.

Dee Moray keek niet op.

Valeria leek er even over na te denken. Ze beet op de binnenkant van haar wang. 'O', zei ze na lange tijd. 'Het komt wel weer goed. Zeg maar tegen de hoer dat het goed komt.'

'Dat ga ik echt niet tegen haar zeggen.'

'Zeg het.' Valeria keek Pasquale met een ernstige blik aan. 'Zeg dat ze zich geen zorgen hoeft te maken, zolang ze maar in Porto Vergogna blijft.'

Pasquale keek zijn tante aan. 'Waar heb je het over?'

Valeria reikte Dee het glas water weer aan. 'Hier gaat niemand dood. Baby's en oude mensen, ja, die wel, maar God heeft nog nooit een volwassene in de vruchtbare leeftijd van ons weggenomen. We gaan gebukt onder een oude vloek... dat de hoeren veel baby's zouden verliezen maar zelf heel lang met hun zonden zouden moeten leven. Wie in Porto Vergogna de kindertijd heeft overleefd, is gedoemd om minstens veertig te worden. Toe maar. Zeg dat maar tegen haar.'

Ze legde even een hand op de arm van de mooie Amerikaanse en knikte haar toe.

Dee Moray had het gesprek gevolgd en er niets van begrepen, maar het was wel duidelijk dat de oude vrouw iets belangrijks duidelijk probeerde te maken. 'Wat zegt ze?' vroeg ze.

'Niets', zei Pasquale. 'Onzin over heksen.'

'Wat dan?' zei Dee Moray. 'Toe, ik wil het graag weten.'

Pasquale slaakte een zucht. Hij wreef over zijn voorhoofd. 'Ze zegt... jonge mensen niet doodgaan in Porto Vergogna... hier niemand jong dood.' Hij haalde zijn schouders op en probeerde het idiote bijgeloof weg te lachen. 'Is oud verhaal... *stregoneria...* verhaal over hekserij.'

Dee Moray draaide zich om en keek recht in Valeria's gezicht, besnord en vol moedervlekken. De oude vrouw knikte en gaf een klopje op Dee's hand. 'Als je dit dorp verlaat zul je een hoerendood sterven, blind en dorstig, krabbend aan je droge, dorre geboortegat', zei Valeria in het Italiaans.

'Dank u wel', zei Dee Moray in het Engels.

Pasquale was misselijk.

Valeria boog naar voren en beet hun gast toe: '*E smettila di mostrare le gambe mio nipote, puttana.*' En laat mijn neef niet steeds je benen zien, hoer.

'U ook', zei Dee Moray, en ze kneep even in Valeria's hand. 'Dank u.'

Het duurde nog een uur voordat Tomasso de Communist weer bij het hotel was, voor zijn boot op hoge snelheid het haventje in kwam. De andere vissers waren al op pad; de zon kwam al op. Tomasso hielp de oude dokter Merlonghi het steigertje op. In de trattoria had Valeria een heldenmaal bereid voor Tomasso, die opnieuw zijn pet afnam, beduusd door de gewichtigheid van zijn taak. Maar inmiddels had hij behoorlijk trek en hij liet zich het eten goed smaken. De oude dokter droeg een wollen jas, maar geen stropdas. Uit zijn oren staken plukjes grijze haren. Hij liep achter Pasquale de trap op en was buiten adem tegen de tijd dat ze voor Dee Morays deur stonden, op de tweede verdieping.

'Het spijt me dat ik u zoveel last bezorg', zei ze. 'Eerlijk gezegd voel ik me alweer een stuk beter.

De dokter sprak een stuk beter Engels dan Pasquale. 'Het is bepaald geen last om een aantrekkelijke jonge vrouw te bezoeken.' Hij keek in haar keel en luisterde met zijn stethoscoop naar haar hart. 'Pasquale zegt dat u maagkanker heeft. Wanneer is die diagnose gesteld?'

'Twee weken geleden.'

'In Rome?'

'Ja.'

'Hebben ze een endoscoop gebruikt?'

'Een wat?'

'Dat is een nieuw instrument. Er is een buisje in de keel ingebracht om een foto van de kanker te nemen, neem ik aan?'

'Ik herinner me dat de dokter met een lampje naar binnen keek.'

De dokter voelde aan haar buik.

'Ik moet naar Zwitserland om behandeld te worden. Misschien dat ze het daar gaan doen, met die nog-wat-scoop. Ze wilden me er twee dagen geleden al behandelen, maar in plaats daarvan ben ik hiernaartoe gegaan.'

'Waarom?'

Ze wierp een blik op Pasquale. 'Ik heb hier met een vriend afgesproken. Hij heeft deze plek uitgezocht omdat het hier rustig is. Misschien ga ik daarna naar Zwitserland.'

'Misschien?' De dokter luisterde naar haar borstkas, duwde en porde. 'Hoezo misschien? Als u in Zwitserland behandeld kunt worden, moet u daarheen.'

'Mijn moeder is aan kanker gestorven...' Ze zweeg even en schraapte haar keel. 'Ik was twaalf. Borstkanker. De behandeling was eigenlijk nog erger dan de ziekte zelf. Ik zal het nooit vergeten. Het was...' Ze slikte, maakte haar zin niet af. 'Ze hebben haar borsten afgezet... en evengoed ging ze dood. Mijn vader zei altijd dat hij zou willen dat ze haar naar huis hadden laten gaan, dan had ze bij ons op de veranda kunnen zitten... en kunnen genieten van de zonsondergangen.'

De dokter liet zijn stethoscoop zakken. Hij fronste. 'Ja, het kan het einde erger maken, de behandeling van kanker. Het is niet makkelijk. Maar het wordt elke dag beter. In Amerika zijn... doorbraken. Bestraling. Medicijnen. Het is nu beter dan met uw moeder, ja?'

'En de prognose voor maagkanker? Is die ook beter geworden?'

Hij glimlachte vriendelijk. 'Wie was uw arts in Rome?'

'Dokter Crane. Een Amerikaan. Hij werkte bij de film. Hij is de beste arts die er is.'

'Ja', knikte dokter Merlonghi. 'Dat moet wel.' Hij drukte de stethoscoop tegen haar buik en luisterde. 'U bent naar de dokter gegaan omdat u buikpijn heeft en misselijk bent?'

'Ja.'

'Pijn hier?' Hij legde zijn hand op haar borst en Pasquale kromp ineen van jaloezie.

Ze knikte. 'Ja. Brandend maagzuur.'

'En...'

'Gebrek aan eetlust. Vermoeidheid. Allerlei pijntjes. Vochtverlies.'

'Ja', zei de dokter.

Ze wierp een blik in Pasquales richting. 'En nog een paar andere dingen.'

'Juist, ja', zei de dokter. Toen keek hij Pasquale aan en zei in het Italiaans: 'Pasquale, zou je even op de gang willen wachten?'

Pasquale knikte en liep de kamer uit. Hij bleef op de gang staan, op de bovenste tree, en luisterde naar de gedempte stemmen. Een paar minuten later kwam de dokter naar buiten. Hij had een zorgelijke blik in zijn ogen.

'Is het heel erg? Gaat ze dood, dokter?' Het zou vreselijk zijn, dacht Pasquale, als de eerste Amerikaanse toeriste in zijn hotel zou sterven, zeker als het een filmster was. En stel nou dat ze echt een of andere prinses was? Meteen schaamde hij zich dat hij zo met zichzelf bezig was. 'Moet ik haar naar de grote stad brengen, met betere voorzieningen?'

'Ik geloof niet dat ze in levensgevaar verkeert.' Dokter Merlonghi leek wat afwezig. 'Wie is die man die haar hierheen heeft gestuurd, Pasquale?'

Pasquale rende de trap af en kwam terug met het vel papier dat Dee Moray op haar tocht had begeleid.

Dokter Merlonghi las de brief, ondertekend door Michael Deane, 'special production assistant van 20th Century Fox', die in het Grand Hotel in Rome verbleef. Hij draaide het papier om en zag dat de achterkant leeg was. Toen keek hij op. 'Weet je met welke klachten een vrouw met maagkanker bij de dokter zou komen, Pasquale?'

'Nee.'

'Pijn in de slokdarm, misselijkheid, gebrek aan eetlust, overgeven, mogelijk een wat opgezette onderbuik. Naarmate de ziekte voortschrijdt, of de kanker uitzaait, zullen andere systemen aangetast worden. Darmen. Urinebuis. Nieren. Zelfs de menstruatie.'

Pasquale schudde het hoofd. Arme vrouw.

'Dat kunnen allemaal symptomen zijn van maagkanker. Maar weet je wat ik mij afvraag: welke arts zou, wanneer hij met dergelijke symptomen wordt geconfronteerd, zonder endoscopie of biopsie, tot de conclusie komen dat de vrouw maagkanker heeft, in plaats van de diagnose die veel meer voor de hand ligt?'

'En dat is?'

'Dat is... dat ze zwanger is.'

'Zwanger?' vroeg Pasquale.

De dokter maande hem tot stilte.

'Denkt u dat ze...'

'Ik weet het niet. Het is vermoedelijk te vroeg om een hartslag te horen, en haar symptomen zijn vrij hevig. Maar als er een jonge vrouw bij mij zou komen met dit soort klachten, als misselijkheid, een opgezette buik, maagzuur en het uitblijven van de menstruatie... nou ja, maagkanker is zeer ongebruikelijk bij jonge vrouwen. Zwangerschap daarentegen...' Hij glimlachte. 'Zeer gebruikelijk.'

Pasquale realiseerde zich dat ze fluisterden, al zou Dee Moray toch geen woord van hun Italiaans hebben verstaan. 'Wacht even. Zegt u nou dat ze misschien helemaal geen kanker heeft?'

'Ik weet niet wat ze heeft. Er zit duidelijk kanker in haar familie. En misschien beschikken Amerikaanse artsen over testen waar wij nog geen weet van hebben. Ik zeg alleen dat ik niet op grond van deze symptomen zou kunnen vaststellen dat iemand kanker heeft.'

'Hebt u dat tegen haar gezegd?'

'Nee.' De dokter leek elders met zijn gedachten. 'Ik heb niets tegen haar gezegd. Na alles wat ze heeft doorgemaakt wil ik haar geen valse hoop geven. Als die man komt, die man met wie ze heeft afgesproken, dan kun je het hem misschien vragen. Deze...' Hij keek nog een keer naar het papier. 'Michael Deane.'

Dat was wel het laatste wat Pasquale wilde vragen aan een of ander Amerikaans filmfiguur.

'En dan nog iets.' De dokter legde een hand op Pasquales arm. 'Vind je het niet gek, Pasquale? Dat ze haar hierheen sturen, terwijl die film wordt opgenomen in Rome?'

'Ze zochten een rustige plek met uitzicht op zee', zei Pasquale. 'Ik heb gevraagd of ze *Venere* bedoelden, maar op het papier staat Vergogna.'

'Ja, natuurlijk. Ik bedoel ook niet dat het hier niet mooi zou zijn, Pasquale', zei dokter Merlonghi, die de felle toon in Pasquales stem niet was ontgaan. 'Maar in een plaatsje als Sperlonga is het bijna net zo rustig, en dat ligt ook aan zee, en een stuk dichter bij Rome. Dus waarom zit ze hier?'

Pasquale haalde zijn schouders op. 'Volgens mijn tante gaat in Porto Vergogna niemand jong dood.'

De dokter lachte beleefd. 'Zodra die man er is, weet je vast meer. Als ze hier volgende week nog is, moet Tomasso de Communist haar maar even naar mijn praktijk brengen.'

Pasquale knikte. Toen deed hij samen met de dokter de deur van Dee Morays kamer open. Ze lag te slapen, het blonde haar als boterkrullen op het kussen onder haar hoofd. Ze had een arm om de grote pastakom geslagen en op het kussen naast haar hoofd lagen de doorslagen van Alvis Benders boek.

4

De glimlach van de hemel

April 1945
In de buurt van La Spezia, Italië

Door Alvis Bender

Toen brak de lente aan, en daarmee het einde van mijn oorlog. De generaals met hun vetpotloden hadden om te veel soldaten gevraagd en ze moesten iets bedenken om ons bezig te houden en dus marcheerden we van de ene kant van Italië naar de andere. We liepen die hele lente, eerst door de kalkstenen kustvlakten aan de voet van de Apennijnen, en toen de weg eenmaal vrij was over de grillige, groene uitlopers richting Genua, door dorpjes die brokkelden als oude kaas, langs kelders waaruit vervuilde, uitgemergelde Italianen opdoken. Wat een gruwelijke formaliteit, het einde van een oorlog. We streden om verlaten schuttersputjes en bunkers. Omwille van elkaar deden we alsof we wilden vechten. Maar heimelijk waren we blij dat de Duitsers zich sneller terugtrokken dan wij konden lopen, langs dat verzwakte front, de <u>Linea Gotica</u>.

Ik had blij moeten zijn dat ik nog leefde, maar ik had me in mijn oorlog niet eerder zo ellendig gevoeld, bang en eenzaam, me scherp bewust van alle barbaarse daden om me heen. Maar het grootste probleem zat onderaan: mijn voeten hadden zich tegen me gekeerd. Mijn natte, rode, zieke hoeven, mijn ontstoken, pijnlijke voeten waren overgelopen naar de vijand, hadden onze zaak verraden. Voordat mijn voeten begonnen te muiten hadden er mijn hele oorlog lang drie dingen door mijn hoofd gespookt: seks, eten en de dood – tijdens onze mars waren die eigenlijk geen seconde uit mijn gedachten geweest. Maar tegen de tijd dat het lente werd waren die fantasieën volledig naar de achtergrond gedrongen door het beeld van droge sokken. Ik hunkerde naar droge sokken. Ik snakte, smachtte, hallucineerde dat ik na afloop van de oorlog een paar lekker dikke sokken zou vinden waar ik heel voorzichtig mijn gepijnigde voeten in zou laten glijden, dat ik mijn laatste adem zou uitblazen als een oude man met rimpelige, droge voeten.

Elke ochtend opnieuw lieten de vetpotlodengeneraals artilleriegolven stukslaan op het noorden terwijl wij in drijfnatte regenkleding door de aanhoudende, striemende regen marcheerden. We kwamen twee dagen achter de vooruitgestuurde gevechtseenheden van het Tweeënnegentigste, achter de zwarte Buffalo Soldiers en de twee bataljons Japanse Nisei uit de interneringskampen – harde jongens die door de vetpotloden waren ingezet voor de zware gevechten aan de westelijke kant van de Gotische Linie. Wij waren nepsoldaten, veegtroepen, wij kwamen uren of zelfs dagen nadat de zwarte en de Japanse soldaten de weg hadden vrijgemaakt, wij profiteerden van de domme vooroordelen van de generaals. Wij waren een verkennings/inlichtingen-eenheid, bestaande uit goed opgeleide specialisten: ingenieurs, timmerlieden, de gravendienst, en tolken Italiaans, zoals ik zelf en mijn goede vriend, Richards. Wij hadden de opdracht om achter de stoottroepen aan te gaan, tot aan de rand van de ingenomen en verwoeste dorpjes, waar we moesten helpen de lichamen te begraven en waar we in ruil voor informatie snoep en sigaretten moesten uitdelen aan alle angstige vrouwen en kinderen die nog in leven waren. Wij moesten bij deze schimmen gegevens zien los te peuteren over de Duitsers die op de vlucht waren geslagen: waar de mijnen lagen, de locaties van de troepen, de munitieopslagplaatsen. De vetpotloden hadden ons op het laatste moment ook nog gelast de namen te noteren van alle mannen die uit handen van de fascisten hadden weten te blijven en die aan onze kant hadden gestreden, de communistische partizaneneenheden die zich schuilhielden in de heuvels.

'Dus nu zijn de communisten aan de beurt', mopperde Richards, wiens Italiaanse moeder hem als kind de taal had geleerd, waarmee ze hem had weten te behoeden voor de zware gevechten van vele jaren later. 'Kunnen ze ons niet eerst deze oorlog laten afmaken voor ze beginnen aan de volgende?'

Richards en ik waren ouder dan de rest van het peloton, hij drieëntwintig met twee strepen, ik tweeëntwintig en soldaat eerste klasse, allebei met een paar jaar studie achter de rug. Niemand kon Richards en mij uit elkaar houden, in uiterlijk noch in manier van doen: ik een slungelige vlaskop uit Wisconsin, mede-eigenaar van de autohandel van mijn vader, hij een slungelige vlaskop uit Cedar Falls, Iowa, net als zijn broers mede-eigenaar van een verzekeringsbedrijf. Maar terwijl mij thuis weinig meer wachtte dan een reeks ex-vriendinnetjes, de mogelijkheid om docent Engels te worden, en een paar mollige neefjes, had Richards een liefhebbende vrouw en een zoon die hem dolgraag wilden weerzien.

In het Italië van 1944 was geen snipper informatie Richards en mij te min. We rapporteerden hoeveel broden de Duitsers hadden gevorderd en hoeveel dekens de partizanen hadden meegenomen, en ik schreef twee hele alinea's over een arme Duitse soldaat die in zijn buik was geraakt en die was genezen dankzij een oud heksenwondermiddeltje van olijfolie en gemalen beendermeel. Hoe geestdodend het werk ook was, we deden het met overgave, want het alternatief was lijken bestrooien met ongebluste kalk en vervolgens begraven.

Het was duidelijk dat er grotere belangen speelden bij het einde van mijn oorlog (we hoorden geruchten over nachtmerriekampen en over de vetpotloden die de wereld in tweeën verdeelden), maar voor Richards en mij bestond die oorlog uit natte, moeizame marsen over onverharde paden en hellingen, naar de rand van platgegooide dorpen, en het in snelle opeenvolging ondervragen van groepjes hologige, vervuilde boeren die ons om eten smeekten. In november waren de wolken verschenen, inmiddels was het maart en leek het één aanhoudende regenbui. Die maand marcheerden we domweg om te marcheren, zonder enig strategisch doel, enkel omdat een nat leger dat niet oprukt begint te stinken als een kamp van zwervers. Inmiddels was het zuidelijke deel, zo'n twee derde, van Italië bevrijd; voor zover je dat kunt zeggen van een land dat is vermorzeld door legers die de mooiste gebouwen, monumenten en kerken hebben platgegooid, alsof de architectuur de ware vijand was. Weldra zou ook het noorden een bevrijde hoop puin zijn. We rukten op in de laars, als een vrouw die haar kous aantrekt.

Het was tijdens een van die dagelijkse verkenningstochten dat ik op het idee kwam een kogel door mijn lijf te jagen. En terwijl die gedachte door mijn hoofd speelde en ik me afvroeg waar ik die kogel dan precies in moest schieten, zag ik het meisje.

We hadden over een ezelpaadje gelopen, twee smalle sporen door het struikgewas, met af en toe een dorpje op een heuveltop of onder in een dal, met uitgehongerde oude vrouwtjes met ontstoken ogen die aan de kant van de weg ineen waren gezakt, met kinderen die als een modern schilderij door het raam van een beschoten huis naar buiten keken, ingekaderd door het kapotte kozijn, zwaaiend met lappen grijze stof, hun handen uitgestoken in de hoop op chocolade: 'Dolci, per favore. Sweeeets, Amer-ee-can?'

Deze dorpen waren overspoeld door een grindgolf, die alles had stukgeslagen toen hij kwam opzetten, en nogmaals toen hij zich terugtrok. 's Nacht bivakkeerden we aan de randen van de kaalgeslagen gehuchten, in doorgezakte schuurtjes, in de ruïnes van verlaten boerderijen, in de puinhopen van vroegere keizerrijken. Elke avond voordat ik in mijn slaapzak kroop deed ik heel voorzichtig mijn soldatenkisten uit, trok mijn sokken uit en vervloekte ze, richtte smeekbeden tot ze, hing ze vertwijfeld aan een hek, in een raamkozijn of aan een tentpaal. Elke ochtend werd ik hoopvol wakker en trok de droge sokken aan mijn droge voeten, waarna er een chemische reactie op gang kwam die mijn voeten veranderde in klamme, larvenachtige organismen die zich voedden met mijn bloed en mijn botten. Onze fourageur, een meelevende jonge man met fijne gelaatstrekken, die volgens Richards een oogje op me had ('Ik zweer je,' zei ik tegen Richards, 'als hij mijn voeten kan genezen blaas ik een riedeltje op zijn leuter'), voorzag me keer op keer van nieuwe sokken en voetpoeder, maar telkens wisten die verraderlijke beestjes weer naar binnen te glippen. Ik sprenkelde elke ochtend poeder in mijn schoenen, trok nieuwe, droge sokken aan, zette een stap en voelde hoe de roofzuchtige bloedzuigers zich te goed deden aan mijn tenen. Als ik niet snel ingreep zouden ze nog mijn dood worden.

Op de dag dat ik het meisje ontmoette was ik het eindelijk zo zat dat ik voldoende moed bij elkaar had ge-

raapt om in actie te komen: een schietongeval, een verdwaalde kogel, dwars door een van mijn weerspannige
voeten. Ik zou naar huis gestuurd worden, naar Madison,
waar ik als een voetloze invalide bij mijn ouders op
de bank naar radioverslagen van honkbalwedstrijden zou
luisteren en mijn neefjes een steeds sterker verhaal
zou vertellen over hoe ik mijn voet was kwijtgeraakt (ik
ben op een landmijn gestapt toen ik mijn maten redde).

Die dag moesten we een onlangs bevrijd dorpje binnen-
trekken om de overlevenden te ondervragen ('Cand-ee,
Amer-ee-can! Dolci, per favore!'), om de boeren te vragen hun communistische kleinzoons te verlinken, om erachter te komen of de verslagen Duitsers zich heel
toevallig, terwijl ze op de vlucht sloegen, nog iets
hadden laten ontvallen, waar Hitler zich schuilhield,
bijvoorbeeld. Terwijl we opmarcheerden naar het berg-
dorpje zagen we aan de kant van de weg het rottende
lijk van een Duitse soldaat over een geïmproviseerde
zaagbok van knoestige boomtakken hangen.

Die lente zagen we eigenlijk weinig meer van de
Duitsers dan die lijken, die voorheen altijd waren
weggehaald door geharde soldaten of nog veel geharde-
re partizanen; wij hadden een haast bijgelovig ontzag
voor hun werk. Niet dat het voor ons een vakantiereis-
je was geweest: we hadden heus ook wel gevochten. Ja,
lieve brave neefjes, jullie oom had goede redenen om
met zijn .30 kaliber in de richting van de vijand te
schieten, en na elk schot een hoopje aarde te zien opstuiven. Het is lastig te zeggen hoeveel kluiten aarde ik heb geraakt, maar laat ik ermee volstaan te zeggen dat ik er verdomd goed in was, de aartsvijand van
de aarde. En reken maar dat wij ook onder vuur hebben
gelegen. Eerder die lente hadden we twee manschappen
verloren toen Duitse 88mm-kanonnen een hagelbui van
granaten op de weg naar Seravezza lieten neerdalen, en

nog eens drie in een gruwelijk, negen seconden durend vuurgevecht even buiten Strettoia. Maar dat waren uitzonderingen, angstaanjagende momenten van opvlammende angst, verblind door adrenaline. Zeker, ik heb daden van heldenmoed gezien en ik heb andere soldaten erover horen vertellen, maar in mijn oorlog werden we voornamelijk na afloop betrokken bij de gevechten, door dit soort wrange puzzels, achtergelaten als een brute toetssteen van het ongerijmde. (Was de Duitser bezig een zaagbok te maken toen zijn keel werd doorgesneden? Of was het onderdeel van zijn dood, was hij ertoe veroordeeld dat zijn keel werd doorgesneden op een zaagbok in wording? Of had het een symbolische functie, was het iets cultuurbepaalds, als een ridder die over zijn paard is gedrapeerd, of was het domweg toeval, had er toevallig een zaagbok gestaan op de plek waar de Duitser was gevallen?) Over dat soort vragen hadden we het wanneer we op zo'n lijkenpuzzel stuitten: Wie was er vandoor met het hoofd van de partizanenlijfwacht? Waarom was het dode kind ondersteboven in een graanbak begraven? Afgaande op de geur en de hoeveelheid insecten had deze Duitse lijkenpuzzel op de zaagbok twee dagen eerder al nauwelijks nog met goed fatsoen begraven kunnen worden. We hoopten maar dat we gewoon konden doen alsof we hem niet hadden gezien en dat onze bevelvoerend officier, de achterlijke luitenant Bean met het spleetje tussen zijn tanden, ons niet zou opdragen ons te ontfermen over het in staat van ontbinding verkerende lijk.

We waren het lijk veilig gepasseerd, de taak het te begraven bleef ons bespaard, maar ineens bleef ik staan en gaf door dat ik terugging om me over het opgezwollen lijk te ontfermen. Niet zonder redenen, natuurlijk. Er was al iemand met de schoenen van de Duitse soldaat vandoor, en zijn insignes en wapens waren natuurlijk ook allang verdwenen, net als al het overige waarmee een mens met Thanksgiving indruk zou kunnen maken op neefjes in Rockport (<u>Dit is de Hitlersoldatenlepel die ik heb buitgemaakt op een moordzuchtige Hun die ik met mijn blote voeten de nek heb omgedraaid</u>), maar om een of andere reden had deze dode man zijn sokken nog aan. En ik werd zo gek van de pijn dat de sokken van deze dode man mijn redding leken: twee schone, strak geweven kokers van stof die zijn voeten leken te bedekken als de lakens van een viersterrenhotel. Na tientallen Geallieerden-legersokken, met dank aan de sympathieke fourageur, wilde ik mijn geluk beproeven met de uitrusting van de Asmogendheden.

'Je bent gek', zei Richards toen ik liet weten dat ik terugging om de sokken van het lijk te halen.

´Gek van de pijn, ja!´ gaf ik toe. Maar voordat ik me op de voeten van de dode kon storten kwam Bean, die idiote luit, onze kant op benen om te zeggen dat een ander peloton een lijk had gevonden waar een mijn in zat, en dat we het bevel hadden gekregen niemand meer te begraven. Ik was gedwongen de in mijn ogen warmste, droogste, schoonste sokken van Europa de rug toe te keren, en nog eens drie kilometer door te lopen op de soppende, prikkende ondingen die tot pulp waren verworden. Dat was de druppel. Ik kon het niet meer aan. 'Vanavond doe ik het', zei ik tegen Richards. 'Zelfverwonding. Vanavond knal ik mijn voet eraf.'

Richards hoorde al dagen mijn gejammer aan, en hij dacht dat het allemaal grootspraak was, dat ik net zo min in mijn eigen voet kon schieten als ik kon vliegen. 'Doe niet zo achterlijk', zei Richards. 'De oorlog is voorbij.'

Dat was nou juist het mooie, zei ik tegen hem. Wie zou er nu nog iets achter zoeken? In een eerder stadium van de oorlog zou een voetwond misschien niet voldoende zijn geweest om naar huis te mogen, maar nu, nu het allemaal op zijn einde liep, durfde ik de gok wel te wagen. 'Ik doe het echt.'

Richards ging niet tegen me in. 'Prima. Je doet maar. Ik hoop dat je doodbloedt in een strafkamp.'

'De dood is te verkiezen boven deze pijn.'

'Hou dan op over die voet en knal een kogel door je kop.'

We hadden halt gehouden vlak voor een klein dorpje, en ons kamp opgeslagen in het puin van een oude schuur op een met wijnranken begroeide helling. Richards en ik maakten een uitkijkpost op een smalle richel die ons dekking bood. Ik besprak met Richards op welk deel van mijn voet ik het beste kon richten, alsof we het erover hadden waar we zouden gaan lunchen. Op dat moment hoorden we iets ruisen op de weg die onder onze uitkijkpost door liep. Richards en ik keken elkaar zwijgend aan. Ik pakte mijn karabijn, hees me op de richel en keek over de weg, tot mijn blik bleef hangen aan de naderende gestalte van...

Een meisje? Nee. Een vrouw. Jong. Negentien? Tweeentwintig? Drieëntwintig? Dat viel moeilijk te zeggen in de schemering, ik zag alleen dat ze beeldschoon was en dat ze in haar eentje over dit smalle paadje liep, haast huppelend, haar bruine haren in een staart, een smalle kin met daarboven twee blozende wangen en een paar ogen die werden geaccentueerd door volle, donkere wenkbrauwen, als twee strepen roet. Ze was klein, maar in de gebutste scheen van Italië was iedereen klein. Ze leek niet uitgehongerd. Ze droeg een jurk met daarover een stola, en het is haast te pijnlijk om te proberen me de kleur weer voor de geest te halen, maar volgens mij was die jurk vaalblauw, met gele zonnebloemen, al weet ik niet zeker of het ook echt zo was, alleen dat ik het me zo herinner (al wantrouw ik mezelf omdat in het

Europa van mijn herinneringen iedere vrouw die ik heb ontmoet, iedere hoer, iedere oma en iedere zwerfster, dezelfde blauwe jurk met gele zonnebloemen draagt).

'Halt', riep Richards. En ik schoot in de lach. Er loopt een beeldschone vrouw over de weg onder ons en Richards weet niets beters te verzinnen dan <u>Halt</u>? Als ik niet zulke pijnlijke voeten had gehad, als ik wat steviger in mijn schoenen had gestaan, had ik hem misschien kunnen inspireren tot Shakespeares meer existentiële <u>Wie daar?</u>, waarna we *Hamlet* voor haar hadden kunnen opvoeren.

'Niet schieten, goede Amerikanen', riep de vrouw vanaf de weg, in keurig Engels. Omdat ze niet goed wist waar het 'Halt' vandaan was gekomen, richtte ze het woord tot de bomen aan weerszijden en vervolgens tot onze smalle richel, vlak voor haar neus. 'Ik ben op weg naar mijn moeder.' Ze stak haar handen in de lucht en wij verhieven ons op het richeltje boven haar, geweren nog steeds in de aanslag. Ze liet haar armen zakken en ze zei dat ze Maria heette en dat ze uit een dorp net over de heuvel kwam. Ondanks haar lichte accent sprak ze beter Engels dan de meeste jongens in onze eenheid. Ze glimlachte. Pas op het moment dat je zo'n glimlach ziet weet je hoe erg je die hebt gemist. Ik kon nog maar aan één ding denken: hoelang geleden het was dat ik op een landweggetje een meisje had zien glimlachen.

'De weg is versperd. Je zult moeten omlopen', zei Richards, terwijl hij met zijn geweer gebaarde in de richting waaruit ze was gekomen.

'Ja, goed', zei ze, en ze vroeg of de weg in westelijke richting open was. Ja, zei Richards. 'Bedankt', zei ze, en ze draaide zich om. 'God zegene Amerika.'

'Wacht', riep ik. 'Ik loop wel met je mee.' Ik zette mijn wollen helmvoering af en streek met wat spuug mijn haar glad.

'Doe niet zo stom', zei Richards.

Ik draaide me om, met tranen in mijn ogen. 'Godverdomme, Richards, ik loop met dat meisje mee naar huis!' Richards had natuurlijk gelijk. Het was stom van me. Je post verlaten stond gelijk aan deserteren, maar op dat moment was ik bereid de rest van mijn oorlog dwangarbeid te verrichten om twee meter met dat meisje mee te kunnen lopen.

'Toe, laat me gaan', zei ik. 'Zeg maar wat je hebben wilt.'

'Je Luger', zei Richards zonder enige aarzeling.

Ik wist dat Richards dat zou zeggen. Hij hunkerde naar die Luger zoals ik hunkerde naar droge sokken. Hij wilde hem als souvenir voor zijn zoon. Ik kon het hem moeilijk kwalijk nemen. Ik had een niet-bestaande zoon in gedachten gehad toen ik die Luger kocht op een Italiaans marktje even buiten Pietrasanta. Bij gebrek aan een zoon zou ik hem vermoedelijk laten zien aan mijn scharreltjes en mijn stomme neefjes, als ik een paar whisky's te veel op had en eerst zou doen alsof ik helemaal niet over mijn oorlog wilde praten, om vervolgens de roestige Luger uit een bureaula te halen en dat stelletje nietsnutten te vertellen hoe ik die had ontworsteld aan een gestoorde Duitser die zes van mijn kameraden had omgebracht en mij in mijn voet had geschoten. De zwarte markt van Duitse oorlogstrofeeen stoelde volledig op dit soort bedrog: de uitgehongerde Duitsers die de aftocht bliezen ruilden hun kapotte wapens en identiteitsplaatjes in voor brood van de uitgehongerde Italianen, en de uitgehongerde Italianen verkochten op hun beurt alles weer door als trofee aan Amerikanen zoals Richards en ik, die hongerden naar bewijzen van onze heldendaden.

Helaas zou Richards de Luger nooit aan zijn zoon kunnen geven omdat hij zes dagen voordat we inscheepten, ik om thuis naar honkbalverslagen op de radio te luisteren, hij om zijn vrouw en zijn zoon terug te zien, een roemloze dood stierf ten gevolge van een bloedvergiftiging die hij had opgelopen in een veldhospitaal, waar hij was geopereerd aan een gesprongen blindedarm. Ik zou hem nooit meer terugzien nadat hij erheen was gegaan met koorts en buikpijn en die achterlijke luitenant me plompverloren vertelde dat hij was overleden ('O, Bender. Tja, luister eens. Richards is dood'), de laatste en beste vriend die ik in mijn oorlog zou verliezen. En als dat het einde markeert van Richards oorlog, dan is hier nog een epiloog: een jaar later reed ik bijna tot mijn eigen verbazing door Cedar Falls, in Iowa, parkeerde mijn auto voor een huis met een Amerikaanse vlag op de stenen veranda, zette mijn pet af en belde aan. Richards vrouw was klein en gedrongen en ik speldde haar de beste leugen op de mouw die ik kon bedenken, dat zijn laatste woorden haar naam waren geweest. En ik gaf zijn zoontje het kistje met mijn Luger erin, zei dat zijn vader die had afgepakt van een Duitse soldaat. En toen ik zo neerkeek op die rossige vetkuif verlangde ik meer dan ooit naar een eigen zoon, naar de erfgenaam die ik nooit zou hebben, naar iemand die de belofte zou inlossen van het leven dat ik nu al wilde vergooien. En toen Richards zoontje, de onschuld zelve, vroeg of zijn vader 'moedig was geweest in de oorlog' zei ik, in alle oprechtheid: 'Je vader was de moedigste man die ik ooit heb gekend.'

En zo was het ook, want op de dag dat ik het meisje ontmoette zei Richards de Moedige: 'Ga maar. Hou je Luger maar. Ik dek je wel. Als je me na afloop maar alles vertelt.'

Als ik, door alle momenten van angst en ongemak tijdens mijn oorlog op te biechten, het beeld heb opgeroepen van een man die allesbehalve heldhaftig is, dan wil ik graag het volgende aanvoeren als bewijs van mijn nobele inborst: het was niet mijn bedoeling dat meisje ook maar met een vinger aan te raken. En ik wilde per se dat Richards dat wist, dat ik mijn leven en mijn eer niet op het spel zette voor een snelle wip, maar domweg om 's avonds een eindje op te lopen met een mooie vrouw, om dat heerlijk alledaagse genoegen te smaken.

'Richards', zei ik. 'Ik raak haar met geen vinger aan.'

Volgens mij zag hij dat ik de waarheid sprak, want hij keek me met een gepijnigde blik aan. 'Jezus man, laat mij dan met haar meegaan.'

Ik legde even een hand op zijn schouder, pakte mijn geweer en rende over de weg achter haar aan. Ze had een behoorlijk tempo en toen ik haar had weten in te halen liep ze vlak langs de berm. Van dichtbij was ze ouder dan ik dacht, een jaar of vijfentwintig. Ze nam me behoedzaam op. Ik stelde haar op haar gemak met mijn tweetalige charme: '_Scusi, bella. Fare una passeggiatta, per favore?_'

Ze glimlachte. 'Ja. Loop maar mee', zei ze in het Engels. Ze vertraagde haar pas en pakte mijn arm. 'Maar alleen als je niet langer je reet afveegt met mijn taal.'

Aha. Het was dus liefde.

Maria's moeder had drie zoons en drie dochters grootgebracht in het dorp. Haar vader was aan het begin van de oorlog gestorven en haar broers waren in het leger ingelijfd toen ze zestien en vijftien waren, en de jongste al op zijn twaalfde, eerst om Italiaanse loopgraven aan te leggen, en later Duitse fortificaties. Ze bad dat tenminste een van haar broers nog in leven was, ergens ten noorden van wat er nog restte van de _Linea Gotica_, maar eigenlijk had ze vrijwel alle hoop laten varen. Maria vertelde me in het kort hoe haar dorp de oorlog door was gekomen, als een washandje uitgeknepen door Mussolini die jonge mannen nodig had, vervolgens opnieuw uitgeknepen door de partizanen, en nogmaals door de Duitsers die zich terugtrokken, net zo lang tot er geen mannen tussen de acht en de vijfenvijftig meer over waren en het dorp met de grond gelijk was gemaakt, aan flarden geschoten en geplunderd. Maria had Engels geleerd op een nonnenschool en na de invasie had ze werk gevonden als verpleeghulp in een Amerikaans veldhospitaal. Ze was weken achtereen weg maar keerde altijd terug naar het dorp om te kijken hoe haar moeder en haar zus het maakten.

'En als dit allemaal achter de rug is,' vroeg ik, 'is er dan een leuke jonge man met wie je gaat trouwen?'

'Er was een jongen, maar ik betwijfel of hij nog in leven is. Als dit achter de rug is ga ik voor mijn moeder zorgen. Ze is weduwe en ze is drie zoons op rij verloren. Als zij er niet meer is, is er misschien een Amerikaan zoals jij, die me meeneemt naar New York City. Dan ga ik in het Empire State Building wonen, eet ik elke avond ijs in een duur restaurant en dij ik steeds verder uit.'

'Je kunt met mij mee naar Wisconsin. Dan kun je daar uitdijen.'

'Ach, Wisconsin,' zei ze, 'de kaas en het melkvee.' Ze wuifde even met haar hand, vlak voor haar gezicht, alsof Wisconsin vlak naast de weg lag, achter het struikgewas. 'Koeien, boerderijen en Madison, het maanlicht in de rivier, de Wisconsin Badgers. In de winter is het er koud maar in de zomer zie je mooie boerenmeisjes met een paardenstaart en blozende wangen.'

Ze had parate kennis van elke willekeurige staat, doordat al die jonge Amerikanen in haar hospitaal herinneringen hadden opgehaald aan hun geboortegrond, meestal met de dood in de ogen. 'Idaho? De diepe meren en de hoge bergen, bomen zover het oog rijkt en mooie boerenmeisjes met een paardenstaart en blozende wangen.'

'Voor mij geen boerenmeisje', zei ik.

'Na afloop van de oorlog vind je er wel eentje', zei ze.

Ik zei dat ik na de oorlog een boek wilde schrijven. Ze hield haar hoofd schuin. 'Wat voor boek?'

'Een roman. Over dit alles. Misschien een humoristisch boek.'

Ze keek bedrukt. Een boek schrijven was een serieuze zaak zei ze, niet iets om grapjes over te maken.

'Nee, begrijp me goed', zei ik. 'Ik wil er geen grapjes over·maken. Ik heb het over een heel ander soort humor.'

Ze wilde weten wat voor soort humor er dan nog meer was en ik stond met mijn mond vol tanden. Inmiddels konden we haar dorp zien, een verzameling grijze schaduwen, als een petje op de donkere heuveltop voor ons.

'Het soort humor waar je ook treurig van wordt', zei ik.

Ze keek me nieuwsgierig aan en net op dat moment fladderde er een vogel of een vleermuis op uit het struikgewas. We schrokken allebei. Ik sloeg een arm om Maria's schouder. En ik weet niet hoe het zo kwam, maar ineens liepen we niet langer op de weg maar lag ik op mijn rug onder de citroenbomen, met Maria boven op me, het onrijpe fruit als stenen boven mijn hoofd. Ik kuste haar lippen en wangen en hals, en zij maakte snel mijn broek los en nam me tussen haar handen, bewoog vakkundig haar ene hand op en neer terwijl ze me met de andere hand streelde, alsof ze een strikt vertrouwelijke legerinstructie over deze manoeuvre had doorgenomen. En ze deed het uitzonderlijk goed, veel beter dan het mij zelf ooit was gelukt, en binnen de kortste keren lag ik dan ook te hijgen en drukte ze me tegen zich aan en rook ik citroen en aarde en haar, en kwam ik los van de wereld terwijl zij iets ging verliggen en me netjes richtte, weg van haar mooie jurk, als een boerin die de melk uit de koeienuier richt, naar de onrijpe citroenen, en dat alles in minder dan een minuut, zonder dat ze zelfs de strik in haar haren had hoeven losmaken.

'Zo, dan', zei ze.

Tot op de dag van vandaag zijn dat de twee mooiste, treurigste, schrijnendste woorden die ik ooit heb gehoord. Zo, dan.

Ik begon te huilen. 'Wat is er?' zei ze.

'Mijn voeten doen pijn', was het enige wat ik kon uitbrengen. Maar natuurlijk huilde ik niet vanwege mijn voeten. En terwijl ik werd overmand door dankbaarheid jegens Maria, door berouw en weemoed en opluchting dat ik zo laat in mijn oorlog nog in leven was, huilde ik ook om heel andere redenen. Ik huilde omdat ik duidelijk niet de eerste bruut was die zo efficiënt en geraffineerd door Maria tot een hoogtepunt was gebracht, enkel met haar handen.

Ik huilde omdat het niet anders kon of er ging een gruwelijk verhaal schuil achter haar snelheid en haar bedrevenheid, het feit dat ze de techniek tot in de puntjes beheerste. Dit was een aanpak waartoe ze was overgegaan nadat andere soldaten haar tegen de grond hadden gedrukt en ze hen niet met enkel haar handen van het lijf had weten te houden.

Zo, dan.

'O, Maria...' snikte ik. 'Het spijt me.' En ik was duidelijk niet de eerste bruut die bij haar in tranen was uitgebarsten, want ze wist precies waar ik behoefte aan had, maakte de bovenste knoopjes van haar blauwe jurk open, drukte mijn hoofd tussen haar borsten en zei zachtjes: 'Stil maar, Wisconsin, stil maar.' Haar huid was zo glad en zacht als boter, zo nat van mijn tranen dat ik nog harder moest huilen en zij 'Stil maar, Wisconsin' zei, en ik mijn hoofd tussen die borsten legde alsof haar huid mijn thuis was, en tot op de dag van vandaag is dat voor mij de mooiste plek op aarde, die smalle, ribbelige vallei tussen die verrukkelijke heuvels. Na een poosje hield ik op met huilen en wist iets van mijn waardigheid te herwinnen en vijf minuten later, nadat ik haar al mijn geld en sigaretten had gegeven en haar mijn eeuwige liefde had verklaard en had gezworen dat ik terug zou komen, strompelde ik beschaamd terug naar mijn uitkijkpost en bezwoer Richards, mijn teleurgestelde beste vriend die niet lang meer zou leven, dat ik alleen maar met haar was meegelopen naar huis.

God, wat is dit leven kaal en broos. Maar we zullen het ermee moeten doen. Toen ik die nacht in mijn slaapzak kroop was ik niet langer mezelf maar een afgepelde schil, een lege huls.

De jaren gingen voorbij en ik was nog altijd een lege huls, leefde nog altijd in dat ene moment, de dag dat er een einde kwam aan mijn oorlog, de dag waarop me duidelijk werd, en wat alle overlevenden zullen herkennen, dat in leven zijn iets anders is dan leven.

Zo, dan.

Een jaar later, toen ik Richards zoon de Luger had gegeven, stopte ik bij een kroegje in Cedar Falls voor een van de zes miljoen borrels die ik sindsdien heb gedronken. Het meisje achter de bar vroeg wat ik in Cedar Falls kwam doen, en ik zei: 'M'n zoon opzoeken.' Toen vroeg ze door over mijn zoon, die brave denkbeeldige knul wiens grootste tekortkoming was dat hij niet bestond. Ik zei dat het een prima knul was, dat ik een oorlogssouvenir voor hem had meegenomen. Dat wekte haar nieuwsgierigheid. Wat was het? wilde ze weten.

Wat kon ik nou voor moois uit de oorlog hebben meegenomen voor mijn zoon? Sokken, antwoordde ik.

Maar uiteindelijk heb ik dít mee terug genomen uit mijn oorlog, dit ene trieste verhaal, hoe ik in leven ben gebleven terwijl iemand anders is omgekomen. Hoe ik, in de berm van een onverharde weg net buiten het plaatsje R, onder de dunne tak van een citroenboom, in twintig seconden heerlijk ben afgetrokken door een meisje dat wanhopig probeerde te voorkomen dat ik haar zou verkrachten.

5

Een Michael Deane-productie

Kort geleden
Hollywood Hills, Californië

Deane, de man die de dienst uitmaakt in Hollywood, ligt lui in zijn zijden pyjama op een ligstoel op zijn patio, neemt kleine slokjes van een Fresca-met-ginseng en kijkt over de boomtoppen uit op de glinsterende lichtjes van Beverly Hills. In zijn schoot ligt een opengeslagen script, het vervolg op *Night Ravagers* (EXT: LOS ANGELES – NACHT: *een zwarte Firebird scheurt langs het Getty Museum*). Zijn assistente, Claire, heeft gezegd dat het script niks is, 'zelfs naar maatstaven van niks', en hoewel Claire de lat te hoog legt moet Michael haar in dit geval – mede gezien de steeds kleinere marges in de filmwereld en het feit dat de eerste *Night Ravagers* is geflopt – wel gelijk geven.

Het is een uitzicht waar hij al twintig jaar naar kijkt, maar op de een of andere manier komt het hem die namiddag voor als nieuw – de zon die over de hellingen strijkt, hellingen van groen en glas. Michael zucht met de tevredenheid van een man die weer aan de top staat. Het is ongelooflijk, wat er in een jaar kan veranderen. Nog niet zo heel lang geleden was hij niet eens meer in staat de schoonheid te zien van dit uitzicht, van wat dan ook. Hij vreesde dat het einde nabij was – niet de dood (geen van de mannen in de familie Deane bezweek voor zijn negentigste), maar iets veel ergers: vergetelheid. Hij bevond zich min of meer in een vrije val, had al tien jaar niets meer geproduceerd dat met een beetje goede wil een succes genoemd kon worden, het enige wat er wellicht voor door zou kunnen gaan was de eerste *Night Ravagers*, al pleitte dat succes eerder tegen hem. Hij had ook ernstig geleden onder het debacle met zijn memoires – de juristen van zijn uitgever hadden hem laten weten dat het boek dat hij wilde schrijven 'laster' was, 'ingegeven door eigenbelang', en dat de feiten 'niet vielen na te trekken', waarop zijn redacteur een ghostwriter had gestuurd die er een merkwaardige mengeling van autobiografie en zelfhulpboek van had gemaakt.

Het zag ernaar uit dat Michael zijn beste tijd had gehad en dat hij hard op weg was een van die fossielen te worden die de hele dag in de Riviera Country Club rondhangen, soep naar binnen lepelen en kwebbelen over Doris Day en Darryl Zanuck. Maar ineens bleek de oude Deane-magie toch nog niet geheel te zijn uitgewerkt. Dat is het heerlijke aan deze stad, aan dit wereldje: één simpel idee, één goede pitch en je bent weer helemaal terug. Hij begreep hem niet eens helemaal, de pitch die hem weer op de kaart had gezet, dat *Hookbook* (hij doet alleen maar alsof hij het begrijpt, al dat computer-blog-twitter gadgetgedoe) maar uit de reacties van zijn coproducent, Danny – en vooral die van zijn nuffige assistente Claire, die altijd wel wat te mopperen had – kon hij opmaken dat hij goud in handen had. Dus deed hij waar hij zo goed in was: hij pitchte of zijn leven ervan afhing.

En nu komt Michael Deanes naam weer voor op alle memoblaadjes in de hele stad, op alle gezaghebbende lijsten voor spec scripts en in alle promotiefilmpjes. Sterker nog, zijn grootste probleem is nu wat ooit zijn reddingsvlot leek: een wurgcontract dat de studio het eerste recht van aankoop geeft op al zijn projecten (naast een aanzienlijk deel van de opbrengst). Gelukkig denken zijn juristen nu een manier te hebben gevonden om ook hier onderuit te komen, en Michael is al op zoek naar andere kantoorruimte. Alleen al bij de gedachte weer op eigen benen te kunnen staan voelt hij zich net dertig – een opgewonden, tintelend gevoel in zijn lendenen.

Of wacht eens even... misschien komt dat door het pilletje dat hij een uur geleden heeft genomen? Ach ja, natuurlijk, precies op schema: achter de schermen geven versleten zenuwuiteinden en endotheelcellen stikstofmonoxide af aan de corpora cavernosa, die de synthese van cyclisch guanocinemonofosfaat opwekken, dat de veelvuldig gebruikte spiercellen doet verstijven en het oude, sponsachtige weefsel laat vollopen met bloed.

Het script op zijn schoot komt overeind als de vlag op Iwo Jima. 'Hé, daar.' Michael legt het script op de tuintafel, naast zijn Fresca, hijst zichzelf overeind en loopt naar binnen, op zoek naar Kathy.

Met een tent in zijn zijden pyjamabroek sloft Michael langs de *floating pool*, het levensgrote schaakspel, de karpervijver, Kathy's fitnessbal en yogamat, de smeedijzeren Toscaanse brunchtafel. Door de openstaande keukendeur ziet hij echtgenote nummer 4, in een yogabroek met een strak T-shirt. Hij ziet het weelderige resultaat van de investering die hij onlangs in haar heeft gedaan, de eersteklas siliconenzakjes die in haar retromamaire ruimten zijn geïmplanteerd, met hoge viscositeit teneinde de capsulaire contractie en de vorming van littekenweefsel tussen borstweefsel en borstspieren tot een minimum te beperken, ter vervanging van de oude siliconenzakjes die wat zijn uitgezakt.

Het is warm.

Kathy zegt altijd dat hij niet zo moet sloffen – *dan lijk je wel honderd* – en Michael doet zijn best om zijn voeten op te tillen. Ze heeft zich net met haar rug naar hem toe gekeerd als hij door de openstaande schuifdeur de keuken binnenkomt. 'Neem me niet kwalijk, mevrouw', zegt hij tegen zijn vrouw, waarbij hij zo gaat staan dat ze de tent in zijn broek goed kan zien. 'Had u paalpizza besteld?'

Maar ze heeft zo'n verfoeid koptelefoontje in haar oren en ze heeft hem gezien noch gehoord – of misschien doet ze maar alsof. Toen Michael de afgelopen twee jaar echt aan de grond zat, had hij iets neerbuigends bespeurd in haar manier van doen, een zweem van de geduldige nachtzuster in haar stem. Kathy heeft de magische 'half zo oud'-grens bereikt – zij zesendertig, hij tweeënzeventig. Michael heeft zich op latere leeftijd op vrouwen van ergens in de dertig gestort. Er wordt schande van gesproken als een man van zijn leeftijd zich inlaat met twintigers, maar niemand vertrekt ook maar een spier als het om een vrouw van dertig gaat; hier kun je honderd zijn, iets hebben met een vrouw van dertig, en nog altijd aanzien genieten. Helaas is Kathy ook ruim tien centimeter langer, en die kloof valt niét te overbruggen; soms heeft hij een heel onprettig beeld voor ogen van hun vrijpartijen, waarin hij als een hitsig elfje over haar heuvellandschap dribbelt.

Hij loopt om het keukenblok heen en gaat zo staan dat ze de bobbel in zijn pyjamabroek goed kan zien. Ze kijkt op, dan naar beneden, en dan weer op. Ze haalt het koptelefoontje uit haar oren. 'Hé, schat. Gaat het?'

Voordat hij kan benoemen wat zonneklaar is, begint Michaels mobieltje te trillen, het huppelt over het aanrecht tussen hen in. Kathy schuift de trillende telefoon Michaels kant op en zonder hulp van de chemicaliën zou haar gebrek aan belangstelling vermoedelijk korte metten hebben gemaakt met zijn staat van opwinding.

Hij kijkt naar het nummer op de telefoon. Claire? Om kwart voor vijf op een Wild Pitch Friday – wat kan dat zijn? Zijn assistente is messcherp – en hij is ervan overtuigd dat ze is geboren onder een gelukkig gesternte – maar ze maakt het zichzelf altijd zo moeilijk. Het kind maakt zich echt over alles druk, kijkt voortdurend met een kritisch oog naar zichzelf, naar haar verwachtingen, haar prestaties, haar normen en waarden. Het is dodelijk vermoeiend. Michael heeft zelfs het vermoeden dat ze op zoek is naar een andere baan – hij heeft een zesde zintuig voor dat soort dingen – en vermoedelijk is dat de reden dat hij een bezwerende vinger opsteekt naar Kathy en het telefoontje aanneemt.

'Wat is er, Claire?'

Ze ratelt, kwettert, giechelt. Mijn god, denkt hij, dit kind, met haar licht intellectuele smaak waar ze maar niet overheen kan stappen, met haar enigszins vermoeide, geveinsde cynisme. Hij waarschuwt haar altijd voor dat cynisme; het is aan slijtage onderhevig, als een goedkoop confectiepak. Ze is een opmerkzaam lezer, maar ze mist het objectieve overzicht dat onontbeerlijk is voor een producent. *Het raakt me niet*, zegt ze over bepaalde voorstellen, alsof het daar om gaat. Michaels coproducent, Danny, noemt haar Claire de

Kanarie – de kanarie in de kolenmijn – en heeft half grappend voorgesteld om haar als barometer te gebruiken. 'Als de Kanarie het goed vindt, doen we het niet.' Zo heeft ze hem bijvoorbeeld gesmeekt niet aan *Hookbook* te beginnen, hoewel ze moest toegeven dat het potentie had. (Claire: *Wil je nou echt, na alle films die je hebt geproduceerd, de geschiedenis ingaan als de man die dit soort dingen heeft gemaakt?* Michael: *Ik wil de geschiedenis ingaan als de man die een fortuin heeft gemaakt.*)

Aan de telefoon is Claire haar mompelende, verontschuldigende, ergst denkbare zelf. Ze gaat maar door over Wild Pitch Friday, over een of andere oude Italiaan en een schrijver die toevallig zijn taal spreekt, en Michael probeert haar in de rede te vallen, 'Claire...' maar ze neemt niet eens de tijd om adem te halen. 'Claire...' zegt hij nogmaals, maar zijn assistente geeft hem geen kans.

'Die Italiaan is op zoek naar een oude actrice, ene...' en Claire mompelt een naam die hem heel even de adem beneemt. 'Dee Moray?'

Michael Deane wankelt op zijn benen. De telefoon glipt uit zijn rechterhand en valt op het aanrecht terwijl de vingers van zijn linkerhand graaiend houvast zoeken; Kathy's snelle reflex weet te voorkomen dat hij ter aarde stort, mogelijk met zijn hoofd tegen het aanrecht klapt en zich spietst aan zijn stijve.

'Michael? Gaat het wel?' vraagt Kathy. 'Heb je weer een beroerte?'

Dee Moray.

Zo manifesteert een geest zich dus, denkt Michael. Niet als een bleke, haast tastbare verschijning die in je dromen komt spoken, maar als een naam van vroeger die uit een mobieltje klinkt.

Hij wuift zijn vrouw weg en grist de telefoon van het aanrecht. 'Ik heb geen beroerte, Kathy, laat me met rust.' Hij concentreert zich op zijn ademhaling. Het komt maar zo zelden voor dat een heel leven wordt samengebald in één moment. Maar hier staat Michael Deane, in zijn zijden pyjamabroek, strakgespannen over zijn door pillen opgewekte erectie, in de open keuken van zijn huis in Hollywood Hills, met in zijn hand een piepklein mobieltje dat vijftig jaar overbrugt wanneer hij zegt: 'Blijf daar. Ik kom eraan.'

Op het eerste gezicht lijkt Michael Deane een wassen beeld, of iemand die vroegtijdig is gebalsemd. Na al die jaren valt niet meer helemaal te zeggen welke gezichtsbehandelingen, kuren, modderbaden, cosmetische ingrepen, facelifts en fillers, collageeninjecties, poliklinische ingrepen, zonnebanksessies, botoxinjecties, verwijderde bobbeltjes en uitstulpinkjes, en stamcelinjecties ervoor hebben gezorgd dat een tweeënzeventigjarige man het gezicht heeft van een zevenjarig Filippijns meisje.

Laten we het erop houden dat de meeste mensen die Michael voor het eerst zien hem met open mond aanstaren, volkomen gebiologeerd door het glimmende gezicht dat slechts vage tekenen van leven vertoont. Sommige mensen houden hun hoofd scheef om het beter te kunnen zien, en Michael ziet de morbide fascinatie aan voor adoratie, of respect, of verbijstering dat iemand van zijn leeftijd er nog zo goed uitziet, en door dit fundamentele misverstand wordt hij alleen nog maar verbetener in zijn strijd tegen het verouderingsproces. Het is niet eens zozeer dat hij er met het jaar jonger uit lijkt te zien, want dat is hier aan de orde van de dag; het gaat eerder om een totale transformatie, alsof hij een volkomen ander wezen is geworden, een transformatie die met geen mogelijkheid valt uit te leggen. Op grond van Michael Deanes huidige uiterlijk proberen te bedenken hoe hij eruit moet hebben gezien als jonge man in het Italië van vijftig jaar terug, is net zoiets als op Wall Street staan en proberen je een beeld te vormen van de topografie van Manhattan vóór de komst van de Nederlanders.

Als de merkwaardige man hun kant op komt sloffen, kan Shane Wheeler nauwelijks geloven dat deze gelakte elf de beroemde Michael Deane is. 'Is dat...'

'Ja', zegt Claire alleen maar. 'Probeer hem niet aan te gapen.'

Je kunt net zo goed tegen iemand zeggen dat hij moet zien droog te blijven in een hoosbui. Vooral als hij zo loopt te sloffen tart het contrast elke beschrijving, alsof het hoofd van een jongen op het lichaam van een stervende man is bevestigd. Hij is ook nogal merkwaardig gekleed, in een zijden pyjamabroek en een lange, wollen jas die het grootste deel van zijn lichaam bedekt. Als Shane niet had geweten dat dit een van de beroemdste producenten in Hollywood was, zou hij hebben gedacht dat er een man aan kwam die uit een inrichting was ontsnapt.

'Bedankt voor het bellen, Claire', zegt Michael Deane als hij hen heeft bereikt. Hij wijst naar de deur van de bungalow. 'Is de Italiaan binnen?'

'Ja', zegt ze. 'We hebben gezegd dat we zo terugkomen.' Claire heeft Michael niet eerder zo ontdaan gezien; ze probeert te bedenken wat er tussen deze twee mannen kan zijn voorgevallen dat Michael zo van streek is, dat hij vanuit de auto heeft gebeld om te vragen of Claire en 'de tolk' buiten op hem willen wachten, zodat hij wat respijt heeft voordat hij Pasquale spreekt.

'Na al die jaren', zegt Michael.

Hij praat vrijwel altijd gehaast en afgeknepen, als een gangster uit de jaren veertig die zijn tekst afraffelt. Maar nu klinkt zijn stem gespannen, angstig – al blijft zijn gezichtsuitdrukking opmerkelijk neutraal, onbewogen.

Claire doet een stap naar voren, pakt Michaels arm.

'Gaat het wel, Michael?'

'Ja, hoor.' En pas dan kijkt hij Shane aan. 'Jij bent zeker de tolk.'

'O. Nou ja, ik heb een jaar in Florence gestudeerd, dus ik spreek wel een paar woorden Italiaans. Maar eigenlijk ben ik schrijver. Ik ben hier om een film te pitchen... Shane Wheeler?' Aan Michael Deanes gezicht valt niets af te lezen, hij lijkt zelfs niet te registreren dat Shane Engels praat. 'Nou, hoe dan ook, ik ben blij u te ontmoeten, meneer Deane. Uw boek is echt geweldig.'

Michael Deanes haren gaan recht overeind staan zodra iemand begint over zijn autobiografie, die door zijn redacteur en zijn ghostwriter is omgetoverd tot een handleiding pitchen-in-Hollywood. Met een ruk draait hij zich weer naar Claire. 'Wat heeft de Italiaan gezegd? Wat heeft hij precies gezegd?'

'Dat heb ik je net al verteld, aan de telefoon', zegt Claire. 'Bar weinig.'

Opnieuw kijkt Michael Deane naar Shane, alsof Claire iets zou zijn ontgaan in de vertaling.

'Eh, nou,' zegt Shane, met een zijdelingse op blik op Claire, 'hij heeft alleen gezegd dat hij u in 1962 heeft leren kennen. En toen vertelde hij over een actrice die naar zijn dorp was gekomen, Dee...' Michael steekt een hand op om te voorkomen dat Shane de naam in zijn geheel uitspreekt. En dan kijkt hij weer naar Claire, knikt dat ze verder moet gaan, alsof hij antwoorden hoopt te vinden in deze estafette van woorden.

'Eerst,' zegt Claire, 'dacht ik dat hij een verhaal wilde pitchen over een actrice in Italië. Hij zei dat ze ziek was. En ik vroeg wat ze dan had.'

'Kanker', zegt Michael Deane.

'Ja, dat zei hij ook al.'

Michael Deane knikt. 'Wil hij geld?'

'Hij heeft het niet over geld gehad. Hij zegt dat hij op zoek is naar die actrice.'

Michael haalt een hand door zijn kunstmatig ingeplante en gegolfde rossige haar. Hij knikt in de richting van de bungalow. 'En hij zit nu binnen?'

'Ja, ik heb gezegd dat ik jou zou halen. Waar gaat dit allemaal over, Michael?'

'Waar dit over gaat? Dit gaat over alles.' Hij neemt Claire aandachtig op, van haar kruin tot aan haar pumps. 'Weet je wat mijn ware talent is, Claire?'

Claire kan geen bevredigend antwoord verzinnen op een dergelijke vraag, en gelukkig wacht Michael haar antwoord niet eens af.

'Ik voel gewoon wat mensen willen. Ik heb een soort röntgenblik voor verlangens. Vraag willekeurig wie naar welke televisieprogramma's hij het liefst kijkt, en je krijgt als antwoord het nieuws. Opera. Buitenlandse films. Maar zet een kastje in zijn huis neer, en waar blijkt hij dan echt naar te kijken? Pijpscènes en auto-ongelukken. Wil dat zeggen dat ons land is vergeven van de ontspoorde leugenaars? Nee. Iedereen zou wensen dat hij nieuws en opera wilde. Maar dat is niet wat men écht wil.'

'Ik kijk dwars door mensen heen...' hij knijpt zijn ogen tot spleetjes en laat nogmaals zijn blik over Claires kleding glijden '... en ik zie gewoon wat iemand wil, wat hij diep vanbinnen wil. Als een regisseur een bepaalde klus afwijst en bij hoog en bij laag beweert dat het géén kwestie van geld is, zorg ik dat er meer geld komt. Als een acteur zegt dat hij in Amerika wil werken om bij zijn gezin te kunnen zijn, regel ik een klus voor hem aan de andere kant van de oceaan zodat hij even is verlost van zijn gezin. Deze gave bewijst me al bijna vijftig jaar bijzonder goede diensten...'

Hij maakt zijn zin niet af. Hij haalt diep adem, door zijn neus, en glimlacht naar Shane, alsof hij zich diens aanwezigheid ineens weer bewust wordt. 'Al die verhalen van mensen die zeggen dat ze hun ziel hebben verkocht... je begrijpt pas echt wat ze bedoelen als je wat ouder bent.'

Claire is verbijsterd. Michael is nooit zo bespiegelend, hij heeft het nooit over zichzelf in termen als 'oud' of 'ouder'. Als íéts Michael kenmerkt, zou Claire een uur geleden nog hebben gezegd, dan is het wel dat deze man, die zo'n bewogen leven heeft gehad, nooit achteromkijkt, nooit praat over alle sterretjes met wie hij iets heeft gehad of alle films die hij heeft gemaakt, nooit aan zichzelf twijfelt, nooit mekkert over de teloorgang van de cultuur of over het einde van de film – allemaal dingen waar niet alleen zijzelf, maar eigenlijk iedereen in haar omgeving, voortdurend over moppert. Hij koestert wat de cultuur maar koestert, de ongekende snelheid, de gevoelsarme promiscuïteit, de onvolkomenheden en de excessen, het naar de middelmaat strevende vermogen om in alles oppervlakkiger te worden; in zijn ogen kan de cultuur domweg geen kwaad doen. Je mag je nooit verliezen in cynisme, houdt hij haar geregeld voor, je moet overal in geloven. Hij is een haai die onvermoeibaar doorzwemt, steeds dieper de cultuur in, de toekomst in. Maar nu staat hij ineens met een wezenloze blik voor zich uit te staren, alsof hij zo in het verleden kijkt, een man die verlamd lijkt door wat er vijftig jaar terug heeft plaatsgevonden. Hij haalt nog een keer diep adem en knikt in de richting van de bungalow.

'Goed', zegt hij. 'Ik ben zover. Naar binnen.'

Pasquale Tursi knijpt zijn ogen tot spleetjes en kijkt Michael Deane indringend aan. Hij kan nauwelijks geloven dat het dezelfde man is. Ze zitten in Michaels werkkamer, Michael een beetje onderuitgezakt achter zijn bureau, Pasquale en Shane op de bank, Claire op een stoel die ze heeft bijgeschoven. Michael heeft zijn dikke jas nog aan en zijn gezicht lijkt onbewogen, maar hij schuift onrustig heen en weer op zijn stoel, alsof hij niet lekker zit.

'Goed om je weer te zien, m'n beste', zegt Michael tegen Pasquale, maar het klinkt merkwaardig onoprecht. 'Het is lang geleden.'

Pasquale knikt alleen maar. Dan kijkt hij Shane aan en vraagt zachtjes: '*Sta male?*'

'Nee', zegt Shane, en hij vraagt zich af hoe hij Pasquale moet uitleggen dat Michael Deane niet ziek is maar wel talloze ingrepen en operaties heeft ondergaan. '*Molto...* eh... *ambulatori.*'

'Wat heb je tegen hem gezegd?' wil Michael weten.

'Hij, eh... hij zei dat u er goed uitziet en ik heb alleen maar gezegd dat u goed voor uzelf zorgt.'

Michael bedankt hem, en zegt dan tegen Shane: 'Kun je vragen of hij geld wil?'

Pasquale krimpt ineen bij het woord *geld*. Er ligt iets van walging in zijn blik. 'Nee. Ik kom... vinden... Dee Moray.'

Michael Deane knikt, pijnlijk getroffen. 'Ik heb geen idee waar ze is', zegt Michael. 'Het spijt me.' Dan kijkt hij Claire aan, zoekt met zijn ogen hulp bij haar.

'Ik heb haar gegoogeld', zegt Claire. 'Ik heb verschillende spellingen geprobeerd, heb in de IMDB gekeken wie er allemaal in *Cleopatra* speelden. Niets.'

'Nee', zegt Michael. Hij bijt op zijn lip. 'Dat verbaast me niets. Ze heette eigenlijk anders.' Hij wrijft over zijn rimpelloze gezicht, kijkt Pasquale aan, keert zich dan naar Shane. 'Vertaal even, wil je? Zeg maar tegen hem dat ik er spijt van heb hoe ik me destijds heb gedragen.'

'*Lui è dispiaciuto*', zegt Shane.

Pasquale knikt lichtjes, ten teken dat hij de woorden heeft gehoord, wat nog niet wil zeggen dat hij ze aanvaardt. Wat er ook tussen deze twee mannen speelt, denkt Shane, het zit diep. Dan klinkt er gebrom en brengt Claire haar mobieltje naar haar oor. Ze drukt op opnemen en zegt heel rustig in het apparaat: 'Je zult je eigen kip moeten gaan halen.'

De mannen kijken haar alle drie met grote ogen aan. Ze verbreekt de verbinding. 'Sorry', zegt ze, en ze heeft haar mond al open om het uit te leggen maar bedenkt zich dan.

Michael kijkt weer naar Pasquale en Shane. 'Zeg tegen hem dat ik haar zal zoeken. Dat is het minste wat ik kan doen.'

'*Egli vi aiuterà a... eh... trovarla.*'

Ook nu knikt Pasquale alleen maar.

'Zeg dat ik het meteen zal doen, dat ik het als een eer beschouw om hem te helpen, als een kans om mijn schuld in te lossen, om af te sluiten wat ik al die jaren terug in gang heb gezet. En zeg alsjeblieft ook tegen hem dat ik nooit iemand kwaad heb willen doen.'

Shane wrijft over zijn voorhoofd, kijkt van Michael naar Claire. 'Ik weet niet precies hoe ik... nou ja... Eh... *Lui vuole fare il bene.*'

'Is dat alles?' zegt Claire. 'Hij gebruikte vijftig woorden. Jij iets van vier.'

Het verwijt steekt Shane. 'Ik heb je gezegd dat ik geen tolk ben. Ik weet niet hoe ik dat allemaal duidelijk moet maken. Ik heb gewoon gezegd: *Hij wil nu het goede doen.*'

'Nee, prima zo', zegt Michael. Hij kijkt Shane vol bewondering aan en heel even ziet Shane deze vertaalklus uitmonden in een contract voor een scenario. 'Dat is precies wat ik wil', zegt Michael. 'Ik wil het goede doen. Ja.'

Dan kijkt Michael Claire aan. 'Van nu af aan is dat onze prioriteit, Claire.'

Shane slaat het allemaal gefascineerd en vol ongeloof gade. Vanochtend zat hij nog in het souterrain van zijn ouders; nu zit hij op het kantoor van Michael Deane (het kantoor van dé Michael Deane!) terwijl de legendarische producent zijn development assistent toeblaft. Om de woorden van de profeet Mamet te gebruiken: *Doe alsof...* Ga erin mee. Straal vertrouwen uit en de wereld zal reageren op dat vertrouwen, je overtuiging zal beloond worden.

Michael Deane haalt een oude Rolodex uit een bureaula, draait hem rond en zegt tegen Claire: 'Ik laat Emmett Byers er meteen achteraan gaan. Regel jij een hotel voor meneer Tursi en de tolk?'

'Luister nou eens,' hoort Shane Wheeler zich tot zijn eigen verbazing zeggen, 'ik zeg net: Ik ben geen tolk. Ik ben schrijver.'

Ineens kijkt iedereen hem aan, en Shanes vastberadenheid begint te wankelen, even denkt hij terug aan de zwarte periode die hij achter zich heeft gelaten. Voor die periode was Shane Wheeler ervan overtuigd geweest dat er grootse dingen voor hem in het verschiet lagen. Dat zei ook altijd iedereen tegen hem – niet alleen zijn ouders, maar ook mensen die hij niet kende – en hoewel hij de kantjes ervan afliep, zowel op school als in Europa en tijdens zijn studie (en dat allemaal op kosten van zijn ouders, zoals Saundra graag mocht benadrukken), twijfelde hij er geen seconde aan dat hij het zou gaan maken.

Maar toen zijn kortstondige huwelijk op de klippen liep, schetste Saundra (en de kribbige huwelijkstherapeut die duidelijk haar kant koos) een heel ander beeld: een jongen met ouders die geen nee konden zeggen, van wie hij nooit een baantje had hoeven zoeken en van wie hij nooit iets in huis hoefde te doen, die hem altijd uit de brand hielpen (Bewijsstuk A: dat gedoe met de Mexicaanse politie tijdens de voorjaarsvakantie), die hem veel langer dan goed voor hem was financieel hadden ondersteund. En dit is er van hem geworden, een man van bijna dertig die nog nooit van zijn leven echt werk heeft gehad. En dit is er van hem geworden, zeven jaar na zijn afstuderen, twee jaar na zijn masterdiploma, getrouwd – en zijn moeder stuurt hem nog altijd een maandelijkse toelage voor kleren. (Ze vindt het gewoon leuk om mijn kleren te betalen, betoogde Shane. Dan is het toch bot om te zeggen dat ik dat niet meer wil?)

In die gedoemde laatste maand van het huwelijk – waarin het voelde alsof er, waar hij bij stond, autopsie op zijn mannelijkheid werd gepleegd – probeerde Saundra hem 'op te beuren' door te benadrukken dat het niet alleen aan hem lag; hij maakte deel uit van een verloren generatie mannen die door hun ouders in de watten waren gelegd – vooral door hun moeder – en die waren grootgebracht met ongefundeerde eigendunk, in een cocon van overtrokken liefde, in een trieste kweekkamer van loze prestaties. Mannen zoals jij hebben nooit ergens voor hoeven knokken, dus heb je ook geen enkele vechtlust, zei ze. Mannen zoals jij zijn slap en week, zei ze. Mannen zoals jij zijn net kalfjes die nog bij de moeder drinken.

En wat Shane het kalfje toen deed, bewees haar gelijk: toen Saundra na een zeer verhitte discussie naar haar werk was, pakte hij zijn spullen en ging met de auto die ze samen hadden gekocht op weg naar Costa Rica om te gaan werken op een koffieplantage waar hij een paar mensen over had horen vertellen. Maar in Mexico gaf de auto de geest en Shane keerde – blut en zonder auto – terug naar Portland, waar hij bij zijn ouders introk.

Inmiddels heeft hij spijt van wat hij heeft gedaan en heeft hij Saundra zijn excuses aangeboden, heeft haar zelfs een paar keer een cheque gestuurd om haar aandeel in de auto te vergoeden (meestal geld dat hij van zijn opa en oma voor zijn verjaardag had gekregen), met de belofte binnen afzienbare tijd alles terug te betalen.

Het pijnlijkste van Saundra's kalfjes-tirade (zoals hij het inmiddels noemde) was nog niet eens de waarheid die erin school, al was die onmiskenbaar. Ja, natuurlijk had ze gelijk; dat zag hij ook wel in. Het punt was dat hij dat niet éérder had ingezien. Zoals Saundra verbijsterd had gezegd: *Volgens mij geloof je er nog in ook, in dat slappe geouwehoer van je.* En ze had gelijk. Hij had echt geloofd in zijn eigen slappe geouwehoer. Maar nu, nadat zij alles onderuit had gehaald... nu geloofde hij er niet meer in.

De eerste paar maanden na hun scheiding voelde Shane zich leeg en eenzaam in zijn vernedering. Zonder het oude geloof in zijn eigen talent, dat gewoon tijd nodig had om te rijpen, was Shane stuurloos, losgeslagen, en hij zakte weg in een diepe depressie.

En dat is precies de reden – realiseert hij zich nu – dat hij deze tweede kans met beide handen moet aangrijpen, dat hij moet laten zien dat DOEN! meer is dan een lijfspreuk, een tatoeage of een kinderlijk waanidee, dat het voor hem de waarheid is. Hij is geen kalfje dat nog bij zijn moeder drinkt. Hij is een stier, een man die het gaat maken, een winnaar.

Shane haalt diep adem in het studio-bungalowkantoor van Michael Deane Productions, kijkt van Claire Silver naar Michael Deane en weer naar Claire Silver, en zegt met al het oude, op Mamet geïnspireerde zelfvertrouwen dat hij in zich heeft: 'Ik ben gekomen om een film te pitchen. En tot die tijd vertaal ik geen woord meer.'

6

De grotschilderingen

April 1962
Porto Vergogna, Italië

H et smalle, in de rotswand uitgehakte pad deed denken aan een stel vlaggetjes op de rand van een bruidstaart; in een reeks scherpe bochten zigzagde het over de steile klif achter het dorp omhoog. Pasquale liep voorzichtig over het oude geitenpaadje en keek steeds over zijn schouder of Dee hem nog wel volgde. Bij de top was het pad nagenoeg weggespoeld door de zware regenval van de afgelopen winter, en toen er kale rots voor in de plaats kwam reikte Pasquale naar achteren om Dee's warme hand te pakken. In de laatste bocht waren ineens een paar sinaasappelbomen in de rotswand geplant – zes knoestige bomen, drie aan elke kant, met touw aan de rotsen bevestigd zodat ze niet weg zouden waaien. 'Is niet heel ver', zei Pasquale.

'Het gaat prima', zei Dee, en ze legden het laatste stuk af, met vlak boven hun hoofd de uitstekende rand van de klif, en zestig meter onder hen, tegen de rotswand, Porto Vergogna.

'Je voelt niet lekker? Stoppen of door?' vroeg Pasquale over zijn schouder. Hij begon eraan te wennen om weer Engels te praten.

'Nee, laten we doorgaan. Ik vind het fijn om een eindje te lopen.'

Uiteindelijk hadden ze de top bereikt en stonden ze op de uitstekende rand boven het dorp, met aan hun voeten de steile helling – de felle wind, de onstuimige zee, het schuim op de omkrullende rotsen in de diepte.

Dee stond vlak bij de rand, zo frêle dat Pasquale de neiging had haar vast te pakken om te voorkomen dat ze door de wind zou worden meegevoerd. 'Het is schitterend, Pasquale', zei ze. De hemel was heiig-helder onder een veeg lichte wolken, een vaal blauw tegen het donkerder blauw van de zee.

Er lag een spinnenweb van paadjes over de heuveltoppen. Hij wees naar een paadje dat in noordwestelijke richting langs de kust liep. 'Die kant, Cinque Terre.' Vervolgens wees hij in oostelijke richting, achter hen, in de richting van de baai aan de andere kant van de toppen. 'Die kant, Spezia.' Tot slot draaide hij zich naar het zuiden en wees haar het pad dat ze zouden nemen; dat slingerde nog iets van een kilometer over de heuvels voordat het weer de diepte in dook, naar de onherbergzame, verlaten vallei aan de kust. 'Die kant Portovenere. Is eerst makkelijk, dan moeilijk. Pad van Venere is alleen voor geiten.'

Ze volgde Pasquale over het makkelijke stuk, een kronkelend paadje dat op en neer ging over de steile hellingen. Waar rots en zee elkaar raakten was het steen uitgesleten door de beukende golven, maar hier, bovenaan, was het terrein lieflijker. Toch moesten Dee en Pasquale bij het afdalen van de steile hellingen en het beklimmen van de scherpe heuvels een paar keer houvast zoeken bij een schriel boompje of een klimplant. Boven op een rotsachtige heuvel bleef Dee even staan bij de overblijfselen van een stenen fundering, een Romeinse ruïne die door weer en wind was afgesleten, totdat het net een stel oude tanden leek.

'Wat was dit?' vroeg ze, terwijl ze het struikgewas wegduwde bij de gladgeslepen steen.

Pasquale haalde zijn schouders op. Al duizenden jaren gebruikten legers deze kapen als uitzichtposten over zee; er waren hier zoveel ruïnes dat Pasquale ze nauwelijks meer zag. Soms overviel hem een doffe treurigheid bij het zien van de overblijfselen van garnizoens uit het verleden. Als hij bedacht dat er van een heel imperium niet meer restte dan dit, wat kon een man als hij dan ooit hopen achter te laten? Een strand? Een tennisbaan in een rotswand?

'Kom', zei hij. 'Is niet ver meer.'

Ze liepen nog zo'n vijftig meter door en Pasquale wees haar de plek waar het pad over de heuveltop naar beneden liep, richting Portovenere, dat zeker nog een kilometer verderop lag. Vervolgens pakte Pasquale Dee's hand en verliet het pad, klauterde over een paar rotsblokken, drong door het struikgewas – en ineens stonden ze op een plek met naar twee kanten adembenemend uitzicht op de kustlijn. Dee hapte naar adem. 'Kom', zei Pasquale nogmaals, en hij liet zich op een richel zakken. Na een korte aarzeling volgde Dee hem, en toen waren ze bij wat hij haar wilde laten zien – een kleine, betonnen koepel met dezelfde kleur als alle rotsen en keien eromheen. Alleen de gelijkmatige vorm en de drie langwerpige, rechthoekige schietgaten maakten duidelijk dat hier mensen aan het werk waren geweest: het was een geschutsbunker uit de Tweede Wereldoorlog.

Pasquale hielp haar om erop te klimmen, terwijl de wind door haar haren speelde. 'Is dit uit de oorlog?' vroeg ze.

'Ja', zei Pasquale. 'Oorlog is nog overal. Was om schepen te zien.'

'Is hier dan ook gevochten?'

'Nee.' Pasquale gebaarde naar de rotsen achter hen. 'Te...' Hij fronste. Hij wilde weer *eenzaam* zeggen, maar dat was niet echt wat hij bedoelde. '*Isolato?*' zei hij in het Italiaans.

'Afgelegen?'

'*Sì*, ja.' Pasquale glimlachte. 'Maar oorlog hier is jongens spelen en schieten op boten.' Het beton van de kleine bunker was in de rotswand gegoten, zodat hij van bovenaf niet zichtbaar was en van onderaf net een rotsblok leek. De bunker had drie horizontale sleuven die iets uit de rotswand staken – binnenin bevond zich een mitrailleursnest dat 280 graden zicht bood op de grillig gevormde baai van Porto Vergogna in het noordwesten, met daarachter de rotsachtige kust voorbij Riomaggiore, het laatste dorp van Cinque Terre, met net wat minder spectaculaire kliffen. In het zuiden maakten de bergen plaats voor Portovenere, en daarachter het eiland Palmaria. Aan beide kanten sloegen schuimkoppen stuk op de rotspunten, en de steile kliffen liepen uit in het weelderige groen van knoestige dennen, groepjes fruitbomen en omgeploegde aarde waar de wijngaarden van Cinque Terre begonnen. Pasquales vader zei altijd dat men in de oudheid meende dat deze kust het einde was van de platte wereld.

'Schitterend', zei ze, toen ze boven op de verlaten bunker stond. Pasquale was blij dat ze het mooi vond. 'Is goede plek voor denken, ja?'

Ze lachte naar hem. 'En waar denk je hier dan allemaal aan, Pasquale?'

Wat een vreemde vraag; waar denkt een mens allemaal aan? Als kind probeerde hij zich hier een beeld te vormen van de rest van de wereld. Nu dacht hij voornamelijk aan zijn eerste liefde, Amedea, die hij in Florence had achtergelaten; hij speelde in gedachten de film af van hun laatste dag samen en vroeg zich af of hij misschien andere dingen had moeten zeggen. Maar soms waren zijn gedachten hier van een andere orde; gedachten over de tijd, over zijn rol in deze wereld – grote, stille gedachten, nauwelijks onder woorden te brengen in het Italiaans, laat staan in het Engels. Toch wilde hij een poging wagen. 'Ik denk... alle mensen op de wereld... en ik ben maar één, ja?' zei Pasquale. 'En soms ik zie de maan hier... ja, is voor iedereen... alle mensen kijken naar één maan, ja? Hier, Florence, Amerika. Voor alle mensen, altijd, één maan, ja?' Hij zag de lieftallige Amedea voor zich, die door het smalle raam van het huis van haar ouders in Florence naar de maan keek. 'Soms is goed, zelfde maan. Maar soms... meer triest. Ja?'

Ze liet zijn woorden bezinken en keek hem een paar tellen lang aan. 'Ja', zei ze uiteindelijk. 'Dat denk ik ook.' Ze pakte zijn hand en kneep er even in.

Hij was uitgeput door de moeite die het hem kostte Engels te praten, maar hij was ook tevreden dat hij iets abstracts en persoonlijks duidelijk had weten te maken, na twee dagen *Hoe is kamer?* en *Meer zeep?*

Dee liet haar blik langs de kustlijn glijden; Pasquale wist dat ze op Orenzio's boot wachtte en hij verzekerde haar dat ze hem vanaf deze plek zouden zien. Ze ging zitten, met opgetrokken knieën, en tuurde naar het noordoosten, waar de aarde vruchtbaarder was dan in het rotsachtige Porto Vergogna en waar de wijnranken keurig naast elkaar als naden over de glooiende hellingen liepen.

Pasquale wees naar zijn dorp, in de diepte. 'Zie je die rots? Daar ik maak tennisbaan.'

Ze keek verbijsterd. 'Waar?'

'Daar.' Ze waren gestegen en een halve kilometer in zuidelijke richting gelopen, waardoor de uitstekende rotspunten achter het dorp nog maar net zichtbaar waren. 'Wordt *primo* tennis.'

'Wacht. Ga je een tennisbaan maken... op de klif?'

'Ik maak hotel *destinazione primaria*, ja? Veel luxe.'

'Ik begrijp geloof ik niet helemaal waar je die tennisbaan wilt maken.'

Hij boog dichter naar haar toe en stak zijn arm uit, en zij drukte haar wang tegen zijn schouder om langs zijn arm te kunnen kijken en met haar blik zijn vinger te volgen, om zeker te zijn dat ze naar de goede plek keek. Hij voelde een schokje in zijn schouder op de plek waar haar wang hem raakte, en opnieuw stokte Pasquales adem. Hij had gedacht dat zijn ervaring in de liefde, met dank aan Amedea, hem zou hebben verlost van de verlegenheid waarmee hij vroeger kampte, maar nee hoor, hij stond te trillen als een klein kind.

Ze kon het niet geloven. 'Ga je daar een tennisbaan maken?'

'Ja. Ik maak rotsen... plat.' Hij herinnerde zich het woord. 'Effen, ja? Wordt heel beroemd, beste tennisbaan in Levante, *numero uno* baan boven zee.'

'Maar vliegen de tennisballen dan niet... over de rand?'

Hij keek van haar naar de rotsen en weer terug, en vroeg zich af of zij ooit had getennist. 'Nee. Spelers slaan bal.' Hij hield zijn handen uit elkaar. 'Naar deze kant en deze kant.'

'Ja, maar als ze missen...'

Hij keek haar alleen maar aan.

'Heb jij weleens getennist, Pasquale?'

Het was een pijnlijk onderwerp, sport. Hoewel Pasquale met zijn 1 meter 80 de langste was van de familie, had hij als kind in Porto Vergogna nooit iets aan sport gedaan; lange tijd was dat een van de dingen geweest waarvoor hij zich diep schaamde. 'Ik zie veel plaatjes', zei hij. 'En ik meet uit boek.'

'Als de speler aan de kant van de zee mist... dan komt de bal toch in zee terecht?'

Pasquale wreef over zijn kin en dacht na.

Ze glimlachte. 'Misschien kun je er een hoog hek omheen zetten.' Pasquale keek peinzend uit over zee, en zag in gedachten allemaal tennisballen in het water dobberen. 'Ja', zei hij. 'Hek... ja. Natuurlijk.' Wat een imbeciel was hij ook.

'Het wordt vast een prachtige tennisbaan', zei ze, en ze draaide haar hoofd weer naar zee.

Pasquale keek naar Dee's scherpe profiel, de wind rukte aan haar haren. 'De man die vandaag komt, jij houdt van hem?' Hij keek er zelf van op dat hij het vroeg. Toen ze hem weer aankeek sloeg Pasquale zijn blik neer.

'O, ja.' Ze haalde diep adem en liet de lucht ontsnappen. 'Helaas, zou ik bijna zeggen. Het was beter geweest van niet. Het is geen goede man om van te houden.'

'Voelt hij... hetzelfde?'

'Ja, zeker', zei ze. 'Hij houdt ook heel veel van zichzelf.'

Het moest even bezinken, maar toen vond Pasquale het reuze grappig. 'Ha!' zei hij. 'Heel leuk.'

Een nieuwe windvlaag speelde met Dee's haar en ze drukte het met haar handen tegen haar hoofd. 'Pasquale, ik heb het verhaal gelezen dat in mijn kamer lag, van de Amerikaanse schrijver.'

'Het boek... is goed, ja?' Pasquales moeder was nooit zo gecharmeerd geweest van Alvis Bender als Pasquale en zijn vader. Als hij zo'n geweldige schrijver was, zei ze, waarom had hij in al die acht jaar dan maar één hoofdstuk geschreven?

'Het is treurig', zei Dee, met een hand op haar hart. Pasquale kon zijn blik er niet van afhouden, van die sierlijke vingers tegen de bovenkant van Dee Morays borsten.

'Het spijt me,' hij schraapte zijn keel, 'jij vindt triest verhaal in mijn hotel.'

'O nee, het is heel mooi', zei ze. 'Het heeft een zekere uitzichtloosheid, waardoor ik me minder alleen voel in mijn eigen uitzichtloosheid. Snap je wat ik bedoel?'

Pasquale knikte aarzelend.

'De film waar ik in speelde, *Cleopatra*, gaat erover dat liefde een verwoestende kracht kan zijn. Nou ja, misschien gaat elk verhaal daar wel over.' Ze haalde haar hand van haar borst. 'Pasquale, ben jij ooit verliefd geweest?'

Hij voelde zich ineenkrimpen. 'Ja.'

'Hoe heette ze?'

'Amedea', zei hij, en hij vroeg zich af wanneer hij voor het laatst de naam Amedea had uitgesproken; hij keek ervan op hoeveel kracht er school in die eenvoudige naam.

'Hou je nog steeds van haar?'

Van alle complicaties die het praten in een andere taal met zich meebracht, was dit de ergste. 'Ja', zei Pasquale uiteindelijk.

'Waarom ben je niet bij haar?'

Pasquale liet zijn adem ontsnappen, verbaasd over de steek die hij voelde aan de onderkant van zijn ribbenkast. Uiteindelijk zei hij: 'Is niet altijd zo eenvoudig, nee?'

'Nee', zei ze, en ze staarde naar een paar kleine, witte wolken die aan de horizon kwamen opzetten. 'Het is niet altijd eenvoudig.'

'Kom. Nog één ding.' Pasquale liep om de bunker heen, tot de plek waar die de grillig uitstekende delen van de rotswand raakte. Hij trok wat takken weg en duwde stenen opzij, en toen werd er een smal, langwerpig gat in het betonnen dak zichtbaar. Hij wurmde zich erin en liet zich zakken. Halverwege keek hij door het gat omhoog en zag dat Dee nog altijd op dezelfde plek stond. 'Is veilig', zei Pasquale. 'Is goed. Kom.'

Hij liet zich op de grond vallen en niet veel later wurmde ook Dee Moray zich door het smalle gat en liet zich naast hem op de grond zakken.

Het was donker en een beetje muffig, en in de hoeken moesten ze bukken om hun hoofd niet tegen het betonnen dak te stoten. Het enige licht was afkomstig van de drie schietgaten, waaruit in de vroege ochtend verwrongen rechthoeken licht op de bunkervloer vielen. 'Kijk', zei Pasquale, en hij haalde een doosje extra lange lucifers uit zijn zak, streek er eentje af en hield die bij een betonnen muur achter in de bunker.

127

Dee liep in de richting van de flakkerende lucifer. Op de achterwand waren schilderingen te zien, vijf gave fresco's op het beton, naast elkaar, alsof het een ruwe muur in een galerie was. Pasquale streek nog een lucifer af, die hij aan haar gaf, en zij ging nog wat dichter bij de wand staan. De kunstenaar had ook nog iets om de schilderingen heen getekend, het leken net houten lijsten, en hoewel alles op beton was geschilderd en de verf was vervaagd en gebarsten, was duidelijk dat het iemand met talent was geweest. De eerste schildering was een zeegezicht – de ruige kust vlak onder de bunker, golven die stuksloegen op de rotsen, Porto Vergogna als een handjevol daken in de rechterhoek. De twee schilderingen ernaast waren nogal stijve portretten van twee heel verschillende Duitse soldaten. Tot slot waren er nog twee identieke afbeeldingen van een meisje. In de loop der tijd waren de eerdere levendige kleuren verworden tot een doffe afspiegeling van het origineel, was het zeegezicht beschadigd geraakt door het water dat de bunker in sijpelde, had een scheur een van de soldatenportretten doorkliefd en liep er een barst door een van de hoeken van het eerste meisjesportret. Maar verder waren de schilderingen opmerkelijk goed geconserveerd.

'Later, de zon, door de ramen.' Pasquale wees naar de machinegeweersleuven in de wanden van de bunker. 'Maakt de verf... leven. Het meisje, zij is *molto bella*, ja?'

Dee stond met open mond te kijken. 'Ja, zeg dat.' Haar lucifer ging uit en Pasquale streek er nog eentje af. Hij legde een hand op Dee's schouder en wees naar de twee schilderingen in het midden, de soldatenportretten. 'De vissers zeggen twee Duitse soldaten wonen in oorlog hier, om te bewaken zee. Een soldaat, hij schildert muur.'

Ze deed een stap naar voren om de soldatenportretten goed te bekijken – de één een jonge jongen met een wijkende kin, een trotse blik, zijn hoofd een beetje schuin, de blik naar opzij gericht, het uniformjasje tot bovenaan dichtgeknoopt; de ander een paar jaar ouder, openstaand overhemd, de blik recht naar voren – en hoewel de verf op het beton was vervaagd, was de weemoedige blik in zijn ogen onmiskenbaar. 'Hij heeft dit geschilderd', zei ze zachtjes.

Pasquale boog zich dichter naar het portret. 'Hoe weet je dat?'

'Hij ziet eruit als een kunstenaar. En hij kijkt ons recht aan. Hij moet zijn eigen gezicht hebben geschilderd terwijl hij in de spiegel keek.'

Dee draaide zich om, deed een paar stapjes naar het schietgat en keek naar buiten, naar de zee in de diepte. Vervolgens keek ze weer naar de schilderingen. 'Het is schitterend, Pasquale. Dank je wel.' Ze legde een hand tegen haar mond, alsof ze moest huilen, en keek hem aan. 'Stel je voor dat je die kunstenaar bent, dat je hier deze meesterwerken maakt... die niemand ooit zal zien. Het heeft zoiets treurigs.'

Ze keerde zich weer naar de beschilderde muur. Pasquale streek nog een lucifer af en gaf die aan haar, waarna ze weer langs de muur liep... de zee die tegen de rotsen sloeg, de twee soldaten, en tot slot de twee portretten van het meisje – en profil, vanaf het middel, twee klassieke poses. Dee bleef staan bij die laatste schilderingen. Pasquale had altijd gedacht dat het identieke portretten waren, maar Dee zei: 'Kijk. Deze was niet helemaal gelukt. Hij heeft een nieuwe versie gemaakt. Van een foto, vermoed ik.' Pasquale kwam naast haar staan. Dee wees. 'Op deze staat haar neus een beetje scheef en hangen haar ogen.' Ja, Pasquale zag nu dat ze gelijk had.

'Hij moet heel veel van haar hebben gehouden', zei ze.

Ze draaide zich om, en Pasquale meende in het flakkerende licht van de lucifer tranen in haar ogen te zien.

'Denk je dat hij heelhuids naar haar is teruggekeerd?'

Ze stonden zo dicht bij elkaar dat ze elkaar hadden kunnen kussen. 'Ja', fluisterde Pasquale. 'Hij is bij haar teruggekeerd.'

Dee stond met gebogen hoofd in de kleine bunker en blies de lucifer uit, deed een stap naar voren en omhelsde hem. 'God, ik hoop het zo', fluisterde ze in het donker.

Om vier uur 's nachts lag Pasquale nog altijd te denken aan dat moment in die donkere bunker. Had hij haar moeten kussen? Hij had in zijn hele leven nog maar één andere vrouw gekust – Amedea – en eigenlijk was het eerder zo dat zij hém had gekust. Hij zou het misschien hebben geprobeerd als hij zich niet zo opgelaten had gevoeld vanwege die tennisbaan. Waarom had hij niet zelf bedacht dat de ballen over de rand zouden gaan? Misschien omdat de spelers geen bal misten op de foto's die hij had gezien. Toch had hij het gevoel dat hij voor gek stond. Voor hem was dat tennis puur esthetisch geweest; hij wilde helemaal geen tennisbaan, hij wilde het beeld van een tennisbaan. Maar zonder hek zouden ook de spelers van de baan kunnen rennen en over de rand in zee tuimelen. Dee Moray had gelijk. Hij kon natuurlijk een hoog hek plaatsen. Maar hij wist nu al dat een hoog hek het beeld zou verstoren dat hij voor ogen had gehad, het beeld van een vlakke tennisbaan die boven zee uitrees, gedragen door de uitstekende rotsen, en een volkomen egaal terras vol mensen in witte tenniskleren, vrouwen die onder een parasol aan hun drankje nipten. Als er een hek omheen stond, kon je dat allemaal niet zien als je met een boot kwam aanvaren. Een hek van draadgaas zou beter zijn, maar dat zou de spelers het vrije uitzicht op zee benemen, en daarnaast zou het lelijk zijn, net een gevangenis. Wie wilde er nou een *brutto* tennisbaan?

Die avond kwam de man op wie Dee Moray wachtte, niet opdagen, en Pasquale voelde zich enigszins bezwaard, alsof zijn heimelijke wens dat de man zou verdrinken als een gebed was verhoord. Met het vallen van de avond had Dee Moray zich teruggetrokken op haar kamer, en de volgende ochtend was ze er niet al te best aan toe. Ze kwam uit bed, maar alleen om over te geven. Toen er niets meer in haar maag zat rolden er tranen uit haar ogen, kromde ze haar rug, begon te sniffen en liet zich op de vloer zakken. Ze wilde niet dat Pasquale haar zag kokhalzen, dus moest hij op de gang zitten en hield om het hoekje van de openstaande deur haar hand vast. Beneden hoorde Pasquale zijn tante rommelen.

Dee haalde diep adem. 'Vertel me een verhaal, Pasquale. Hoe ging het verder, toen de kunstenaar weer bij zijn vrouw was?'

'Zij trouwen en hebben vijftig kinderen.'

'Vijftig?'

'Misschien zes. Hij wordt beroemd schilder en altijd als hij een vrouw schildert, zij is het.'

Dee Moray moest weer overgeven. Toen ze weer kon praten, zei ze: 'Hij komt niet, hè?' Het was merkwaardig en vertrouwelijk, de handen in elkaar, de hoofden in verschillende ruimtes. Ze konden praten. Ze konden elkaars hand vasthouden. Maar ze konden elkaars gezicht niet zien.

'Hij gaat komen', zei Pasquale tegen haar.

'Hoe weet je dat, Pasquale?' fluisterde ze.

'Gewoon.'

'Maar hoe dan?'

Hij sloot zijn ogen, concentreerde zich op het Engels en fluisterde om het hoekje: 'Omdat als jij op mij wacht... ik zou op knieën naar Rome kruipen.'

Ze kneep even in zijn hand en begon weer te kokhalzen.

Ook die dag kwam de man niet. En hoewel Pasquale Dee Moray maar wat graag voor zichzelf wilde houden, werd hij ook kwaad. Wat voor man stuurde een zieke vrouw naar een afgelegen vissersdorpje en liet haar vervolgens aan haar lot over? Hij overwoog naar La Spezia te gaan en van daaruit naar het Grand Hotel te bellen, maar hij wilde de schoft in zijn staalharde ogen kunnen kijken.

'Ik ga vandaag naar Rome', zei hij.

'Nee, Pasquale. Het is goed, zo. Ik ga gewoon naar Zwitserland zodra ik me wat beter voel. Misschien heeft hij daar wel een boodschap voor me achtergelaten.'

'Ik moet toch naar Rome', loog hij. 'Ik vind die Michael Deane en zeg jij wacht hier.'

Ze keek even voor zich uit en glimlachte toen. 'Dat is lief van je, Pasquale.'

Hij gaf Valeria gedetailleerde instructies hoe ze voor de Amerikaanse moest zorgen: Laat haar slapen en dring haar geen eten op waar ze geen trek in heeft en steek geen preek af over haar frivole nachtjaponnen. Als het slechter gaat laat je dokter Merlonghi komen. Vervolgens nam hij nog een kijkje bij zijn moeder, die klaarwakker op hem lag te wachten.

'Ik ben morgen weer terug, mama', zei hij.

131

'Het zou goed zijn,' zei ze, 'als je kinderen zou krijgen met zo'n lange, gezonde vrouw met zulke borsten.'

Hij vroeg Tomasso de Communist om hem in zijn motorbootje naar La Spezia te brengen, zodat hij daar de trein kon nemen naar Florence, en dan door naar Rome om Michael Deane de les te lezen, die naarling die een zieke vrouw aan haar lot overliet.

'Ik zou met je mee moeten gaan naar Rome', zei Tomasso terwijl ze dwars op de korte golfslag in zuidelijke richting voeren. Tomasso's kleine buitenboordmotor pruttelde wanneer hij in het water stak en gierde zodra hij erbovenuit kwam. Pasquale zat ineengedoken voorin terwijl Tomasso op het achterdek aan het roer zat en zijn blik langs de kust liet glijden. 'Het zijn echt honden, die Amerikaanse filmlui.'

Dat beaamde Pasquale. 'Om een vrouw weg te sturen en haar vervolgens aan haar lot over te laten...'

'Wat zij doen is een klap in het gezicht van de ware kunst', zei Tomasso. 'De tragiek van het bestaan wordt teruggebracht tot een circustent vol dikke mannen die in een slagroomtaart vallen. Ze zouden de Italianen in alle rust hun eigen films moeten laten maken, maar nee hoor, die Amerikaanse idiotie verspreidt zich als een hoerenziekte onder zeelui. *commedia all'italiana!* Bah.'

'Ik hou wel van Amerikaanse westerns', zei Pasquale. 'Ik hou wel van cowboys.'

'Bah', zei Tomasso nogmaals.

Pasquale dacht ondertussen aan iets anders. 'Tomasso, Valeria zegt dat er in Porto Vergogna niemand doodgaat, op baby's en oude mensen na. Ze zegt dat de Amerikaanse niet doodgaat zolang ze hier blijft.'

'Pasquale...'

'Ja, ik weet het, Tomasso, het is oudewijvenpraat. Maar ik kan niemand bedenken die hier op jonge leeftijd is overleden.'

Tomasso zette zijn pet recht en dacht na. 'Hoe oud was je vader?'

'Drieënzestig', zei Pasquale.

'Dat is best jong', zei Tomasso.

Ze voeren op de motor naar La Spezia en zigzagden tussen de grote vissersschepen in de haven door.

'Heb jij weleens getennist, Tomasso?' vroeg Pasquale. Hij wist dat Tomasso in de oorlog een tijd in een gevangenenkamp in de buurt van Milaan had gezeten en daar van alles had meegemaakt.

'Ik heb wel naar tennis gekeken.'

'Missen ze de bal vaak?'

'De betere spelers missen de bal niet zo vaak, maar er kunnen alleen punten worden gescoord doordat iemand de bal mist of hem in het net slaat, of buiten de lijn. Dat valt niet te voorkomen.'

In de trein moest Pasquale nog steeds aan tennis denken. Er konden alleen punten worden gescoord wanneer iemand de bal miste; dat leek zowel hardvochtig als, in zekere zin, een afspiegeling van het leven. Het was interessant om te zien wat het voor invloed had op zijn gedachten dat hij de laatste tijd weer Engels probeerde te praten; het herinnerde hem aan de poëziecolleges die hij had gevolgd, aan woorden die betekenis kregen en die weer verloren, woorden en beelden die in elkaar overliepen, de opvattingen die mensen erop nahielden en die op fascinerende wijze resoneerden in de woorden die ze gebruikten. Toen hij Dee Moray bijvoorbeeld had gevraagd of de man van wie zij hield dezelfde gevoelens koesterde, had zij vrijwel meteen ja geantwoord: de man hield ook heel veel van zichzelf. Het was zo'n subtiele grap geweest en het was op een merkwaardige manier veelzeggend dat Pasquale er trots op was dat hij de grap had meegekregen, in het Engels. In gedachten liet hij het gesprekje keer op keer de revue passeren. Net als het moment in de bunker, hun gesprek over de schilderingen... Het was spannend geweest om te horen wat zij er voor beelden bij had – de eenzame, jonge soldaat met de foto van het meisje.

In zijn treincoupé zaten twee jonge vrouwen naast elkaar, ieder met een exemplaar van hetzelfde filmblad op schoot. Ze leunden tegen elkaar aan en kletsten over wat ze allemaal lazen. Om de paar minuten keek een van beiden naar hem op, met een glimlach. Verder lazen ze wat in hun tijdschrift; een van beiden wees naar een plaatje van een filmster en de ander gaf er commentaar bij. *Brigitte Bardot? Ze is nu nog beeldschoon maar later wordt ze dik. Ze praat-*

ten op luide toon, misschien om boven het geluid van de trein uit te komen.

Pasquale keek op van zijn sigaret en vroeg tot zijn eigen verbazing aan de vrouwen: 'Staat er iets in over een actrice die Dee Moray heet?'

De vrouwen hadden een uur lang vergeefs geprobeerd zijn aandacht te trekken. Ze keken elkaar aan en de langste vrouw antwoordde: 'Is het een Engelse?'

'Een Amerikaanse. Ze is momenteel in Italië voor de opnamen van *Cleopatra*. Volgens mij is ze niet echt beroemd, maar ik vroeg me af of er misschien iets over haar in stond.'

'Speelt ze in *Cleopatra*?' vroeg de kleinste vrouw, waarna ze in haar tijdschrift bladerde totdat ze een foto had gevonden van een adembenemend mooie brunette – absoluut aantrekkelijker dan Dee Moray – die ze aan Pasquale liet zien. 'Samen met Elizabeth Taylor?' De kop onder de foto van Elizabeth Taylor beloofde details van het 'Schokkende Amerikaanse Schandaal!'

'Ze heeft het huwelijk van Eddie Fisher en Debbie Reynolds kapotgemaakt', zei de langste op vertrouwelijke toon.

'Zo jammer', zei de andere vrouw. 'Debbie Reynolds heeft twee kleine kinderen.'

'Ja, en nu gaat Elizabeth Taylor ook weer weg bij Eddie Fisher. Ze heeft een verhouding met die Britse acteur, Richard Burton.'

'Arme Eddie Fisher.'

'Arme Richard Burton, zul je bedoelen. Het is een feeks.'

'Eddie Fisher is op het vliegtuig naar Rome gestapt in een poging haar terug te winnen.'

'Zijn vrouw heeft twee kleine kinderen! Het is een schande.'

Pasquale stond ervan te kijken hoeveel deze twee vrouwen wisten over de mensen van de film. Het was alsof ze het over hun eigen familie hadden, en niet over Britse en Amerikaanse acteurs die ze nog nooit hadden ontmoet. De vrouwen praatten honderduit over Elizabeth Taylor en Richard Burton. Pasquale zou willen dat hij nooit aandacht aan hen had besteed. Had hij echt verwacht dat ze Dee Moray zouden kennen? Ze had tegen Pasquale gezegd dat *Cleo-*

patra haar eerste film was; hoe hadden deze vrouwen ooit van haar moeten hebben gehoord?

'Die Richard Burton is een rokkenjager. Ik zou hem geen blik waardig gunnen.'

'Heus wel.'

Ze glimlachte naar Pasquale. 'Heus wel.'

De vrouwen giechelden.

'Dit is al het vierde huwelijk van Elizabeth Taylor!' zei de langste vrouw tegen Pasquale, die het liefst uit de trein was gesprongen om aan dit gesprek te ontsnappen. De opmerkingen vlogen over en weer, als in een tenniswedstrijd waarin geen van beide spelers miste.

'Richard Burton is ook getrouwd geweest', zei de andere vrouw.

'Het is een slang, dat mens.'

'Maar wel een prachtige slang.'

'Die zich ordinair gedraagt. Daar kijken mannen doorheen.'

'Mannen kijken niet verder dan haar ogen.'

'Mannen kijken alleen naar tieten. Ze is niet anders dan jij en ik.'

'Nou, als wij zulke ogen hadden...'

'Het is een schande! Die Amerikanen gedragen zich als een stel kleine kinderen.'

Pasquale veinsde een hoestbui. 'Neem me niet kwalijk', zei hij. Hij stond op en verliet het kippenhok om hoestend en wel uit het raam te kijken. Ze naderden het station van Luca en hij ving een glimp op van het marmer en de bakstenen van de Duomo. Pasquale vroeg zich af of hij bij zijn overstap in Florence voldoende tijd zou hebben om een wandelingetje te maken.

In Florence stak Pasquale een sigaret op en leunde tegen het smeedijzeren hek op het piazza Massimo d'Azeglio, schuin tegenover het huis waar Amedea woonde. Vermoedelijk waren ze net klaar met eten. Amedea's vader mocht na het eten graag een ommetje maken met het hele gezin. Bruno, zijn vrouw en zijn zes beeldschone dochters (tenzij hij er eentje had weten uit te huwelijken in de tien maanden sinds Pasquale voor het laatst in Florence was geweest) liepen dan samen de straat uit, een keer om het plein heen en dan weer terug. De trotse oude man pronkte met zijn dochters – alsof het paarden op een veiling waren, dacht Pasquale altijd – met zijn grote hoofd in zijn nek en met een diepe, ernstige frons.

Tegen het vallen van de avond was de zon door de wolken gebroken, na een grijze dag, en het was alsof de hele stad uitliep. Pasquale rookte zijn sigaret en zag alle stelletjes en gezinnen langslopen, en na een paar minuten kwamen inderdaad de meisjes Montelupo de hoek om – Amedea met haar twee jongste zussen. Er zaten nog drie zussen tussen deze jongste en Amedea, de oudste, in, maar kennelijk waren die getrouwd. Pasquale hield zijn adem in toen hij Amedea zag: wat was ze mooi. Toen kwam Bruno de hoek om, samen met mevrouw Montelupo, die de kinderwagen duwde. Toen hij de kinderwagen zag liet Pasquale al zijn ingehouden adem ontsnappen. Het moment was daar.

Pasquale leunde tegen dezelfde lantaarnpaal waar hij altijd tegenaan had moeten leunen toen Amedea en hij iets met elkaar kregen; het was een teken als hij daar stond. Hij voelde vlinders in zijn buik, net als destijds, en precies op dat moment keek ze op, zag hem, bleef stokstijf staan en zocht houvast bij de muur. Pasquale vroeg zich af of ze, nog altijd, elke dag naar hun lantaarnpaal keek. Amedea's zussen, die zich niet bewust waren van zijn aanwezigheid, liepen door; en uiteindelijk liep ook Amedea door. Pasquale nam zijn hoed af – het tweede teken van destijds. Aan de overkant van de straat zag hij Amedea *nee* schudden. Pasquale zette zijn hoed weer op.

De drie meisjes liepen voorop, Amedea met de jongere Donata en Francesca. Achter hen liepen Bruno en zijn vrouw, met de baby in de kinderwagen. Een jong stel bleef staan en wierp een blik in de kinderwagen. De stemmen droegen over het plein en bereikten Pasquale.

'Wat is hij groot, Maria', zei de vrouw.

'Geen wonder. Hij eet net zo veel als zijn vader.'

Bruno lachte trots. 'Ons hongerige mirakel', zei hij.

De vrouw boog zich over de kinderwagen en gaf een kneepje in het babywangetje. 'Laat je nog wel wat te eten over voor je zussen, kleine Bruno?'

Amedea's zussen hadden zich omgedraaid naar het stel dat de baby bewonderde, maar Amedea zelf bleef strak voor zich uit kijken, naar de overkant van de straat, alsof Pasquale in het niets zou kunnen verdwijnen zodra ze hem even uit het oog verloor.

Pasquale moest zijn blik afwenden toen Amedea hem zo indringend aankeek.

De vrouw die zo vol was van de kleine Bruno richtte zich tot Amedea's jongste zus, die twaalf was. 'En, vind je het leuk om een klein broertje te hebben, Donata?'

Ze zei dat ze het leuk vond.

Het gesprek werd iets ongedwongener. Pasquale kon nu enkel nog flarden opvangen van de overkant van de straat – over de vele regen, over het warme weer dat nu echt in aantocht scheen te zijn.

Het stel liep weer door en de Montelupo's maakten hun rondje om het piazza af, waarna ze een voor een werden opgeslokt door de hoge houten voordeur, die Bruno met een plechtig gebaar achter zich dichttrok. Pasquale bleef staan, met zijn sigaret. Hij keek op zijn horloge; nog meer dan genoeg tijd voor de laatste trein naar Rome.

Tien minuten later kwam Amedea met stevige stappen zijn kant op lopen, haar armen over elkaar geslagen alsof ze het koud had. De blik in haar mooie bruine ogen, onder die donkere wenkbrauwen, had hij nooit kunnen peilen. Die ogen waren zo vochtig, alsof ze van nature traanden, dat er vergevingsgezindheid uit haar blik sprak, zelfs wanneer ze boos was – wat heel vaak het geval was.

'Bruno?' zei Pasquale toen Amedea op nog maar een paar passen afstand was. 'Heb je hem *Bruno* genoemd?'

Ze liep door totdat ze vlak voor hem stond. 'Wat doe je hier, Pasquale?'

'Ik wilde jou zien. En hem. Kun je hem voor me halen?'

'Doe niet zo idioot.' Ze pakte de sigaret uit zijn hand, nam een trekje en liet de rook via haar mondhoek ontsnappen. Hij was bijna vergeten hoe klein Amedea was – hoe pezig en lenig. Ze was acht jaar ouder dan hij en ze had een geheimzinnige, vanzelfsprekende en haast dierlijke sensualiteit. Hij werd nog altijd duizelig zodra zij in de buurt kwam, net als de keer dat ze hem achteloos bij

137

de hand had genomen en hem had meegetrokken naar zijn kamer (zijn kamergenoot was die dag weg geweest), hem op zijn bed had geduwd, zijn broek had losgemaakt, haar rok omhoog had geschoven en op hem was gaan zitten. Zijn handen waren naar haar middel gegleden, hun ogen hadden elkaar gevangen gehouden en Pasquale dacht: dit, dit is de wereld, meer is er niet.

'Ik mag mijn zoon toch zeker wel even zien?' probeerde Pasquale nogmaals.

'Morgenochtend misschien, als mijn vader naar zijn werk is.'

'Morgenochtend ben ik al weg. Ik neem vanavond de trein naar Rome.'

Ze knikte, maar zweeg.

'Dus jullie doen... jullie doen gewoon alsof hij je broertje is? En niemand vindt het raar dat je moeder nog een kind heeft gekregen... twaalf jaar na je jongste zus?'

'Ik heb geen idee wat men vindt', zei Amedea vermoeid. 'Papa heeft me naar de zus van mijn moeder in Ancona gestuurd, en ze hebben iedereen verteld dat ik haar moest verzorgen omdat ze ziek is. Mijn moeder liep in positiejurken en zei dat ze naar Ancona ging om te bevallen. Na een maand zijn we teruggekeerd, met mijn broertje.' Ze haalde haar schouders op alsof het niets te betekenen had. 'Een wonder.'

Pasquale wist niet wat hij moest zeggen. 'Hoe was het?'

'Om een kind te krijgen?' Ze keek van hem weg. 'Alsof je een kip uitpoept.' Ze keek hem weer aan en glimlachte. 'Het is nu niet zo erg meer. Het is een lief kind. Als iedereen slaapt pak ik hem soms op en zeg dan zachtjes: 'Ik ben je mama, kleine baby.' Ze haalde even haar schouders op. 'Maar soms vergeet ik het bijna en dan denk ik zelf ook dat hij mijn broertje is.'

Pasquale voelde zijn maag weer samentrekken. Het was alsof ze het over een idee hadden, een abstractie, en niet over een kind – hún kind. 'Dit is waanzin. Om in 1962 nog zo'n toneelstukje op te voeren? Dat is gewoon niet goed.'

Maar terwijl hij het zei voelde hij zelf al hoe belachelijk het moest klinken, aangezien hij op geen enkele manier deelde in de zorg.

Amedea zei niets, keek hem alleen strak aan en plukte een sliertje tabak van haar tong. *Ik wilde met je trouwen*, had Pasquale bijna gezegd, maar hij bedacht zich. Ze zou vermoedelijk slechts hebben gelachen, aangezien ze zelf getuige was geweest van zijn... 'aanzoek'.

Amedea was ooit eerder verloofd geweest, op haar zeventiende, met de zoon van haar vaders zakenpartner in het makelaarsbedrijf – een jongen met veel geld, maar ook met uitpuilende ogen. Toen ze weigerde te trouwen met een man die twee keer zo oud was als zij, ontstak haar vader in woede; ze had de familie te schande gemaakt, en als zij niet wenste te trouwen met deze bijzonder geschikte huwelijkskandidaat, dan zou ze helemaal nooit trouwen. Ze kon kiezen: in het klooster gaan of thuis blijven en de zorg op zich nemen voor haar ouders, die ook een dagje ouder werden, én voor alle kinderen die haar getrouwde zussen op de wereld zouden zetten. Prima, zei Amedea, ze zou het kindermeisje van de familie worden. Zij had geen man nodig. Haar vader begon zich steeds meer te ergeren aan haar obstinate en bokkige gedrag en stond toe dat ze een secretaressebaantje nam aan de universiteit. Ze werkte er al zes jaar, met af en toe een kortstondige affaire met een collega om de eenzaamheid te verdrijven, toen ze op haar zevenentwintigste tijdens een ommetje de negentienjarige Pasquale zag, die aan de oever van de Arno zat te studeren. Ze torende boven hem uit. Toen hij zijn blik opsloeg keek ze met een glimlach op hem neer en zei: 'Hallo, mooie ogen.'

Hij viel als een blok voor haar vluchtige, rusteloze levenslust en haar snelle, scherpe tong. Die eerste dag vroeg ze of hij een sigaret voor haar had, maar hij zei dat hij niet rookte. 'Ik kom hier elke woensdag langs', zei ze. 'Voor het geval je ooit met roken mocht willen beginnen.'

Een week later liep ze langs en Pasquale schoot overeind om haar een sigaret aan te bieden, met trillende handen haalde hij het pakje uit zijn zak. Hij gaf haar een vuurtje en ze gebaarde naar de opengeslagen boeken op de grond – een dichtbundel en een woordenboek. Hij vertelde dat hij het gedicht *Amore e morte* moest vertalen. 'De beroemde Leopardi', zei ze, en ze bukte om zijn schrift te pakken. Ze las wat hij tot dan toe had vertaald: 'Fratelli, a un tempo stesso, Amore en Morte/ingenerò la sorte – Broeders – de tijd is één, Liefde en Dood/bedreigde soorten.'

'Knap gedaan,' zei ze, 'je hebt alle muzikaliteit eruit gehaald.' Ze gaf hem het schrift terug. 'Bedankt voor de sigaret', zei ze en ze liep door.

Toen Amedea de week daarop langs de rivier liep zat Pasquale al klaar met een sigaret en met zijn schrift, dat ze zonder een woord te zeggen uit zijn hand pakte, waarna ze hardop las: "Broeders van één naam/Liefde en Dood, geboren tesaam.' Ze gaf hem het schrift terug, glimlachte en vroeg of hij in de buurt woonde. Nog geen tien minuten later sjorde ze aan zijn broek – het eerste meisje dat hij ooit had gekust, om van de rest nog maar te zwijgen. In de achttien maanden die volgden zagen ze elkaar twee middagen per week, in zijn kamer. Ze bleef nooit slapen en ze zei dat ze zich nooit met hem in het openbaar zou kunnen vertonen. Ze hamerde erop dat ze niet zijn vriendin was, maar zijn privéonderwijzeres. Ze zou hem helpen met zijn studie en ze zou hem leren hoe hij een vrouw moest beminnen, ze zou hem leren hoe hij met meisjes moest omgaan, hoe hij een praatje moest aanknopen, wat hij vooral niet moest zeggen. (Hij hield bij hoog en bij laag vol dat hij nooit iets zou willen met een andere vrouw, waarop ze slechts lachte.) Ze lachte ook om zijn eerste, onbeholpen pogingen een gesprek gaande te houden. 'Hoe is het mogelijk dat die prachtige ogen zo weinig te vertellen hebben?' Ze leerde hem oogcontact te maken, diep adem te halen, zijn woorden te wegen, minder snel antwoord te geven. Zijn favoriete lessen waren natuurlijk de lessen die op zijn matras op de grond plaatsvonden – wat hij met zijn handen moest doen, hoe hij kon voorkomen dat hij te snel klaarkwam. Na een paar zeer geslaagde lessen liet ze zich op een dag van hem af rollen met de woorden: 'Nou, ik heb het lesgeven wel in de vingers, hè. De vrouw die met jou gaat trouwen boft maar.'

Voor hem waren die middagen duizelingwekkend en eindeloos, en hij had de rest van zijn leven wel zo door willen gaan, studeren in de wetenschap dat de lieftallige Amedea hem twee keer per week zou komen bijscholen. Eén keer beging hij de fout om tijdens een wel heel intiem moment *Ti amo* te zeggen, ik hou van je. Boos duwde ze hem van zich af, stond op en begon zich aan te kleden.

'Dat kun je niet zomaar zeggen, Pasquale. Die woorden hebben een ongekende kracht. Zo raken mensen verstrikt in een huwelijk.' Ze trok haar blouse aan. 'Dat mag je nooit zeggen als je net met iemand naar bed bent geweest, begrepen? Als je het dan per se moet zeggen, ga dan de volgende ochtend naar haar toe, als ze uit haar mond stinkt en zich nog niet heeft opgemaakt... kijk naar haar als ze op de wc zit... luister naar haar als ze met haar vriendinnen is... ga op bezoek bij haar moeder, die een snor heeft, en bij haar zussen, met hun schelle stem... en als je dan nóg met alle geweld zoiets stoms wil zeggen... God sta je bij.'

Ze zei zo vaak dat hij niet echt van haar hield, dat het domweg een reactie was op zijn eerste seksuele ervaring, dat ze te oud voor hem was, dat ze helemaal niet bij elkaar pasten, dat hij een meisje van zijn eigen leeftijd moest zoeken – en dat alles met grote stelligheid – dat Pasquale haar bijna wel moest geloven.

Maar op een noodlottige dag kwam ze naar hem toe en zei, zonder verdere inleiding: 'Ik ben zwanger.' Wat volgde was een pijnlijke stilte, waarin Pasquale eerst kampte met kortstondige twijfel (*Zei ze nou zwanger?*) gevolgd door kortstondig ongeloof (*Maar we hebben bijna altijd voorbehoedsmiddelen gebruikt*) en tot slot een paar tellen waarin hij wachtte totdat ze hem – zoals gewoonlijk – zou zeggen wat hij moest doen. Tegen de tijd dat hij eindelijk iets wist uit te brengen ('*Dan moeten we maar gaan trouwen*') was er zoveel tijd verstreken dat de trots-weerspannige Amedea hem slechts in zijn gezicht kon uitlachen.

Che ragazzino! Klein kind! Had hij dan helemaal niets geleerd? Dacht hij nou echt dat ze haar leven op die manier zou vergooien? En zelfs als hij het echt meende – wat duidelijk níet het geval was – dan dacht hij toch niet dat ze met een berooide jongen uit een boerengehucht zou trouwen? Dacht hij nou echt dat haar vader een dergelijke schande zou accepteren? En zelfs als haar vader zijn goedkeuring zou geven – wat hij echt nooit zou doen – dacht hij dan echt dat ze ooit een goede man zou kunnen maken van zo'n stuurloze, naïeve jongen, een jongen die ze uit verveling het bed in had gelokt? Het laatste waar deze wereld op zat te wachten was de zoveelste slechte echtgenoot. En zo ging ze maar door, totdat Pasquale alleen nog maar 'Ja, je hebt gelijk', kon mompelen, en het nog geloofde ook. Dat was de wisselwerking waarop hun aantrekkingskracht was gestoeld: haar seksuele overwicht en zijn kinderlijke inschikkelijkheid. Ze had gelijk, dacht hij, hij kon onmogelijk een kind opvoeden; hij was zelf nog een kind.

Nu, bijna een jaar later, op het piazza schuin tegenover het grote huis van haar familie, keek Amedea hem met een vermoeide glimlach aan en pakte weer de sigaret uit zijn hand. 'Vreselijk, van je vader. Hoe houdt je moeder zich?'

'Niet zo best. Ze wil dood.'

Amedea knikte. 'Volgens mij is het ongekend zwaar om weduwe te zijn. Ik heb overwogen een keer naar je pensione te komen. Hoe is het daar?'

'Mooi. Ik ben een strand aan het maken. Ik wilde ook een tennisbaan maken maar dat past misschien niet.' Hij schraapte zijn keel. 'Ik... ik heb een Amerikaanse gast. Een actrice.'

'Een filmactrice?'

'Ja. Ze speelt in de film *Cleopatra*.'

'Toch niet Liz Taylor?'

'Nee, iemand anders.'

Haar stem klonk zoals hij had geklonken toen ze hem adviezen gaf over andere meisjes. 'En, is ze mooi?'

Pasquale deed alsof hij nog niet eerder bij die vraag had stilgestaan. 'Hm, valt tegen.'

Amedea stak haar handen uit, alsof ze meloenen vasthield. 'Maar zeker wel grote borsten? Enorme memmen? Als pompoenen?' Ze bracht haar handen nog iets naar voren. 'Zeppelins?'

'Amedea', zei hij alleen maar.

Ze lachte naar hem. 'Ik heb altijd geweten dat je het goed zou doen, Pasquale.' School er iets van spot in haar stem? Ze wilde hem zijn sigaret teruggeven maar hij wimpelde hem af en pakte een nieuwe. Zo stonden ze daar, ieder met hun eigen sigaret, zwijgend, totdat Amedea alleen nog een askegeltje had en zei dat ze weer naar binnen moest. Pasquale zei dat hij ook moest gaan, wilde hij zijn trein halen.

'Succes met je actrice', zei Amedea, en ze glimlachte erbij alsof ze het ook echt meende. Toen stak ze de straat over, bijna huppelend, wierp nog een laatste blik over haar schouder en was verdwenen.

Pasquale voelde een kriebel in zijn keel – de drang om haar iets na te roepen – maar hij hield zijn lippen op elkaar geklemd omdat hij geen idee had welke woorden het zouden zijn.

7

Het eten van mensenvlees

1846
Truckee, Californië

*H*et gaat over een man... een koetsenmaker, William Eddy, een
brave huisvader, aantrekkelijk, oprecht, maar ongeschoold. Het
verhaal speelt in 1846, William is getrouwd en heeft twee kleine kinderen. Maar hij is zo arm als een kerkrat, dus wanneer hij de kans
krijgt om naar Californië te gaan en daar zijn slag te slaan, grijpt Eddy
die met beide handen aan. In die tijd oefent het westen een ongekende aantrekkingskracht uit op mensen zoals hij. Dus sluit Eddy zich
aan bij een karavaan huifkarren, die van Missouri naar Californië
trekt. Tijdens de titelrol zien we William Eddy en zijn knappe, jonge
vrouw zich klaarmaken voor de reis, hun schamele bezittingen uit
hun plaggenhut halen.
*De camera glijdt langs een stoet huifkarren, volgestouwd met be-
zittingen, met hele kudden vee ernaast, een karavaan die zich bijna
een kilometer het plaatsje uit slingert, uitgeleide gedaan door honden
en kinderen die een eind mee rennen. Aan de voorkant van de stoet
zien we:* CALIFORNIË OF DE DOOD. *Met een ruime boog naar de achterkant van deze huifkar en we zien:* DONNER PARTY.
*De Donner-karavaan. Een stoet huifkarren droeg altijd de naam
van de voornaamste familie, maar als iémand in deze karavaan geschikt is voor het pioniersbestaan is het wel William Eddy; een man
die zich het liefst op de achtergrond houdt, maar die goed kan jagen
en spoorzoeken. Wanneer de mannen uit de rijke families op de eerste*

avond bij elkaar komen om de tocht door te spreken, loopt William naar het kampvuur en zegt dat hij zich zorgen maakt: ze zijn erg laat op pad gegaan en hij heeft zijn bedenkingen bij de voorgenomen route. Maar de rijke mannen snoeren hem de mond, waarop hij terugkeert naar zijn eenvoudige huifkar helemaal achter aan de karavaan. De eerste akte is een en al actie, verval – problemen. De pioniers belanden al vrij snel in noodweer en er breken een aantal karrenwielen. Er is een slechterik in het gezelschap: Keseberg, een potige Duitse immigrant die een ouder echtpaar zover heeft gekregen dat ze hem bij hen in hun huifkar hebben gelaten, maar als ze eenmaal de bewoonde wereld uit zijn gereden, pikt Keseberg alle spullen van de oude mensen in en zet ze uit de huifkar, zodat ze verder moeten lopen. William Eddy is de enige die het echtpaar een plek in zijn huifkar aanbiedt.

Als de karavaan afgepeigerd in Utah arriveert, op het punt halverwege de route, liggen ze al weken achter op schema. 's Nachts stelen de indianen het vee. William Eddy is de beste jager, dus hij schiet onderweg wat wild. Maar ze worden achtervolgd door tegenslag en noodweer, en ze betalen een hoge prijs voor de twijfelachtige route wanneer op de grote zoutvlakten werkelijk alles kapotgaat. De camera pant over de harde grond vol scheuren, we zien kilometers lange sporen van huifkarren, zien vee dood neervallen, zien de pioniers door een woestijn wankelen, zien het ene gezin na het andere voorbijkomen, zien paarden die verblind doorlopen – een voorbode van de teloorgang van de beschaving. We zien dat iedereen iets verwilderds krijgt, behalve William Eddy, die zijn menselijke waardigheid behoudt om de rest van de groep erdoor te slepen.

Uiteindelijk weet de karavaan Nevada te bereiken, maar dan is het al oktober – niet eerder is er een groep pioniers geweest die zo laat in het jaar heeft geprobeerd de bergen te bedwingen. Meestal begint het pas ergens halverwege november te sneeuwen, dus hebben ze nog een paar weken om de Sierra Nevada over te trekken, en dan zouden ze in Californië zijn. Er is geen tijd te verliezen. Ze lopen en rijden dag en nacht, in de hoop het te halen.

Dan zitten we in de wolken. Maar het zijn geen donzige wolken. Ze zijn donker en dreigend, onheilspellende zwarte massa's. Dit is

onze versie van Jaws *en de wolken zijn onze haai. We zoomen in op*
een sneeuwvlok. We volgen hem door de lucht en zien dat er andere
sneeuwvlokken bij komen. Compact. Zwaar. We volgen de eerste vlok
naar beneden en zien hem uiteindelijk neerdalen op de arm van Wil-
liam Eddy, vuil en ongeschoren. Op dat moment wéét Eddy het. Lang-
zaam richt hij zijn blik omhoog.
Ze zijn te laat. De sneeuw is een maand te vroeg. De Donner Party
zit al in de bergen en de sneeuw is verblindend – het zijn niet alleen
vlokken... er dalen hele sneeuwgordijnen neer, die de doortocht vrij-
wel onmogelijk maken. Uiteindelijk komen ze de vallei in en daar is
hij dan, recht voor hen: de bergpas, een smalle spleet tussen twee rots-
wanden, zo gekmakend dichtbij. Maar er ligt al drie meter sneeuw
en de paarden zakken er tot aan hun schoft in weg. Huifkarren lopen
vast. Aan de andere kant van die pas ligt Californië. Warm. Veilig.
Maar ze zijn te laat. Door de sneeuw zijn de bergen onbegaanbaar.
Ze bevinden zich in een kom tussen twee bergketens. Ze kunnen niet
verder, ze kunnen niet terug. Aan beide kanten is de deur in het slot
gevallen.

De groep van negentig mensen valt in tweeën uiteen. Eddy's groep
is het grootst en het dichtst bij de pas, naast het meer; de tweede
groep, met de Donners, bevindt zich een paar kilometer achter hen.
Beide groepen slaan zo snel mogelijk hun kamp op – drie gammele ba-
rakken in het kamp bij het meer en twee barakken in het kamp een
stuk terug. In het eerste kamp, bij het meer, heeft William Eddy een
hut gebouwd voor zijn vrouw en zijn zoontje en zijn dochtertje, en hij
heeft ook andere pioniers onderdak geboden. De hutten stellen wei-
nig voor: een paar planken met wat huiden erover. Ondertussen blijft
het maar sneeuwen. Al snel wordt duidelijk dat er niet voldoende eten
is om de winter door te komen, en de paar koeien die ze nog hebben
worden op rantsoen gezet. Dan komt er een sneeuwstorm en wanneer
de pioniers zich weer buiten wagen blijkt dat hun vee is begraven in de
sneeuw. Ze prikken met stokken in de sneeuw in een poging de dode
koeien te vinden. Maar die zijn gewoon... verdwenen. En ondertussen
blijft het maar sneeuwen. Door het vuur in de hutten blijft de sneeuw
eromheen smelten en al snel moeten ze treden uithakken in de sneeuw

om hun hutten, zeven meter hoge witte wanden die hun onderkomens omsluiten, zodat alleen nog de rook van de vuren zichtbaar is. De dagen verstrijken in verschrikking, vertwijfeling. Twee maanden lang leven ze op de bodem van hun sneeuwkuilen, op een hongerrantsoen. Ze proberen te jagen maar niemand weet iets te vangen, behalve...

William Eddy. Verzwakt door de honger gaat hij toch elke dag weer op pad en weet soms een paar konijnen te vangen, en zelfs een keer een hert. In het begin hadden de rijke families hun vee niet met hem willen delen, maar Eddy deelt zijn schamele vangst wel met alle anderen. Maar zelfs deze voedselbron droogt op wanneer de dieren steeds verder wegtrekken van de sneeuwgrens. Dan stuit Eddy op een dag op een spoor. Met de moed der wanhoop volgt hij het spoor, totdat hij enkele kilometers van het kamp is verwijderd. Het is een beer. Hij weet de beer in te halen en richt met moeite zijn geweer... haalt de trekker over... en raakt hem! Maar de beer draait zich om en valt hem aan. Eddy kan niet herladen en terwijl hij op sterven na dood is moet hij de beer van zich af zien te houden met de kolf van zijn geweer. Uiteindelijk slaat hij het dier met zijn blote handen dood.

Hij zeult de beer terug naar het kamp, waar men steeds wanhopiger wordt. William Eddy zegt keer op keer: 'Er moet een groepje op uit om hulp te halen.' Maar hij is de enige die nog over voldoende kracht beschikt om op pad te gaan, en het is duidelijk dat hij niet kan gaan omdat hij zijn gezin niet alleen durft achter te laten. Maar inmiddels is al het wild uit de bergen getrokken en het blijft maar sneeuwen. Uiteindelijk bespreekt hij het met zijn vrouw, die aan het begin van de film heel stil was, zo iemand die eerder onder het leven heeft geleden dan dat ze het heeft geleefd. Ze haalt diep adem. 'Will'm,' zegt ze, 'je moet de sterksten uitkiezen en gaan. Je moet hulp halen.' Hij sputtert tegen, maar ze zegt: 'Ik sméék het je. Doe het voor onze kinderen.' Wat moet hij anders?

Stel dat je je dierbaren alleen kunt redden... door ze achter te laten?

Inmiddels hebben de pioniers alle paarden en ezels opgegeten, en zelfs de huisdieren. Er wordt soep getrokken van zadels en dekens en schoenleer, alles om het smeltwater wat smaak te geven. William Eddy's gezin moet het doen met een paar repen berenvlees. Hij heeft

geen keuze. Hij zoekt vrijwilligers. Er zijn nog maar zeventien men-
sen sterk genoeg om een poging te wagen: twaalf mannen en jongens,
vijf jonge vrouwen. Ze maken lompe sneeuwschoenen van riemen en
teugels en gaan op pad. Vrijwel meteen maken twee jongens rechts-
omkeert omdat de sneeuw te diep is. De anderen zakken zelfs met
sneeuwschoenen aan bij elke stap een halve meter naar beneden.
Eddy leidt zijn vijftien man grote groep weg en ze hebben het
zwaar; het kost ze alleen al twee dagen om de pas te bereiken. De eer-
ste avond slaan ze hun kamp op. Als Eddy in zijn ransel voelt is het
alsof hij een stomp in zijn maag krijgt – zijn vrouw blijkt hem al het
resterende berenvlees te hebben meegegeven. Het zijn maar een paar
happen, maar haar onbaatzuchtigheid snijdt door zijn ziel. Ze heeft
hem haar deel geschonken. Hij kijkt achterom naar hun kamp en ziet
alleen nog wat rook omhoogkringelen.

Stel dat je je dierbaren alleen kunt redden... door ze achter te laten?

Ze gaan verder. Het groepje van vijftien loopt dagen achter elkaar
door en trekt tergend langzaam over steile bergtoppen en door be-
sneeuwde valleien. Sneeuwstormen verblinden hen en dwingen hen
halt te houden. Het kost enkele dagen om een paar duizend meter
af te leggen. Met niet meer voedsel dan een paar hapjes van Eddy's
berenvlees verzwakken ze steeds meer. Een van de mannen, Foster,
zegt dat ze iemand moeten offeren zodat de anderen kunnen eten,
en ze hebben het erover om lootjes te trekken. William Eddy zegt dat
als er iemand geofferd wordt, diegene nog wel een kans moet krijgen.
Ze zouden twee mensen kunnen kiezen, en die met elkaar kunnen la-
ten vechten tot de dood erop volgt. Hij biedt aan om een van die twee
te zijn. Maar iedereen blijft roerloos zitten. Dan zijn op een ochtend
een oude man en een jongen bezweken, omgekomen van de honger.
Ze hebben geen keus. Ze maken een vuur en eten het vlees van hun
metgezellen.

We blijven hier niet al te lang bij stilstaan. Het is gewoon... wat het
is. Als je 'Donner Party' zegt denkt iedereen meteen aan kannibalen,
maar vrijwel alle overlevenden zeiden dat het eten van mensenvlees
op zich niet zo veel voorstelde... het waren vooral de kou en de wan-
hoop: dat waren de echte vijanden. De groep loopt dagen aan één stuk

door; dankzij William Eddy vervallen ze niet in totale chaos. Er komen nog meer mensen om en de groep eet wat er maar te eten is, en ze lopen maar door, totdat er uiteindelijk nog maar negen mensen over zijn – vier van de tien mannen en alle vijf de vrouwen. Twee van de mannen die nog in leven zijn, zijn indiaanse verkenners. De enige andere blanke man die nog in leven is, Foster, wil de indianen doodschieten en opeten. Maar Eddy is het er niet mee eens en hij waarschuwt de indianen, die weten te ontsnappen voordat Foster ze kan vermoorden. Als Foster daarachter komt vliegt hij Eddy aan, maar de vrouwen halen de vechtende mannen uit elkaar.

Waarom gaan de mannen dood en blijven de vrouwen in leven? Omdat vrouwen meer lichaamsvet hebben waar ze op kunnen teren, en omdat ze minder wegen, waardoor het ze minder energie kost om door de sneeuw te ploegen. Dat is het schrijnende: de spieren van de mannen worden hun dood.

Achttien dagen. Zo lang is het groepje dat hulp is gaan zoeken onderweg. Achttien dagen lang ploeteren ze door tien meter hoge sneeuwbanken, ijs dat zo hard is dat ze hun huid eraan openhalen. Als zeven in lompen gehulde skeletten komen ze uiteindelijk onder de sneeuwgrens. In het bos zien ze een hert, maar William Eddy is te zeer verzwakt om zijn geweer te richten. Het is hartverscheurend – eindelijk ziet William Eddy een prooi, hij probeert zijn geweer tegen zijn schouder te zetten, maar het lukt hem niet. Hij laat het geweer uit zijn handen vallen. En loopt verder. Om aan voedsel te komen knagen ze aan boombast en kauwen op wild gras, als herten. En dan ziet William Eddy een kringelende rookpluim, van een indianendorpje. De anderen zijn echter te zeer verzwakt om nog in beweging te komen, dus laat William hen achter en gaat er in zijn eentje op af.

Bedenk dat dit speelt in de tijd van vóór de goudzoekers, van vóór de opkomst van Californië. De staat is vrijwel onbewoond. San Francisco is een plaatsje met hooguit een paar honderd inwoners, Yerba Buena geheten. We zoomen in op een hut aan de voet van de bergen. We zoomen weer uit en zien het plaatsje liggen, schilderachtig en vredig, met een beekje ervoor, en her en der wat plukjes sneeuw. We zoomen steeds verder uit, en dan zie je dat dit het enige teken van leven is *in de wijde omtrek. Vervolgens zoomen we weer in en zien te midden van de indianen een reusachtige gestalte, een geraamte haast, met een verwilderde baard, op blote voeten, gehuld in niet veel meer dan lompen, die in de richting van een hut strompelt...*

...en het is William Eddy! De boeren geven hem wat water. Een klein beetje meel – meer kan zijn gekrompen maag niet aan. De tranen staan in zijn ogen. 'Er zijn er nog meer... in een indianendorpje hier vlakbij', zegt hij. 'Zes.' Er worden een paar mannen op uit gestuurd. Het is hem gelukt. Van de vijftien mensen die op pad zijn gegaan heeft William Eddy zowel Foster als de vijf vrouwen in veiligheid weten te brengen, en hij heeft de boeren verteld dat er nog anderen zijn, in de bergen.

Maar het verhaal is nog niet afgelopen. Eerste akte, de tocht de bergen in; tweede akte, afdaling en ontsnapping; derde akte, de reddingsoperatie. Eddy heeft zeventig mensen achtergelaten in de bergen, in de hoop dat hij hulp zal vinden. Er wordt een reddingsoperatie op touw gezet, veertig mannen onder aanvoering van kolonel Woodworth, een dikke, zelfingenomen cavalerist. Eddy en Foster zijn te zeer verzwakt om mee te gaan, maar als Eddy heel even ontwaakt ziet hij vanuit zijn bed tientallen mannen langs de pioniershut rijden.

Als zijn koorts eindelijk wijkt, vele dagen later, informeert hij naar de reddingsoperatie. Hij krijgt te horen dat Woodworth en zijn mannen op twee dagen rijden een kamp hebben opgeslagen vanwege een sneeuwstorm, en wachten tot die is overgetrokken. Een kleiner groepje, zeven man sterk, heeft het Donner-kamp weten te bereiken, hoewel de pas bijna hun dood is geworden. Ze hebben er slechts een handjevol mensen weg weten te halen, vanwege de diepe sneeuw en omdat de gestrande pioniers zo waren verzwakt. Zelfs gered worden bleek levensgevaarlijk; op de terugweg door de bergen zijn nog enkele pioniers bezweken. Na een lange stilte neemt William Eddy het woord. 'En mijn gezin?'

De boer schudt zijn hoofd. 'Het spijt me. Je vrouw en je dochter waren al dood. Je zoon leeft nog, maar hij is te jong om lopend de pas over te trekken. Ze hebben hem in het kamp gelaten.' William Eddy komt uit zijn bed. Hij moet erheen. Zijn aartsrivaal Foster heeft ook een zoon achtergelaten en stemt erin toe om samen met Eddy terug te gaan, al zijn ze nog zo verzwakt.

In het kamp op een paar kilometer van de pas zegt Woodworth tegen Eddy dat het te riskant is vanwege een voorjaarssneeuwstorm – maar Eddy laat zich niet weerhouden. Hij biedt Woodworths mannen twintig dollar voor ieder kind dat ze over de pas dragen. Een paar soldaten gaan op het aanbod in – en komen bijna om het leven op de pas waar ze nog maar een paar weken eerder overheen zijn getrokken. Uiteindelijk strompelen Eddy en Foster met een handjevol mannen weer het Donner-kamp in. Het is een tafereel uit de hel. In stukken gesneden lijken in de sneeuw... lichaamsdelen als worstjes die in een delicatessenzaak hangen. De stank... de wanhoop... uitgemergelde overlevenden die nauwelijks meer iets menselijks hebben. William Eddy heeft nauwelijks meer de kracht om naar de hut te lopen die hij enkele maanden eerder heeft gebouwd, en waar hij en Foster hun gezin hebben achtergelaten.

Fosters zoon leeft nog! Foster huilt wanneer hij de jongen in zijn armen sluit. Maar Eddy... Eddy is te laat. Zijn zoon is enkele dagen eerder overleden. William Eddy is zijn hele gezin kwijt. Hij ontsteekt in woede en torent uit boven de slechterik, Keseberg, die de kinderen mogelijk heeft opgegeten, een man die niet meer is dan een beest. Eddy kijkt neer op dit onmens. Hij doet een stap naar voren om de man te vermoorden... maar hij kan het niet. Hij zakt op de grond in elkaar en staart weer naar de lucht, dezelfde lucht waaruit die eerste sneeuwvlok op hem neerdaalde. En zijn handen gaan naar zijn hoofd. Foster doet een stap naar voren om Keseberg te vermoorden, maar dan klinkt er een stem uit het hoopje ellende dat de naam William Eddy draagt. 'Laat hem maar', zegt hij tegen Foster. Want Eddy weet dat het kwaad in ons allen schuilt, dat we uiteindelijk allemaal beesten zijn. 'Laat hem maar', zegt hij.

William Eddy heeft het domweg... overleefd. En terwijl hij naar de horizon kijkt, begrijpen wij dat dit misschien uiteindelijk het hoogste streven is voor ieder van ons. Overleven. Gevangen in de maalstroom van de geschiedenis, van verdriet, van de onafwendbare dood, realiseert de mens zich dat hij machteloos is, dat alle geloof in zich-

zelf slechts ijdelheid is... een droom. Dus doet hij zijn best, zet hij zich schrap tegen de sneeuw en de wind en zijn dierlijke honger, en noemt dat een leven. Omwille van zijn gezin, de liefde, een zekere waardigheid, biedt een goed mens fel verzet tegen de natuur, tegen de wreedheid van het lot, maar het is een verloren strijd. Elke liefde is dezelfde liefde, en het is overweldigend – de smartelijke schoonheid van wat het betekent om mens te zijn. We hebben lief. We doen ons best. We sterven alleen.

Op het scherm zien we in tien seconden hoe op deze besneeuwde vlakte honderdvijftig jaren verstrijken, we zien de aanleg van een spoorlijn, we zien dat er wegen komen, dat er huizen worden gebouwd, en dan ineens rijden de eerste auto's over de Truckee Pass op weg naar Tahoe, en dan is er een snelweg, deze ooit zo onbegaanbare pas is nu gewoon een stuk snelweg – en we zien hoe pijnlijk eenvoudig het tegenwoordig is om over de bergen te trekken – maar dan gaat de camera omhoog en zien we de bossen, de realiteit van de mensheid die nog immer dezelfde is. Deze bomen, deze bergen, het ondoorgrondelijke aangezicht van de natuur, van de dood.

En we hebben deze snelweg nog niet gezien of hij is alweer verdwenen: een droom, een visioen, een hersenschim in de verwoeste geest van een gebroken man. Het is gewoon een afgelegen bergpas in het jaar 1847. De wereld om hem heen is doodstil. De schemering valt. En William Eddy rijdt moederziel alleen weg.

8

Het Grand Hotel

April 1962
Rome, Italië

Pasquale sliep onrustig, in een dure, kleine *albergo* in de buurt van het Stazione Termini. Hij vroeg zich af hoe de mensen in deze hotels in Rome konden slapen met al die herrie. Hij stond vroeg op, kleedde zich snel aan, nette broek, overhemd, stropdas en colbertje, dronk een *caffè* en nam toen een taxi naar het Grand Hotel, waar de Amerikaanse filmlui logeerden. Hij rookte een sigaret op de Spaanse Trappen terwijl hij zich voorbereidde op het gesprek. Bloemenverkopers waren bezig hun waren uit te stallen en er scharrelden al wat toeristen rond, een dubbelgevouwen kaart in de hand, een fototoestel om de nek. Pasquale keek naar de naam op het papier dat Orenzio hem had gegeven en repeteerde hem in stilte, zodat hij het straks niet zou verknallen.

Ik kom voor Michael Deane. Michael Deane. Michael Deane.

Pasquale was nog nooit in het Grand Hotel geweest. De mahoniehouten deur bood toegang tot de meest barokke foyer die hij ooit had gezien: marmeren vloeren, bloemenfresco's op het plafond, kristallen kroonluchters, glas-in-loodramen met afbeeldingen van heiligen en vogels en norse leeuwen. Hij moest het even op zich laten inwerken en het kostte hem grote moeite om zich er niet als een toerist aan te vergapen, maar een serieuze en vastberaden indruk te wekken. Hij had belangrijke dingen te bespreken met die schoft van een Michael Deane. Het was een drukte van belang in de foyer, er liepen groepjes toeristen en Italiaanse zakenmannen in zwarte pakken en met zonnebrillen op. Pasquale zag nergens filmsterren, maar hij zou ook niet hebben geweten hoe die eruitzagen. Hij leunde even tegen een witte, gebeeldhouwde leeuw, maar de kop had zoiets menselijks dat Pasquale er onrustig van werd en maar naar de balie liep.

Pasquale nam zijn hoed af en overhandigde de receptionist het papier waarop de naam Michael Deane stond. Hij had zijn mond al open om zijn ingestudeerde tekst uit te spreken, maar na een vluchtige blik op het papier wees de receptionist hem naar een rijk beschilderde gang aan de andere kant van de foyer. 'Einde van de gang.' Er stond een lange, kronkelende rij mensen in de gang, tot aan de deuropening waar de receptionist naar wees.

'Ik heb iets te bespreken met deze man, Deane. Zit hij daar binnen?' vroeg hij aan de receptionist.

De man wees alleen, zijn blik afgewend. 'Einde van de gang.'

Pasquale sloot achter in de rij aan. Hij vroeg zich af of deze mensen allemaal iets hadden te bespreken met Michael Deane. Misschien had de man overal in Italië zieke actrices zitten. De vrouw die vóór Pasquale in de rij stond was aantrekkelijk – ze had steil bruin haar en lange benen, was ongeveer zo oud als hij, twee- of drieëntwintig, droeg een strakke jurk en speelde nerveus met een sigaret die nog niet was opgestoken.

'Heb je misschien een vuurtje?' vroeg ze.

Pasquale streek een lucifer af en hield hem bij haar sigaret. Ze kromde haar hand om de zijne en inhaleerde.

'Ik ben zó zenuwachtig. Als ik nu geen sigaret opsteek eet ik zo een hele taart op. Dan ben ik straks net zo dik als mijn zus en hoeven ze me helemaal niet meer.'

Hij keek over haar heen, zag de rij mensen en daarachter de barokke danszaal, met in de hoeken grote gouden zuilen.

'Waar staan al deze mensen voor in de rij?' vroeg hij.

'Dit is de enige manier', antwoordde ze. 'Je kunt ook proberen binnen te komen via de studio, of naar de plek gaan waar ze die dag filmen, maar volgens mij voeren alle rijen uiteindelijk naar dezelfde plek. Nee, het beste is om maar gewoon te doen wat jij hebt gedaan, gewoon hier gaan staan.'

'Ik ben op zoek naar deze man', zei Pasquale. Hij liet haar het papier met Deanes naam zien.

Ze wierp er een blik op en liet hem toen haar eigen papier zien, waar de naam van een andere man op stond.

'Het maakt niet uit', zei ze. 'Uiteindelijk voeren alle rijen naar dezelfde plek.'

Er sloten nog meer mensen aan in de rij achter Pasquale. De rij voerde naar een klein tafeltje, waar een man en een vrouw aan zaten met een hele stapel aan elkaar geniete vellen voor zich. Misschien was die man Michael Deane. De man en de vrouw stelden alle mensen in de rij één of twee vragen en stuurden ze vervolgens terug naar waar ze vandaan kwamen, of ze moesten in een hoek gaan staan, of ze werden naar een andere deur gestuurd, zo op het oog een deur naar buiten.

Toen de mooie vrouw aan de beurt was namen ze het papier van haar aan, vroegen hoe oud ze was, waar ze vandaan kwam en of ze Engels sprak. Ze antwoordde negentien, Terni, en ja, haar Engels was '*molto* goed'. Ze vroegen haar iets te zeggen.

'*Baby, baby*', zei ze in iets wat voor Engels moest doorgaan. '*I love you, baby. You are my baby.*' Ze werd naar een hoek gestuurd. Het viel Pasquale op dat alle aantrekkelijke jonge vrouwen in dezelfde hoek moesten gaan staan. De andere mensen werden naar buiten gestuurd. Toen het zijn beurt was, overhandigde hij het papier met Michael Deanes naam aan de man achter het tafeltje, die het weer teruggaf.

'Bent u Michael Deane?' vroeg Pasquale.

'Legitimatie?' zei de man in het Italiaans.

Pasquale gaf hem zijn identiteitsbewijs. 'Ik ben op zoek naar deze man, Michael Deane.'

De man keek op, bladerde toen wat in zijn papieren en schreef uiteindelijk Pasquales naam op een van de laatste vellen, waar al tientallen namen zoals die van hem op stonden, in het handschrift van de man.

'Ervaring?' vroeg de man.

'Wat?'

'Acteerervaring?'

'Nee, ik ben geen acteur. Ik ben op zoek naar Michael Deane.'

'Spreek je Engels?'

'Ja', zei Pasquale.

'Zeg eens wat.'

'Hello', zei hij in het Engels. 'How are you?'

De man keek hem geïntrigeerd aan. 'Zeg eens iets grappigs', zei hij.

Pasquale bleef even staan en zei toen, in het Engels: 'Ik vraag of zij van hem houdt en zij zegt ja. Ik vraag of... hij hetzelfde voelt. Zij zegt ja, de man houdt ook van zichzelf.'

De man lachte niet maar zei: 'Oké.' Hij gaf Pasquale zijn identiteitsbewijs terug, met een kaartje waarop een nummer stond. Het was 5410. Hij wees naar de deur waardoor vrijwel iedereen was verdwenen, behalve de mooie meisjes. 'Bus nummer vier.'

'Nee, ik ben op zoek naar...'

Maar de man was al bezig met de volgende in de rij.

Pasquale volgde de slingerende rij naar een paar bussen. Hij stapte in de vierde bus, die al bijna helemaal vol zat met mannen van ergens tussen de twintig en de veertig. Na nog een paar minuten zag hij de aantrekkelijke vrouwen in een kleiner busje stappen. Nadat er nog een paar mannen in zijn bus waren gestapt, gingen de deuren piepend dicht, kwam de motor sputterend tot leven en zette de bus zich in beweging. Ze reden door de stad naar een plek in het *centro* die Pasquale niet herkende, maar waar de bus stopte. De mannen stapten een voor een uit. Pasquale wist niets anders te bedenken dan hen te volgen.

Ze liepen door een steegje en toen door een poort waar CENTURIONS boven stond. En inderdaad, aan de andere kant van een hoog hek stonden allemaal mannen uitgedost als centurion; ze rookten wat, aten panini, lazen een krantje, kletsten wat met elkaar. Er stonden honderden van dit soort mannen, in wapenrusting, met een speer in de hand. Er waren geen camera's of filmploegen te bekennen, alleen mannen in een centurionkostuum met een polshorloge om en een gleufhoed op...

Hoewel Pasquale zich heel sullig voelde liep hij gewoon achter de andere mannen aan die nog geen kostuum droegen. Ze liepen in een rij naar een gebouwtje waar de mannen werden opgemeten en spullen kregen uitgereikt. 'Wie heeft er hier de leiding?' vroeg hij aan de man voor hem.

'Niemand. Dat is het mooie.' De man sloeg een pand van zijn jasje open en Pasquale zag dat hij vijf genummerde kaartjes had, die in het hotel waren uitgereikt. 'Ik ga telkens opnieuw in de rij staan. Die idioten betalen me steeds weer uit. Zonder dat ik ooit een kostuum krijg. Het is haast té makkelijk.' De man gaf hem een knipoog.

'Maar ik hoor hier helemaal niet te zijn', zei Pasquale.

De man lachte. 'Maak je geen zorgen. Ze merken het heus niet. Vandaag wordt er hoe dan ook niet gefilmd. Het zal wel gaan regenen, of iemand vindt het licht niet goed of er komt na een uur iemand naar buiten met de mededeling: "Mevrouw Taylor voelt zich weer niet lekker", en dan sturen ze ons naar huis. Er wordt hooguit één op de vijf dagen gefilmd. Ik ken iemand die zes keer per dag werd uitbetaald toen het zo regende, alleen omdat hij zijn gezicht liet zien. Hij ging alle buitenlocaties af en kreeg overal uitbetaald. Uiteindelijk werd hij betrapt en toen hebben ze hem eruit getrapt. En weet je wat hij toen heeft gedaan? Een camera gejat en die verkocht aan een Italiaanse filmmaatschappij, en weet je wat die ermee heeft gedaan? Hem weer terugverkocht aan de Amerikanen, voor twee keer zoveel geld. Ha!'

Terwijl ze naar voren schuifelden kwam een man in een tweed pak langs de rij hun kant op lopen. Er kwam een vrouw met een klembord achter hem aan. De man sprak Engels, in korte, felle zinnetjes, en de vrouw met het klembord moest van alles van hem opschrijven. Ze knikte en deed wat haar werd gezegd. Soms pikte hij mensen uit de rij en die liepen dan opgetogen weg. Bij Pasquale bleef de man even staan en boog zich heel dicht naar hem toe. Pasquale week naar achteren.

'Hoe oud is hij?'

Pasquale antwoordde in het Engels, nog voordat de vrouw het kon vertalen. 'Ik ben tweeëntwintig.'

De man pakte Pasquales kin en draaide zijn hoofd zo dat hij hem recht in de ogen kon kijken. 'Hoe kom je aan die mooie blauwe ogen, vriend?'

'Mijn moeder, zij heeft blauwe ogen. Ze komt uit Ligurië. Veel blauwe ogen daar.'

'Slaaf?' zei de man tegen de tolk. En vervolgens tegen Pasquale: 'Wil je een slaaf zijn? Ik kan zorgen dat je wat meer verdient Misschien zelfs een paar dagen extra.' Nog voordat Pasquale antwoord kon geven, zei de man tegen de vrouw: 'Stuur hem naar de slaven.'

'Nee', zei Pasquale. 'Wacht.' Hij haalde het papier weer tevoorschijn en richtte zich in het Engels tot de man in het tweed pak. 'Ik wil alleen vinden Michael Deane. In mijn hotel zit Amerikaanse. Dee Moray.'

De man draaide zich in zijn volle breedte naar Pasquale. 'Wát zei je?'

'Ik wil vinden...'

'Zei je nou Dee Moray?'

'Ja. Zij in mijn hotel. Dat is reden ik zoek Michael Deane. Zij op hem wachten en hij niet komen. Zij heel ziek.'

De man keek weer naar het papier en wisselde toen een blik met de vrouw. 'Jezus, ze hebben ons verteld dat Dee naar Zwitserland is om behandeld te worden.'

'Nee. Zij is naar mijn hotel.'

'Jezus man, wat doe je dan hier, tussen de figuranten?'

Hij werd met een auto teruggebracht naar het Grand Hotel, waar hij in de foyer plaatsnam en keek hoe het licht weerkaatste in een kristallen kroonluchter. Achter hem was een trap en om de paar minuten schreed er iemand naar beneden, als in afwachting van een daverend applaus. Ook hoorde hij om de paar minuten het belletje van de lift, maar nooit kwam er iemand naar hem toe. Pasquale rookte en wachtte. Hij overwoog naar de kamer aan het einde van de gang te gaan en te vragen waar hij Michael Deane kon vinden, maar hij was bang dat ze hem gewoon weer in een bus zouden zetten. Er gingen twintig minuten voorbij. En toen nog eens twintig. Ten slotte kwam er een aantrekkelijke jonge vrouw zijn kant op. Aan aantrekkelijke vrouwen geen gebrek.

'Meneer Tursi?'

'Ja.'

'Het spijt meneer Deane heel erg dat u zo lang heeft moeten wachten. Komt u met me mee?' Pasquale liep achter haar aan naar de lift en de liftbediende drukte het knopje in van de derde verdieping. De gangen waren helder verlicht en Pasquale schaamde zich bijna bij de gedachte dat Dee Moray dit prachtige hotel had verruild voor zijn pensione, met het smalle trappenhuis, waar niet genoeg ruimte was voor de volle hoogte van het plafond, zodat bij de bouw gewoon gebruik was gemaakt van de bestaande rotswand – de muur ging naadloos over in het rotsplafond, waardoor het leek alsof zijn hotel langzaam werd opgeslokt door een grot.

Hij liep achter de vrouw aan naar een suite met openstaande deuren naar aangrenzende ruimten. Zo te zien werd er in deze suite een hoop werk verzet – er werd driftig getelefoneerd en getikt, alsof er een klein bedrijfje in de suite was gevestigd. Er stond een lange tafel vol eten en er liepen beeldschone Italiaanse vrouwen rond met koffie. Een van hen, zag hij, was de vrouw die hij in de rij had zien staan. Maar ze meed zijn blik.

Pasquale werd haastig naar de andere kant van de suite geleid, naar een terras met uitzicht op een kerk, de Trinità dei Monti. Hij moest weer denken aan Dee Moray, die had gezegd dat ze vanuit haar kamer zo'n prachtig uitzicht had, en hij schaamde zich.

'Toe, gaat u zitten. Michael komt zo.'

Pasquale nam plaats op een smeedijzeren stoel op het terras, met achter zich het geroezemoes van alle tikkende en pratende mensen. Hij stak een sigaret op. Hij wachtte nog eens veertig minuten. Toen kwam de aantrekkelijke vrouw terug. Of was het een andere vrouw? 'Het gaat nog heel even duren. Wilt u misschien een glaasje water terwijl u wacht?'

'Ja, heel graag', zei Pasquale.

Maar het water liet eeuwig op zich wachten. Het was inmiddels over enen. Hij was al meer dan drie uur bezig om Michael Deane te vinden. Hij had honger en dorst.

Na nog eens twintig minuten kwam de vrouw terug. 'Michael wacht beneden in de foyer op u.'

Pasquale trilde toen hij overeind kwam – van woede of van de honger, hij wist het niet goed – en hij liep weer achter haar aan door de suite, de gang op, de lift in en naar de foyer. En daar, op het bankje waar Pasquale een uur eerder zelf had gezeten, zat nu een man die veel jonger was dan Pasquale had gedacht – ze waren ongeveer even oud – een keurige Amerikaan met een bleke huid en dun, rossig haar. Hij beet op de nagel van zijn rechterduim. Hij was niet onaantrekkelijk, met die enigszins nonchalante uitstraling van Amerikanen, maar Pasquale had zich meer voorgesteld van de man op wie Dee Moray wachtte. Misschien is geen enkele man goed genoeg voor haar, dacht hij.

De man stond op. 'Meneer Tursi', zei hij in het Engels. 'Ik ben Michael Deane. Ik heb begrepen dat u het over Dee wilt hebben.'

Wat Pasquale toen deed, had hij ook zelf niet zien aankomen. Het was iets wat hij in geen jaren meer had gedaan, eigenlijk niet meer sinds hij zeventien was en een van Orenzio's broers in La Spezia zijn mannelijkheid in twijfel had getrokken. Maar hij deed een stap naar voren en gaf Michael Deane een hengst – tegen zijn borst, nog wel. Hij had nog nooit eerder iemand een hengst tegen zijn borst gegeven, had zelfs nog nooit gezién dat iemand een hengst tegen zijn borst kreeg. Er klonk een doffe klap, waar zijn hele arm pijn van deed, en Deane plofte weer terug op de bank, dubbelgeslagen als een kledinghoes.

Pasquale torende boven de dubbelgeslagen man uit – hij trilde en dacht: Sta op. Sta op en vecht terug: dan kan ik je nog een dreun geven. Maar Pasquales woede ebde langzaam weg. Hij keek om zich heen. Niemand was getuige geweest van de vuistslag. Waarschijnlijk dacht men dat Michael Deane gewoon weer was gaan zitten. Pasquale deed een stapje naar achteren.

Nadat Deane weer op adem was gekomen en zichzelf weer in model had gebracht, keek hij met een grijns op en zei: 'Au! Jezus.' Hij hoestte even. 'Je vond zeker dat ik dat had verdiend?'

'Waarom laat je haar in de steek? Ze is bang. En ziek.'

'Ik weet het. Ik weet het. Luister, het spijt me dat het allemaal zo is gelopen.' Deane hoestte weer en wreef over zijn borst. Hij keek angstvallig om zich heen. 'Kunnen we het er buiten verder over hebben?'

Pasquale haalde zijn schouders op en ze liepen naar de deur.

'Niet meer slaan, hè?'

Pasquale beloofde het. Samen verlieten ze het hotel en liepen naar de Spaanse Trappen. Het was druk op het piazza, kooplieden die de prijs van hun bloemen riepen. Pasquale wuifde ze weg en ze liepen verder het plein op.

Michael Deane wreef al die tijd over zijn borst. 'Volgens mij heb je iets gebroken.'

'*Mi dispiace*', mompelde Pasquale, al speet het hem helemaal niet.

'Hoe gaat het met Dee?'

'Ze is ziek. Ik haal een dokter uit La Spezia.'

'En die dokter... heeft haar onderzocht?'

'Ja.'

'Juist, ja.' Michael Deane knikte somber en richtte zijn aandacht toen weer op zijn nagel. 'Ik hoef niet te raden wat die dokter heeft gezegd, zeker?'

'Hij vraagt om haar dokter. Om te praten.'

'Wil hij met dokter Crane praten?'

'Ja.' Pasquale probeerde zich te herinneren wat er precies was gezegd, maar hij wist dat hij het toch nooit zou kunnen vertalen.

'Laat duidelijk zijn dat dokter Crane dit niet zelf heeft bedacht. Het was mijn idee.' Michael Deane week iets achteruit, alsof hij bang was dat Pasquale hem weer zou slaan. 'Dokter Crane heeft haar alleen uitgelegd dat haar symptomen passen bij het ziektebeeld van kanker. Wat waar is.'

Pasquale wist niet zeker of hij het had begrepen. 'Komt u haar nu halen?' vroeg hij.

Michael Deane gaf niet meteen antwoord, maar liet zijn blik over het piazza glijden.

'Weet u wat ik hier nou zo fijn vind, meneer Tursi?'

Pasquale keek naar de Spaanse Trappen, naar de bruidstaartachtige treden die naar de Trinità dei Monti voerden. Op een trede vlak bij hem leunde een jonge vrouw met haar ellebogen op haar knieen en las een boek, terwijl haar vriend een tekening maakte in een schetsblok. De trappen zaten vol met dat soort mensen, mensen die wat zaten te lezen, die foto's maakten, vertrouwelijke gesprekken voerden.

'Ik vind het geweldig dat die Italianen zo goed voor zichzelf weten op te komen. Ze schromen niet om precies te zeggen wat ze willen. Amerikanen zijn heel anders. Wij draaien eromheen. Begrijpt u wat ik bedoel?'

Pasquale begreep het niet. Maar dat wilde hij niet toegeven, dus knikte hij alleen maar.

'Wij zouden duidelijk moeten maken waar we staan, u en ik. Ik bevind me zonder meer in een lastige positie en ik heb het idee dat u me zou kunnen helpen.'

Pasquale kon zijn aandacht maar moeilijk bij deze betekenisloze woorden houden. Hij begreep niet wat Dee Moray in deze man zag.

Ze waren bij de fontein van de oude boot gekomen, midden op het plein – de Fontana della Barcaccia. Michael leunde ertegenaan. 'Kent u het verhaal van deze fontein, van de lekke boot?'

Pasquale keek naar de stenen boot in het midden van de fontein, met in het midden het opborrelende water. 'Nee.'

'Er is in de hele stad geen beeld zoals dit. Al die zware, sombere beelden, en dan dit... het is grappig, gek. Voor mij is het daarmee het meest waarachtige kunstwerk in de hele stad. Begrijpt u wat ik bedoel, meneer Tursi?'

Pasquale wist niet wat hij moest zeggen.

'Lang geleden, tijdens een overstroming, tilde de rivier een boot op en smakte hem hier neer, waar nu de fontein staat. De kunstenaar heeft geprobeerd de willekeur van een natuurramp te vangen. Wat hij duidelijk wilde maken is het volgende: er is niet altijd een

164

verklaring voor de dingen. Soms duikt er zomaar ergens op straat een boot op. En al lijkt het nog zo gek, we zullen eraan moeten wennen, aan die boot op straat. Nou ja... dat is de positie waarin ik me bevind, hier in Rome, bij deze film. Alleen gaat het in mijn geval niet om één boot. Er ligt godverdomme op elke straathoek wel een boot.'

Ook nu weer had Pasquale geen flauw idee waar de man het over had.

'U vindt het misschien onmenselijk, wat ik Dee heb aangedaan. Vanuit een bepaald perspectief gezien is dat ook wel zo, dat zal ik niet ontkennen. Maar welke problemen zich ook voordoen, ik moet ze een voor een het hoofd bieden.' Met die woorden haalde Michael Deane een envelop uit de zak van zijn colbertje. Hij drukte hem Pasquale in de hand. 'De helft is voor haar. En de andere helft is voor u, voor wat u hebt gedaan en voor wat u hopelijk nu voor me gaat doen.' Hij legde een hand op Pasquales arm. 'Hoewel u me te lijf bent gegaan, beschouw ik u als een vriend, meneer Tursi. En ik zal u ook als een vriend behandelen. Maar als ik erachter kom dat u haar minder dan de helft heeft gegeven, of dat u hier met iemand over heeft gepraat, dan ben ik niet langer uw vriend. En dat zou u betreuren.'

Pasquale trok zijn arm los. Wilde deze afschuwelijke man beweren dat híj niet te vertrouwen zou zijn? Hij herinnerde zich het woord dat Dee had gebruikt en zei: 'Zeg! Ik ben frank!'

'Ja, dat is fijn', zei Michael Deane, die zijn handen voor zijn borst hield, alsof hij bang was dat Pasquale hem weer zou slaan. Toen kneep hij zijn ogen tot spleetjes en deed een stap dichter naar Pasquale. 'Frank, zegt u? Zal ik u eens frank de waarheid zeggen? Ik ben hierheen gehaald om deze film van de ondergang te redden. Dat is mijn enige taak. Er kleeft geen enkel moreel aspect aan. Het is geen kwestie van goed en kwaad. Het is domweg mijn taak alle boten van de straat te halen.'

Hij keek de andere kant op. 'Uw dokter heeft natuurlijk gelijk. We hebben Dee maar wat op de mouw gespeld om haar hier weg te krijgen. Ik ben er bepaald niet trots op. Dokter Crane had beter iets anders kunnen bedenken dan maagkanker, wilt u dat tegen haar zeggen? Het was niet zijn bedoeling om haar bang te maken. Ach ja, artsen, hè... het zijn haast technocraten. Hij koos voor maagkanker omdat de symptomen overeenkomen met die van een vroege zwangerschap. Het zou maar voor een paar dagen zijn. Daarna zou ze naar Zwitserland gaan. Daar is een Zwitserse arts die is gespecialiseerd in ongewenste zwangerschappen. Hij is heel betrouwbaar. Discreet.'

Het kostte Pasquale moeite het allemaal bij te houden. Dus het was echt zo. Ze was echt zwanger.

Michael Deane reageerde op de blik in Pasquales ogen. 'Wilt u alstublieft zeggen dat het me vreselijk spijt.' Vervolgens gaf hij een klopje op de envelop die Pasquale in zijn hand hield. 'Zegt u maar tegen haar... dat de dingen soms gewoon zo lopen. En dat het me oprecht spijt. Maar ze moet wel naar Zwitserland, zoals dokter Crane haar heeft aangeraden. De dokter daar zorgt dat het allemaal goed komt. Alles is al betaald.'

Pasquale keek strak naar de envelop in zijn hand.

'O ja, ik heb nóg iets voor haar.' Hij stak een hand in dezelfde zak van zijn colbert en haalde er drie rechthoekige fotootjes uit. Zo te zien waren ze genomen op de filmset – op een van de foto's zag hij op de achtergrond een filmploeg – en hoewel het kleine foto's waren zag Pasquale heel duidelijk, op alle drie de foto's, Dee Moray. Ze droeg een lange, soepel vallende jurk en samen met een andere vrouw flankeerde ze een derde vrouw, een beeldschone brunette die op alle foto's op de voorgrond stond. Op de mooiste foto hadden zowel Dee als de brunette het hoofd in de nek – de fotograaf had een spontaan moment weten te vangen, het moment waarop een lach doorbrak. 'Dit zijn *continuity*-foto's', zei Michael Deane. 'Die worden gemaakt om zeker te weten dat alles nog hetzelfde is voor het volgende shot. Kleding, kapsel... dat iemand niet ineens een horloge om heeft. Misschien vindt Dee het wel fijn om ze te hebben.'

Pasquale keek aandachtig naar de bovenste foto. Dee Moray had een hand op de arm van de andere vrouw gelegd, en ze moesten zo hard lachen dat Pasquale er alles voor zou hebben gegeven om te weten wat er zo leuk was. Misschien was het dezelfde grap die ze hem had verteld, over de man die verliefd op zichzelf was. Deane keek ook naar de bovenste foto. 'Ze heeft iets intrigerends. Eerlijk gezegd zag ik het in het begin niet zo. Ik dacht dat Mankiewicz gek was geworden... om een blonde vrouw te casten als Egyptische hofdame. Maar ze heeft iets...' Michael Deane boog licht voorover. 'En dan heb ik het niet alleen over tieten. Het is iets anders... iets heel authentieks. Het is een echte actrice, die vrouw.' Deane schudde de gedachte van zich af en richtte zijn blik weer op de bovenste foto. 'We zullen alle scènes waarin Dee speelt, over moeten doen. Dat zijn er niet zo heel veel. Alle afgelaste opnamen, al die regen, al het gedoe met de vakbond, en toen werd Liz ziek, en vervolgens Dee. Toen ik haar wegstuurde zei ze dat ze het zo jammer vond dat niemand ooit zou weten dat ze in deze film had gespeeld. Vandaar dat ik dacht dat ze hier misschien wel blij mee zou zijn.' Michael Deane haalde zijn schouders op. 'Nou ja, toen dacht ze natuurlijk nog dat ze doodging.'

Het woord *dood* bleef in de lucht hangen.

'Weet u,' zei Michael Deane, 'ergens dacht ik dat ze me over een tijd zou bellen en dat we er dan om zouden kunnen lachen. Dat het over een paar jaar niet meer zou zijn dan een verhaal dat we ophalen, en dat we misschien zelfs ooit...' Zijn stem stierf weg, met een flauw glimlachje. 'Maar dat zal niet gebeuren. Ze kan mijn bloed wel drinken, straks. Maar doet u me een plezier... zeg tegen haar dat als haar woede wat is geluwd, als ze niet dwars gaat liggen, ik haar zoveel werk kan bezorgen als ze maar wil, wanneer we weer in Amerika zijn. Wilt u dat tegen haar zeggen? Als ze wil, kan ze een echte ster worden.'

Pasquale was bang dat hij moest overgeven. Uit alle macht probeerde hij Michael Deane niet opnieuw te lijf te gaan – en vroeg zich ondertussen af wat voor man een zwangere vrouw in de steek laat. Op dat moment drong zich een gedachte aan hem op, glashelder, als een stomp in zijn maag, die hem naar adem deed happen. Nog nooit van zijn leven had hij een gedachte zo duidelijk kunnen vóélen, alsof hij letterlijk een trap kreeg: Kijk mij nou, woedend op deze man omdat hij een zwangere vrouw in de steek laat...

Terwijl mijn eigen zoon opgroeit met het idee dat zijn moeder zijn zus is.

Pasquales wangen werden rood. Hij herinnerde zich dat hij op zijn hurken op de geschutsbunker zat en tegen Dee Moray zei: *Is niet altijd zo eenvoudig.* Maar dat was het wél. Het was heel eenvoudig. Er was het slag mannen dat zich onttrok aan een dergelijke verantwoordelijkheid. Hij en Michael Deane behoorden tot dat slag. Als hij deze man een oplawaai verkocht moest hij ook zichzelf een oplawaai verkopen. Pasquale werd misselijk van zijn eigen schijnheiligheid en sloeg een hand voor zijn mond.

Toen Pasquale bleef zwijgen keek Michael Deane weer naar de Fontana della Barcaccia en fronste zijn wenkbrauwen. 'Zo zit de wereld nu eenmaal in elkaar.'

En met die woorden liep Michael Deane weg, ging op in de menigte en liet Pasquale alleen achter, tegen de fontein geleund. Pasquale maakte de dikke envelop open. Hij had nog nooit zoveel geld bij elkaar gezien – een stapel dollarbiljetten voor Dee en een stapel Italiaanse lires voor hem.

Pasquale stopte de foto's in de envelop en vouwde hem dicht. Hij keek om zich heen. Het was een bewolkte dag. Op de Spaanse Trappen zaten mensen die wat uitrustten, maar iedereen die op het piazza of op straat liep had een duidelijk doel voor ogen. Niet iedereen liep even snel maar iedereen liep wel in een rechte lijn, als honderden kogels die uit honderden verschillende hoeken werden afgevuurd door honderden geweren. Al die mensen die een kant op liepen die voor hun gevoel de juiste was... al die verhalen, al die zwakke, zieke mensen met hun verraad en hun duistere ziel – *Zo zit de wereld nu eenmaal in elkaar* – die om hem heen krioelden, die praatten en rookten en foto's tevoorschijn haalden... Pasquale voelde hoe hij verstarde en hij was bang dat hij hier de rest van zijn leven zou blijven staan, als een oude fontein van een gestrande boot. Voorbijgangers zouden wijzen naar het beeld van de arme, naïeve dorpeling die naar de grote stad was gekomen om een hartig woordje te wisselen met de Amerikaanse filmlui, de man die was versteend in de tijd toen hij inzag wat een slappeling hij zelf was.

En Dee! Wat moest hij tegen haar zeggen? Moest hij tegen haar zeggen dat de man van wie ze hield niet deugde, dat Deane een gluiperd was, terwijl Pasquale zelf net zo'n gluiperd was? Kreunend sloeg Pasquale een hand voor zijn mond.

Op datzelfde moment voelde hij een hand op zijn schouder. Pasquale draaide zich om. Het was een vrouw, de tolk die eerder die dag langs de rij met centurion-figuranten was gelopen. 'Bent u de man die weet waar Dee is?' vroeg ze in het Italiaans.

'Ja', zei Pasquale.

De vrouw keek snel om zich heen en pakte toen Pasquales arm stevig vast. 'Toe. Kom mee. Er is iemand die u heel graag wil spreken.'

9

De Kamer

Kort geleden
Universal City, Californië

De Kamer is alles. Als je in de Kamer bent, bestaat de rest van de wereld niet langer. De mensen die je horen pitchen, moeten wel luisteren, zoals je op bepaalde momenten ook wel moet klaarkomen. Ze móéten je verhaal aanhoren. Er is enkel nog De Kamer.

Goede romans vertellen nieuwe waarheden. Goede films gaan nog verder. Goede films voegen iets toe aan De Waarheid. Zeg nou zelf, welke Waarheid heeft ooit 40 miljoen dollar opgebracht in het eerste weekend nadat zij is uitgekomen? Welke Waarheid is binnen zes uur verkocht aan veertig landen? Wie gaat er in de rij staan om het vervolg te zien op De Waarheid?

Als jouw verhaal iets toevoegt aan De Waarheid, dan is De Kamer de plek om het aan de man te brengen. Weet je het in De Kamer aan de man te brengen dan kun je De Deal sluiten. Sluit De Deal en de wereld wacht in spanning op wat gaat komen, als een trillende bruid in je bed.

– Uit hoofdstuk 14 van *De methode Deane: hoe ik het moderne Hollywood heb gepitcht en hoe een goede pitch ook jou verder kan helpen,* door Michael Deane.

In De Kamer voelt Shane Wheeler de opwinding waar Michael Deane het over had. *Donner!* gaat er komen. Hij wéét het gewoon. Michael Deane is zijn Mr Miyagi en hij heeft net de auto in de was gezet. Michael Deane is zijn Yoda en hij heeft net het ruimteschip uit het moeras getild. Doen! En Shane heeft het gedaan. Hij voelt zich energieker dan ooit. Hij zou willen dat Saundra er getuige van was geweest, of zijn ouders. Misschien was hij in het begin een beetje zenuwachtig, maar als hij één ding zeker weet dan is het dit: die pitch was een klapper.

Het is gepast stil in De Kamer. Shane wacht. Het is de oude Pasquale die als eerste het woord neemt, Shane een klopje op zijn arm geeft en zegt: '*Penso è andata molto bene.*' Volgens mij ging het heel goed.

'Grazie, meneer Tursi.'

Shane laat zijn blik door de kamer glijden. Michael Deanes blik is ondoorgrondelijk, maar Shane vraagt zich sowieso af of Deanes gezicht nog menselijke emoties kan weerspiegelen. Hij lijkt wel diep in gedachten verzonken, zijn rimpelige handen ineengevouwen voor zijn gladde gezicht, zijn wijsvingers tegen elkaar gedrukt, als een torenspits voor zijn lippen. Shane neemt de man aandachtig op: is zijn ene wenkbrauw echt hoger dan de andere? Of is hij gewoon zo gefixeerd?

Dan kijkt Shane rechts van Michael Deane, naar Claire Silver, die een wel heel merkwaardige uitdrukking op haar gezicht heeft. Het zou een glimlach kunnen zijn (ze vindt het geweldig!) of een grimas (jezus, stel dat ze het niks vindt!) maar als hij er een naam aan zou moeten geven zou hij zeggen *onaangenaam getroffen*.

Nog altijd is het stil. Shane vraagt zich af of hij de stemming in De Kamer verkeerd heeft gepeild – alle twijfels van het afgelopen jaar komen weer boven – maar op dat moment... ontsnapt er een geluid aan Claire Silver. Er komt een zachte brom uit haar neus, als een motor die aanslaat. 'Kannibalen', zegt ze, en dan houdt ze het niet meer – een ongeremde, onstuitbare, ademloze lachbui: schel, hysterisch en piepend. Ze steekt Shane een hand toe. 'Sorry... het spijt me, ik lach niet om... maar ik... het punt is... ' En dan geeft ze zich gewonnen; laat zich verzwelgen door de lach.

'Het spijt me', zegt Claire zodra ze weer kan praten. 'Het spijt me echt. Maar...' En dan borrelt weer die lach op, nu nog hoger. 'Ik wacht al drie jaar lang op een goede pitch... en dan komt er eindelijk een keer een goede pitch, en waar gaat hij dan over? Over een cowboy', – ze slaat een hand voor haar mond in een poging haar lachen te smoren – 'wiens gezin wordt opgegeten door een dikke Duitser.' Ze slaat dubbel.

'Het is geen cowboy', mompelt Shane, die zichzelf steeds kleiner voelt worden, die ineenschrompelt, sterft. 'En we brengen het kannibalisme niet in beeld.'

'Nee, nee, het spijt me', zegt Claire, die inmiddels naar adem hapt. 'Het spijt me echt.' Ook nu weer slaat ze een hand voor haar mond en knijpt haar ogen stijf dicht, maar toch schiet ze weer in de lach.

Shane werpt een heimelijke blik op Michael Deane, maar de oude producent staart wat voor zich uit, in gedachten verzonken, terwijl Claire naast hem zit te snuiven.

En Shane voelt hoe de laatste lucht uit zijn lichaam wordt gezogen. Hij is nu tweedimensionaal – niet meer dan een tekening van zijn vertrapte ego. Zo heeft hij zich het hele afgelopen jaar gevoeld, tijdens zijn depressie, en nu begrijpt hij hoe naïef het was om, hoe kortstondig ook, te denken dat hij zijn oude DOEN!-zelfvertrouwen zou kunnen terugvinden – al was het in een nieuwe, bescheidener vorm. De Shane van toen is verdwenen, dood. Een kalfslapje. 'Maar... het is een goed verhaal', mompelt hij en met zijn ogen zoekt hij steun bij Michael Deane.

Claire weet hoe het werkt: geen enkele producent zal ooit zeggen dat hij een pitch maar niets vond, want stel dat een ander het wel ziet zitten en jij uiteindelijk voor schut staat omdat je een kans hebt laten lopen. Dus verzin je een of ander excuus: *De markt is er nog niet rijp voor*, of *Dit zit te dicht op iets anders waar we mee bezig zijn*, of *Het is gewoon niets voor ons* als het echt te slecht voor woorden is. Maar na vandaag, na de afgelopen drie jaar, na alles wat ze heeft doorgemaakt – er is gewoon geen houden aan. Al haar opgekropte emoties over drie jaar lang de meest bespottelijke ideeën en de meest achterlijke pitches komen eruit in een betraande, ademloze lachstuip. Een *effects-driven* historische thriller over cowboy-kannibalen? Drie uur lang ellende en verval, en dat alles om tot de ontdekking te komen dat het zoontje van de held... als toetje heeft gediend?

'Het spijt me', hapt ze naar adem, maar ze kan maar niet ophouden met lachen.

Het spijt me: die woorden lijken Michael Deane eindelijk uit zijn trance te halen. Hij werpt zijn assistente een boze blik toe en laat zijn handen zakken. 'Claire. Toe. Zo is het wel genoeg.' Vervolgens kijkt hij Shane Wheeler aan en leunt naar voren op zijn bureau. 'Geweldig.'

Claire hikt nog wat na, wegstervende geluiden. Ze veegt de tranen uit haar ogen en ziet dan dat het Michael ernst is.

'Precies wat ik zoek', zegt hij. 'Precies het soort film dat ik wilde maken toen ik in dit wereldje begon.'

Claire laat zich tegen de rugleuning zakken, verbijsterd – en gekwetst, nog dieper gekwetst dan ze ooit voor mogelijk had gehouden.

'Het is geniaal', zegt Michael, die helemaal warmloopt voor het idee. 'Een historisch verhaal over de ontberingen van het Amerikaanse volk, dat nog niet eerder is verteld.' En nu kijkt hij Claire aan. 'Laten we er een optie op nemen. Ik wil er meteen mee aan de slag.'

Hij richt zich weer tot Shane. 'Als u zich erin kunt vinden sluiten we een optieovereenkomst voor zes maanden, waarin ik ga proberen alles met de studio te regelen... tienduizend dollar, is dat wat? Dat is natuurlijk alleen om de rechten vast te leggen, als voorschot op het bedrag wanneer we ermee verdergaan. Als dat voor u akkoord is, meneer...'

'Wheeler', zegt Shane, die nauwelijks genoeg lucht in zijn longen heeft om zijn eigen naam te noemen. 'Ja', weet hij uit te brengen. 'Tienduizend is... eh... wel goed.'

'Nou, meneer Wheeler, dat was me de pitch wel. U bruist van energie. Doet me denken aan hoe ik zelf was op die leeftijd.'

Shane kijkt van Michael Deane naar Claire, die wit is weggetrokken, en dan kijkt hij weer naar Michael. 'Dank u wel, meneer Deane. Ik heb uw boek min of meer verslonden.'

Michael krimpt weer even ineen wanneer zijn boek wordt genoemd. 'Nou, zo zie je maar', zegt hij, waarbij zijn lippen iets van elkaar gaan en hij zijn glanzende tanden ontbloot in wat een glimlach zou kunnen zijn. 'Misschien had ik docent moeten worden, hè, Claire?'

Een film over de Donner Party? Michael als docént? Claire staat nu echt met haar mond vol tanden. Ze denkt aan de deal die ze met zichzelf heeft gesloten – *één dag, één idee voor een film* – en ze begrijpt dat het Lot haar nu echt een loer heeft gedraaid. Het is al erg genoeg dat ze zich staande moet zien te houden in deze wezenloze, cynische wereld, maar als het Lot haar nu ook nog eens duidelijk probeert te maken dat ze niet eens begrijpt hoe het werkt in deze wereld – dan wordt het haar echt te veel. Dat het leven niet altijd eerlijk is, is nog tot daaraan toe; maar als de wereld volkomen willekeurig en onbegrijpelijk blijkt, heb je geen enkel houvast meer.

Michael staat op en kijkt weer naar zijn met stomheid geslagen development assistent. 'Claire, regel voor volgende week een bespreking met de studio, met Wallace, met Julie... iedereen.'

'Wil je hiermee naar de studio?'

'Ja. Maandagochtend gaan jij, ik, Danny en meneer Wheeler *The Donner Party* pitchen.'

'Eh, de titel is gewoon *Donner!*' zegt Shane behulpzaam. 'Met een uitroepteken.'

'Nog beter', zegt Michael. 'Meneer Wheeler, kunt u volgende week die pitch doen? Precies zoals u dat vandaag heeft gedaan?'

'Tuurlijk', zegt Shane. 'Prima.'

'Goed, dan.' Michael haalt zijn mobieltje tevoorschijn. 'En als u dit weekend dan toch hier bent, meneer Wheeler, zou u dan misschien zo goed willen zijn om ons te helpen met meneer Tursi? We zullen u betalen voor uw tolkwerkzaamheden en een hotelkamer voor u regelen. En maandag maken we dan de filmdeal rond. Wat vindt u daarvan?'

'Goed?' oppert Shane. Hij werpt een zijdelingse blik op Claire, die nog geschokter lijkt dan Shane zelf.

Michael trekt een bureaula open en rommelt er wat in. 'O, en meneer Wheeler, voor u gaat... zou u meneer Tursi nog één ding willen vragen?' Michael kijkt Pasquale weer aan, met een glimlach. 'Zou u hem willen vragen...' Hij haalt een keer diep adem en begint te stamelen, alsof hij dit het moeilijkste vindt. 'Ik vraag me af of hij weet of Dee... nou ja, wat ik eigenlijk bedoel... heeft ze een kind gekregen?

Dit keer heeft Pasquale geen vertaling nodig. Hij haalt een envelop uit de binnenzak van zijn jasje. Daar haalt hij een oude, verweerde kaart uit die hij heel voorzichtig aan Shane geeft. Op de voorkant staat een verbleekte, blauwe tekening van een baby'tje. HOERA EEN JONGEN! staat erop. Op de achterkant staat de geadresseerde: Pasquale Tursi, Hotel Redelijk Uitzicht, Porto Vergogna, Italië. Daarnaast een korte tekst, in een sierlijk handschrift:

Lieve Pasquale: Ik vind het vervelend dat we geen afscheid hebben genomen. Maar misschien zijn sommige dingen slechts bedoeld voor een bepaald moment en een bepaalde plek. Hoe dan ook, dank je wel.

Voor altijd – Dee.
PS: Ik heb hem naar jou vernoemd. Pat.

De kaart gaat van hand tot hand. Als Michael hem vasthoudt, glimlacht hij afwezig. 'Mijn god. Een jongen.' Hij schudt het hoofd. 'Nou ja, inmiddels natuurlijk niet meer. Een man. Hij zal nu... Jezus. Hoe oud is hij nu? Ergens in de veertig?'

Hij geeft de kaart terug aan Pasquale, die hem weer voorzichtig in zijn binnenzak steekt.

Michael gaat weer staan en reikt Pasquale de hand. 'Meneer Tursi. We gaan dit rechtzetten, u en ik.' Pasquale staat ook op en ze schudden elkaar aarzelend de hand. 'Claire, regel een hotel voor de heren. Ik neem contact op met een privédetective en morgen spreken we elkaar verder.' Michael trekt zijn zware overjas recht, over zijn pyjamabroek. 'Nu moet ik naar huis, mevrouw Deane wacht.'

Michael draait zich naar Shane, geeft hem een hand.

'Meneer Wheeler, welkom in Hollywood.'

Michael staat al buiten als Claire van haar stoel komt. Ze zegt tegen Shane en Pasquale dat ze zo terug is en gaat op een holletje achter haar baas aan, die ze op de stoep voor de bungalow inhaalt. 'Michael!'

Hij draait zich om, zijn gezicht glad en glazig onder de fraaie straatlantaarns. 'Ja Claire, zeg het eens.'

Ze werpt een blik over haar schouder om zeker te weten dat Shane niet achter haar aan is gekomen. 'Ik kan zo een andere tolk regelen. Je hoeft die arme knul niet aan het lijntje te houden.'

'Waar heb je het over?'

'De Donner Party?'

'Ja.' Hij knijpt zijn ogen tot spleetjes. 'Wat is daarmee, Claire?'

'De *Donner* Party?'

Hij kijkt haar strak aan.

'Michael, je wilt me toch niet vertellen dat je die pitch góéd vond?'

'Jij niet, dan?'

Claire bloost. In een bepaald opzicht had Shanes pitch alles wat een pitch moest hebben: hij was meeslepend, aangrijpend, spannend. Ja, je zou kunnen zeggen dat het de ideale pitch was – voor een film die nóóit gemaakt zou worden: een epische western zonder vuurgevechten en zonder liefdesverhaal, een drie uur durend melodrama met als slotstuk de slechterik die het kind van de held opeet.

Claire houdt haar hoofd schuin. 'Dus je gaat maandagochtend naar de studio om een historische film van vijftig miljoen te pitchen, over kannibalen in het wilde Westen?'

'Nee', zegt Michael, en zijn lippen glijden weer over zijn tanden in die imitatie van een glimlach. 'Ik ga maandagochtend naar de studio om een historische film te pitchen van táchtig miljoen, over kannibalen in het wilde Westen.' Hij draait zich om en loopt verder.

Claire roept haar baas achterna. 'En dat kind van die actrice. Dat is jouw zoon, hè?'

Michael draait zich langzaam om, neemt haar aandachtig op. 'Jij hebt echt een gave, Claire. Jij doorziet de dingen.' Hij glimlacht. 'Ik ben benieuwd: hoe was je sollicitatiegesprek?'

Ze is ontsteld. Net nu ze Michael alleen nog maar ziet als een karikatuur, als een relikwie, doet hij op deze manier zijn oude macht gelden.

Ze kijkt naar haar hoge hakken, laat haar blik langs de rok glijden die ze vanochtend heeft aangetrokken – kleren om in te solliciteren. 'Ze hebben me een baan aangeboden. Conservator in een filmmuseum.'

'En, doe je het?'

'Ik weet het nog niet.'

Hij knikt. 'Hoor eens, dit weekend heb ik je echt nodig. Als je volgende week nog steeds weg wilt, heb ik daar begrip voor. Ik ben zelfs bereid om je te helpen. Maar dit weekend heb ik je echt nodig om een oogje in het zeil te houden, met die Italiaan en zijn tolk. Sleep me maandagochtend door die pitch heen, en help me om die actrice en haar zoon op te sporen. Kan ik op je rekenen, Claire?'

Ze knikt. 'Natuurlijk, Michael.' En dan, zachtjes: 'Nou... is het zo? Is het jouw zoon?'

Michael Deane lacht, richt zijn blik naar de grond en kijkt dan weer op. 'Ken je dat spreekwoord, dat het succes vele vaders heeft maar een mislukking slechts één?'

Weer knikt ze.

Hij trekt zijn jas nog dichter om zijn lijf. 'Als je het zo bekijkt kon die kleine fucker weleens het enige kind zijn dat ik ooit heb gehad.'

10

De tournee door de UK

Een graatmagere Ierse knul die Pat Bender in een kroeg in Portland per ongeluk een duw tegen zijn schouder gaf – zo was het begonnen.

Pat draaide zich om en zag bleke huid, zag tanden met een spleetje ertussen, zag Superman-haar, zag een donkere bril, een Dandy Warhol-t-shirt.

'Drie weken Amerika, en weet je wat ik 't ergste vind?' zei de knul. 'Al die stomme sport.' Hij knikte naar het teeveetje op de bar, waar een honkbalwedstrijd van de Mariners te zien was, zonder geluid. 'Ik kan het niet volgen. Misschien kun je me uitleggen wat er zo leuk aan is.'

Nog voor Pat zijn mond kon opendoen, schreeuwde de knul: 'Alles!' Hij liet zich naast Pat op het bankje zakken. 'Joe', stelde hij zich voor. 'Geef toe, Amerikanen zijn waardeloos in alle sporten die jullie niet zelf hebben bedacht.'

'Eerlijk gezegd,' zei Pat, 'ben ik ook waardeloos in Amerikaanse sporten.'

Joe leek dat een grappig en bevredigend antwoord te vinden en hij wees naar Pats gitaarist, die als een verveeld vriendinnetje naast hem tegen het tafeltje stond. 'Speel je op die Larrivee?'

'Over een uur', zei Pat. 'Aan de overkant.'

'Echt? Ik ben een soort clubpromotor,' zei Joe. 'Wat speel je?'

'Ik ben niet echt doorgebroken, zei Pat. 'Ik had vroeger een band, de Reticents?' Geen reactie, en Pat voelde zich een sukkel dat hij het überhaupt had geprobeerd. En hoe moest hij uitleggen waar hij nu mee bezig was? Het was begonnen als een akoestische set met veel gepraat ertussendoor – zoals in die oude serie, *Storytellers* – maar na een jaar was het uitgegroeid tot een komisch-muzikale mono- loog, een soort Spalding Gray-monoloog met een gitaar. 'Goed, dan', zei hij tegen Joe. 'Ik zit op een kruk en ik zing. Ik vertel een paar anekdotes, biecht van alles en nog wat op; en zo nu en dan, zeg eens in de paar maanden, klus ik na de show nog wat bij als gynae- coloog.'

Zo was het allemaal begonnen – het hele idee van een tour- nee door de UK. Hij had het niet eens zelf bedacht, maar eigenlijk gold dat voor vrijwel alle hoogtepunten van Pasquale 'Pat' Benders miezerige carrière. Het was een idee van deze Joe, die half onderuit- gezakt in een half gevulde club zat, en die moest lachen om *Shower- palooza*, Pats nummer over jambands die ongehoord stinken; die het uitgierde bij Pats riff bij de hoestekst van zijn band, die was ge- schreven toen ze volkomen van de wereld waren en die veel weg had van de menukaart van een Chinees restaurant; die meezong met het publiek op het refrein van *Why Are Drummers So Ducking Fumb?*

Hij had iets intrigerends, deze Joe. Normaal gesproken zou Pat zijn aandacht hebben gericht op een chick aan een tafeltje vooraan, de witte kousen stroboscopisch oplichtend onder haar rok, maar nu hoorde hij steeds de hinnikende lach van Joe, die ver boven Joe zelf uitsteeg, en tegen de tijd dat Pat overschakelde op het obscure, belij- dende deel van zijn show – de drugs en de stukgelopen relaties – was Joe tot tranen toe geroerd, zette zijn bril af en wreef in zijn ogen bij het refrein van Pats gevoeligste nummer: *Lydia*.

> *It's an old line: you're too good for me*
> *yeah, it's not you it's me*
> *but Lydia, baby... what if that's the one true thing*
> *you ever got from me...*

Na afloop overlaadde de knul hem met complimenten. Hij zei dat hij nog nooit zoiets had gehoord: grappig en eerlijk en intelligent, de muziek en de komische opmerkingen vulden elkaar perfect aan. 'En dan dat ene nummer, *Lydia*... godallemachtig, Pat!'

Zoals Pat al vermoedde had *Lydia* herinneringen naar boven gehaald aan een meisje dat Joe maar niet kon vergeten – en hij moest het hele verhaal kwijt, een verhaal dat goeddeels langs Pat heen ging. Al lachten ze nog zo hard tijdens de rest van zijn show, jonge mannen waren steevast geroerd door dat nummer, door de manier waarop het einde van een relatie wordt beschreven, en het verbaasde Pat telkens weer dat ze de kille, verbitterde weerlegging van de romantische loochening (*Did I ever even exist/before your brown eyes*) aanzagen voor een liefdesliedje.

Joe begon meteen over een optreden in Londen. Het klonk onzinnig om middernacht, intrigerend om één uur, overtuigend om twee uur, en om half vijf – terwijl ze in Pats appartement in Northeast Portland Joe's weed rookten en naar oude Reticents-nummers luisterden ('Dit is godverdomme bril-jant, Pat! Waarom ken ik dit niet?') – was het idee uitgekristalliseerd tot een heus plan: een heleboel geld-vrouwen-carrière-problemen in één klap opgelost door de eenvoudige woorden: tournee in de UK.

Volgens Joe waren London en Edinburgh geknipt voor Pats scherpe, slimme vorm van musical comedy – een circuit van kleine clubs en comedyfestivals, georganiseerd door gretige booking agents en tv-scouts. Vijf uur 's ochtends in Portland was één uur 's middags in Edinburgh, dus Joe ging even naar buiten om iemand te bellen en hij kwam giechelig terug: de organisator van het Fringe Festival kon zich de Reticents nog wel herinneren en zei dat hij wel iets kon regelen, een lastminute-optreden. Het was allemaal geregeld. Pat moest alleen nog zorgen dat hij van Oregon in Londen kwam, en Joe zou de rest regelen: onderdak, eten, vervoer, gegarandeerd zes weken betaalde gigs, met uitzicht op meer. Er werden handen geschud, er werd op schouders geslagen, en de volgende ochtend belde Pat zijn leerlingen en zegde zijn lessen af voor de rest van de maand. Pat was niet meer zo opgewonden geweest sinds hij in de twintig was; kijk hem nou, hij zou weer op tournee gaan, zo'n vijf-entwintig jaar nadat hij was begonnen. Natuurlijk waren sommige oude fans teleurgesteld als ze hem zagen – niet alleen omdat de oude bandleider van de Reticents nu musical comedy deed (waarbij Pats nuancering over het hoofd werd gezien: hij deed aan musical comedy-monológen), maar ook omdat Pat Bender überhaupt nog leefde, dat hij niet het pad van de *gorgeous corpse* was gegaan. Gek dat een muzikant met argwaan werd bekeken domweg omdat hij het had overleefd – alsof alle *crazy shit* uit zijn hoogtijdagen alleen maar een pose was geweest. Pat had geprobeerd een nummer te schrijven over dat merkwaardige gevoel – *So Sorry to Be Here* had hij het als titel meegegeven – maar het nummer was verzopen in alle junkiebra-voure en hij had het nooit ten gehore gebracht.

Nu vroeg hij zich af of het misschien toch een hoger doel diende dat hij het had overleefd: een tweede kans om echt iets... GROOTS neer te zetten. Maar toch, hoe opgetogen hij ook was, terwijl hij mailtjes schreef aan de paar vrienden die hij nog om geld kon vragen ('geweldige kans'... 'doorbraak waar ik al jaren op hoop'), hoorde hij voortdurend een ontnuchterend stemmetje in zijn achterhoofd: *Je bent vijfenveertig en je laat je als een twintigjarige meeslepen door de droom het te gaan maken in Europa?*

Meestal hoorde Pat bij een dergelijke koude douche de stem van zijn moeder, Dee, die in haar jeugd actrice had willen worden en die nu vooral leek te worden gedreven door het verlangen de ambities van haar zoon te temperen met haar eigen teleurstellingen. *Vraag je eerst eens af*, zei ze wanneer hij bij een band wilde gaan of uit een band wilde gaan of iemand uit een band wilde trappen of naar New York wilde verhuizen of New York achter zich wilde laten, *of het je om de kunst te doen is... of dat dit eigenlijk over iets heel anders gaat?*

Wat een belachelijke vraag, zei hij dan uiteindelijk. *Alles gaat altijd over iets anders. Kunst gaat over iets anders! Die hele kutvraag van je gaat over iets anders.*

Maar dit keer hoorde Pat niet de waarschuwende stem van zijn moeder. Nu was het Lydia – toen hij haar de laatste keer had gezien, een paar weken nadat ze voor de vierde keer uit elkaar waren gegaan. Hij was die dag naar haar appartement gegaan, had opnieuw zijn excuses aangeboden en beloofd dat hij zou stoppen met drinken. Voor het eerst van zijn leven, zei hij tegen haar, zag hij alles glashelder; het was hem al gelukt om te stoppen met vrijwel alles waartegen ze bezwaar maakte, en als dit de enige manier was om haar terug te winnen zou hij het karwei afmaken.

Hij had nog nooit iemand ontmoet zoals Lydia – ze was slim, grappig, zelfbewust en verlegen. Mooi ook, al zag ze dat zelf niet – en dat was meteen het geheim van haar aantrekkingskracht, dat ze mooi was zonder het zich bewust te zijn, zonder opsmuk. Andere vrouwen waren als cadeautjes die hem na het uitpakken steevast tegenvielen, maar Lydia was een belofte – zo beeldschoon onder haar ruimvallende kleren en de platte pet die ze altijd diep over haar ogen had getrokken. De laatste keer dat ze elkaar hadden gezien had Pat die pet heel voorzichtig afgedaan. Hij had recht in haar bruine ogen gekeken. *Schatje*, had hij gezegd. *Ik kan niet zonder je. Ik heb jou harder nodig dan muziek, drank of wat ook.*

Die keer had Lydia hem strak aangekeken, haar ogen nat van verdriet. Voorzichtig had ze de pet weer uit zijn handen gepakt. *Jezus, Pat*, had ze zachtjes gezegd. *Je zou jezelf eens moeten horen. Je lijkt wel verslaafd aan openbaringen.*

De Ierse Joe had een maat in Londen – Kurtis, een grote, kale hiphop-hooligan, en ze logeerden in Kurtis' benauwde flatje in Southwark, dat hij deelde met zijn bleke vriendinnetje, Umi. Pat was nog nooit in Londen geweest – sterker nog, hij was nog maar één keer in Europa geweest, met een uitwisselingsprogramma op de middelbare school, dat zijn moeder had geregeld omdat ze wilde dat hij haar kwam opzoeken in Italië. Dat was er nooit van gekomen: dankzij een meisje in Berlijn en een snuif coke werd hij voortijdig naar huis gestuurd, wegens verschillende inbreuken op het protocol en de menselijke waardigheid. Er was veelvuldig sprake van dat de Reticents op tournee zouden gaan in Japan – zo vaak dat het een vaste grap werd binnen de band, maar Pat en Benny deinsden uiteindelijk terug voor hun enige grote kans, omdat ze geen openingsact wilden zijn voor de 'Stone Temple Douchebags'. Dus zou het Pats eerste optreden buiten Noord-Amerika worden.

'Portland,' zei de bleke Umi toen ze elkaar ontmoetten, 'zoals The Decemberists.' Pat had hetzelfde meegemaakt toen hij in de jaren negentig tegen New Yorkers zei dat hij uit Seattle kwam: er werd *Nirvana* of *Pearl Jam* gemompeld, Pat klemde zijn kaken op elkaar en deed gemaakt kameraadschappelijk met de reteslechte achterhaalde nep-Flannel-bands. Grappig dat Portland, het sukkelige kleine broertje van Seattle, net zo'n coole alto-status heeft verworven.

Het plan was dat Pat in Londen zou openen in een tweederangs club, Troupe, waar Kurtis als uitsmijter werkte. Maar toen Pat eenmaal in Londen was bedacht Joe dat Edinburgh een veel betere plek was om te beginnen, dat Pat daar nog wat aan zijn act zou kunnen schaven en de recensies van het Fringe Festival zou kunnen gebruiken om een vliegende start te maken in Londen. Dus zette Pat een kortere, grappigere versie van zijn show in elkaar – een monoloog van een half uur, waarin zes nummers waren verwerkt. (Hallo, ik ben Pat Bender. Als je het gevoel hebt dat je me ergens van kent komt dat omdat ik de leadzanger was van zo'n bandje waar je omhooggevallen vrienden het over hadden om duidelijk te maken wat een aparte muzieksmaak ze hadden. Of we hebben geneukt op de wc van een of andere club. Hoe dan ook: sorry dat ik nooit meer iets heb laten horen.')

Hij voerde de show op voor Joe en zijn vrienden, in de flat. Hij was van plan geweest alles wat minder zwaar aan te zetten en het enige serieuze nummer, *Lydia*, weg te laten, maar Joe wilde het er per se in hebben. Hij zei dat het 'verdomme de emotionele spil' van het hele programma was, dus legde Pat zich erbij neer en zong *Lydia* in het appartement – waarbij Joe weer zijn bril afzette en in zijn ogen wreef. Na de repetitie verwachtte Umi minstens zoveel van het optreden als Joe. Zelfs de stille, sombere Kurtis kon niet ontkennen dat het goed was, 'heel erg goed'.

In de flat in Londen zag je nog alle leidingen lopen en de vloerbedekking was oud en schimmelig. In de week dat ze er logeerden voelde Pat zich geen moment op zijn gemak – in tegenstelling tot

Joe, die de hele dag in zijn groezelige, grijze boxershort met Kurtis op de bank hing en high werd. Naar bleek had Joe het nogal ruim genomen toen hij zichzelf afficheerde als clubpromotor; hij was eerder een klaploper/hasjdealer, en zo nu en dan kwam er iemand aan de deur om wat van hem te kopen. Na een paar dagen tussen deze jongelui voelde Pat de kloof van twintig jaar steeds dieper worden: het muzikale referentiekader, de slonzige trainingspakken, het feit dat ze de halve dag in bed lagen en nooit onder de douche gingen en er niet eens bij stil leken te staan dat ze om half twaalf nog allemaal in hun onderbroek liepen.

Pat kon niet langer dan een paar uur achter elkaar slapen, dus stond hij elke ochtend op terwijl de anderen nog in bed lagen. Hij dwaalde door de stad, probeerde de route in zijn wazige geheugen te prenten – maar hij verdwaalde steeds weer in de kronkelende, smalle steegjes en straten die ineens van naam veranderden, verkeersaders die uitliepen in gewone wegen. Pat kreeg met de dag minder grip op de stad, wat niet zozeer door Londen zelf kwam als door zijn eigen onvermogen de stad in zich op te nemen, door zijn mopperige oudemannenlitanie: *Waarom weet ik nooit waar ik ben, en welke kant ik op moet kijken wanneer ik wil oversteken? Waarom is dat muntgeld zo onlogisch? Zijn alle trottoirs zo druk? Waarom is alles zo duur?* Pat had geen rooie cent en kon niet veel meer doen dan wat rondkijken – in de gratis musea, net name, die hem meer en meer de adem benamen – zaal na zaal vol schilderijen in de National Gallery, relikwieën in het British Museum, en letterlijk alles in het Victoria and Albert. Hij kreeg een overdosis cultuur binnen.

En toen, op hun laatste dag in Londen, liep Pat de Tate Modern in, kwam in de enorme, lege hal en werd overweldigd door de vermetelheid van de kunst, de ongekende afmetingen van het museum; het was alsof je probeerde de oceaan tot je te nemen, of de hemel. Het kon komen door slaapgebrek, maar hij stond letterlijk te trillen, voelde zich misselijk worden. Boven doolde hij door een verzameling surrealistische schilderijen en was volkomen ondersteboven van de onbeschaamde, ondoordringbare genialiteit die eruit sprak: Bacon, Magritte en met name Picabia, die, volgens de teksten aan de muur, de wereld had verdeeld in twee eenvoudige categorieën: mislukkelingen en onbekenden. Hij was een insect onder een vergrootglas, de kunst samengebald in een verblindend brandpunt op zijn slapeloze schedel.

Tegen de tijd dat hij het museum weer verliet was Pat bijna aan het hyperventileren. Buiten was het niet veel beter. De haast buitenaardse Millennium Bridge schoof bijna als een lepel de mond van St. Paul's Cathedral in. Londen liet kleuren, tijdperken en genres onbekommerd botsen en bracht Pat nog meer uit zijn evenwicht met alle immense, onverschrokken contrasten: modernisme naast neoclassicisme naast Tudorstijl naast wolkenkrabber.

Aan de andere kant van de brug stuitte Pat op een kwartet – een cello, twee violen, elektrische piano – een paar kinderen die voor de verandering eens Bach lieten weerklinken over de Theems. Hij ging zitten en luisterde, probeerde zijn ademhaling weer tot rust te brengen maar was overweldigd door het achteloze vakmanschap, de ongekunstelde virtuositeit. Jezus, als straatmuzikanten dáártoe in staat waren? Wat deed híj dan hier? Hij had altijd getwijfeld aan zijn eigen muzikale talenten; hij kon met iedereen meespelen op de gitaar en hij was een echt podiumbeest, maar Benny was de ware muzikant. Samen hadden ze zo'n honderd nummers geschreven, maar toen Pat daar op straat die vier kinderen moeiteloos de canon hoorde spelen, beschouwde hij zijn eigen nummers plotseling als onbenullige ongein, snedige commentaren op echte muziek, flauwekul. Jezus, had Pat ooit iets geschreven dat zo... mooi was? De muziek die deze jongens speelden was als een eeuwenoude kathedraal; Pats levenswerk had de levensduur en de schoonheid van een aanhangwagen. Voor hem was muziek altijd een houding geweest, de gefrustreerde reactie van een kind op schoonheid; zijn hele leven was een opgestoken middelvinger naar esthetische normen. Nu voelde hij zich leeg, schril – een mislukkeling én een onbekende. Niets.

Toen deed Pat iets wat hij in geen jaren had gedaan. Op de terugweg naar Kurtis' flat kwam hij langs een hippe platenzaak – Reckless Records stond er op de brede, rode gevel – en nadat hij een poosje had gedaan alsof hij gewoon maar wat in de bakken snuffelde, vroeg Pat aan de man van de platenzaak of hij iets van de Reticents in huis had.

'Eens even denken', zei de man, en opeens klaarde zijn pokdalige gezicht op. 'Eind jaren tachtig, begin jaren negentig... een beetje soft-pop punkachtig...'

'Nou ja, ik zou het niet soft willen noemen...'

'Een beetje van dat grunge-gedoe.'

'Nee, zij waren nog van daarvoor...'

'Nee, ik geloof niet dat wij daar iets van hebben', zei de man. 'Wij hebben vooral muziek die, nou ja, die ertoe doet.'

Pat bedankte de man en liep de winkel uit.

Waarschijnlijk was dit de reden dat Pat met Umi naar bed ging toen hij weer in de flat was. Of misschien kwam het doordat ze alleen was, in haar ondergoed, terwijl Joe en Kurtis naar de kroeg waren om naar een rugbywedstrijd te kijken. 'Mag ik erbij komen zitten?' vroeg Pat. Ze zwaaide haar benen opzij en hij keek strak naar het kleine driehoekje van haar slipje, en niet lang daarna lagen ze te frunniken, te schokken, hortend als het Londense verkeer (Umi: 'We kunnen het maar beter niet aan Kurty vertellen'), totdat ze een ritme hadden gevonden en Pat Bender zichzelf weer tot leven neukte, zoals hij dat in het verleden zo vaak had gedaan.

Na afloop, terwijl alleen hun benen elkaar nog raakten, bestookte Umi hem met persoonlijke vragen, alsof ze een proefritje in een auto had gemaakt en nu weleens wilde weten hoe hoog het benzineverbruik was. Pat gaf eerlijk antwoord, zonder al te veel los te laten. Was hij ooit getrouwd geweest? Nee. Ook niet bijna? Eigenlijk niet. Maar hoe zat het dan met dat nummer, *Lydia*? Was Lydia zijn grote liefde? Het verbaasde hem telkens weer, hoeveel mensen in dat nummer legden. *Zijn grote liefde?* Hij had lang gedacht van wel, toen ze in Alphabet City woonden, op het balkonnetje barbecueden en op zondagochtend de kruiswoordpuzzel in de krant maakten. Maar wat had Lydia ook alweer gezegd toen ze hem met een andere vrouw betrapte? *Als je echt van me houdt, is het alleen nog maar erger dat je zoiets doet. Dat wil zeggen dat je harteloos bent.*

Nee, zei Pat tegen Umi. Lydia was niet zijn grote liefde. Gewoon, een vriendinnetje.

Zo dreven ze weer uit elkaar, van intimiteit naar koetjes en kalfjes. Waar kwam hij vandaan? Seattle, al had hij een paar jaar in New York gewoond, en woonde hij momenteel in Portland. Broers en zussen? Nee. En zijn vader? Die had hij eigenlijk nooit gekend. Een autodealer. Had schrijver willen worden. Was overleden toen Pat vier was.

'Wat erg. Dan zul je wel een heel hechte band hebben met je moeder.'

'Eerlijk gezegd heb ik haar al meer dan een jaar niet gesproken.'

'Waarom niet?'

En ineens zat hij er weer middenin, in die belachelijke interventie: Lydia en zijn moeder die aan de andere kant van de kamer zaten (*We maken ons zorgen, Pat* en *Dit kan zo niet langer*) en oogcontact meden. Lydia kende Pats moeder al voordat ze Pat leerde kennen, had haar ontmoet via een theatergezelschap in Seattle. Anders dan zijn meeste vriendinnen, die vooral moeite hadden met wat zijn gedrag voor hén betekende, deed Lydia haar beklag uit naam van Pats moeder: dat hij haar maanden achtereen verwaarloosde (totdat hij geld nodig had), dat hij zich niet hield aan zijn beloften, dat hij het geld dat hij had gejat nog altijd niet had terugbetaald. Zo kon hij niet doorgaan, zei Lydia, ze ging eraan onderdoor – met *ze* bedoelde ze hen allebei, had Pat het idee. Om hen een plezier te doen gaf Pat alles eraan behalve de drank en de weed, en de relatie met Lydia sleepte zich nog een jaar voort, totdat zijn moeder ziek werd. Al was hun relatie achteraf gezien vermoedelijk voorbij op het moment van die interventie, op het moment dat zij naar zijn moeders kant van de kamer liep.

'Waar woont ze nu?' wilde Umi weten. 'Je moeder?'

'Sandpoint,' zei Pat mat, 'een klein plaatsje in Idaho. Ze runt een theatergezelschap.' En toen, tot zijn eigen verbazing: 'Ze heeft kanker.'

'O, wat erg.' Umi zei dat haar vader non-Hodgkin lymfklierkanker had.

Pat had door kunnen vragen, zoals zij ook had gedaan, maar hij hield het bij: 'Heftig.'

'Ja, best wel...' Umi keek naar de vloer. 'Mijn broer zegt steeds dat hij zo dapper is. *Papa is zo dapper. Hij levert dapper strijd.* In werkelijkheid is het een en al ellende.'

'Tja.' Pat was onrustig. 'Nou, goed.' Voor zijn gevoel had het postorgasme beleefdheidspraatje wel lang genoeg geduurd, in elk geval naar Amerikaanse maatstaven; hij wist niet goed wat de gangbare wisselkoers in Engeland was. 'Ik moest maar eens...' Hij stond op. Ze keek hoe hij zijn kleren aantrok. 'Je doet dit vaker', zei ze – geen vraag.

'Niet vaker dan een ander, denk ik', zei Pat.

Ze lachte. 'Dat vind ik zo grappig aan knappe gozers zoals jij. Seks? Ik? Waar héb je het over?'

Als Londen een andere stad was, dan was Edinburgh een andere planeet.

Ze gingen met de trein en Joe viel in slaap op het moment dat ze King's Cross uit reden, zodat Pat maar moest raden wat hij allemaal voorbij zag trekken – wijken waar de was buiten hing, imposante ruïnes in de verte, korenvelden en grote hoeveelheden basaltsteen die hem deden denken aan thuis, aan de Columbia River Gorge.

'Goed, dan', zei Joe toen hij vierenhalf uur later sniffend wakker werd en om zich heen keek, precies op het moment dat ze het station van Edinburgh binnenreden.

Toen ze het station uit kwamen stonden ze op de bodem van een diepe geul – aan hun linkerhand een kasteel, aan hun rechterhand de stenen muren van een renaissancestad. Het Fringe Festival was omvangrijker dan Pat had gedacht, aan vrijwel elke lantaarnpaal of andere paal hing een flyer voor een of andere show, op straat wemelde het van de mensen: toeristen, hippies, festivalgangers van middelbare leeftijd en artiesten in alle soorten en maten – voornamelijk komieken, maar ook acteurs en musici, mensen die solo optraden of in een duo, groepen die improvisatietheater deden, een bonte verzameling mime- en poppenspelers, vuurvreters, mensen op eenwielers, goochelaars, acrobaten, Pat kon het zo gek niet bedenken – levende standbeelden, mannen verkleed als een pak aan een kleerhanger, breakdansende tweelingen – een uit de hand gelopen middeleeuws festival. In het festivalkantoortje zat een arrogante eikel met een snorretje en een nog zwaarder accent dan dat van Joe – zangerige klanken en rollende R'en – die zei dat Pat zijn eigen publiciteit moest doen en dat zijn gage de helft bedroeg van wat Joe hem had voorgespiegeld. Joe zei dat ene Nicole hem had verzekerd dat het meer was. Snorremans zei dat Nicole nog niet eens haar eigen reet kon verzekeren. Joe keek Pat aan en zei dat het wel goed kwam, hij zou geen commissie rekenen – Pat was verbaasd dat Joe dat überhaupt van plan was geweest.

Toen ze weer buiten stonden en naar hun onderkomen liepen, liet Pat alles op zich inwerken. De stadsmuren waren als een serie rotswanden, en het oudste deel – de Royal Mile – begon bij het kasteel en kronkelde als een rivier van kasseien door een ravijn van gebouwen die grijs zagen van de rook. De drukte van het festival strekte zich naar alle kanten uit, statige huizen waren leeggehaald om ruimte te bieden aan podia en microfoons, waarbij alleen al het aantal wanhopige artiesten Pat deprimeerde.

Pat en Joe hadden een kamer gekregen in een souterrain, bij een ouder echtpaar in huis. 'Zeg eens iets grappigs!' zei de schele man toen hij Pat de hand schudde.

Die avond bracht Joe Pat naar het zaaltje waar hij moest optreden – een straat door, een steegje in, door een bomvolle kroeg naar een volgend steegje, verder tot aan een smalle, hoge deur met een sierlijke knop in het midden. Een ongeïnteresseerde vrouw met een klembord ging Pat voor naar de artiestenfoyer, een kast vol leidingen en schoonmaakspullen, terwijl Joe zei dat er in Edinburgh soms maar weinig publiek was, maar dat het ineens kon vollopen, dat er tientallen gezaghebbende recensenten rondliepen, en zodra er eenmaal over hem werd geschreven – 'Je zit geramd voor vier sterren' – zou het publiek vanzelf toestromen. Een minuut later kondigde de vrouw met het klembord Pat aan, en hij kwam op onder een flauw applaus terwijl hij zich afvroeg welk woord nog flauwer was dan flauw, aangezien er maar zes mensen in het zaaltje zaten, verspreid over zo'n veertig klapstoeltjes, en drie van die zes mensen waren Joe en het oudere echtpaar bij wie ze logeerden.

Maar het was bepaald niet de eerste keer dat Pat voor een nagenoeg lege zaal speelde, en hij speelde zijn publiek plat, verzon zelfs nog iets nieuws voor hij aan *Lydia* begon – 'Ze zei tegen onze vrienden dat ze had ontdékt dat ik iets met een andere vrouw had. Ja, hoor... alsof ze een middel tegen polio had ontdekt. Ze zei dat ze me te pákken had toen ik het met een ander deed, alsof ze Carlos the Jackal had weten te vangen. Ja, zo kan ik het ook. Zo kun je zelfs Bin Laden te pakken krijgen, als je thuiskomt en hij ligt in jouw bed met een ander te neuken.'

Pat voelde weer wat hem al eerder was opgevallen, dat zelfs het enthousiasme van een klein publiek heel intens kan zijn – hij vond het geweldig hoe de Engelsen de eerste lettergreep van dat woord aanzetten, *briljant*, en hij bleef de hele nacht op met Joe, die nog opgetogener was dan hij, om te bedenken hoe ze de show aan de man konden brengen.

De volgende dag had Joe posters en flyers bij zich, waarop Pats show werd aangekondigd. Bovenaan stond een foto van Pat met zijn gitaar – er daaronder de kop: PAT BENDER: IK KAN HET NIET HELPEN! De tekst zelf luidde: 'Misschien wel de meest hilarische comedy musician van Amerika!' en 'Vier sterren' in iets als 'The Riot Police'. Pat had precies zulke flyers gezien van andere artiesten op het festival, maar... 'Ik kan het niet helpen?' En dan dat gelul over 'de meest hilarische... van Amerika'? Joe legde uit dat dergelijke flyers voor elke show gemaakt moesten worden. Pat vond het al vervelend om een 'comedy musician' te worden genoemd. Wat hij deed was geen moderne versie van Weird Al of zo. Schrijvers konden alle regels aan hun laars lappen en toch serieus genomen worden. Filmmakers idem dito. Maar van musici werd verwacht dat ze integer en stoned waren – *I love you, baby* en *Peace is the answer*. Rot toch op!

Voor het eerst werd Joe kwaad op Pat – zijn bleke wangen kleurden roze. 'Luister goed, Pat, zo werkt het gewoon. Weet je verdomme wel wie de Riot Police is? Dat ben ik. Ík heb je vier sterren gegeven.' Hij smeet een flyer in Pats richting. 'Tering man, ik heb dit allemaal uit mijn eigen zak betaald!'

Pat slaakte een zucht. Hij wist dat het een andere wereld was, een andere tijd – bands moesten bloggen en zichzelf promoten en twitteren en god mocht weten wat. Jezus, Pat had niet eens een mobiele telefoon. Zelfs in de Verenigde Staten kon je het wel vergeten als in je zelf gekeerde kunstenaar op zoek naar inspiratie; iedere musicus moest tegenwoordig zijn eigen pr doen – stelletje zelfingenomen debielen die elke scheet deelden via internet. Rebels betekende tegenwoordig dat je de godganse dag YouTube-filmpjes maakte waarin je legosteentjes in je reet stopte.

'Legosteentjes in je reet.' Joe lachte. 'Daar moet je wat mee doen.'

Die middag gingen ze de straat op om flyers uit te delen. In het begin vond Pat het net zo sneu en vernederend als hij had gedacht, maar hij zag Joe bezig en de koortsachtige energie van zijn jonge vriend stemde hem nederig – 'Kom naar de act waar heel Amerika van ondersteboven is!' – dus deed Pat ook wat meer zijn best, vooral bij de vrouwen. 'Kom kijken', zei hij en hij legde zo veel mogelijk gevoel in zijn blik terwijl hij een vrouw een flyer in handen drukte. 'Je vindt het vast leuk.' Hij had die avond achttien man publiek, onder meer de recensent van een blaadje dat *The Laugh Track* heette, een man die Pat vier sterren gaf en die – zo las Joe opgetogen voor – op zijn blog schreef dat 'de voormalige zanger van de vroegere Amerikaanse cultband The Reticents een muzikale monoloog houdt die echt uniek is: scherp, eerlijk, grappig. Een waarlijk geestige misantroop.'

De avond daarop had hij negenentwintig man publiek, onder meer een niet onaantrekkelijk meisje in een zwarte stretchbroek, dat na de show bleef hangen om samen met hem stoned te worden. Pat neukte haar tegen de leidingen in zijn artiestenkast.

Toen hij wakker werd zat Joe tegenover hem op een keukenstoel, zijn kleren al aan, zijn armen over elkaar. 'Heb jij Umi gepakt?'

Pat was volkomen van de wereld en dacht dat hij het meisje van na de show bedoelde. 'Kén je haar dan?'

'In Londen, achterlijke idioot. Ben je met Umi naar bed geweest?'

'O, dat.' Pat kwam overeind. 'Weet Kurtis het?'

'Kurtis? Ze heeft het mij verteld! Ze vroeg of jij nog iets over haar had gezegd!' Joe rukte zijn bril van zijn hoofd en wreef in zijn ogen. 'Weet je nog dat je in Portland *Lydia* had gezongen, en dat ik toen vertelde dat ik verliefd was op het vriendinnetje van mijn beste vriend – Umi. Weet je nog?'

Pat kon zich herinneren dat Joe het over iemand had gehad, en nu hij het zo zei kwam de naam hem wel weer bekend voor, maar hij was destijds zo opgetogen geweest over het vooruitzicht van een tournee door de UK dat hij nauwelijks had geluisterd.

'Kurtis naait alles wat los en vast zit in East End – net als die eikel in dat nummer van je – maar ik heb mijn bek gehouden omdat Kurt m'n maat is. Maar zodra jij je kans schoon zag...' Zijn wangen werden eerst roze en toen rood, en zijn ogen stonden vol tranen. 'Ik hóú van haar, Pat!'

'Het spijt me, Joe. Ik had geen idee.'

'Over wie dacht je dan dat ik het had?' Joe duwde met een ferm gebaar zijn bril weer op zijn neus en beende de kamer uit.

Pat bleef nog even zitten en voelde zich echt afschuwelijk. Toen kleedde hij zich aan en ging in de drukke straten op zoek naar Joe. Wat had hij gezegd? *Zoals die eikel in dat nummer van jou?* Jezus, dacht Joe soms dat het nummer een parodie was? Ineens drong zich een vreselijke gedachte op: Jezus... wás het een parodie? Was hij een karikatuur?

Pat was de hele middag op zoek naar Joe. Hij ging zelfs naar het kasteel, waar het wemelde van de toeristen die kiekjes maakten, maar geen Joe te bekennen. Hij slenterde terug naar de New Town, naar de top van Calton Hill, een zacht glooiende heuvel met een samenraapsel aan monumenten uit verschillende tijdperken. De geschiedenis van Edinburgh werd gekenmerkt door pogingen hoger te reiken, een hooggelegen stuk te bemachtigen om hoger te kunnen bouwen – torenspitsen en torens en zuilen, allemaal met smalle wenteltrappen naar boven – en ineens zag Pat dat hetzelfde gold voor de mensheid: een voortdurende worsteling om hóger te komen, zodat je de vijand zag aankomen en kon heersen over de boeren, na- tuurlijk, maar misschien was het wel meer dan dat – om iets neer te zetten, om een spoor na te laten, om mensen duidelijk te maken... *dat jij ook ooit het toneel had betreden.* Maar wat had het uiteinde- lijk voor zin? Die mensen waren allemaal verdwenen, er restte niets meer dan afbrokkelend puin van mislukkelingen en onbekenden.

Veertig man publiek die avond, zijn eerste uitverkochte optreden. Maar geen Joe. 'Ik liep vandaag door Edinburgh en het werd me dui- delijk dat kunst en architectuur uiteindelijk niet veel meer voorstel- len dan een paar honden die tegen een boom piesen', zei Pat. Het was aan het begin van zijn show, en hij dwaalde gevaarlijk ver af van het script. 'Mijn hele leven... ben ik ervan uitgegaan dat ik beroemd zou worden, dat ik... dat ik het zou gaan máken. Maar wat houdt dat in? Beroemd.' Hij boog zich over zijn gitaar, keek op naar alle verwach- tingsvolle gezichten en hoopte, met hen, dat dit leuk zou worden. 'De hele wereld is ziek... iedereen hunkert ernaar om gezien te wor- den. We zijn net een stelletje klierende kleuters die aandacht willen. En ik ben de ergste van allemaal. Stel dat het leven een rode draad had, je weet wel... een levensfilosofie? Een motto? In mijn geval zou dat zijn: *Er moet een vergissing in het spel zijn; ik had het veel verder moeten schoppen.*'

Waarom waren sommige voorstellingen klote? Pat had geen idee of zijn shows vaker flopten dan die van anderen, maar het zou bepaald niet zijn eerste klotevoorstelling zijn. De gangbare mening was dat The Reticents één fantastische plaat hadden gemaakt (*The Reticents*), één goede plaat (*Manna*), en één plaat vol pretentieuze bagger die niet om aan te horen was (*Metronome*). Ze hadden de reputatie dat ze live erg onvoorspelbaar waren, al was dat opzettelijk, of in ieder geval onvermijdelijk: het kon ook moeilijk anders met Pat die een paar jaar aan de coke was, Benny die smack spoot, en Casey Miller die tussen het drummen door een fles sterkedrank wegwerkte. Maar niemand zat te wachten op voorspelbaarheid; het ging er nou juist om de boel op scherp te zetten – geen synth dance mixes, geen big hair, geen Fey make-up, niet van dat gekunstelde existentiële angstgezeik. Oké, The Reticents waren nooit veel verder gekomen dan het cultclub-circuit, maar het waren ook niet van die gladde opgeblazen powerballad-neppers geworden die zichzelf voortdurend liepen te promoten. Ze waren trouw gebleven aan zichzelf, zoals dat dan heet, in een tijd waarin dat nog iets betekende, trouw blijven aan jezelf. Maar zelfs met de Rets had hij weleens een klote-optreden gehad. Niet vanwege drugs of ruzies of geëxperimenteer met de feedback; soms speelden ze gewoon kut.

En zo ging het ook op de dag dat hij ruzie kreeg met Joe, en op de avond dat de recensent van *The Scotsman* kwam luisteren naar 'Pat Bender: Ik kan het niet helpen!' en Pat de aanloop verklootte naar *Why Are Drummers So Ducking Fumb?*. Hij probeerde er nog een draai aan te geven met wat slap jaren-tachtiggeouwehoer over Amerikanen die het over scotch hebben terwijl ze het in Schotland gewoon whisky noemen, terwijl *Scotch tape* nou juist weer gewoon... plakband was – zijn publiek staarde hem aan, *Ja, hè hè, plakband, dat weet iedereen, sukkel.* Hij liep bijna vast in *Lydia*, omdat hij dacht dat iedereen dwars door hem heen keek, dat iedereen behalve hij het nummer begreep.

Hij was zich bewust van die eigenaardige vorm van overdracht, waarbij het publiek – dat hem normaal gesproken aanmoedigde om grappig en ontroerend te zijn – genoeg had van zijn gestuntel. Een nog niet eerder uitgeprobeerd en duidelijk niet grappig verhaal over de uitgezakte kont van Schotse meisjes (*het zijn net zakken haggis, die meiden... haggis-koeriers, die worst met stukjes hart en lever in hun broek smokkelen*) was niet in staat het tij te keren. Zelfs zijn gitaar klonk schel in zijn eigen oren.

De volgende ochtend was Joe nog altijd spoorloos. Het echtpaar dat Pat onderdak verleende had *The Scotsman* voor zijn deur gelegd, opengeslagen op de recensie waarin hij één ster kreeg. Hij las woorden als 'grof', 'wartaal' en 'boos', en legde de krant weg. Die avond kwamen er acht mensen kijken; vanaf dat moment ging het min of meer zoals hij zich had voorgesteld. De avond daarna vijf man publiek. Nog altijd geen spoor van Joe. Snorremans kwam langs om Pat te vertellen dat zijn weekcontract niet zou worden verlengd. Een buikspreker zou zijn plek op het podium en zijn kleedkamer overnemen. Hij had Pats cheque aan zijn manager gegeven, zei Snorremans. Pat schoot letterlijk in de lach en hij zag voor zich hoe Joe in de trein zat, met zíjn vijfhonderd ballen op zak.

'En hoe moet ik dan naar huis?' vroeg Pat aan de man met de snor.

'Naar de Verenigde Staten?' vroeg de man door zijn neus. 'Eh, geen idee. Zou die gitaar blijven drijven, denk je?'

Het enige goede dat Pat had overgehouden aan zijn donkere periode was dat hij wist hoe hij op straat moest overleven. Hij had het nooit langer dan een paar weken achter elkaar gedaan, maar hij voelde een merkwaardige kalmte en hij wist wat hem te doen stond. In Edinburgh had je artiesten in alle rangen en standen: je had de grote namen, de kleinere betaalde jongens zoals Pat, de hobbyisten, de beginnelingen die 'Free Fringe' speelden, zoals dat heette, en tot slot – helemaal onderaan, maar nog net boven de bedelaars en de zakkenrollers – kwamen nog allerlei straatmuzikanten en straatartiesten: Jamaicaanse dansers op afgetrapte gympen en met onverzorgde dreadlocks, Chileense straatbandjes, goochelaars die vijf kunstjes onder de knie hadden, een zigeunerin met een merkwaardige fluit; en die middag ook Pat Bender, die een grappige draai gaf aan Amerikaanse klassiekers: *Desperado/you better come to your senses/with a pound 'n twenty pences/you ain't never getting home.*

Er waren zoveel Amerikaanse toeristen dat hij voor hij er erg in had vijfendertig pond had opgehaald. Hij kocht een biertje en wat gebakken vis en ging naar het station, waar hij tot zijn verbijstering zag dat het goedkoopste lastminute-kaartje naar Londen zestig pond kostte. Als hij het eten eraf trok, zou hij zeker drie dagen nodig hebben om dat bij elkaar te spelen.

Aan de voet van het kasteel lag een diep, smal park, aan beide kanten omsloten door de stadsmuren. Pat liep het hele park door, op zoek naar een slaapplek, maar na een uur besloot hij dat hij te oud was om buiten tussen de straatkinderen te slapen en ging naar New Town, kocht een glas wodka en betaalde een nachtwaker in een hotel vijf pond om in een wc te mogen slapen.

De volgende ochtend liep hij terug naar het koffietentje en haalde zijn gitaar weer tevoorschijn. Terwijl hij een oud nummer speelde van de Rets, *Gravy Boat*, om zichzelf te herinneren aan het feit dat hij leefde, keek hij op en zag het meisje met wie hij het had gedaan, staand tegen de buizen in zijn kleedkamer. Het meisje zette grote ogen op en pakte de arm van haar vriendin. 'Hé, dat is hem!'

Ze bleek Naomi te heten, nog maar net achttien te zijn, op vakantie uit Manchester, samen met haar ouders, Claude en June, die ergens verderop in een pub zaten te eten en die ongeveer net zo oud bleken als Pat, en die bepaald niet blij waren met het nieuwe vriendje van hun dochter. Naomi had tranen in haar ogen toen ze haar ouders vertelde hoe moeilijk Pat het had, hoe 'ontzettend aardig' hij was geweest, hoe hij door zijn manager was belazerd en nu geen kant meer op kon. Twee uur later zat hij in de trein naar Londen, op kosten van een vader die er geen enkele twijfel over had laten bestaan waarom hij Pat hielp om Schotland uit te komen.

In de trein moest Pat steeds maar denken aan Edinburgh, aan alle wanhopige artiesten die flyers uitdeelden, aan alle straatmuzikanten en torenspitsen en kerken en kastelen en kliffen, aan de strijd om iets te bereiken, om gezien te worden, aan de cyclus van scheppen en rebelleren, aan alle mensen die meenden dat ze iets zeiden of deden wat nieuw was, diepzinnig – terwijl het in werkelijkheid allemaal al triljarden keren eerder was gedaan. Het was altijd zijn grootste wens geweest. *Het maken. Ertoe doen.*

Tja, hoorde hij Lydia al zeggen, *dat kun je dus wel vergeten.*

Kurtis deed open, met iPod-oortjes in de gaten van zijn ronde, ietwat gedeukte hoofd. Zijn gelaatsuitdrukking veranderde niet toen hij Pat zag – of in elk geval was dat wat Pat registreerde op het moment dat Kurtis hem naar binnen trok en hem tegen de muur drukte. Pat liet zijn rugzak en zijn gitaar op de grond vallen – 'Hé, rustig...' – terwijl Kurtis' onderarm hard tegen Pats hals drukte en hem de adem benam, en er een knie in de richting van Pats kruis ging. Trucjes van een uitsmijter, wist Pat, en op datzelfde moment raakte een brede vuist hem vol in zijn gezicht en verjoeg zelfs die gedachte. Pat liet zich langs de muur op de grond zakken. Op de vloer probeerde hij weer op adem te komen, bracht een hand naar zijn bebloede gezicht en wist tussen Kurtis' benen door naar binnen te gluren, waar hij hoopte Umi of Joe te zien; maar het appartement achter Kurtis leek niet alleen verlaten... maar ook volkomen overhoopgehaald. Hij maakte zich een voorstelling van de uitbarsting die alles in gang had gezet, van Joe die binnen kwam stormen, alle shit die eindelijk naar buiten kwam, bij hen alle drie, Joe die tegen een aangeslagen Umi zei dat hij van haar hield. Pat vond het een grappig beeld dat Joe en Umi nu ergens in een trein zouden zitten, met kaartjes die waren betaald van zijn vijfhonderd pond.

Toen drong tot hem door dat Kurtis alleen een onderbroek aan had. Jezus, wat een types. Kurtis torende hijgend boven hem uit. Hij gaf een trap tegen de gitaarkist, en Pat dacht: Alsjeblieft, niet mijn gitaar. 'Vuile klootzak', zei Kurtis uiteindelijk. 'Vuile klootzak dat je bent.' En toen ging hij weer naar binnen. Alleen al de luchtverplaatsing van de dichtgesmeten deur deed Pat pijn.

Het duurde een paar seconden voordat Pat was opgekrabbeld, en hij kwam alleen overeind uit angst dat Kurtis terug zou komen vanwege de gitaar. Op straat liep iedereen met een ruime boog om hem heen, afgeschrikt door Pats neus waar bloed uit gulpte. In een pub een blok verderop vroeg Pat om een biertje, een doekje en wat ijs, fatsoeneerde zich op de wc en hield de deur van Kurtis' appartement in de gaten. Maar na twee uur had hij nog niemand naar buiten zien komen: Joe niet, Umi niet, Kurtis niet.

Toen hij zijn bier op had haalde Pat de rest van zijn geld uit zijn zak en legde het op tafel: twaalf pond en veertig pence. Hij staarde naar het treurige hoopje geld totdat zijn ogen er pijn van deden, en toen liet Pat Bender zijn hoofd in zijn handen rusten en begon te huilen. Hij voelde zich op de een of andere manier gelouterd, alsof hij eindelijk begreep dat wat hij in Edinburgh in had gezien – zijn vertwijfelde behoefte om steeds hoger te reiken – bijna zijn ondergang was geworden. Hij had het gevoel alsof hij uit een tunnel was gekomen, een laatste gang door de duisternis.

Hij was er helemaal klaar mee. Hij hoefde er niet langer toe te doen; het was tijd om domweg te gaan léven.

Pat huiverde toen hij naar buiten liep, een koel briesje in – gedreven door een vastberadenheid die grensde aan wanhoop. Hij glipte de rode telefooncel in voor de deur van de pub. Het stonk er naar pis en er lagen allemaal vervaalde flyers van wilde stripshows en transescortbureaus. 'Sandpoint, Idaho... Amerika', zei hij met schorre stem tegen de telefoniste, en even was hij bang dat hij het nummer was vergeten, maar zodra hij het kengetal zei – 208 – wist hij het weer. Vier pond vijftig, zei de telefoniste, bijna de helft van zijn geld, maar Pat begreep dat het geen collect call kon zijn. Niet nu. Hij stopte de munten in het apparaat.

Bij de tweede keer overgaan nam ze op. 'Hallo?'

Er klopte iets niet. Dit was zijn moeder niet... en vol afgrijzen dacht Pat: Te laat. Ze was dood. Het huis was verkocht. Jezus. Hij was te laat tot inkeer gekomen – had de kans gemist om afscheid te nemen van de enige mens op aarde die ooit van hem had gehouden.

Pat Bender stond moederziel alleen, bloedend en huilend, in een rode telefooncel aan een drukke straat in het zuiden van Londen. 'Hallo?' zei de vrouw nog een keer, en nu kwam haar stem hem bekender voor, al was het nog altijd niet de stem van zijn moeder. 'Wie is daar?'

'Hallo?' Pat schraapte zijn keel, veegde de tranen uit zijn ogen. 'Ben jij het... Lydia... ben jij het?'

'Pat?'

'Ja, ik ben het.' Hij sloot zijn ogen en zag haar voor zich, de lijnen van haar hoge jukbeenderen en de donkere, verwonderde ogen onder het kortgeknipte, bruine haar, en hij zag er een teken in. 'Wat doe jij daar, Lydia?'

Ze vertelde hem dat zijn moeder weer chemo kreeg. God – hij was dus nog niet te laat. Pat sloeg een hand voor zijn mond. Er waren een paar mensen die om beurten de zorg op zich namen, zei Lydia – zoals Pats nare tantes Diane en Darlene – en nu was Lydia een paar dagen over uit Seattle. Ze klonk zo rustig en intelligent; geen wonder dat hij voor haar was gevallen. Ze was helder als kristal. 'Waar ben je, Pat?'

'Dat geloof je nooit', zei Pat. Hij was heel toevallig in Londen. Een of andere vent had hem overgehaald om een tournee door de UK te maken, maar het was een beetje uit de hand gelopen, die vent had hem genaaid en nu... Pat kon de stilte aan haar kant van de lijn gewoon voelen.

'Nee... Lydia', zei hij, en hij moest lachen – hij kon zich voorstellen hoe het op haar moest overkomen. Hoeveel van dit soort telefoontjes had ze niet van hem gehad? En zijn moeder – hoe vaak had zij hem niet uit de brand geholpen? 'Dit keer is het anders...' Maar toen viel hij stil. Anders? Hoezo anders? Dit keer... tja, wat? Hij liet zijn blik door de telefooncel glijden.

Wat kon hij zeggen dat hij niet al eens eerder had gezegd, naar welk hoger plan zou hij zichzelf weten te sjorren? *Als ik beloof dat ik nooit meer zal spuiten-drinken-liegen-stelen, mag ik dan alsjeblieft naar huis komen?* Dat had hij vermoedelijk ook al eens gezegd, of hij zou het nog gaan zeggen, over een week, een maand, of wanneer het ook maar opspeelde, en het zou weer opspelen – het onweerstaanbare verlangen om ertoe te doen, naar iets hogers te reiken. Hoger. High. Het verlangen high te zijn. Natuurlijk zou het weer opspelen. Want wat was er verder? Mislukkelingen en onbekenden. Pat schoot in de lach. Hij schoot in de lach omdat hij zich realiseerde dat dit domweg zijn zoveelste flop was in een lange reeks, zoals eigenlijk zijn hele leven een flop was, zoals de interventie van Lydia en zijn moeder een flop was, waar hij zich wild aan had geërgerd *omdat ze het niet echt meenden*; ze begrepen niet dat het allemaal geen ene reet voorstelde als je niet bereid was iemand ook echt helemaal los te laten.

Dit keer... Aan de andere kant van de lijn vatte Lydia zijn lachen heel anders op. 'O, Pat.' Haar stem was nauwelijks meer dan een fluistering. 'Wat heb je gebruikt?'

Hij probeerde antwoord te geven, *niets*, maar hij had geen lucht om woorden te vormen. En op dat moment hoorde Pat ergens achter Lydia's rug zijn moeder de kamer in komen, haar stem zwak en moeizaam. 'Wie is het, lieverd?' Pat realiseerde zich dat het in Idaho drie uur 's nachts was.

Hij had om drie uur 's nachts zijn doodzieke moeder gebeld om te vragen of ze hem voor de zoveelste keer uit de brand kon helpen. Zelfs op het einde van haar leven moest ze dit nog verduren, haar geflopte zoon van middelbare leeftijd. Pat dacht: Toe, Lydia, zeg het, zeg het alsjeblieft! 'Zeg het', fluisterde hij terwijl een rode dubbeldekker langs zijn telefooncel denderde, en hij hield zijn adem in zodat er niet nog meer woorden van zijn lippen konden rollen.

En ze zei het. Lydia haalde diep adem. 'Niemand, Dee', zei ze, en ze hing op.

11

Dee van Troje

April 1962
Rome en Porto Vergogna, Italië

Richard Burton was een gevaar op de weg, vond Pasquale. Hij keek met een half oog naar de weg en hield het stuur losjes vast met twee vingers, zijn elleboog helemaal naar buiten gedraaid. Met zijn andere hand hield hij een sigaret uit het opengedraaide raampje, zonder dat hij van zins leek er een trek van te nemen. Vanaf de passagiersstoel keek Pasquale angstvallig naar het brandende staafje en hij vroeg zich af of hij zich over de man heen moest buigen om de sigaret te pakken voordat de gloeiende askegel Richard Burtons vingers bereikte. De banden van de Alfa gierden en piepten terwijl hij via allerlei slingerweggetjes het centrum van Rome verliet, en enkele mensen schreeuwden hem met gebalde vuist iets na omdat hij ze de stoep op had gejaagd. 'Sorry', zei Burton, of: 'Pardon', en soms: 'Lazer op.'

Pasquale had niet geweten dat Richard Burton Richard Burton was totdat de vrouw van de Spaanse Trappen de beide mannen aan elkaar voorstelde. 'Pasquale Tursi. Dit is Richard Burton.' Even daarvoor was ze Pasquale, die de envelop van Michael Deane nog in zijn handen had, voorgegaan, weg van de Spaanse Trappen, een paar straatjes door, een trap op, een restaurant in en via de achterdeur weer naar buiten, totdat ze uiteindelijk waren aangekomen bij de man, met een zonnebril, een kamgaren pantalon, een trui met daarover een sportief jack en een rood sjaaltje. Hij stond geleund tegen de lichtblauwe Alfa, de enige auto in het smalle straatje. Richard Burton zette zijn zonnebril af en glimlachte flauwtjes. Hij was ongeveer zo groot als Pasquale, had stevige bakkebaarden, een warrige bos donker haar en een kuiltje in zijn kin. Pasquale had nog nooit iemand gezien met zulke scherpe gelaatstrekken, alsof zijn gezicht bestond uit losse, gebeeldhouwde elementen die ter plekke in elkaar waren geschoven. Hij had nauwelijks zichtbare pokputjes en onverschrokken blauwe ogen, die ver uit elkaar stonden. Maar wat vooral opviel was dat hij het grootste hoofd had dat Pasquale ooit had gezien. Pasquale had nog nooit een film met Richard Burton gezien en hij kende diens naam alleen van de twee vrouwen in de trein, de vorige dag, maar één blik op de man en hij wist: dit is een echte filmster.

Op aandringen van de vrouw zette Pasquale in hakkelend Engels de situatie uiteen: Dee Moray die naar zijn dorpje was gekomen, waar ze wachtte op een geheimzinnige man die maar niet kwam opdagen; het bezoek van de dokter en Pasquales reis naar Rome, waar hij per ongeluk tussen de figuranten was beland, het lange wachten op Michael Deane en vervolgens hun verwikkende ontmoeting, een ontmoeting die ermee was begonnen dat hij Deane een knal had verkocht, waarop Deane al snel had toegegeven dat Dee helemaal niet doodziek was, maar zwanger, en tot slot de envelop vol geld waarmee Deane alles wilde afkopen, een envelop die Pasquale nog altijd in zijn hand hield.

'Jezus,' zei Richard Burton uiteindelijk, 'wat is het toch ook een harteloze geldwolf, die Deane. Het is ze kennelijk ernst om die verdomde film af te maken, dat ze die rotzak erop afsturen om de kosten en de roddels en de ellende binnen de perken te houden. Nou, hij heeft de boel mooi in het honderd laten lopen. Het arme kind. Hoor eens, Pat, m'n beste,' en hij legde een hand op Pasquales arm, 'kun jij me naar haar toe brengen, zodat ik tenminste nog iets van hoffelijkheid kan tonen in deze klerezooi?'

'O.' Het was Pasquale eindelijk duidelijk, en de moed zonk hem in de schoenen toen hij begreep dat deze man zijn rivaal was en niet de snotterende Michael Deane. 'Is dus... jouw baby.'

Richard Burton vertrok amper een spier. 'Daar lijkt het op, ja.' En daar zaten ze dan, twintig minuten later, in Richard Burtons Alfa Romeo, die door de buitenwijken van Rome scheurde op weg naar de autostrada, met als einddoel Dee Moray.

'Heerlijk om een stukje te rijden.' De wind speelde met Richard Burtons haar en hij schreeuwde om boven de herrie van het verkeer uit te komen. De zon weerkaatste glinsterend in zijn donkere bril. 'Weet je, Pat, ik ben jaloers dat jij Deane een hengst hebt verkocht. Het is een kinderachtige, smerige lafbek, die vent. Ik denk dat ik iets hoger zou mikken, als het zover is.'

De gloeiende askegel had Richard Burtons vingers bereikt en hij knipte de peuk over het randje van het portier alsof het een bij was waar hij door was gestoken. 'Ik hoop dat je begrijpt dat het volkomen buiten mij om is gegaan dat ze haar hebben weggestuurd. En ik wist al helemaal niet dat ze zwanger is... niet dat ik daar nou blij mee ben. Je weet hoe het gaat, op de set.' Hij haalde zijn schouders op en keek uit het zijraampje. 'Maar ik mag Dee graag. Ze is...' Hij zocht naar het woord en kon er niet op komen. 'Ik heb haar gemist.' Hij bracht zijn hand naar zijn mond en leek verbaasd geen sigaret tussen zijn vingers te hebben. 'Dee en ik hebben vroeger ooit iets gehad, en toen de echtgenoot van Liz in de stad was vonden we elkaar terug. Vervolgens leende Fox me uit voor wat stompzinnige repertoirescènes in *The Longest Day*... vermoedelijk om ervoor te zorgen dat ik een tijdje uit de buurt was. Ik zat in Frankrijk toen Dee ziek werd. Aan de telefoon zei ze dat ze bij dokter Crane was geweest... dat er kanker was geconstateerd. Ze zou naar Zwitserland gaan voor een behandeling, maar we besloten elkaar nog één keer te zien, aan de kust. Ik heb gezegd dat ik mijn opnamen voor *The Longest Day* zou afmaken en dat ik haar dan in Portovenere zou opzoeken, en ik heb het aan die bloedzuiger van een Deane overgelaten om alles te regelen. Die schoft is er een meester in om de dingen te verdraaien. Hij vertelde me dat haar toestand was verslechterd en dat ze voor een behandeling naar Bern was. Dat ze me zou bellen zodra ze terug was. Wat kon ik doen?'

'Portovenere?' zei Pasquale. Ze was dus toch per ongeluk in zijn dorp verzeild geraakt. Of dankzij Michael Deanes gekonkel.

'Het komt door die vervloekte film.' Richard Burton schudde het hoofd. 'Het is een duivelsgat, die ellendige film. Overal flitsers... priesters met een camera in hun soutane... *fixers* die ze uit Amerika laten overkomen om ons bij de vrouwen en de drank weg te houden... die verrekte roddelbladen die erbovenop zitten zodra we ook maar één cocktail drinken. Ik had maanden geleden al moeten opstappen. Het is waanzin. En weet je waarom het zo uit de hand is gelopen? Dat zal ik je zeggen. Het komt allemaal door haar.'

'Dee Moray?'

'Wat?' Richard Burton keek Pasquale aan alsof hij niet goed had opgelet. 'Dee? Nee. Nee, het komt door Liz. Alsof er verdomme een tornado door je huis raast. Ik zat hier allemaal niet op te wachten. Allesbehalve. Ik had het prima naar mijn zin met *Camelot*. Niet dat Julie Andrews ook maar iets van me moest hebben... maar goed, geloof me, over vrouwelijk gezelschap heb ik bepaald niet te klagen. Nee, ik hield het voor gezien met die hele filmwereld. Ik wilde het podium weer op, de belofte inlossen, de ware kunst... al dat gewauwel. En ineens belt mijn agent, dat Fox me wil uitkopen uit *Camelot* en me vier keer zoveel biedt om wat met Liz Taylor te dollen in een ochtendjas. Vier keer zoveel! En ik hapte niet eens meteen toe. Zei dat ik erover wilde nadenken. Welke sterveling moet dáár nou over nadenken? Ik, dus. En weet je wat ik dacht?'

Pasquale kon alleen maar zijn schouders ophalen. Als je naar deze man luisterde had je het gevoel dat je in een storm was beland.

'Ik moest aan Larry denken.' Richard Burton keek Pasquale aan. 'Olivier, die me de les las met die vervelende-oom-stem van hem.' Richard Burton stak zijn onderlip iets naar voren en zei met een nasale stem: 'Dick, uiteindelijk zul je toch een keer de knoop moeten doorhakken, of je een grote naam wilt worden of een groot ac-teur.' Hij lachte. 'Ouwe zatlap. De laatste avond van *Camelot* hief ik het glas om te proosten op Larry en zijn vervloekte toneel. Zei dat ik het geld zou aannemen, heel fijn, en dat ik die ravenzwarte Liz Taylor binnen een week op haar knieën zou hebben gedwongen... of liever gezegd, op die van mij.' Hij moest weer lachen bij de herinnering. 'Olivier... Jezus. Wat maakt het uiteindelijk ook uit, of de zoon van een mijnwerker uit Wales op het toneel komt of op het witte doek? Onze namen staan toch geschreven in water, zoals Keats zei, dus wat maakt het verdomme uit? Die ouwe zatlappen als Olivier en Gielgud kunnen elkaars rug op met hun principes, *aan de kant jongens, we moeten verder met dit circus,* zo is het toch?' Richard Burton wierp een blik over zijn schouder, zijn haar helemaal in de war door de wind in de open auto. 'Dus ik naar Rome, waar ik Liz ontmoette en geloof me, Pat, zo'n vrouw had ik nog nooit gezien. Ik wil maar zeggen, ik heb aardig wat vrouwen gehad, maar zij? Mijn god. Weet je wat ik zei, de eerste keer dat we elkaar spraken?' Hij wachtte Pasquales reactie niet af. 'Ik zei: "Heeft iemand al eens tegen je gezegd... dat je niet onaardig bent om te zien?"'

Hij glimlachte. 'En als die ogen op je blijven rusten? Mijn god, dan staat de wereld even stil... Ik wist dat ze getrouwd was, en wat belangrijker is, dat het een gevaarlijke vrouw is, maar ik ben ook maar een mens, hè. Als je ook maar een greintje verstand hebt word je natuurlijk veel liever een groot acteur dan een grote naam, met gelijke inzet, maar uiteindelijk is het natuurlijk helemaal geen keuze, hè? Want ze leggen ook nog eens een hele partij geld aan een kant van de weegschaal, en dan, Jezus, dan komen die tieten en die taille er nog eens bij... en die ogen, mijn god, die ogen... en dan begint de balans door te slaan, m'n beste, dan slaat de balans helemaal door. Nee, nee, onze naam staat zonder meer geschreven in water. Of in cognac, met een beetje geluk.'

Hij knipoogde en gaf een ruk aan het stuur, Pasquales hand zocht steun op het dashboard. 'Cognac! Helemaal niet zo'n slecht idee. Kijk jij of je ergens wat ziet, m'n beste?' Hij haalde diep adem en ging verder met zijn verhaal. 'De kranten kregen er natuurlijk lucht van, van Liz en mij, en haar man kwam naar de stad en ik liep met mijn ziel onder mijn arm rond, was vier dagen stomdronken, en ergens in die vier dagen zocht ik weer troost bij Dee, zat en sneu. Eens in de twee weken sta ik ineens weer voor haar deur.' Hij schudde het hoofd. 'Het is een slimme meid... ze weet wat ze wil.

Voor een aantrekkelijke vrouw is het een last om zo slim te zijn, om overal doorheen te kijken. Ze zou het vast met Larry eens zijn dat ik mijn talent vergooi met dit soort snertfilms. Ik wist gewoon dat ik mijn handen zou branden aan Dee. Ik had haar met rust moeten laten, maar ja... we zijn nu eenmaal wie we zijn, waar of niet?' Hij klopte met zijn linkerhand op zijn borstzakje. 'Heb jij toevallig nog een peuk voor me?'

Pasquale haalde een sigaret uit zijn pakje en stak die voor hem op. Richard Burton nam een flinke hijs en de rook kringelde uit zijn neus naar buiten. 'Die Crane, de vent die Dee heeft onderzocht... Liz' pillenboer, hij rammelt bij elke stap. Deane en hij hebben die kankernonsens bekokstoofd om Dee hier weg te krijgen.' Hij schudde het hoofd. 'Jezus christus, je moet wel een enorme hufter zijn om tegen een vrouw met zwangerschapsmisselijkheid te zeggen dat ze ongeneeslijke kanker heeft. Die lui zijn tot alles in staat.'

Hij trapte ineens vol op de rem, de banden leken op te springen, als een angstig dier, en de auto zwenkte van de weg en kwam met gierende banden tot stilstand bij een winkel in een buitenwijk van Rome. 'Zeg m'n beste, heb jij ook zo'n dorst?'

'Ik heb vooral honger', zei Pasquale. 'Ik heb niet gegeten.'

'Mooi. Uitstekend. En heb je toevallig ook geld bij je? Ik was zo van slag toen we vertrokken dat ik bang ben dat ik wat krap bij kas zit.'

Pasquale haalde een briefje van duizend lire uit de enveloppe. Richard Burton pakte het geld aan en stoof de winkel in.

Een paar minuten later kwam hij weer naar buiten met twee geopende flessen rode wijn, waarvan hij er eentje aan Pasquale gaf en de andere tussen zijn benen klemde. 'Wat is dat voor achterlijke tent, dat ze niet eens cognac verkopen? Moeten we onze naam soms in druivenbocht schrijven? Nou ja, er zal zo wel iets komen.' Hij nam een flinke slok wijn en zag dat Pasquale hem aankeek. 'Mijn vader dronk twaalf glazen bier per dag. Omdat ik Welsh ben, moet ik het in de hand zien te houden, dus ik drink alleen tijdens het werk.' Hij knipoogde. 'Daarom ben ik verdomme áltijd aan het werk.'

Vier uur later had de man die Dee Moray zwanger had gemaakt op een paar slokken na alle twee de flessen wijn leeggedronken en was hij gestopt om een derde te kopen. Pasquale kon nauwelijks geloven dat iemand zoveel wijn kon verstouwen. Richard Burton parkeerde de Alfa Romeo vlak bij de haven van La Spezia en Pasquale ging naar een visserskroegje, waar hij uiteindelijk iemand bereid vond om hen voor tweeduizend lire naar Porto Vergogna te brengen, verderop aan de kust. De visser liep tien meter voor hen uit naar zijn boot.

'Ik kom zelf ook uit een klein dorpje', zei Richard Burton tegen Pasquale terwijl ze zich op het houten bankje voor in de tien meter lange, klamme boot van de visser lieten zakken. Het was een koude, donkere avond en Richard Burton sloeg de kraag van zijn jack op tegen de snijdende zeewind. De schipper stond drie treetjes boven hen, met zijn handen aan het roer, en voer dwars op de korte golfslag de haven uit. Het schuim spatte op bij de boeg, sloeg over het gangboord, stroomde weer terug. Pasquale kreeg alleen nog maar meer honger door de zilte lucht.

De schipper deed of ze er niet waren. Zijn oren gloeiden van de kou en waren rood geworden door de frisse wind.

Richard Burton leunde achterover en slaakte een zucht. 'Het gat waar ik vandaan kom heet Pontrhydyfen. Ligt in een kleine vallei, ingeklemd tussen twee groene bergen, doorsneden door een riviertje met water zo helder als wodka. Welsh mijndorpje. En hoe denk je dat ons riviertje heet?'

Pasquale had geen flauw idee waar hij het over had.

'Denk maar eens na. Je snapt het vanzelf.'

Pasquale haalde zijn schouders op.

'Avon.' Hij keek Pasquale verwachtingsvol aan. 'Geestig, niet?'

Pasquale zei dat het heel geestig was.

'Goed... hoorde ik iemand over wodka? O ja, dat was ik zelf.' Richard Burton slaakte een vermoeide zucht. Toen riep hij naar de schipper: 'Is er echt geen drank aan boord? Dat kan toch niet waar zijn? Kapitein!' De man deed of hij lucht was. 'Hij riskeert spontane muiterij, vind je niet, Pat?' Toen leunde Richard Burton weer achterover, sloeg zijn kraag nog wat hoger op tegen de koude wind, en vertelde verder over het dorpje waar hij was opgegroeid. 'We waren met zijn dertienen, allemaal kleine Jenkinsjes, stuk voor stuk aan de tiet, tot de kleine die na mij kwam. Ik was twee toen mijn arme moeder eindelijk de geest gaf, helemaal leeggezogen. Er was niets meer over van die arme vrouw, net een verschrompelde ballon. Ik had het laatste beetje gekregen. Daarna ben ik opgevoed door mijn zus Cecilia. Aan die ouwe Jenkins hadden we niets. Al vijftig toen ik werd geboren, dronken zodra de zon opkwam, ik heb hem nauwelijks gekend... zijn naam is het enige wat hij me heeft nagelaten. Burton komt van een toneeldocent, al zeg ik altijd dat het van Robert Burton komt. *The Anatomy of Melancholy*? Nee? Oké. Sorry.' Hij liet een hand over zijn borst glijden. 'Nee, ik heb het helemaal zelf bedacht, dit... *Burton*. Dickie Jenkins is een kleine tietenknijper, maar deze Richard Burton... dat is niet zomaar iemand.'

Pasquale knikte, de zeegang in combinatie met Burtons dronken woordenstroom maakte hem bijzonder slaperig.

'De jongens van Jenkins werkten allemaal in de kolen, behalve ik, en ik heb mijn ontsnapping te danken aan mazzel en aan Hitler. De RAF was mijn redding, en hoewel ik verdomme te blind bleek om te mogen vliegen zat ik wel ineens in Oxford. Weet je wat je moet zeggen als je in Oxford iemand uit mijn dorp tegen het lijf loopt?'

Pasquale haalde zijn schouders op, murw door het onophoudelijke gewauwel van de man.

'Dan moet je zeggen: "Ga toch lekker je heg snoeien!"' Toen Pasquale niet lachte, boog Richard Burton zich wat dichter naar hem toe om het uit te leggen. 'De grap is... niet om mezelf op de borst te kloppen, maar ik ben niet altijd...' Hij zocht naar woorden. 'Zó geweest. Nee, ik weet hoe het is om op het platteland te wonen. O, ik ben een hoop vergeten, dat geef ik meteen toe, ik ben verweekt. Maar dát ben ik niet vergeten.'

Pasquale had nog nooit van zijn leven iemand ontmoet die zoveel praatte als deze Richard Burton. Pasquale had zichzelf aangeleerd om op een ander onderwerp over te stappen als hij iets niet begreep in het Engels, en dat probeerde hij nu ook te doen – voor een deel om zijn eigen stem weer even te horen. 'Tennis jij, Richard Burton?'

'Eerder rugby, heb ik veel gedaan... ik hou wel van een beetje ruig. Na Oxford had ik er wel mee door willen gaan, *wing-forward*, ware het niet dat mannen aan het toneel met zoveel gemak jonge vrouwen hun bed in weten te krijgen.' Hij staarde voor zich uit. 'Mijn broer Ifor, die was goed in rugby. Ik had zijn niveau kunnen halen als ik ermee was doorgegaan, al zou ik het nooit veel verder hebben geschopt dan de hockeymeisjes met de grote tieten. Naar mijn idee had ik aan het toneel een ruimere keuze.' Toen richtte hij zich weer tot de schipper: 'Is er echt geen druppel drank aan boord, kap'tein? Geen cognac?' Toen er geen reactie kwam, liet hij zich weer tegen de voorplecht zakken. 'Ik mag hopen dat die eikel met die badkuip van hem in de golven verdwijnt.'

Eindelijk rondden ze dan de golfbreker en nam de ijzige wind wat af terwijl de boot vaart minderde en het haventje van Porto Vergogna binnentufte.

Ze bonkten tegen de houten stootrand aan het einde van de pier en het zeewater klotste over de drijfnatte, doorgezakte planken. Richard Burton keek met toegeknepen ogen in het maanlicht naar het handjevol huizen van steen en pleisterwerk, enkele verlicht door lantaarns. 'Ligt de rest van het dorp aan de andere kant van die helling?'

Pasquale keek naar de bovenste verdieping van zijn hotel, naar het donkere raam van Dee Morays kamer. 'Nee. Is alleen Porto Vergogna, dit.'

Richard Burton schudde het hoofd. 'Juist, ja. Natuurlijk. Mijn god, het is niet meer dan een spleet in de rotsen. En geen telefoon?'

'Nee.' Pasquale schaamde zich. 'Misschien komt volgend jaar.'

'Die Deane is echt niet goed wijs', zei Richard Burton, en Pasquale meende iets van bewondering in zijn stem te horen. 'Ik zal die ellendeling geselen tot het bloed uit zijn tepels loopt. De schoft.' Hij stapte op de steiger terwijl Pasquale de visser uit La Spezia betaalde, die vervolgens de boot afduwde en zonder ook maar een woord te zeggen wegvoer. Pasquale ging aan wal.

Boven hem, op het piazza, zaten de vissers te drinken, alsof ze in gespannen afwachting verkeerden. Ze liepen druk heen en weer, als een zwerm verstoorde bijen. Tomasso de Communist werd naar voren geschoven en hij daalde aarzelend de trap naar het water af. Hoewel Pasquale inmiddels wist dat Dee Moray helemaal niet stervende was, dacht hij meteen dat haar iets vreselijks was overkomen.

'Gualfredo en Pelle zijn hier vanmiddag geweest, met de sloep', zei Tomasso toen hij Pasquale halverwege de trap trof. 'Ze hebben je Amerikaanse meegenomen, Pasquale! Ik heb nog geprobeerd ze tegen te houden. Je tante Valeria ook. Ze zei dat het meisje dood zou gaan als ze haar zouden meenemen. De Amerikaanse wilde niet weg, maar die hond van een Gualfredo zei dat ze in Portovenere moest zijn en niet hier... dat er daar een man op haar wachtte. En toen is ze met hem meegegaan.'

Omdat het gesprek in het Italiaans was drong het niet door tot Richard Burton, die de kraag van zijn jack weer naar beneden sloeg, zichzelf wat fatsoeneerde en een blik omhoog richtte, op de verzameling witgekalkte huisjes. Hij glimlachte naar Tomasso en zei: 'Je bent zeker geen barman, beste kerel? Ik kan wel een borrel gebruiken voordat ik dat arme kind vertel dat ze zwanger van me is.'

Pasquale vertaalde wat Tomasso had gezegd. 'Er is een man uit een ander hotel gekomen en hij heeft Dee Moray meegenomen.'

'Waar naartoe?'

Pasquale wees naar een plek verderop aan de kust. 'Portovenere. Hij zegt ze moet daar zijn en mijn hotel niet goed genoeg voor Amerikanen.'

'Dat is piraterij! Dat kunnen we toch niet tolereren?'

Ze liepen naar het piazza en de vissers deelden de rest van hun grappa met Richard Burton, terwijl ze bespraken wat ze moesten doen. Er werd geopperd om tot de volgende ochtend te wachten, maar Pasquale en Richard Burton waren het erover eens dat Dee

Moray zo snel mogelijk moest weten dat ze geen kanker had, dat ze niet stervende was. Ze zouden nog die nacht naar Portovenere gaan.

Er maakte zich een luidruchtige opwinding meester van de mannen aan de koude, kabbelende kust: De Oude Tomasso zei dat hij Gualfredo de keel zou doorsnijden; Richard Burton vroeg in het Engels of iemand wist tot hoe laat de kroegen in Portovenere open waren; Lugo de Oorlogsheld rende naar huis om zijn karabijn te halen; Tomasso de Communist stak een hand in de lucht, alsof hij salueerde, en bood aan om de aanval op Gualfredo's hotel te leiden; en ongeveer op dat moment realiseerde Pasquale zich dat hij de enige nuchtere man was in Porto Vergogna.

Hij liep naar het hotel en ging naar binnen om tegen zijn moeder en zijn tante Valeria te zeggen dat ze langs de kust zouden afzakken, en om een fles port te pakken voor Richard Burton. Zijn tante keek door het raam en vertelde wat ze zag aan Pasquales moeder, die met wat kussens in haar rug in bed zat. Pasquale stak zijn hoofd om het hoekje van de deur.

'Ik heb geprobeerd ze tegen te houden', zei Valeria. Ze had een dreigende blik in haar ogen. Ze gaf Pasquale een briefje.

'Ik weet het', zei Pasquale terwijl hij het briefje las. Het was een briefje van Dee Moray. 'Pasquale, er kwamen een paar mannen om me te vertellen dat mijn vriend in Portovenere op me wacht en dat er een vergissing in het spel is. Ik zal zorgen dat je betaald krijgt voor al je inspanningen. Bedankt voor alles. Liefs, Dee.' Pasquale slaakte een zucht. *Liefs.*

'Wees voorzichtig', zei zijn moeder vanuit haar bed. 'Gualfredo is meedogenloos.'

Hij stopte het briefje in zijn zak. 'Het komt wel goed, mama.'

'Ja, dat geloof ik ook, Pasqo', zei ze. 'Je bent een goed mens.'

Pasquale was niet gewend aan een dergelijke blijk van genegenheid, vooral niet wanneer zijn moeder een van haar sombere perioden had. Misschien krabbelde ze langzaam op. Hij liep de kamer in en boog voorover om haar een kus te geven. Hij rook de zurige geur die altijd om haar heen hing wanneer ze aan bed gekluisterd was. Maar voordat hij haar een kus kon geven, pakte ze met gekromde vingers zijn arm, zo stevig als ze maar kon, waarbij haar hele arm trilde.

Pasquale keek neer op de trillende hand. 'Mama, ik blijf niet lang weg.'

Met zijn ogen zocht hij steun bij zijn tante Valeria, maar die bleef stug naar de vloer kijken. En zijn moeder wilde zijn arm niet loslaten.

'Mama. Rustig nou maar.'

'Ik zei nog tegen Valeria dat zo'n lange, Amerikaanse vrouw hier nooit zou blijven. Ik zei nog dat ze weer weg zou gaan.'

'Mama. Waar heb je het over?'

Ze liet zich in de kussens zakken en de greep op zijn arm verslapte. 'Ga die Amerikaanse halen en trouw met haar, Pasquale. Mijn zegen heb je.'

Hij lachte en gaf haar alsnog een kus. 'Ik zal haar vinden, mama, maar ik hou van jou. Alleen van jou. Voor mij is er geen ander.'

Toen Pasquale weer buiten kwam zaten Richard Burton en de vissers nog altijd te drinken op het piazza. Een beschaamde Lugo zei dat ze zijn karabijn toch niet konden gebruiken, want zijn vrouw had hem nodig om tomaten te planten in hun rotstuintje.

Op weg naar de waterkant stootte Richard Burton Pasquale aan en wees naar het Hotel Redelijk Uitzicht. 'Van jou?'

Pasquale knikte. 'Van mijn vader.'

Richard Burton gaapte. 'Geniaal.' Vervolgens pakte hij opgewekt de fles port. 'Ik moet wel zeggen, Pat, dat dit een verdomd merkwaardige aanblik biedt.'

De vissers hielpen Tomasso de Communist om zijn netten, zijn visgerei en een slapende kat naar het piazza te brengen, en ze gebruikten de kar om zijn buitenboordmotor naar het water te rijden. Pasquale en Richard Burton gingen aan boord. De vissers keken hen na op wat er restte van Pasquales strand. Tomasso gaf een ruk aan het startkoord en sloeg daarbij de fles port uit Richard Burtons hand, maar gelukkig belandde de fles zonder al te veel morsen in Pasquales schoot. Hij gaf hem terug aan de dronken man uit Wales. Maar de motor wilde niet starten. Ze lagen te deinen op de golven en dreven langzaam af, terwijl Richard Burton boeren onderdrukte en zich telkens verontschuldigde. 'Het is een beetje muf aan boord van dit jacht', zei hij.

'Kloteding!' schreeuwde Tomasso tegen de motor. Hij gaf er een klap op en trok nogmaals aan het koord. Niets. De andere vissers riepen dat het de bougie was, of de benzine, en vervolgens zeiden degenen die bougie hadden gezegd benzine, en wie benzine had gezegd zei bougie.

Richard Burton leek van het ene op het andere moment door iets bevangen; hij stond op en richtte zich met zware, sonore stem tot de drie oude vissers die aan de kant stonden te schreeuwen: 'Vrees niet, goede Achaeërs. Ik zweer u: vanavond zal men in Portovenere zoete tranen schreien... tranen van verdriet om de gestorven zonen... in wier naam we nu ten strijde trekken, omwille van de schone Dee, de vrouw die ons aller bloed sneller doet stromen. Ik geef u mijn woord als man van eer, als Achaeër: we zullen enkel terugkeren als overwinnaars!' En hoewel ze er geen woord van verstonden wisten de vissers allemaal dat het een heldhaftige redevoering was en dus begonnen ze allemaal te juichen – zelfs Lugo, die tegen de rotsen stond te plassen. Richard Burton zwaaide met zijn fles boven het hoofd van zijn twee bemanningsleden, als om hen te zegenen: Pasquale, die ineengedoken tegen de kou achter in de boot was gekropen, en Tomasso de Communist, die met de choke van de buitenboordmotor in de weer was. 'O, verloren zonen van Portovenere, bereid je voor op de ongekende nederlaag die dit onverschrokken leger van nobele mannen jullie zal toebrengen.' Hij legde een hand op Pasquales voorhoofd: 'Achilles hier, en die onwelriekende vent die aan het startkoord trekt, zijn naam is me ontschoten, beide nobele mannen, sterk en genadeloos, en...'

Tomasso trok, de motor pakte en Richard Burton sloeg bijna overboord, maar Pasquale wist hem net op tijd vast te grijpen en dwong hem weer te gaan zitten. Burton gaf Pasquale een klopje op zijn arm en lispelde: '...verwant qua bloed, maar qua gevoel vervreemd.' Ze tjoekten weg, de grauwe, bonkende zee op. Eindelijk was de reddingsploeg dan op pad.

Aan land zochten de vissers een voor een hun bed weer op. In de boot slaakte Richard Burton een zucht. Hij nam een flinke slok en wierp nog een laatste blik op het dorpje dat achter de rotswand verdween, alsof het nooit had bestaan.

'Hoor eens, Pat', zei Richard Burton. 'Ik neem terug wat ik eerder heb gezegd, dat ik uit een dorpje kom, net als jij.' Hij gebaarde met de fles port. 'Ik geloof onmiddellijk dat het er geweldig is, maar allejezus, ik heb wel grotere nederzettingen achtergelaten in een vuile broek.'

Ze gingen aan land en liepen recht op Gualfredo's onlangs gemoderniseerde albergo af, Hotel Zeezicht in Portovenere. De receptionist verlangde ook nog eens een deel van het zwijggeld dat Pasquale van Michael Deane had gekregen, maar nadat ze hadden onderhandeld over de exorbitante prijs gaf de man hun de fles cognac waar Richard Burton om had gevraagd en het kamernummer van Dee Moray. In de boot had de acteur even geslapen – Pasquale begreep niet hoe het mogelijk was – en nu liet hij de cognac als spoelwater door zijn mond gaan, slikte het door, streek zijn haar in model en zei: 'Zo. Om door een ringetje te halen.' Samen met Pasquale liep hij de trap op en de gang door, naar Dee's hoge kamerdeur. Pasquale gaf zijn ogen de kost in het gemoderniseerde hotel van Gualfredo en weer schaamde hij zich voor zijn sjofele pensione waar hij Dee Moray had ondergebracht. Door de geur die in het hotel hing – schoonmaakmiddel, en iets wat hem op een bepaalde manier Amerikaans voorkwam – bedacht hij dat het wel zou stinken in Redelijk Uitzicht, met die oude vrouwen en die bedompte, klamme zeelucht.

Richard Burton liep zwalkend voor Pasquale uit over de hoogpolige vloerbedekking, en bij elke stap probeerde hij te voorkomen dat hij kapseisde. Hij streek zijn haar weer glad, gaf Pasquale een knipoog en klopte toen zachtjes, met een knokkel, op de deur van de hotelkamer. Toen er geen reactie kwam, klopte hij wat harder.

'Wie is daar?' De stem van Dee Moray klonk aan de andere kant van de deur.

'Ik ben het, schat. Richard', zei hij. 'Ik kom je redden.'

Een tel later zwaaide de deur open en daar stond Dee, in een kamerjas. Ze vlogen elkaar om de hals en Pasquale moest de andere kant opkijken uit angst dat hij zijn jaloezie zou laten blijken, en zijn diepe gêne dat hij ooit had kunnen denken dat ze iets zou willen met een man als hij. Hij was een ezel die getuige was van de capriolen van twee volbloeden in de wei.

Na een paar tellen duwde Dee Moray Richard Burton van zich af. Met een stem die het midden hield tussen verwijtend en liefdevol, zei ze: 'Waar bleef je nou?'

'Ik heb je gezocht', zei Richard Burton. 'Het was een ware odyssee. Maar luister, ik moet je iets vertellen. Ik ben bang dat we het slachtoffer zijn van een misselijke list.'

'Waar heb je het over?'

'Laten we naar binnen gaan. Ga zitten. Ik zal het allemaal uitleggen.' Richard Burton manoeuvreerde haar weer naar binnen en de deur viel achter hen in het slot.

Ineens stond Pasquale in zijn eentje op de gang, keek naar de deur, wist niet goed wat hij moest doen, luisterde naar het gedempte gesprek dat binnen werd gevoerd en probeerde te bedenken of hij gewoon zou blijven staan of op de deur zou kloppen om te laten weten dat hij er ook nog was, of dat hij maar met Tomasso terug moest gaan naar de boot. Hij gaapte en leunde tegen de muur. Hij was al vierentwintig uur in touw. Inmiddels zou Richard Burton haar wel hebben verteld dat ze niet doodging maar dat ze zwanger was, en toch hoorde hij aan de andere kant van de deur niet de geluiden die je zou verwachten bij een dergelijk nieuwtje –een luidruchtige woede-uitbarsting of een kreet van opluchting bij het vernemen van de waarheid, of de schrik dat ze een kind zou krijgen. Een kind! had ze kunnen roepen. Of ze had het kunnen vragen: Een kind? Maar hij hoorde enkel gedempte stemmen aan de andere kant van de deur.

Er waren misschien vijf minuten verstreken. Pasquale had net besloten weg te gaan toen de deur openging en Dee Moray in haar eentje naar buiten kwam, haar ochtendjas stevig dichtgesnoerd.

Ze had gehuild. Ze zei niets, liep alleen door de gang, haar blote voeten trippelend over de vloerbedekking. Pasquale duwde zichzelf weg van de muur. Ze sloeg haar armen om zijn nek en omhelsde hem innig. Hij sloeg zijn armen om haar heen, om de geplooide stof bij haar middel; hij voelde de zijde op haar huid, onder haar soepele kamerjas, voelde haar borsten tegen zijn borst. Ze rook naar rozen en zeep en Pasquale bedacht vol afgrijzen hoe hij moest ruiken na de dag die hij achter de rug had – na ritjes in een bus, een auto en twee vissersboten – en pas op dat moment drong het goed tot hem door wat een krankzinnige dag het was geweest. Was deze dag echt begonnen in Rome, waar hij bijna een rol als figurant had gekregen in *Cleopatra*? Op dat moment begon Dee Moray te trillen als de oude motor van Tomasso's boot. Hij hield haar een minuut lang in zijn armen en probeerde domweg van het moment te genieten – haar strakke huid onder de zachte stof van de kamerjas.

Uiteindelijk maakte Dee Moray zich van hem los. Ze wreef in haar ogen en keek Pasquale aan. 'Ik weet niet wat ik moet zeggen.'

Pasquale haalde zijn schouders op. 'Is goed.'

'Maar ik wil iets tegen je zeggen, Pasquale, dat moet gewoon.' En toen begon ze te lachen. 'Dank je wel is bij lange na niet genoeg.'

Pasquale keek naar de grond. Soms was het net een diepe pijn, de eenvoudige handeling van in- en uitademen. 'Nee', zei hij. 'Is genoeg.'

Uit zijn zak haalde hij de envelop met geld, die een stuk lichter was dan toen hij hem overhandigd had gekregen op de Spaanse Trappen. 'Michael Deane vraagt ik jou dit geven.' Ze keek in de envelop en rilde van weerzin toen ze het dikke pak geld zag. Hij zei niet dat een deel van het geld voor hem bestemd was; dan leek hij medeplichtig. 'Dit ook', zei Pasquale, en hij gaf haar de continuity-foto's waar ze zelf op stond. De bovenste foto was die van Dee samen met de andere vrouw op de set van *Cleopatra*. Ze sloeg een hand voor haar mond toen ze de foto zag. Pasquale begon: 'Michael Deane zegt ik moet zeggen...'

'Ik wil niet weten wat die ellendeling heeft gezegd', snoerde Dee Moray hem de mond, terwijl haar blik op de foto gericht bleef. 'Toe.'

Pasquale knikte.

Ze had nog altijd niet opgekeken van de continuity-foto's. Ze wees naar de andere vrouw op de foto, de vrouw met het donkere haar, bij wie Dee Moray een hand op de arm had gelegd terwijl ze lachte. 'Ze is eigenlijk heel aardig', zei ze. 'Het is grappig.' Dee slaakte een zucht. Snel keek ze naar de andere foto's en pas toen drong het tot Pasquale door dat ze op een van de foto's wat treurig tussen twee mannen in stond, van wie eentje Richard Burton was.

Dee Moray wierp een blik op de openstaande deur van haar hotelkamer. Toen wreef ze weer in haar betraande ogen. 'Ik denk dat we vannacht maar hier blijven', zei ze. 'Richard is doodop. Hij moet nog een dag naar Frankrijk, voor de opnamen. En dan gaat hij met me mee naar Zwitserland en... dan gaan we samen naar die dokter en dan... nou ja... dan wordt het geregeld.'

'Ja', zei Pasquale. De woorden *dan wordt het geregeld* bleven in de lucht hangen. 'Ik ben blij... jij bent niet ziek.'

'Dank je, Pasquale. Ik ben ook blij.' De tranen stonden in haar ogen. 'Ik kom een keertje terug om je op te zoeken. Is dat goed?'

'Ja', zei hij, maar hij geloofde geen seconde dat hij haar ooit nog zou zien.

'Dan kunnen we naar de bunker lopen, nog een keer naar de schilderingen kijken.'

Pasquale glimlachte alleen maar. Hij concentreerde zich, zocht naar de juiste woorden. 'De eerste avond, jij zegt iets... we weten niet wanneer ons verhaal begint, ja?'

Dee knikte.

'Mijn vriend Alvis Bender, de man die schrijft het boek jij leest, hij vertelt me een keer zoiets. Hij zegt ons leven is een verhaal. Maar alle verhalen gaan andere richting, ja?' Hij wees naar links. 'Jij.' En met zijn andere hand naar rechts. 'Ik.' De woorden kwamen niet overeen met wat hij had willen zeggen, maar ze knikte alsof ze het begreep.

'Maar soms... we zijn als mensen in auto of trein, gaan zelfde kant. Zelfde verhaal.' Hij drukte zijn handen tegen elkaar. 'Is mooi... vind ik, ja?'

'Ja, zeker', zei ze, en ze drukte haar eigen handen tegen elkaar om het hem duidelijk te maken. 'Dank je, Pasquale.' Een van haar handen zakte tot op Pasquales borst en ze keken er allebei naar. Toen trok ze haar hand weg en Pasquale draaide zich om en liep weg, waarbij hij elk beetje trots dat hij in zich had op zijn rug probeerde te dragen, als het schild van de centurion die hij die ochtend bijna was geworden.

'Pasquale!' riep ze na slechts enkele passen. Hij draaide zich om. En ze kwam door de gang naar hem toe en gaf hem nog een kus, en hoewel ze hem nu op de mond kuste was het een heel andere kus dan hun kus op de veranda van Hotel Redelijk Uitzicht. Die kus was een begin geweest, het moment waarop zijn verhaal een aanvang leek te nemen. Deze kus was een afsluiting, niet meer dan het vertrek van een figurant... hij.

Ze veegde haar tranen weg. 'Hier', zei ze, en ze drukte hem een van de polaroidfoto's in handen, van haarzelf en de brunette. 'Zodat je me niet vergeet.'

'Nee. Is van jou.'

'Ik hoef hem niet', zei ze. 'Ik heb die andere al.'

'Ooit wil je wel.'

'Weet je wat... als ik oud ben en ik moet mensen ervan overtuigen dat ik echt actrice ben geweest, dan kom ik hem halen. Goed?' Ze drukte de foto in zijn hand, trippelde terug naar haar kamer en verdween door de deur. Heel voorzichtig deed ze de deur achter zich dicht en draaide hem op slot, als een ouder die de kamer van een slapend kind binnenglipt.

Pasquale bleef naar de deur kijken. Dit was waarnaar hij had verlangd, deze betoverende wereld van de Amerikanen, en als in een droom was ze naar zijn hotel gekomen, en nu was alles weer bij het oude en hij vroeg zich af of het misschien beter was geweest als hij nooit een glimp had opgevangen van wat er zich achter die deur afspeelde.

Pasquale draaide zich om en schuifelde door de gang, de trap af, langs de nachtwaker, naar buiten, waar Tomasso tegen een muur geleund stond te roken. Hij had zijn pet diep over zijn ogen getrokken. Pasquale liet Tomasso de foto zien van Dee met de andere vrouw.

Tomasso keek er even naar, haalde toen één schouder op. 'Puh', zei hij. En de twee mannen liepen terug naar de haven.

12

De tiende afwijzing

Kort geleden
Los Angeles, Californië

Nog voor zonsopkomst, nog voor Guatemalaanse tuinmannen, nog voor advocaten en Mercedessen en de verheffing van de Amerikaanse geest – voelt Claire een hand op haar heup.

'Niet doen, Daryl', mompelt ze.

'Wie?'

Ze opent haar ogen en ziet een bureau van licht hout, een flatscreentelevisie en zo'n schilderij dat je in hotelkamers ziet... want dit ís ook een hotelkamer.

Ze ligt op haar zij en de hand op haar heup komt ergens van achteren. Ze kijkt naar beneden, ziet dat ze haar kleren nog aan heeft; ze zijn tenminste niet met elkaar naar bed geweest. Ze draait zich om en kijkt in de grote, dromerige ogen van Shane Wheeler. Ze is nog nooit eerder wakker geworden in een hotelkamer naast een man die ze nog maar net kent, en ze weet dan ook niet goed wat een mens in een dergelijke situatie zegt. 'Hé', zegt ze.

'Dáryl. Is dat je vriendje?'

'Tien uur geleden nog wel.'

'Die van de striptenten?'

Goed geheugen. 'Ja', zegt ze. Tijdens hun beschonken uitwisseling van de vorige avond had ze op zeker moment verteld dat Daryl zonder enige gêne de hele dag internetporno kijkt en 's avonds naar striptenten gaat en het gewoon weglacht als zij oppert dat dit van weinig respect tegenover haar getuigd. (Ze herinnert zich dat ze haar relatie *uitzichtloos* heeft genoemd.) Nu ze hier zo naast Shane ligt, voelt Claire een ander soort uitzichtloosheid. Wat bezielde haar, om naar de kamer van deze man te gaan? En waar moet ze nu haar handen laten, die nog niet zo lang geleden door Shanes haar woelden, over delen van zijn lichaam streken? Ze pakt haar BlackBerry, die op trillen staat, en neemt een shotje informatie: zeven uur 's ochtends, zestien graden, negen nieuwe mailtjes, twee gemiste oproepen en een kort sms'je van Daryl: *hoe-st?*

Ze kijkt weer over haar schouder naar Shane. Zijn haar lijkt nog warriger dan de vorige avond, zijn bakkebaarden zijn eerder late-Elvis dan alt-hipster. Zijn overhemd ligt op de grond en op zijn magere linkeronderarm ziet ze die stomme tatoeage, DOEN!, die ze deels verantwoordelijk houdt voor wat er gisteravond is gebeurd. Alleen in de film vereist zo'n moment een benevelde flashback: Michael die haar vroeg een kamer in het w te regelen voor Shane en Pasquale, hoe ze de Italiaan naar het hotel had gebracht terwijl Shane in zijn huurauto achter haar aan reed, Pasquale die zei dat hij moe was en zich terugtrok op zijn kamer, hoe ze Shane haar excuses had aangeboden dat ze zo had moeten lachen om zijn pitch, hoe hij het had weggewuifd, maar dan op een manier waarop mensen dingen wegwuiven waar ze heel diep door zijn geraakt. Hoe zij had gezegd: Nee, het spijt me écht, en had uitgelegd dat het niets met hem te maken had – het was haar frustratie over het hele wereldje. Hoe hij had gezegd dat hij het begreep, en dat hij zin had om het te vieren, waarna ze naar een kroeg waren gegaan en zij hem een drankje had aangeboden en hem er voorzichtig aan had helpen herinneren dat de interesse wekken van een producer nog maar een eerste stap was; dat hij haar vervolgens een drankje had aangeboden (*ik heb net tien mille verdiend; ik kan me wel twee cocktails permitteren*) en toen zij weer; en hoe ze elkaar, tussen al die drankjes door, hun verhalen hadden verteld: eerst het nietszeggende, oppervlakkige verhaal dat je aan een onbekende vertelt en waarin je jezelf zo goed mogelijk neerzet – familie, studie, carrière – en vervolgens het werkelijke verhaal, alle ellende van Shanes stukgelopen huwelijk, zijn korte-verhalenbundel die was afgewezen; Claires vermoedelijk verkeerde beslissing om uit haar universitaire cocon te kruipen, en haar vertwijfeling of ze weer terug moest kruipen; het pijnlijke moment waarop Shane inzag dat hij een kalfje was dat nog bij zijn moeder dronk; Claires gefnuikte ambitie om één geweldige film te maken; vervolgens de luidruchtige bekentenissen waarbij ze lachten tot de tranen in hun ogen stonden – *Mijn vriendje is een ongelooflijk aantrekkelijke zombie die naar striptenten gaat!* en *Geloof het of niet, maar ik woon bij mijn ouders in de kelder!* – waarna er weer nieuwe drankjes werden besteld en de overeenkomsten een enorme lading kregen – *Ik ben gek op Wilco* en *Ik ben ook gek op Wilco!* en *Ik hou het meest van Thaise pizza* en *Ik ook!* – en toen had Shane de mouw van zijn nep-cowboyoverhemd opgerold en was Claires oog op de tatoeage gevallen (ze had een zwak voor tattoos), op dat ene woord, DOEN!, en toen had ze het ook maar gewoon gedaan – leunend op de bar had ze hem gekust, en hij had zijn hand tegen haar wang gelegd, zo'n eenvoudig gebaar, zijn hand tegen haar wang, maar iets wat Daryl nooit zou doen, en tien minuten later waren ze op zijn kamer, doken in de minibar op zoek naar nieuwe brandstof, rommelden wat aan als een stel schoolkinderen, zij moest giechelen omdat zijn bakkebaarden kriebelden, hij nam uitgebreid de tijd om te zeggen wat een mooie borsten ze had – en al kussend en frunnikend voerden ze een twee uur durend gesprek over de vraag of ze al dan niet met elkaar naar bed zouden gaan (hij: *ik neig naar Ja*; zij: *ik ben een echte zwevende kiezer*) totdat ze uiteindelijk... in slaap moeten zijn gevallen.

En nu, de volgende ochtend, gaat Claire rechtop in bed zitten. 'Ik heb me niet erg professioneel gedragen.'

'Ligt aan je beroep.'

Ze lacht. 'Als je hiervoor zou hebben betaald, was je goed afgezet.'

Hij legt zijn hand weer op haar heup. 'Het kan alsnog.'

Ze lacht, pakt zijn hand en schuift hem van haar heup op de matras. Al kan ze niet ontkennen dat het een aanlokkelijk voorstel is. Het kussen en rollebollen was bijzonder prettig geweest; de seks zou vast ook goed zijn. Tussen Daryl en haar was er eerst de seks geweest, was het allemaal begonnen met de seks – het fundament van hun relatie. Maar de laatste paar maanden heeft ze het gevoel dat de intimiteit eruit is weggesijpeld, en inmiddels verloopt de seks met Daryl in twee stadia: de eerste twee minuten doen denken aan een onderzoek door een autistische gynaecoloog, de tien minuten daarna aan bezoek van de loodgieter. Ze heeft het gevoel dat Shane er in elk geval wel... met zijn gedachten bij zou zijn.

Ze is in dubio, is in de war, en ze staat op om na te denken, tijd te winnen.

'Waar ga je heen?'

Claire houdt haar telefoon omhoog. 'Kijken of ik nog verkering heb.'

'Ik dacht dat je er een punt achter zou zetten.'

'Ik heb de knoop nog niet doorgehakt.'

'Ik hak hem wel voor je door.'

'Aardig aangeboden, maar ik geloof toch dat ik het liever zelf doe.'

'En als de pornozombie nou vraagt waar je de hele nacht hebt uitgehangen?'

'Dan vertel ik het maar.'

'Maakt hij het dan uit?'

Ze hoort iets verwachtingsvols in de vraag. 'Ik weet het niet', zegt ze. Ze schuift de bureaustoel naar achteren, gaat zitten en bladert door alle gemiste oproepen en mailtjes op haar telefoon om te kijken wanneer Daryl voor het laatst heeft gebeld.

Shane gaat nu ook rechtop zitten, zwaait zijn benen over de rand van het bed en raapt zijn overhemd van de vloer. Ze kijkt op, glimlacht onwillekeurig om zijn schriele aantrekkelijkheid. Hij is een oudere uitvoering van de jongens op wie ze op school altijd viel: ze waren niet echt knap, maar ze kwamen wel in de buurt. Qua uiterlijk is hij de anti-Daryl (Daryl met zijn vierkante kaken en zijn vijfhonderd-push-ups-per-dag-schouders). Shane is hoekig en een al uitstekende botten, alleen een spoortje vet rond zijn middel. 'Wanneer precies heb jij je hemd eigenlijk uitgetrokken?' vraagt ze.

'Geen idee. Ik wilde het goede voorbeeld geven, denk ik.'

Ze richt haar aandacht weer op haar BlackBerry, tikt Daryls 'hoest?'-sms'je aan en probeert te bedenken wat ze terug zal sms'en. Haar duim zweeft boven de toetsjes. Maar er valt haar niets in.

'Wat zag je eigenlijk in die vent?' vraagt Shane. 'In het begin?'

Claire kijkt op. Wat ze in hem zag? Het klinkt te stom voor woorden – maar ze zag alle clichés: Sterretjes. Lichtflitsen. Kinderen. Een toekomst. Ze zag het allemaal, die eerste avond, toen ze haar appartement binnenstormden, hun kleren uitrukten, op elkaars lip beten, tastten en voelden en graaiden – en toen tilde hij haar op, en in één klap was al het gerotzooi op school volkomen onbeduidend, alsof je op een trap tegen iemand opbotste. Ze had echt dat gevoel dat ze pas begon te leven op het moment dat Daryl haar aanraakte. En het was niet alleen maar seks; ze waren versmolten. Ze dacht voor het eerst van haar leven na over die uitdrukking toen ze halverwege opkeek en zichzelf zag... in al haar facetten... door zíjn ogen.

Claire schudt de herinnering af. Dit kan ze echt niet allemaal zeggen, zeker niet hier. Dus zegt ze eenvoudigweg: 'Buikspieren. Ik zag buikspieren.' En het is gek, maar ze voelt zich schuldiger over het feit dat ze Daryl reduceert tot een wasbord dan over het feit dat ze hier in een hotelkamer zit met iemand die ze nog maar net kent.

Shane gebaart met zijn kin naar het mobieltje in haar hand. 'Nou... wat ga je tegen hem zeggen?'

'Geen idee.'

'Je moet tegen hem zeggen dat we verliefd zijn; dan is het meteen einde verhaal.'

'Is dat zo?' Ze kijkt op. 'Zijn we verliefd?'

Met een glimlach sluit hij de drukkertjes van zijn nep-comboy-overhemd. 'Misschien. Zou kunnen. Daar komen we alleen maar achter als we samen iets gaan doen, vandaag.'

'Is dat niet wat impulsief?'

'Het geheim van mijn raadselachtige aantrekkingskracht.'

Jezus; misschien is dat het inderdaad wel – zijn aantrekkingskracht. Ze herinnert zich dat Shane zei dat hij al na een paar maanden was getrouwd met de nuchtere, recht-voor-zijn-raap-serveerster. Het verbaast haar niets – wie zou het woord verlíéfd zelfs maar in de mond durven nemen als hij iemand nog maar net veertien uur kent? Hij straalt onmiskenbaar iets... iets hoopvols uit. Heel even vraagt ze zich af of zij dat zelf ooit heeft gehad. 'Mag ik jóú iets vragen?' zegt Claire. 'Waarom de Donner Party?'

'Vergeet het maar', zegt hij. 'Ik laat me niet nog een keer uitlachen.'

'Ik heb gezegd dat het me spijt. Maar Michael wijst al drie jaar lang alles af wat ik aanbreng, omdat het te deprimerend zou zijn, te duur, te gedateerd... niet commercieel genoeg. En dan kom jij ineens aanzetten met... ik bedoel het niet onaardig, hoor... maar met de meest deprimerende, minst commerciële, kostbaarste kostuumfilm aller tijden, en hij vindt het allemaal geweldig. Het is gewoon zo... onlógisch. Ik vraag me gewoon af wat erachter zit.'

Shane haalt zijn schouders op en pakt een van zijn sokken van de grond. 'Ik heb drie oudere zussen. Mijn vroegste herinneringen zijn allemaal aan hen. Ik hield van hen; ik was een soort speeltje voor ze, een aankleedpop. Toen ik een jaar of zes was kreeg mijn oudste zus, Olivia, een eetstoornis. Ons gezin ging er bijna aan onderdoor.

Het was afschuwelijk. Olivia was dertien, en ze ging naar de wc om over te geven. Ze kocht dieetpillen van haar zakgeld, ze moffelde eten weg in haar kleren. Aanvankelijk gaven mijn ouders haar de wind van voren, maar dat mocht niet baten. Ze trok zich er niets van aan. Het was alsof ze wílde wegkwijnen. Je kon de botten in haar armen zien. Haar haar viel uit.

Mijn ouders hebben echt alles geprobeerd. Therapeuten en psychologen, ziekenhuisopnamen. Volgens mijn ex komt het doordat ze altijd zo overbezorgd waren... ik weet het niet. Ik herinner me dat ik een keer in bed lag en hoorde hoe mijn moeder huilde en mijn vader haar probeerde te troosten. Mama zei steeds maar: "Mijn kind e sterft van de honger."' Shane heeft nog altijd de sok in zijn hand, maar hij trekt hem niet aan. Hij kijkt er alleen maar naar.

'Hoe is het afgelopen?' vraagt Claire zachtjes.

'Hmm?' Hij kijkt op. 'O, het gaat nu goed met haar. De behandeling is aangeslagen, kennelijk. Olivia... is er gewoon overheen. Al heeft ze nog wel rare dingen met eten... zij is de zus die nooit iets te eten meeneemt voor Thanksgiving, maar in plaats daarvan de aankleding verzorgt. Met allemaal kleine pompoenen. De hoorn des overvloeds. En wáág het niet om in haar bijzijn het woord brownie in de mond te nemen. Maar los daarvan lijkt het allemaal goed gekomen. Getrouwd met een of andere sukkel, maar ze zijn redelijk gelukkig. Twee kinderen. Het grappige is... dat niemand het ooit nog over die tijd heeft. Zelfs Olivia doet alsof die periode niet zoveel voorstelde. "Mijn magere jaren", zegt ze dan.

Maar ik ben er nooit overheen gekomen. Toen ik een jaar of zeven, acht was, lag ik 's nachts in mijn bedje te bidden of God alstublieft Olivia beter kon maken... en dan zou ik naar de kerk gaan, naar het seminarie gaan... wat dan ook. Toen er niet meteen iets gebeurde gaf ik mezelf de schuld... je weet hoe kinderen zijn... en koppelde het feit dat mijn zus zich uithongerde aan mijn eigen ongelovigheid.'

Hij kijkt in de verte, wrijft over zijn bovenarm. 'Toen ik eenmaal op de middelbare school zat, ging het veel beter met Olivia en had ik mijn religieuze fase achter me gelaten. Maar ik ben altijd gefascineerd gebleven door verhalen over hongerdood en voedselschaarste. Ik heb alles gelezen wat los en vast zat, werkstukken geschreven over de belegering van Leningrad en over de Ierse Hongersnood... Ik was vooral dol op verhalen over kannibalisme: het Uruguayaanse rugbyteam, Alfred Packer, de Maori... en niet te vergeten de Donner Party.'

Shane slaat zijn blik neer en ziet de sok in zijn hand. 'Ik denk dat ik me identificeerde met die arme William Eddy, die zelf wist te ontkomen maar niet kon voorkomen dat zijn gezin omkwam van de honger in dat vreselijke kamp.' Afwezig trok hij zijn sokken aan. 'Dus toen ik in dat boek van Michael Deane las dat het er bij pitchen vooral om gaat dat je in jezelf gelooft, dat je jezelf pitcht, voelde dat als een openbaring: Ik wist meteen welk verhaal ik moest pitchen.'

Een openbaring? In jezelf geloven? Claire kijkt naar de grond, vraagt zich af of Michael is gevallen voor dat zelfvertrouwen, dat idee van Doe-Het-Nou-Maar-Gewoon. En of dat misschien ook is waar zij gisteravond voor is gevallen. Jezus, misschien kunnen ze *Donner!* inderdaad maken, enkel en alleen op basis van de gedrevenheid van deze knul. Gedrevenheid: nog zo'n woord dat in haar keel blijft steken.

Claire werpt een blik op haar BlackBerry en ziet een mailtje van Danny Roth, Michaels coproducent. De onderwerpregel luidt: *Donner!* Michael heeft Danny kennelijk gebeld over Shanes pitch. Ze vraagt zich af of Danny erin is geslaagd Michael tot inkeer te brengen. Ze opent het mailtje, dat is gesteld in een moeizaam, haastig, bespottelijk elektronisch steno waarvan Danny denkt dat het hem enorm veel tijd bespaart:

C – hoor v Rbrt dat je pitch hebt grgld v Donner ma as. Moet goed lijken ivm contract. Vraag schr naar storybrds of ander materiaal, alsof we al ver zn. Niks laten mrkn. Danny

Ze kijkt op naar Shane, die op de rand van het bed naar haar zit te kijken. Ze richt haar aandacht weer op Danny's mailtje. *Moet goed lijken...* Waarom moet het goed *lijken*, in plaats van goed *zijn*? *Niks laten merken?* Ineens hoort ze weer Michaels grootspraak van de vorige dag: *Ik ga een film pitchen van tachtig miljoen, over kannibalisme in het wilde Westen.*

'O, shit', zegt ze.

'Nog een sms'je van je vriend?'

Zouden ze daar echt toe in staat zijn? Ze herinnert zich dat Danny en Michael het erover hadden dat de juristen op zoek waren naar een manier om onder Michaels contract met Universal uit te komen. Wat een stomme vraag: natuurlijk zijn ze hiertoe in staat. Het zou niet bij ze opkomen om het níét te doen. Dit is hun werk. Claires hand gaat naar haar slaap.

'Wat is er?' Shane gaat staan en ze kijkt naar hem op, de grote hertenogen en de ruige bakkebaarden die zijn gezicht omlijsten. 'Is er iets?'

Claire speelt met de gedachte om niets te zeggen, zodat hij zich nog een weekend kan koesteren in zijn triomf. Ze kan gewoon de rest van het weekend doen of haar neus bloedt, Michael helpen met zijn uitzichtloze pitch en de zoektocht naar die actrice, en dan maandag die baan in het cultmuseum aannemen... dan kan ze blikjes kattenvoer gaan inslaan. Maar Shane kijkt haar aan met die dromerige ogen, en ze realiseert zich dat ze hem echt leuk vindt. Als ze zich ooit wil losmaken, is dít het moment.

'Shane, Michael is helemaal niet van plan om je film te maken.'

'Wat?' Hij lacht flauwtjes. 'Waar heb je het over?'

Ze gaat naast hem op bed zitten en legt het hem allemaal uit, wat haar nu duidelijk is geworden, te beginnen met de deal die Michael heeft gesloten met de studio – de studio die, op een dieptepunt in Michaels carrière, had besloten een deel van zijn schulden over te nemen in ruil voor de exclusieve rechten op enkele van zijn vroege films. 'Er waren ook nog twee andere bepalingen opgenomen in het contract', zegt ze. 'Michael kreeg een kantoor op het studioterrein. En de studio kreeg het eerste recht op zijn ideeen, wat wil zeggen dat hij met alles eerst naar hen moet gaan, en pas als zij het afwijzen mag hij ermee naar een ander. Die zogeheten first look-clausule had weinig om het lijf. Elk script waarmee Michael komt aanzetten wordt al vijf jaar lang door de studio van de hand gewezen. En hij kan natuurlijk met zo'n script of draaiboek naar een andere studio stappen... Maar waarom zouden die er in 's hemelsnaam aan beginnen als ze weten dat Universal het al heeft afgewezen?

Maar toen kwam *Hookbook*. Michael ging ermee aan de slag in de overtuiging dat een realityshow en een website niet onder zijn contract zouden vallen, dat naar zijn idee alleen over filmconcepten ging. Maar naar bleek was in het contract vastgelegd dat de studio het eerste recht had op al Michaels materiaal, 'ongeacht het medium'. Michael had dus een format bedacht dat weleens heel groot zou kunnen worden, maar het bleek min of meer al bij voorbaat eigendom van Universal te zijn.'

'Ik begrijp niet wat dit te maken heeft met...'

Claire legt hem met een gebaar het zwijgen op. 'Vanaf dat moment zijn Michaels juristen naarstig op zoek naar een manier om onder het contract uit te komen. Een paar weken terug hebben ze iets gevonden. De studio heeft een ontsnappingsclausule laten opnemen, uit zelfbescherming, voor het geval Michael niet gewoon een moeilijke periode had, maar echt op zijn retour was. Als Michael binnen een bepaalde periode met een x aantal slechte ideeën zou komen... als de studio bijvoorbeeld binnen vijf jaar tien voorstellen op rij zou afwijzen... dan zouden beide partijen eronderuit kunnen. Maar waar in het contract wordt gesproken van "alle materiaal", beperkt de ontsnappingsclausule zich tot film. Het doet er dus niet toe of Universal *Hookbook* heeft gemaakt: als Michael binnen vijf jaar tien filmideeën uitwerkt die door de studio worden afgewezen, kunnen beide partijen zonder probleem onder het contract uit.'

Shane is snel van begrip, hij fronst zijn voorhoofd. 'Dus volgens jou ben ik...'

'...de tiende afwijzing', zegt Claire. 'Een kannibalenwestern van tachtig miljoen... een film die zo obscuur is, zo duur en zo weinig commercieel dat de studio er onmogelijk ja tegen kan zeggen. Michael gaat met je in zee, laat je een spec script schrijven waar hij niets mee zal doen. Als de studio het afwijst heeft hij de vrije hand om zijn tv-format te verkopen aan de hoogste bieder... voor, wat het zal het zijn, enkele tientallen miljoenen.'

Shane kijkt haar strak aan. Claire vindt het vreselijk om hem dit te moeten vertellen, om zijn jeugdige zelfvertrouwen zo onderuit te halen. Ze legt een hand op zijn arm. 'Het spijt me, Shane', zegt ze.

Op dat moment gaat haar telefoon. Daryl. Shit. Ze knijpt even in Shanes arm, komt overeind, loopt naar de andere kant van de kamer en neemt op zonder op het schermpje te kijken. 'Hé', zegt ze tegen Daryl.

Maar het is Daryl niet.

Het is Michael Deane. 'Claire, mooi zo, je bent al wakker. Waar ben je?' Hij wacht het antwoord niet af. 'Heb je de Italiaan en zijn tolk gisteravond in het hotel afgezet?'

Ze kijkt Shanes kant op. 'Ja, min of meer.'

'Ik moet je spreken. Hoe snel kun je in het hotel zijn?'

'Vrij snel.' Ze heeft Michaels stem niet eerder zo gehoord. 'Michael, luister eens,' zegt ze, 'we moeten het over die pitch van Shane hebben...'

Hij valt haar in de rede. 'We hebben haar gevonden', zegt Michael.

'Wie?'

'Dee Moray! Het punt is dat ze helemaal niet zo heette. Ze heette Debra Moore. Ze heeft al die jaren in Seattle gewoond, waar ze toneelles gaf, en Italiaans. Dat is toch verdomme niet te geloven?' Michael klinkt over zijn toeren, high. 'En dat kind van haar... heb je ooit van The Reticents gehoord, een bandje?' Ook nu weer wacht hij het antwoord niet af. 'Nee, ik ook niet. Hoe dan ook, die privédetective heeft de hele nacht aan het dossier gewerkt. Ik praat je wel bij op weg naar het vliegveld.'

'Het vliegveld? Michael, wat...'

'Ik neem wat leesvoer voor je mee, voor in het vliegtuig. Dan wordt alles wel duidelijk. Ga meneer Tursi en de tolk halen en laat ze hun spullen pakken. Ons vliegtuig gaat om twaalf uur vanmiddag.'

'Maar Michael...'

Hij heeft alweer opgehangen, nog voordat Claire kan zeggen: 'Een vliegtuig? Waar naartoe?' Ze laat haar telefoon zakken en kijkt naar Shane, die nog altijd op het bed zit, met een afwezige blik in zijn ogen. 'Michael heeft zijn actrice gevonden', zegt ze. 'Hij wil dat we met z'n allen op het vliegtuig stappen en naar haar toe gaan.'

Het is alsof Shane haar niet heeft gehoord. Hij kijkt strak naar een punt op de muur achter haar. Ze had gewoon haar mond moeten houden, had zijn zeepbel niet uit elkaar mogen laten spatten.

'Shane, hoor eens, het spijt me echt', zegt ze. 'Je hoeft niet mee. Ik kan wel een andere tolk vinden. Dit wereldje, het is...'

Maar hij onderbreekt haar. 'Dus eigenlijk zeg je dat hij me tienduizend dollar biedt om onder dat contract uit te komen...' Shane heeft een vreemde blik in zijn ogen; een blik die Claire merkwaardig bekend voorkomt. 'En vervolgens harkt hij zelf tien miljoen binnen?'

En dan weet ze waar ze die blik van kent. Het is een blik die ze dagelijks ziet, de blik van iemand die het sommetje maakt, die de dingen doorziet.

'Misschien is mijn film wel meer waard dan tienduizend.'

Jezus christus. Die knul is geknipt voor dit wereldje.

'Zeg nou zelf, wie gaat er nou voor tien mille een kansloze film pitchen? Maar voor vijftig mille? Of táchtig?' Er breekt een sluw lachje door op Shanes gezicht. 'Ik ben van de partij.'

13

Dee gaat naar de film

April 1978
Seattle, Washington

Ze noemde hem Gym Steve, en hij zat in de auto op weg naar haar voor hun afspraakje.

Debra Moore-Bender was er aardig bedreven in geraakt de avances van haar mededocenten af te wimpelen, maar de energieke Steve kon de aantrekkelijke, jonge weduwe niet uit zijn hoofd zetten, en na weken om haar heen te hebben gecirkeld had hij eindelijk de stap durven zetten – ze zaten samen proefwerken na te kijken terwijl elders in het gebouw een schoolfeest gaande was. Boven hun hoofd hing een spandoek met: VOOR ALTIJD SAMEN! VOORJAAR '78.

Debra kwam met haar standaard antwoord – ze ging niet uit met collega-docenten – maar Steve woof dit lachend weg. 'Hoezo? Is dat een soort advocaten-cliëntenbeginsel? Je weet toch dat ik gymnastiek geef, hè? Ik ben geen echte docent, Debra.'

Vanaf het moment dat het nieuws van Steve's scheiding was doorgedrongen tot in de lerarenkamer, had Debra's vriendin Mona op haar ingepraat en gezegd dat ze een keer met Steve moest uitgaan – die schat van een Mona, die zelf de ene mislukte relatie na de andere had, maar wel wist wat het beste was voor Debra. Wat haar over de streep had getrokken was dat Gym Steve had gevraagd of ze zin had om mee te gaan naar de film. Er was een film waar ze dolgraag naartoe wilde...

En nu, een paar minuten voordat hij op de stoep zou staan, haalde Debra voor de badkamerspiegel een borstel door haar in laagjes geknipte, blonde haar, dat golfde als het water in het kielzog van een boot (Miss Farrah, noemden sommige leerlingen haar, en ze deed alsof ze dat vervelend vond). Ze bekeek zichzelf van opzij. Deze nieuwe haarkleur was een vergissing. Ze had zich tien jaar lang verzet tegen de vreselijke ijdelheid van haar jeugd en ze had echt gehoopt dat ze op haar achtendertigste een van die vrouwen zou zijn die er geen moeite mee hadden om ouder te worden, maar zover was ze nog niet. Voor haar was elke grijze haar nog altijd een snuitkever in een bloembed.

Ze keek naar de borstel. De miljoenen slagen door haar haar, de gezichtsverzorging, de sit-ups, wat had ze er niet allemaal voor gedaan – enkel en alleen om die woorden te horen: beeldschoon, mooi, sexy. Er was een tijd geweest dat Debra wist dat ze mooi was zonder er voortdurend mee bezig te zijn; ze had geen behoefte gehad aan bevestiging – niks 'Miss Farrah' of een wellustige Gym Steve of zelfs de lieve maar pijnlijke opmerkingen van Mona ('Als ik er zo uitzag als jij, Debra, zou ik de hele dag masturberen'). En nu? Dee legde de borstel neer, keek ernaar alsof het een talisman was. Ze herinnerde zich dat ze als kind had gezongen met zo'n borstel in haar hand; ook nu weer voelde ze zich een kind, een zenuwachtig, smachtend meisje van vijftien dat zich opmaakt terwijl ze op haar vriendje wacht.

Misschien hoorde het er gewoon bij, zenuwachtig zijn. Een jaar geleden was er een einde gekomen aan haar vorige relatie: de gitaarleraar van haar zoon, Kale Marv (Pat gaf alle mannen in haar leven een bijnaam). Ze mocht Kale Marv graag, dacht dat het wel wat zou kunnen worden. Hij was ouder, eind veertig, had twee volwassen dochters uit een stukgelopen huwelijk en wilde de gezinnen graag 'tot een geheel smeden' – hoewel zijn enthousiasme danig bekoelde toen Debra en hij een avondje uit waren geweest en bij thuiskomst bleek dat Pat al flink aan het smeden was met Marvs vijftienjarige dochter Janet – in bed.

Tijdens Marvs woede-uitbarsting overwoog ze in de bres te springen voor Pat – *Waarom krijgen in dit soort gevallen altijd de jon-*

gens de schuld? Marvs dochter was tenslotte twee jaar ouder. Maar, typisch Pat: hij biechtte vol trots zijn doorwrochte plan op, als een in het nauw gedreven slechterik in een James Bond-film. Het was zijn idee geweest, zijn wodka, zijn condoom. Het verbaasde Debra niet dat Kale Marv er een punt achter zette. Ze vond het altijd vreselijke momenten – de holle frasen, *het past gewoon niet in hoe mijn leven er nu uitziet,* alsof de ander er helemaal niets mee te maken had – maar Kale Marv zei tenminste gewoon waar het op stond: 'Ik hou van je, Dee, maar ik kan het gewoon niet opbrengen, al die toestanden met jou en Pat.'

Jou en Pat. Was het echt zo erg? Carl de Klusser, drie vriendjes eerder, de aannemer die de verbouwing van haar huis had gedaan, wilde niets liever dan met haar trouwen, maar dan moest Debra eerst Pat naar tuchtschool sturen. 'Jezus, Carl,' had ze gezegd, 'hij is negen.'

En nu was het de beurt aan Gym Steve. Zijn kinderen woonden tenminste bij hun moeder; misschien zouden er dit keer geen burgerslachtoffers vallen.

Ze liep door de smalle gang langs Pats schoolfoto – Jezus, dat zelfgenoegzame lachje, op elke foto dat kuiltje in zijn kin, die dromerige blik, die grijns van kijk-mij-nou. Het enige op die schoolfoto's wat veranderde was zijn haar (sluik, permanent, Led Zeppelin, stekeltjes); de blik in zijn ogen altijd dezelfde – het geheimzinnige charisma.

Pats slaapkamerdeur was dicht. Ze klopte zachtjes, maar waarschijnlijk had hij een koptelefoon op, want er kwam geen reactie. Pat was inmiddels vijftien, zo oud dat hij best een avond alleen thuis kon blijven zonder dat zij een hele preek afstak, maar ze kon het gewoon niet laten.

Debra klopte nogmaals, deed toen zijn slaapkamerdeur open en zag Pat in kleermakerszit op de grond, met zijn gitaar op schoot, onder een Pink Floyd-poster van een prisma waar licht door valt. Hij had een arm naar voren gestrekt, zijn hand vlak bij de bovenste la van zijn nachtkastje, alsof hij er net iets in had gestopt. Ze liep verder naar binnen, schoof een berg kleren opzij. Pat zette zijn koptelefoon af. 'Hé, mam', zei hij.

'Wat heb je net in die la gestopt?' wilde ze weten.

'Niets', antwoordde Pat te snel.

'Pat. Moet ik zelf in die la kijken?'

'Je moet helemaal niets.'

Op de onderste plank van zijn nachtkastje zag ze de beduimelde vellen papier, vol ezelsoren, van Alvis' roman, of liever gezegd van het enige hoofdstuk ervan dat hij had geschreven. Ze had het aan Pat gegeven, een jaar terug, na een knallende ruzie, waarin hij had gezegd dat hij zou willen dat hij een vader had, zodat hij bij hem kon gaan wonen. 'Dit was je vader', had ze die avond gezegd, in de hoop dat de jongen in de vergeelde bladzijden iets van houvast zou vinden. Je vader. Ze was het bijna zelf gaan geloven. Alvis was er altijd heel stellig in geweest dat ze de jongen de waarheid moesten vertellen als hij wat ouder was, als hij het zou kunnen begrijpen, maar naarmate het langer geleden was, had Dee geen idee waar ze zou moeten beginnen.

Ze sloeg haar armen over elkaar, als een foto in een boek over opvoeden. 'Doe jij die la open of moet ik het zelf doen?'

'Mam, echt... het is niks. Geloof me nou maar.'

Ze deed een stap in de richting van het nachtkastje en hij slaakte een zucht, legde zijn gitaar op de grond en trok de la open. Hij rommelde wat en haalde er toen een hasjpijpje uit. 'Ik heb hem niet gebruikt. Ik zweer het je.' Ze voelde aan het pijpje, dat koud was. Er zat geen hasj in.

Ze keek in de la; er lag geen marihuana. Het was gewoon een la vol troep – een paar horloges, wat plectrums, zijn muziekschriften, pennen en potloden. 'Ik hou dat pijpje', zei ze.

'Je doet maar.' Hij knikte alsof hij niet anders had verwacht. 'Ik had het daar ook niet moeten laten liggen.' Zodra hij in de problemen kwam, werd hij opmerkelijk redelijk en rustig. Dan sprong hij in een andere stand – we moeten hier samen uit zien te komen – en was het bijna alsof hij haar steunde in de opvoeding van haar zoon, die wel erg lastig was. Zelfs op zijn zesde had hij dat al gehad. Ze was een keer naar buiten gelopen om de post te halen, had een babbeltje gemaakt met de buurman, en toen ze weer binnenkwam goot Pat net een pan water over de smeulende bank. 'Wauw', zei hij, alsof hij het vuur niet had aangestoken maar het alleen had opgemerkt. 'Gelukkig was ik er snel bij.'

Nu stak hij haar zijn koptelefoon toe. Ander onderwerp: 'Dit vind je vast mooi.'

Ze keek naar het pijpje in haar hand. 'Misschien moest ik maar thuisblijven.'

'Kom op, mam. Het spijt me. Soms klooi ik wat met die dingen als ik schrijf. Maar ik ben al een maand niet stoned geweest... ik zweer het je. Ga jij nou maar lekker uit.'

Ze keek hem strak aan, op zoek naar een aanwijzing dat hij loog, maar zijn blik was standvastig als altijd.

'Misschien zoek je gewoon een excuus om niet te gaan', zei Pat.

Dat was ook echt iets voor hem, het bij haar neerleggen en doen alsof hij alles doorzag; hij had gelijk, waarschijnlijk zocht ze echt een excuus om niet te hoeven gaan.

'Maak je niet druk', zei hij. 'Het wordt vast een leuke avond. Als je wilt mag je mijn gymkleren wel lenen. Steve houdt erg van strakke grijze broekjes.'

Ze moest lachen, tegen wil en dank. 'Ik denk dat ik dit maar gewoon aanhou, maar evengoed bedankt.'

'Na afloop moet je onder de douche, wedden?'

'Zou het?'

'Ja: presentielijst afvinken, stretchen, indoor hockey, douchen. De droomavond van Gym Steve.'

'Denk je?'

'Yep. Alles heel steriel.'

'Steriel?' Dat was ook typisch Pat, met zijn woordenschat schermen terwijl hij haar vriendje neerzette als een sukkel.

'Ja. Maar vraag vooral niet aan hem of hij van steriel houdt. Straks zegt hij nog: "Ja, wat dacht je? Ik heb een hoop geld neergeteld voor die vasectomie."'

Opnieuw schoot ze in de lach – en had er, zoals altijd, vrijwel meteen spijt van. Hoe vaak was Pat op school niet op een dergelijke manier onder de dingen uit gekomen? Vooral vrouwelijke leerkrachten wond hij om zijn vinger. Hij haalde negens zonder een boek open te slaan, wist andere kinderen zo gek te krijgen dat ze zijn huiswerk maakten, wist schooldirecteuren over te halen om voor hem een uitzondering te maken, spijbelde en verzon de meest fantastische redenen voor zijn afwezigheid. Debra kromp ineen wanneer docenten tijdens ouderavonden informeerden naar haar prognose, of naar Pats reis door Zuid-Amerika, of naar de dood van haar zus – *en ach, wat vreselijk van zijn vader*: vermoord, verdwenen in de Bermudadriehoek, doodgevroren op de Everest. Alvis overleed elk jaar opnieuw, steeds aan iets anders. Ergens rond zijn veertiende verjaardag drong het tot Pat door dat hij niet hoefde te liegen om dingen gedaan te krijgen, dat het veel handiger, en leuker, was om mensen in de ogen te kijken en gewoon te zeggen wat hij wilde.

Soms vroeg ze zich af of ze niet zo extreem toegeeflijk zou zijn geweest als er een vader in de buurt was geweest; misschien was ze te zeer gecharmeerd geweest van de voorlijkheid van de kleine Pat, en waarschijnlijk was ze ook te eenzaam geweest, zeker in die donkere jaren.

Pat legde zijn gitaar weg en stond op. 'Hé. Ik maak maar een geintje, over Steve. Volgens mij is hij heel aardig.' Hij liep naar haar toe. 'Ga nou maar. Maak er een leuke avond van. Geniet.'

Hij was het afgelopen jaar echt gegroeid. Dat zag je meteen. Hij had minder vaak problemen op school, ging niet stiekem de deur uit, haalde hogere cijfers. Toch zag ze iets in zijn ogen waar ze niet helemaal gerust op was, niet in de vorm of de kleur, maar iets in zijn blik – wat wel een fonkeling werd genoemd, een glinstering, opwindend maar gevaarlijk.

'Wil je echt iets voor me doen?' zei Debra. 'Zorg dan dat je er bent als ik thuiskom.'

'Afgesproken', zei hij, en hij stak zijn hand uit. 'Is het goed als Benny hier komt repeteren?'

'Tuurlijk.' Ze pakte zijn hand. Benny was de gitarist die Pat bij de band had gehaald. Voor Pat was dit de ommekeer geweest: zijn band, de Garys. Ze moest toegeven (na een paar uitvoeringen op school en een *battle of the bands* in Seattle Center) dat de Garys helemaal niet zo slecht waren. Eigenlijk waren ze best goed – niet zo punk als ze had gevreesd, maar een beetje plat en direct (toen ze een vergelijking maakte met de Stones, ten tijde van *Let it Bleed*, sloeg Pat zijn ogen ten hemel). Het was een openbaring om haar zoon op het podium te zien. Hij zong, paradeerde, gromde, grapte; hij straalde iets uit wat haar eigenlijk niet had moeten verbazen: een moeiteloos charisma. Hij kon het publiek bespelen. Sinds ze een band hadden geformeerd, was Pat een toonbeeld van rust. Wat zegt dat over een puber, als hij er rústig van wordt om in een bandje te zitten? Maar het viel niet te ontkennen: hij was gefocust en betrokken. Zijn drijfveren baarden haar enigszins zorgen – hij had het er veelvuldig over dat hij het wilde maken, aan de top wilde komen – en ze had uitgelegd welke gevaren er kleefden aan roem, maar ze kon er niet al te gedetailleerd op ingaan, kon enkel slappe, nietszeggende verhalen ophangen over de integriteit van kunst en de valkuilen van succes. Dus was ze bang dat ze het allemaal net zo goed niet had kunnen zeggen – alsof ze iemand die aan ondervoeding leed, wees op de risico's van obesitas.

'Ik ben over drie uurtjes weer thuis', zei Debra nu. Het zouden er vijf of zes zijn, maar dit was een soort gewoonte; de tijd halveren zodat hij zich misschien maar half in de nesten zou werken. 'Tot ik terug ben heb ik liever niet dat je... eh... dat je... hmm...'

Terwijl zij zocht naar het juiste evenwicht tussen warmte en waarschuwing, brak er een glimlach door op Pats gezicht, een twinkeling in zijn ogen nog voordat zijn mondhoeken aan hun trage klim begonnen.

'Dat ik iets doe?'

'Ja. Doe maar niets.'

Hij salueerde, glimlachte, zette zijn koptelefoon weer op, pakte zijn gitaar en liet zich weer op zijn bed ploffen. 'Hé', zei hij toen ze zich omkeerde. 'Laat je niet overhalen om jumping jacks te doen. Steve is gek op alles wat op en neer hopst.'

Ze deed de deur zachtjes dicht en liep over de gang toen haar blik bleef rusten op het hasjpijpje dat ze in haar hand hield. Waarom had hij dat pijpje tevoorschijn gehaald als hij niets had om erin te stoppen? Toen ze had gevraagd wat hij aan het doen was, had Pat even in de la gerommeld voordat hij het pijpje had gevonden. Als hij het er net in had gelegd, had het toch bovenop moeten liggen? Ze draaide zich om, liep terug en zwaaide de deur open. Pat zat op bed met zijn gitaar, het laatje stond weer open. En op zijn bed lag open en bloot wat hij voor haar verborgen had willen houden: het schrift waarin hij zijn nummers schreef. Hij zat met een potlood over het schrift-je gebogen. Hij schoot overeind – met rode wangen, en woedend: 'Godver, mam, wat moet je?'

Ze liep met grote passen naar zijn bed en griste het schrift weg zonder goed te weten waarnaar ze op zoek was. Haar gedachten waren al op de plek waar de gedachten van ouders naartoe schieten: worstcasescenario-land. *Hij schrijft nummers over zelfmoord! Over drugsdeals!* Ze sloeg een willekeurige bladzijde open: song-teksten, wat notaties over melodie – Pat had slechts een rudimen-tair begrip van muziek – fragmenten van gevoelige, schrijnende nummers, zoals iedere vijftienjarige ze zou kunnen schrijven, een love song, *Hot Tanya* (met een vals rijm: *I want ya*), wat quasi-diepzinnige onzin over de zon, de maan en de schoot van de eeuwigheid.

Hij wilde het schrift uit haar handen grissen. 'Blijf af!'

Ze bladerde verder, benieuwd wat er zo geheim was dat hij zijn hasjpijp had geofferd om niet te hoeven zeggen dat hij een nummer aan het schrijven was.

'Blijf er godverdomme af, mam!'

Ze sloeg de laatste pagina op waar hij iets had geschreven – het nummer dat hij voor haar verborgen probeerde te houden – en ze kromp ineens toen ze de titel zag: *De glimlach van de hemel* – de ti-tel van Alvis' boek. Ze las het refrein: *Altijd gedacht/dat hij ooit terug zou komen voor mij/Er valt niets te lachen/in deze shitzooi...*

O. Debra voelde zich vreselijk. 'Het... het spijt me, Pat. Ik dacht...'

Hij pakte het schrift weer uit haar handen.

Pat gunde haar maar zo zelden een glimp van wat er in hem om-ging dat ze soms vergat dat er een jongen schuilging achter de glad-de, cynische buitenkant – een verdrietige jongen die zijn vader nog altijd miste, al kon hij hem zich niet langer herinneren. 'O, Pat', zei ze. 'Je hebt liever dat ik denk dat je hasj rookt... dan dat je een nummer schrijft?'

Hij wreef in zijn ogen. 'Het is een slecht nummer.'

'Nee, Pat. Het is juist heel goed.'

'Sentimenteel gekweel', zei hij. 'En ik wist dat je erover zou willen praten.'

Ze ging op het bed zitten. 'Zo is dat... laten we erover praten.'

'Godallemachtig.' Hij keek strak naar een punt op de vloer, ergens achter haar. Toen knipperde hij met zijn ogen en lachte, leek te ontwaken uit een soort trance. 'Het heeft niks te betekenen. Het is maar een nummer.'

'Pat, ik begrijp dat het moeilijk voor je moet zijn geweest...'

Hij kromp ineen. 'Ik geloof niet dat je begrijpt hoe graag ik het er niét over wil hebben. Toe. Kan dit een andere keer?'

Toen ze roerloos bleef staan, gaf Pat haar een zetje met zijn voet. 'Toe nou. Ik moet verder met mijn sentimentele gekweel en jij komt te laat voor je afspraakje. Als je niet opschiet, laat Gym Steve je voor straf rondjes rennen.'

Gym Steve had een Plymouth Duster met diepe stoelen. Hij had het uiterlijk van een superheld op zijn retour, stevig haar met een middenscheiding, een hoekige kaak, een gespierd lijf dat de eerste rondingen van de middelbare leeftijd begon te vertonen. Mannen hebben een halfwaardetijd, dacht ze, net als uranium.

'Naar welke film wil je?' zei Steve in de auto.

Ze voelde zich al voor gek staan toen ze het zei: '*The Exorcist II.*' Ze haalde haar schouders op. 'Ik hoorde er een paar kinderen over praten, in de bibliotheek. Het klonk goed.'

'Prima. Ik had je eerder ingeschat als een liefhebber van de Europese film, iets met ondertitels, die ik zogenaamd zou begrijpen.'

Debra lachte. 'Er spelen goede acteurs in,' zei ze, 'Linda Blair, Louise Fletcher, James Earl Jones.' Ze kon de naam waar het om draaide nauwelijks uitspreken. 'Richard Burton.'

'Richard Burton? Is die niet dood?'

'Nog niet', zei ze.

'Ik vind het best,' zei Gym Steve, 'maar misschien moet je mijn hand vasthouden. Ik vond de eerste *Exorcist* doodeng.'

Ze keek uit het raampje. 'Die heb ik niet gezien.'

Ze aten in een visrestaurant en het viel haar op dat hij zonder het te vragen een garnaal van haar bord pakte. Het gesprek verliep vlot: Steve vroeg naar Pat, Debra zei dat het beter met hem ging. Gek dat elk gesprek over Pat een ondertoon van ongerustheid had.

'Ik zou me maar geen zorgen maken', zei Steve, alsof hij haar gedachten kon lezen. 'Hij kan niet hockeyen, maar verder is het een prima knul. Weet je, kinderen die echt talent hebben... Hoe meer problemen ze nu hebben, hoe meer succes ze later krijgen.'

'Hoe weet je dat?'

'Ik had als kind nooit problemen, en nu ben ik gymleraar.'

Nee, het was eigenlijk heel leuk. Ze zaten al vroeg in de bioscoop en deelden een zak snoep, een armleuning en hun verleden (Zij: tien jaar terug weduwe geworden, moeder overleden, vader hertrouwd, jongere broer en twee zussen; Hij: gescheiden, twee kinderen, twee broers, ouders in Arizona). Ook deelden ze roddels: over de leerlingen die boven de draaibank in het handenarbeidlokaal een stapel ranzige pornoblaadjes van de leraar hadden gevonden (Hij: 'Ik heb wel zo'n idee wat hij onder hándenarbeid verstaat') en mevrouw Wylie die de slimme Dave Ames had verleid (Zij: 'Maar Dave Ames is nog maar een kind'; Hij: 'Nu niet meer.')

Toen ging het licht uit en lieten ze zich onderuitzakken in hun stoel. Gym Steve boog dichter naar haar toe en fluisterde: 'Je bent heel anders dan op school.'

'Hoe ben ik dan op school?' wilde ze weten.

'Wil je dat echt weten? Enigszins angstaanjagend.'

Ze lachte. 'Enigszins angstaanjagend?'

'Nee. Vergeet dat "enigszins". Angstaanjagend. Punt. Zonder meer intimiderend.'

'Intimiderend? Ik?'

'Ja, nou ja... je zou jezelf eens moeten zien. Kijk je weleens in een spiegel?'

De rest van het gesprek bleef haar bespaard door de trailers van films die binnenkort in roulatie zouden gaan. Toen dat was afgelopen leunde ze verwachtingsvol naar voren en voelde de vertrouwde spanning bij een van zíjn films. Dit keer begon het met een ratjetoe aan vlammen en sprinkhanen en duivels, en toen hij dan eindelijk in beeld kwam was ze zowel opgetogen als treurig: zijn gezicht was grauwer, vlekkeriger, en zijn ogen waren haast een variant op de ogen die ze elke dag thuis zag, maar dan uitgedoofd, als heel oude gloeilampen.

De film werd van mallotig onzinnig en vervolgens onbegrijpelijk, en ze vroeg zich af of je misschien de eerste *Exorcist* gezien moest hebben om er een touw aan vast te kunnen knopen (Pat was destijds een bioscoop binnengeglipt en had gezegd dat het een 'hilarische film' was.) De plot draaide om een of andere hypnosemachine van Frankensteindraden en zuignappen, die zorgde dat twee of drie mensen dezelfde droom hadden. Als híj niet in beeld was probeerde ze haar aandacht te richten op de andere acteurs, de technische aspecten, de interessante keuzes. Bij het kijken naar zijn films probeerde ze zich soms voor te stellen hoe zíj een bepaalde scène met hem zou hebben gespeeld – dat was wat ze haar leerlingen ook altijd voorhield: probeer te kijken welke kéúzes acteurs maken. Debra verwonderde zich over het gemak waarmee Louise Fletcher speelde. De carrière van Louise Fletcher, die was heel interessant. Een carrière zoals Dee gehad zou kunnen hebben – wellicht.

'Als je wilt kunnen we ook gaan, hoor', fluisterde Gym Steve.

'Wat? Nee. Hoezo?'

'Ik hoor steeds een hoonlachje.'

'Serieus? Sorry, hoor.'

De rest van de film keek ze stilletjes, met haar handen in haar schoot, hoe hij zich door alle idiote scènes worstelde en een poging deed de bagger nog enige inhoud te geven. Een paar keer ving ze een glimp op van zijn vroegere kracht, wanneer heel even een zweem van scherpte in zijn sensuele stem het beschonken gelispel naar de achtergrond drong.

Zwijgend liepen ze naar de auto. (Steve: 'Dat was... interessant.' Debra: 'Hmm.' Op de terugweg staarde ze uit het raampje, in gedachten verzonken. In haar hoofd liet ze keer op keer het gesprek met Pat de revue passeren, en ze vroeg zich af of ze een kans had laten schieten. Stel dat ze gewoon tegen hem had gezegd: *Trouwens, ik ga zo naar een film waarin je echte vader speelt* – maar was er een scenario denkbaar waarin Pat geholpen zou zijn met die informatie? Wat moest hij ermee? Tikkertje gaan spelen met Richard Burton?

'Ik hoop niet dat je een bedoeling had met die film', zei Gym Steve.

'Hè?' Ze schoof onrustig in de autostoel. 'Hoe bedoel je?'

'Nou ja, het is lastig om iemand na zo'n film nog een keer mee uit te vragen. Alsof je iemand na de *Titanic* vraagt of ze zin heeft om nog een keer een cruise te maken.'

Ze lachte, maar het was een holle lach. Ze maakte zichzelf wijs dat ze naar al zijn films ging en zijn loopbaan volgde omwille van Pat – voor het geval ze ooit zou vinden dat ze het hem toch moest vertellen. Maar ze zou het hem nooit kúnnen vertellen; dat wist ze ook.

Maar goed, als het dan niet voor Pat was, waarom ging ze dan naar die films – waarom observeerde ze als een spion hoe hij zichzelf te gronde richtte, droomde ze ervan zijn tegenspeelster te zijn, nooit de Liz-rollen, altijd Louise Fletcher? Ze was het natuurlijk nooit echt zelf, nooit Debra Moore de lerares toneel en Italiaans, maar de vrouw die ze al die jaren terug had geprobeerd te creëren, *Dee Moray* – alsof ze zichzelf had opgesplitst: Debra die terugging naar Seattle, Dee die ontwaakte in het kleine hotelletje aan de Italiaanse kust en met die lieve, verlegen Pasquale naar Zwitserland ging, waar ze zou doen wat er van haar werd verlangd, een baby inruilen tegen een carrière, een carrière waarvan ze nog altijd droomde – *na zesentwintig films en talloze toneelstukken, krijgt de oudgediende eindelijk een nominatie voor beste vrouwelijke bijrol* ...

Diep weggezakt in het kuipstoeltje van Gym Steve's Duster slaakte Debra een zucht. God, wat was ze een aanstelster – een schoolmeisje dat eeuwig in haar borstel blijft zingen.

'Gaat het?' zei Gym Steve. 'Je lijkt mijlenver met je gedachten.'

'Sorry.' Ze keek hem aan en legde even een hand op zijn arm. 'Ik had een raar gesprek met Pat, vlak voor ik wegging. Dat spookt nog door mijn hoofd.'

'Wil je het erover hebben?'

Ze schoot bijna in de lach bij het idee – alles opbiechten aan Pats gymleraar. 'Nee', zei ze. 'Maar lief van je.' Steve richtte zijn aandacht weer op de weg en Debra vroeg zich af of die mannelijke nuchterheid nog enig effect zou kunnen hebben op de vijftienjarige Pat, of dat het daarvoor al te laat was.

Ze stonden voor haar huis en Steve zette de motor uit. Ze wilde best nog een keertje met hem uit, maar ze vond dit altijd zo'n ellendig moment – het gedraaide lichaam op de bestuurdersstoel, het ongemakkelijke peilen van elkaars blik, de nerveuze kus en de vraag of ze nog een keer wilde afspreken.

Ze wierp een blik op het huis om zeker te weten dat Pat niet achter het raam stond – dat zou ze niet kunnen hebben, dat hij haar plaagde met een afscheidskus – en op dat moment zag ze dat er iets ontbrak. Als in een trance stapte ze uit en liep naar het huis.

'Loop je zomaar weg?'

Ze keek om en zag dat Gym Steve was uitgestapt.

'Wat is er?' zei ze.

'Hoor eens,' zei hij, 'het is misschien niet gepast, maar ik zeg het toch. Ik vind je leuk.' Hij leunde tegen de auto, zijn armen lagen op zijn geopende portier. 'Je vroeg hoe je op school overkomt... en, als ik heel eerlijk ben, dan ben je op school zoals je het afgelopen uur bent geweest. Ik zei dat je intimiderend bent vanwege je uiterlijk, en dat is ook zo. Maar soms zit je volkomen in je eigen wereld. Alsof je je niet eens realiseert dat er mensen om je heen zijn.'

'Steve...'

Maar hij was nog niet klaar. 'Ik weet dat ik niet je type ben. Daar kan ik mee leven. Maar je zou misschien een gelukkiger mens zijn als je een keer iemand toeliet.'

Ze had haar mond al open om uit te leggen waarom ze was uitgestapt, maar dat *je zou misschien een gelukkiger mens zijn* viel verkeerd. Ze zou misschien een gelukkiger mens zijn? Ze zou een – Jezus. Ze bleef staan, zwijgend – diep gekwetst, ziedend.

'Nou, slaap lekker dan maar.' Steve stapte in zijn Duster, deed het portier dicht en reed weg. Ze keek hem na, zag zijn auto de hoek om slaan, zag zijn richtingaanwijzer één keer oplichten.

Toen keek ze weer naar haar huis, naar de lege oprit, waar haar auto hoorde te staan.

Binnen keek ze in de la waar de reservesleutels lagen (weg, natuurlijk), wierp een blik in Pats slaapkamer (leeg, natuurlijk), keek of er een briefje lag (nee, natuurlijk), schonk een glas wijn in en ging bij het raam zitten wachten totdat hij thuiskwam. Om kwart voor drie 's nachts ging eindelijk de telefoon. Het was de politie. *Was zij... Was haar zoon... Had zij een... bruine Audi... nummerbord...* Ze antwoordde: *Ja, ja, ja,* totdat ze de vragen niet meer hoorde en alleen nog maar *ja* zei. Daarna hing ze op en belde Mona, die haar ophaalde en haar in stilte naar het politiebureau reed.

Mona parkeerde de auto en legde haar hand op die van Dee. Die schat van een Mona – tien jaar jonger, brede schouders, een pagekapsel, indringende, groene ogen. Ze had een keer geprobeerd Debra te kussen, toen ze te veel wijn op had. Als het zuiver is, als het echte liefde is, voel je dat meteen; waarom moet het altijd van de verkeerde komen? 'Debra,' zei Mona, 'ik weet dat je van hem houdt, maar er is een grens. Je moet zijn shit niet langer pikken. Hoor je me? Laat hem nu maar eens een tijdje zitten.'

'Het ging net beter met hem', zei Debra zwakjes. 'Hij heeft een nummer geschreven...' Maar ze maakte haar zin niet af. Ze bedankte Mona, stapte uit en liep het politiebureau binnen.

Een stevige agent in uniform, met een pilotenbril op, kwam met een klembord in zijn hand naar haar toe. Ze hoefde zich geen zorgen te maken, met haar zoon was alles in orde, maar haar auto was total loss – hij was over een bruggenhoofd in Fremont geschoten, 'een spectaculair ongeluk, ongelooflijk dat er niemand gewond is geraakt'.

'Niemand?'

'Er zat een meisje bij hem in de auto. Zij is ook ongedeerd. Geschrokken, maar ongedeerd. Haar ouders zijn al geweest.'

Natuurlijk was er een meisje bij geweest. 'Kan ik naar hem toe?'

Bijna, zei de agent. Eerst moest hij haar vertellen dat haar zoon onder invloed was geweest, dat er in de auto een wodkafles was aangetroffen en een handspiegel met cocaïneresten, dat haar zoon roekeloos rijgedrag ten laste zou worden gelegd, rijden zonder rijbewijs, het niet in acht nemen van de nodige voorzorgsmaatregelen, rijden onder invloed, bezit van verdovende middelen. (Cocaïne? Ze wist niet of ze het goed had verstaan maar ze knikte bij elke aanklacht, wat kon ze anders?) Gezien de ernst van de aanklacht zou hij onder het jeugdstrafrecht vallen, en de openbaar aanklager zou vaststellen...

Ho even. Cocaïne? Hoe kwam hij aan cocaïne? En wat bedoelde Gym Steve ermee dat ze niemand *toeliet*? Ze wilde niets liever dan iemand toelaten. Nee, weet je wat ze zou doen? Ze zou zichzelf *eruit laten!* En Mona? *Je moet het niet langer pikken?* Jezus, dachten ze soms dat ze dit zelf zo wilde? Dachten ze dat zij het voor het zeggen had, hoe Pat zich gedroeg? Ja, dat zou mooi zijn, dat ze het domweg niet meer zou pikken, al die shit van Pat, dat ze zou teruggaan in de tijd en een andere leven zou leiden...

(Dee Moray ligt op een strandstoel aan de Rivièra, met haar zwijgzame, aantrekkelijke Italiaanse metgezel Pasquale, en ze leest filmrecensies totdat Pasquale haar een kus geeft en gaat tennissen op zijn tennisbaan die uit de rotswand uitsteekt...)

'Vragen?'

'Hmm. Pardon?'

'Nog vragen over wat ik net zei?'

'Nee.' Ze liep achter de dikke agent aan door een gang.

'Dit is misschien niet het geschikte moment', zei hij, terwijl hij haar onder het lopen over zijn schouder aankeek. 'Maar het valt me op dat je geen trouwring draagt. Ik vroeg me af of je zin zou hebben om een keertje uit eten te gaan... die gerechtelijke procedures kunnen heel ingewikkeld zijn en dan kan het fijn zijn om iemand te hebben die...'

(De receptionist van het hotel komt met een telefoon het strand op lopen. Dee Moray zet haar zonnehoed af en houdt de hoorn tegen

haar oor. Het is Dick! Dag, schat, *zegt hij.* Je bent vast nog even mooi als altijd...)

De agent draaide zich om en gaf haar een kaartje met zijn telefoonnummer. 'Ik begrijp dat dit een moeilijke tijd is, maar mocht je een keer zin hebben om wat af te spreken.'

Ze keek strak naar het kaartje.

(Dee Moray slaakt een zucht: Ik heb *The Exorcist* gezien, Dick. Och, Jezus, *zegt hij.* Die bagger? Je weet wel meteen de gevoelige snaar te raken. Nee inderdaad, *zegt ze heel lief,* het is geen Shakespeare. *Dick lacht.* Moet je horen, schat, er is een toneelstuk dat we misschien samen zouden kunnen doen...)

De agent reikte naar de deurkruk. Debra haalde hortend en diep adem en ging achter hem aan naar binnen.

Pat zat op een klapstoel in een lege ruimte, hoofd in zijn handen, vingers begraven in de wervelingen van zijn golvende, donkerblonde haar. Hij streek zijn haar achter zijn oor en keek naar haar op; die ogen. Niemand begreep hoezeer ze hier samen in stonden, Pat en zij. We worden erdoor verzwolgen, dacht Dee. Hij had een schaafwond op zijn voorhoofd, alsof hij onstuimig had liggen vrijen op het vloerkleed. Verder zag hij er prima uit. Onweerstaanbaar – het kind van zijn vader.

Hij leunde achterover en sloeg zijn armen over elkaar. 'Hé', zei hij. Zijn mondhoeken gingen iets omhoog, een grijns van wat-doe-jij-hier. 'Leuke avond gehad?'

14

De heksen van Porto Vergogna

April 1962
Porto Vergogna, Italië

Pasquale sliep een gat in de dag. Toen hij eindelijk wakker werd, stond de zon al boven de bergen aan de andere kant van het dorpje. Hij liep de trap op naar de tweede verdieping, naar de donkere kamer waar Dee Moray had geslapen. Had zij hier echt gelogeerd? Was hij echt gisteren in Rome geweest, had hij echt in de auto gezeten met Richard Burton, die als een dolle reed? Hij had het gevoel alsof de tijd sprongen had gemaakt, niet langer lineair was. Hij nam de kleine kamer met de stenen muren in zich op. De kamer behoorde nu haar toe. Er zouden andere gasten slapen, maar het zou altijd de kamer van Dee Moray blijven. Pasquale gooide de luiken open en het licht stroomde naar binnen. Hij snoof de lucht op, maar rook alleen de zee. Toen pakte hij Alvis Benders onvoltooide manuscript van het nachtkastje en bladerde er wat in. Alvis kon nu elk moment opduiken om in deze kamer verder te schrijven. Maar het zou nooit meer zíjn kamer worden.

Pasquale ging terug naar zijn eigen kamer op de eerste verdieping en kleedde zich aan. Op zijn bureau zag hij de foto van Dee Moray en de andere lachende vrouw. Hij pakte hem op. De foto kon op geen enkele manier de concrete aanwezigheid van Dee terughalen, zoals hij zich die herinnerde: haar ranke gestalte en lange nek en de diepe poelen van haar ogen, haar manier van bewegen die zo anders leek dan bij anderen, soepel en energiek, zonder overbodige bewegingen. Hij hield de foto vlak voor zijn gezicht. Hij vond het leuk om Dee zo stralend te zien, met haar hand op de arm van de andere vrouw, net op het moment dat ze in de lach schoten. De fotograaf had een authentiek moment weten vast te leggen, waarop ze zich vrolijk maakten om iets wat niemand ooit zou weten. Pasquale nam de foto mee naar beneden en stak hem in een hoek van een ingelijst schilderij van olijven, dat in het gangetje tussen het hotel en de trattoria hing. Hij fantaseerde dat hij zijn Amerikaanse gasten met een achteloos gebaar op de foto zou wijzen – natuurlijk logeerden er ook weleens filmsterren in Redelijk Uitzicht, zou hij dan zeggen. Die kwamen voor de rust. En het rotstennis.

Hij keek aandachtig naar de foto en moest weer denken aan Richard Burton. Die man had zo veel vrouwen. Gaf hij eigenlijk wel om Dee? Hij zou met haar naar Zwitserland gaan voor de abortus, maar dan? Hij zou echt niet met haar trouwen.

Ineens zag hij zichzelf naar Portovenere gaan, op de deur van haar hotelkamer kloppen. *Wil je met me trouwen, Dee? Ik zal voor het kind zorgen alsof het mijn eigen kind is.* Het was waanzin – om te denken dat ze zou trouwen met iemand die ze nog maar zo kort kende, dat ze ooit met hem zou trouwen. Ineens joeg de gedachte aan Amedea het schaamrood naar zijn kaken. Hoe durfde hij een oordeel te vellen over Richard Burton? Zo gaat het wanneer je je verliest in dromen, dacht hij: je droomt van het een, je droomt van het ander, en voor je het weet heb je je hele leven verslapen.

Hij had behoefte aan koffie. Pasquale liep naar de kleine eetzaal, die baadde in het late ochtendlicht, met de luiken geopend. Dat was ongebruikelijk op dat uur; zijn tante Valeria opende de luiken meestal pas aan het einde van de middag. Ze zat aan een van de tafeltjes, met een glas wijn voor zich. Ook dat was ongebruikelijk, om elf uur 's ochtends. Ze keek op. Haar ogen waren rood. 'Pasquale', zei ze, met haperende stem. 'Gisteravond... je moeder...' Ze keek naar de grond.

Hij schoot langs haar de gang op en duwde Antonia's deur open. Ook daar stonden de ramen en de luiken open – zeelucht en zonlicht stroomden de kamer binnen. Ze lag op haar rug, een boeket van grijs haar op het kussen onder haar hoofd, haar lippen iets van elkaar, haar kin teruggezakt – de haaksnavel van een vogel. De kussens onder haar hoofd waren opgeschud, de deken was keurig opgetrokken tot aan haar schouders en één maal teruggeslagen, alsof ze zo begraven kon worden. Haar huid was grauw en leek haast schoongeboend.

De kamer rook naar zeep.

Valeria stond achter hem. Had zij haar zus dood in bed gevonden... en was ze toen gaan schoonmaken? Dat leek onlogisch. Pasquale keek zijn tante aan. 'Waarom heb je me dit gisteravond niet verteld, toen ik thuiskwam?'

'Het was haar tijd, Pasquale', zei Valeria. Er gleden tranen over de diepe groeven in haar oude gezicht. 'Nu kun je met de Amerikaanse trouwen.' Valeria liet haar kin op haar borst zakken, als een uitputte koerier die een boodschap van levensbelang had overgebracht. 'Ze wilde het zelf zo', zei de oude vrouw met krakende stem.

Pasquale keek naar de kussens in zijn moeders rug en naar het lege glas op haar nachtkastje. 'O, Zia,' zei hij, 'wat heb je gedaan?'

Voorzichtig tilde hij haar kin iets op en in haar ogen zag hij alles: *De twee vrouwen die, zonder er ook maar een woord van te begrijpen, achter het raam naar zijn gesprek met Dee Moray hadden geluisterd; zijn moeder die – net als de afgelopen maanden – keer op keer zei dat haar tijd was gekomen, dat Pasquale weg moest uit Porto Vergogna om een vrouw te zoeken; zijn tante Valeria die nog een laatste wanhopige poging deed om de zieke Amerikaanse in Porto Vergogna te houden, met haar heksenverhaal dat er geen jonge mensen stierven; zijn moeder die het Valeria steeds weer vroeg ('Help me, zus'), die haar smeekte, haar onder druk zette...*

'Nee, je gaat me toch niet vertellen dat...'

Nog voor hij verder kon gaan, zakte Valeria op de grond in elkaar. Pasquale keek vol ongeloof naar zijn dode moeder. 'O, mama', was het enige wat Pasquale zei. Het was allemaal zo zinloos, zo onnozel; hoe was het mogelijk dat ze alles wat zich om hen heen afspeelde zo volkomen verkeerd hadden geïnterpreteerd? Hij keerde zich weer naar zijn snikkende tante en legde zijn handen tegen haar wangen.

Door de waas van zijn eigen tranen kon hij slechts met moeite haar donkere, rimpelige huid zien.

'Wat... wat heb je gedaan?'

Valeria vertelde hem alles: dat Pasquales moeder sinds de dood van Carlo smeekte om verlossing en zelfs had geprobeerd zich met een kussen van het leven te beroven. Valeria had op haar ingepraat, maar Antonia was blijven aandringen, net zo lang totdat Valeria had beloofd haar oudere zus te helpen als de pijn ondraaglijk werd. Deze week had ze laten weten haar aan die plechtige belofte te willen houden. Valeria had weer geweigerd, maar Antonia had gezegd dat Valeria het domweg niet kon begrijpen omdat ze zelf geen kinderen had, maar dat ze liever doodging dan Pasquale nog langer tot last te zijn, dat Pasquale nooit uit Porto Vergogna zou vertrekken zolang zij leefde. Dus deed Valeria wat er van haar werd verlangd en bakte een brood met loog. Vervolgens zei Antonia dat Valeria een uur buiten moest blijven, zodat ze geen deel zou hebben in de zonde. Valeria deed nog een laatste poging om het haar uit het hoofd te praten, maar Antonia zei dat ze er vrede mee had, in de wetenschap dat Pasquale met de mooie Amerikaanse mee zou kunnen gaan als ze er nu tussenuit kneep.

'Ik zal je eens wat vertellen', zei Pasquale. 'Die Amerikaanse? Die houdt van die man die hier laatst was, die Britse acteur. Ze houdt niet van mij. Het is voor niets geweest!' Valeria begon weer te snikken en klampte zich vast aan zijn been. Pasquale keek neer op de opgetrokken, schokkende schouders en werd overspoeld door medelijden. Medelijden en liefde voor zijn moeder. Hij deed wat zij zou hebben gewild, hij gaf zachte klopjes op Valeria's springerige, opgestoken haar en zei: 'Het spijt me, Zia.' Hij keek over zijn schouder naar zijn moeder, die tegen de opgeschudde kussens lag, alsof ze instemde met wat hij deed.

Valeria bleef de rest van de dag op haar kamer zitten huilen, terwijl Pasquale op de veranda sigaretten rookte en wachtte op de vissers. Tegen het vallen van de avond ging hij samen met Valeria naar zijn moeder. Ze wikkelden haar in een laken en een deken en Pasquale drukte nog een laatste, tedere kus op haar koude voorhoofd voordat ze haar gezicht afdekten. Welke man kent zijn moeder ooit echt? dacht hij. Ze had een heel leven geleid voordat ze hem kreeg, met twee andere zoons, de broers die hij nooit had gekend. Ze had leren leven met het verlies van haar zoons in de oorlog, en met de dood van haar man. Wie was hij om te zeggen dat ze er nog niet klaar voor was, dat ze nog langer op aarde moest vertoeven? Ze had haar leven geleefd. Misschien was het zelfs goed dat zijn moeder had gedacht dat hij er na haar dood vandoor zou gaan met een mooie Amerikaanse.

Toen Tomasso de Communist die middag terugkwam van het vissen hielp hij Pasquale het lichaam van Antonia naar zijn boot te dragen. Pasquale had zich niet gerealiseerd hoe frêle zijn moeder was geworden totdat hij haar moest dragen en zijn handen onder haar knokige, vogelachtige schouders schoof. Valeria keek hen vanuit de deuropening na en nam afscheid van haar zus. De andere vissers stonden met hun vrouw aan het piazza en betuigden Pasquale hun deelneming – 'Ze is nu bij Carlo' en 'Lieve Antonia' en 'God hebbe haar ziel' – en Pasquale knikte hen toe vanaf de boot terwijl Tomasso het startkoord pakte en de motor tot leven wekte, waarna ze de baai uit tjoekten.

'Het was haar tijd', zei Tomasso terwijl hij de boot door het donkere water stuurde.

Pasquale bleef strak naar voren kijken om niet te hoeven praten, om het in een doodskleed gewikkelde lichaam van zijn moeder niet te hoeven zien. Hij was blij dat het zilte nat in zijn ogen prikte.

In La Spezia leende Tomasso een kar van de kadewacht. Hij duwde het lichaam van Pasquales moeder door de straat – als een zak aardappelen, dacht Pasquale gegeneerd – totdat ze dan eindelijk bij de uitvaartonderneming kwamen, waar werd afgesproken dat ze naast zijn vader zou worden begraven zodra er een uitvaartdienst kon worden georganiseerd.

Vervolgens ging Pasquale naar de loensende priester die de dienst en de begrafenis van zijn vader had geleid. De priester, die in deze periode van het heilig vormsel tot over zijn oren in het werk zat, zei dat hij onmogelijk een dodenmis kon houden vóór vrijdag, wat betekende dat ze nog twee dagen moesten wachten. Hoeveel mensen verwachtte Pasquale op de begrafenis? 'Niet veel', zei hij. De vissers zouden komen als hij het hun vroeg; ze zouden met spuug hun dunne haren gladstrijken, hun zwarte jas aantrekken en met een ernstige blik in de ogen naast hun vrouw staan terwijl de priester psalmodieerde – *Antonia, requiem aeternam dona eis, Domine* – en na afloop zouden de vrouwen met een ernstige blik naar het hotel komen, met eten. Maar Pasquale vond het allemaal zo voorspelbaar, zo aards en zo zinloos. Natuurlijk was het precies wat zijn moeder gewild zou hebben, dus regelden ze een uitvaartdienst en maakte de priester aantekeningen in een soort grootboek, waarbij hij Pasquale over zijn leesbrilletje heen aankeek. Wilde Pasquale ook dat hij een *trigesimo* zou houden, de dienst dertig dagen na het verscheiden, om de overledene een laatste zetje richting hemel te geven? Prima, zei Pasquale.

'*Eccelente*', zei eerwaarde Francisco, en hij stak zijn hand uit. Pasquale wilde de hand schudden, maar de priester keek hem indringend aan – dat wil zeggen, één van zijn ogen keek hem indringend aan. Juist ja, zei Pasquale, hij stak een hand in zijn zak en betaalde de man. Het geld verdween in de soutane, waarna de priester hem haastig zegende.

In een roes liep Pasquale terug naar de pier waar Tomasso's boot lag afgemeerd. Hij stapte weer in de groezelige houten romp. Pasquale zat er vreselijk mee dat hij zijn moeder op deze manier had vervoerd. En op dat moment kwam er, schijnbaar uit het niets, een opmerkelijke herinnering boven. Hij moest een jaar of zeven zijn geweest. Hij werd wakker uit een middagslaapje, wist niet precies hoe laat het was en ging naar beneden, waar zijn moeder lag te huilen terwijl zijn vader probeerde haar te troosten. Pasquale bleef voor hun slaapkamerdeur staan kijken, en op dat moment drong tot hem door dat zijn ouders zelfstandige wezens waren, onafhankelijk van hem – dat zij er al waren toen hij nog niet bestond. Op dat moment keek zijn vader op en zei: 'Je grootmoeder is overleden.' Pasquale had aangenomen dat het de oma van moederskant was; pas later had hij begrepen dat het om de moeder van zijn vader ging. En toch had zijn vader zijn moeder getroost. Zijn moeder keek op en zei: 'Voor haar is het niet erg, Pasquale. Ze is nu bij God.' Er brak iets in hem bij de herinnering, en hij bedacht weer dat we onze dierbaren nooit echt zullen kennen.

Hij legde zijn hoofd in zijn handen en Tomasso keek heel kies de andere kant op terwijl ze wegvoeren uit La Spezia.

Terug in Redelijk Uitzicht was Valeria spoorloos. Pasquale keek in haar kamer, die al even schoon en uitgeruimd was als de kamer van zijn moeder – alsof er nog nooit iemand een voet over de drempel had gezet. De vissers hadden haar niet weggebracht; ze moest de steile paadjes achter het dorp hebben genomen. Voor Pasquales gevoel was het hotel die nacht net een grafkelder. Hij haalde een fles wijn uit de wijnkelder van zijn ouders en ging in de verlaten trattoria zitten. De vissers lieten hem met rust. Pasquale had altijd het gevoel gehad dat hij niet kon ontsnappen aan zijn bestaan – de angstvallige levenshouding van zijn ouders, het Hotel Redelijk Uitzicht, Porto Vergogna, alles waardoor hij geen kant op kon. Nu was hij alleen nog geketend door het feit dat hij moederziel alleen was.

Pasquale maakte de wijn soldaat en haalde nog een fles. Hij ging aan zijn tafeltje in de trattoria zitten en staarde naar de foto van Dee Moray en de andere vrouw, terwijl de nacht langzaam leegbloedde en hij dronken en duizelig werd, en zijn tante nog steeds niet terug was. Op een zeker moment moest hij in slaap zijn gevallen, want ineens hoorde hij een boot en de galmende stem van God in de lobby van zijn hotel.

'Buon giorno!' riep God. 'Carlo? Antonia? Waar zijn jullie?' Pasquale moest bijna huilen, want waren zijn ouders dan niet bij God? Waarom vroeg Hij waar ze waren, en dan ook nog eens in het Engels? Na enige tijd drong tot Pasquale door dat hij sliep en hij schoot overeind, precies op het moment dat God weer overschakelde op het Italiaans. 'Cosa un ragazzo deve fare per ottenere una bevanda qui intorno?' en Pasquale begreep dat het God natuurlijk helemaal niet was. Alvis Bender stond in alle vroegte in het hotel, voor zijn jaarlijkse schrijfretraite, en vroeg in zijn gebrekkige Italiaans: Wat moet eens mens hier doen om aan een borrel te komen?

257

Na de oorlog was Alvis Bender het spoor volkomen bijster geweest. Hij was teruggekeerd naar Madison om Engelse les te geven aan Edgewood, een klein college, maar hij was somber en ontworteld, zakte weg in depressies die soms weken aanhielden. Er was niets meer over van zijn oude liefde voor het lesgeven, voor de wereld van boeken. De franciscanen die het college bestierden hielden het algauw voor gezien met zijn drankprobleem en Alvis ging weer bij zijn vader aan de slag. Begin jaren vijftig was Bender de grootste Chevrolet-dealer in Wisconsin; Alvis' vader had nieuwe showrooms geopend in Green Bay and Oshkosh, en hij stond op het punt een Pontiac-vestiging op te zetten in een buitenwijk van Chicago. Alvis voelde zich gesteund door het feit dat zijn familie goed in de slappe was zat en hij gedroeg zich in de autobranche al net zo als op het kleine college, wat hem onder de secretaresses en boekhouders al snel de bijnaam Bender de Borrelaar opleverde. Alvis' directe omgeving schreef zijn stemmingswisselingen toe aan shellshock, het feit dat de 'oorlog hem te veel was geworden', zoals het eufemistisch werd uitgedrukt, maar toen zijn vader hem ernaar vroeg zei Alvis: 'Weet je wat me te veel is geworden, pa? Elke dag happy hour.'

Alvis dacht niet dat de oorlog hem te veel was geworden – hij had nauwelijks echt gevochten – maar dat het léven hem te veel was. Misschien was het wel een soort naoorlogse existentiële crisis, al had hij het gevoel dat het iets kleiners was: hij zag gewoon nergens meer de zin van in. Hij zag met name niet wat hij ermee opschoot om hard te werken, te proberen een goed mens te zijn. Kijk naar Richards, die had het duur moeten bekopen. Ondertussen had hij zelf het hoofd boven water weten te houden door terug te gaan naar Wisconsin en – tja, wat deed hij eigenlijk? Imbecielen lesgeven in zinsontleding? Tandartsen een Chevrolet verkopen?

Op goede dagen had hij het idee dat hij alle malaise kon verwerken in zijn roman – alleen schreef hij helemaal geen roman. Ja, hij had het er wel veel over, het boek dat hij schreef, maar er kwam niets uit zijn handen. En hoe vaker hij het erover had, over het boek dat hij niet schreef, hoe moeilijker hij zich tot schrijven kon zetten. De eerste zin dreef hem tot waanzin. Hij had bedacht dat zijn oorlogsroman een antioorlogsroman zou worden; dat hij zich zou richten op de geestdodende kant van een oorlog, dat hij één slag uit de hele oorlog zou lichten, een negen seconden durend vuurgevecht in Strettoia waarbij twee mannen uit zijn compagnie waren omgekomen; negen seconden waarin de hoofdpersoon om het leven zou komen maar de roman gewoon verderging en een ander, minder belangrijk personage volgde. Naar zijn idee was die structuur symbolisch voor de willekeur van wat hij had meegemaakt. Alle boeken en films over de Tweede Wereldoorlog waren zo ontzettend somber en serieus, Audie Murphy-verhalen over heldenmoed. Zijn eigen naïeve perspectief paste voor zijn gevoel beter bij boeken over de Eérste Wereldoorlog; Hemingway's stoïcijnse afstandelijkheid, de wrange tragedies van Dos Passos, de absurde, zwarte satires van Céline.

Maar op een dag probeerde hij een vrouw die hij net had leren kennen het bed in te krijgen, en liet hij vallen dat hij een boek schreef, wat haar interesse wekte. 'Waarover?' wilde ze weten. 'Over de oorlog,' zei hij. 'Korea?' vroeg ze in alle onschuld, en Alvis begreep wat een triest figuur hij was geworden.

Zijn oude vriend Richards had gelijk gehad: er was een nieuwe oorlog begonnen terwijl Alvis nog met de vorige bezig was. En alleen al bij de gedachte aan zijn overleden vriend schaamde Alvis zich diep dat hij acht jaar van zijn leven had vergooid.

De volgende dag ging Alvis naar de showroom en zei tegen zijn vader dat hij een tijdje weg wilde. Hij ging terug naar Italië; hij zou eindelijk zijn boek over de oorlog schrijven. Zijn vader was er niet blij mee, maar hij deed Alvis een voorstel: hij kon drie maanden vrij nemen, als hij daarna maar terugkwam om de nieuwe Pontiac-vestiging in Kenosha op te zetten. Alvis zei vrijwel onmiddellijk ja.

Zodoende ging hij naar Italië. Hij reisde, dronk, rookte en mijmerde, van Venetië tot Florence, van Napels tot Rome, en overal en altijd had hij zijn draagbare Royal-schrijfmachine bij zich – die hij niet één keer uit het koffertje haalde. In plaats daarvan ging hij meteen door naar de bar zodra hij in een hotel had ingecheckt. Overal waar hij kwam wilde men de veteraan een rondje geven, en overal waar hij kwam liet Alvis zich dat welgevallen. Hij hield zich voor dat hij research deed, maar afgezien van een vruchteloos uitstapje naar Strettoia, waar het minivuurgevecht had plaatsgevonden, bestond zijn research voornamelijk uit drinken en Italiaanse meisjes versieren.

In Strettoia werd hij wakker met een vreselijke kater en ging een eindje wandelen, op zoek naar de open plek waar zijn eenheid destijds onder vuur had gelegen. Daar kwam hij een landschapsschilder tegen die een schets maakte van een oude schuur. Maar hij tekende de schuur ondersteboven. Alvis dacht dat de man misschien iets mankeerde, wellicht een hersenbeschadiging; maar zijn werk had iets wat Alvis aansprak, een richtingloosheid die hem vertrouwd voorkwam.

'Het oog ziet alles ondersteboven,' legde de kunstenaar uit, 'en de hersenen draaien het automatisch om. Ik probeer het gewoon weer neer te zetten zoals het je hoofd binnenkomt.'

Alvis keek een hele tijd naar het schilderij. Hij overwoog zelfs het te kopen maar bedacht zich dat iedereen het zou omdraaien als hij het zo zou ophangen. Dat was ook het probleem met het boek dat hij hoopte te schrijven. Hij zou nooit een standaard oorlogsboek kunnen schrijven; wat hij te zeggen had over de oorlog kon alleen ondersteboven worden verteld, maar dan zou waarschijnlijk iedereen ontgaan waar het hem om ging en zou men proberen het weer rechtop te zetten.

Die avond kocht hij in La Spezia een drankje voor een oude partizaan, een man met vreselijke brandwonden in zijn gezicht. De man kuste Alvis' wangen, sloeg hem op zijn rug, noemde hem 'kameraad' en 'amico!' Hij vertelde Alvis hoe hij aan die brandwonden was gekomen: zijn partizaneneenheid lag te slapen in een hooimijt in de heuvels toen een Duitse patrouille hen daar, zonder enige waarschuwing, met een vlammenwerper uit had gejaagd. Hij was de enige die het er levend van af had gebracht. Alvis was zo diep geraakt door dit verhaal dat hij de man op nog een paar borrels trakteerde, waarna ze salueerden en betraand herinneringen ophaalden aan vrienden die ze waren verloren. Uiteindelijk vroeg Alvis de man of hij het verhaal mocht gebruiken voor zijn boek. Waarop de Italiaan begon te huilen. Het was allemaal gelogen, biechtte hij op; er was helemaal geen sprake van een partizaneneenheid, een vlammenwerper of Duitse troepen. De man had twee jaar eerder aan een auto gesleuteld toen ineens de motor vlam vatte.

Geroerd door die bekentenis vergaf Alvis Bender in een roes zijn nieuwe vriend. Hij belazerde de boel zelf tenslotte ook; hij had het er al tien jaar over dat hij een boek schreef terwijl hij nog geen letter op papier had staan. De twee dronken leugenaars vielen elkaar snikkend in de armen en bleven de hele nacht op om te getuigen van hun lafheid.

De volgende ochtend keek een ongekend katterige Alvis Bender vanaf een stoel uit over de haven van La Spezia. Van de drie maanden die zijn vader hem had gegeven om 'de boel op een rijtje te krijgen' waren nog maar twee weken over. Hij pakte zijn koffertje en zijn draagbare schrijfmachine, sjokte naar de pier en probeerde te onderhandelen over een boottochtje naar Portovenere, maar de schipper kon zijn gelispelde Italiaans niet goed verstaan. Twee uur later bonkte de boot tegen een rotsachtig uitsteeksel in een inham ter grootte van een kast, waar hij een gehuchtje ontwaarde, een handjevol huizen die zich vastklampten aan de rotswand, gegroepeerd om een treurig pensione met een trattoria – zoals alle ondernemingen aan de kust vernoemd naar de apostel Petrus. Hij zag een paar vissers die netten zaten te boeten in hun kleine bootjes, en de eigenaar van het hotel die op zijn veranda de krant las terwijl zijn mooie zoon met zijn hemelsblauwe ogen op een rots niet ver bij hem vandaan zat te dagdromen. 'Wat is dit voor gehucht?' vroeg Alvis Bender, en de schipper zei: 'Porto Vergogna.' Haven van de schande. Daar wilde hij toch naartoe? Alvis Bender had geen passender plek kunnen bedenken en zei: 'Ja, zeker.'

De eigenaar van het hotel, Carlo Tursi, was een aardige, bedachtzame man die uit Florence naar dit kleine gehuchtje was verhuisd nadat zijn twee oudste zoons waren omgekomen in de oorlog. Hij vond het een eer dat er een Amerikaanse schrijver in zijn pensione verbleef en hij beloofde dat zijn zoon, Pasquale, overdag heel stil zou zijn zodat Alvis zou kunnen werken. En zo kwam het dat Alvis

Bender eindelijk, in de kleine bovenkamer, met onder zich de golven die tegen de rotsen kabbelden, zijn draagbare Royal-schrijfmachine tevoorschijn haalde. Hij zette de schrijfmachine op het nachtkastje, onder het raam waarvan de luiken dicht waren. Hij keek er een hele tijd naar. Hij pakte een vel papier, draaide het erin. Hij legde zijn handen op de toetsen. Hij wreef over de gladde, afgeronde vlakjes, de letters die een heel klein beetje uitstaken. En er verstreek een uur. Hij ging naar beneden om wat wijn te halen en zag Carlo op de veranda zitten.

'Gaat het goed, het schrijven?' vroeg Carlo ernstig.

'Eigenlijk zit ik een beetje vast', erkende Alvis.

'In welk deel?' vroeg Carlo.

'Het begin.'

Carlo dacht er even over na. 'Misschien moet je eerst het einde schrijven.'

Alvis moest denken aan het ondersteboven-schilderij dat hij bij Strettoia had gezien. Ja, natuurlijk. Eerst het einde. Hij lachte.

Carlo dacht dat de Amerikaan hem uitlachte om zijn voorstel en verontschuldigde zich voor zijn '*stupido*' opmerking.

Nee, nee, zei Alvis, het was een briljant idee. Hij had al zo veel over dit boek gepraat en er zo lang over nagedacht – het was bijna alsof het er al was, alsof hij het in zekere zin al had geschreven, alsof het in de lucht hing, érgens, als een stromende rivier, en hij alleen nog maar een plek hoefde te zoeken om erop aan te haken. Waarom zou hij níét bij het einde beginnen? Hij stoof naar boven en typte de volgende woorden: 'Toen brak de lente aan, en daarmee het einde van mijn oorlog.'

Alvis keek strak naar zijn ene zin, zo vreemd en fragmentarisch, zo puntgaaf. Hij schreef nog een zin, en nog een, en al snel had hij een hele bladzijde, waarna hij de trap af stoof en een glas wijn dronk met zijn muze, de ernstige Carlo Tursi met zijn bril. Dit zou zijn beloning zijn, en zijn ritme: een bladzijde tikken, een glas wijn drinken met Carlo. Na twee weken had hij op deze manier twaalf pagina's geschreven. Tot zijn eigen verbazing vertelde hij het verhaal van een meisje dat hij tegen het einde van de oorlog had ontmoet, een meisje dat hem even snel had afgetrokken. Hij was helemaal nooit van plan geweest dat verhaal zelfs maar in zijn boek op te nemen – omdat het eigenlijk niets om het lijf had – maar ineens leek dit het enige verhaal van betekenis.

Op zijn laatste dag in Porto Vergogna pakte Alvis zijn paar vellen papier en zijn kleine Royal-schrijfmachine en nam hij afscheid van de Tursi's, met de belofte het jaar erop terug te komen om te werken, om elk jaar twee weken in het dorpje te verblijven, net zo lang tot zijn boek af was – al zou het hem de rest van zijn leven kosten.

Vervolgens liet hij zich door een van de vissers naar La Spezia varen, waar hij een bus nam naar Licciana, waar het meisje woonde. Hij keek uit het raampje van de bus, op zoek naar de plek waar hij haar had ontmoet, de schuur met het groepje bomen, maar alles leek te zijn veranderd en hij kon zich niet oriënteren. Het dorp zelf was twee keer zo groot als het tijdens de oorlog was geweest, de oude, afbrokkelende natuurstenen huisjes waren vervangen door constructies van hout en baksteen. Alvis ging naar een trattoria en noemde Maria's achternaam. De man van de trattoria kende de familie. Hij had op school gezeten met Maria's broer, Marco, die aan de kant van de fascisten had gevochten en daarom was gemarteld; aan zijn voeten opgehangen op het dorpsplein en leeggebloed als een geslachte koe. De man wist niet wat er van Maria was geworden, maar haar jongere zus, Nina, was getrouwd met een jongen uit de buurt en ze woonde nog altijd in het dorp. Hij legde Alvis uit hoe hij bij Nina moest komen, die in een laag huisje woonde op een open plek achter de oude stadsmuren, in een nieuwe buurt die doorliep tot aan de helling. Alvis klopte aan. De deur ging op een kiertje en een vrouw met zwart haar stak haar hoofd uit het raampje en vroeg wat hij kwam doen.

Alvis legde uit dat hij haar zus had gekend, in de oorlog. 'Anna?' vroeg het meisje.

'Nee, Maria', zei Alvis.

'O', zei ze enigszins dreigend. Een paar tellen later liet ze hem binnen, in de keurige woonkamer. 'Maria is getrouwd met een arts, en ze woont in Genua.'

Alvis vroeg of ze hem het adres van haar zus kon geven.

Nina's gezicht verstrakte. 'Ze zit er niet op te wachten dat er weer een vriendje uit de oorlog komt opduiken. Ze is eindelijk gelukkig. Waarom zou je alles overhoophalen?'

Alvis zei met klem dat hij niets overhoop wilde halen.

'Maria heeft het zwaar gehad in de oorlog. Laat haar alsjeblieft met rust.' Toen riep een van de kinderen haar en verdween Nina naar de keuken om te kijken wat er aan de hand was.

Er stond een telefoon in de woonkamer en zoals de meeste mensen die waren aangesloten, had Maria's zus hem op een prominente plek staan, op een tafeltje met allemaal heiligenbeeldjes. Onder de telefoon lag een adresboekje.

Alvis pakte het boekje, sloeg het open bij de M, en ja hoor: Maria. Geen achternaam. Geen telefoonnummer. Alleen een straat in Genua. Alvis prentte het adres in zijn geheugen, klapte het boekje dicht, bedankte Nina dat ze tijd voor hem had vrijgemaakt en vertrok.

Die middag nam hij de trein naar Genua.

Het adres bleek ergens bij de haven te zijn. Alvis was bang dat hij het verkeerd had onthouden; dit leek geen buurt voor een arts en zijn vrouw.

De huizen waren van natuursteen en van baksteen en ze stonden dicht op elkaar, de daken als een toonladder die geleidelijk afliep in de richting van de haven. Op de begane grond bevonden zich goedkope cafeetjes en kroegjes waar voornamelijk vissers kwamen, net daarboven haveloze appartementen en eenvoudige hotelletjes. Maria's huisnummer bracht hem naar een taverne, een schimmelig kot met kromgetrokken tafels en sleetse vloerbedekking. Achter de bar stond een broodmagere, glimlachende man, en aan de bar hingen vissers met een slappe pet op het hoofd gebogen over borrelglaasjes met amberkleurig vocht, waar scherven af waren.

Alvis verontschuldigde zich, zei dat hij vermoedelijk het verkeerde adres had. 'Ik ben op zoek naar een vrouw...' begon hij.

De schriele barman wachtte niet op een naam. Hij wees alleen naar de trap achter de bar en hield zijn hand op.

'Aha.' Alvis wist meteen waar hij verzeild was geraakt en betaalde de man. Terwijl hij de trap op liep bad hij in stilte dat er een vergissing in het spel was, dat hij haar hier niet zou aantreffen. De trap leidde naar een overloop waar een bank en twee stoelen stonden. Op de bank zaten drie vrouwen in nachtkleding, die op gedempte toon praatten. Twee van de drie waren nog jong – eigenlijk nog meisjes, in een babydoll, met een tijdschrift op schoot. Ze kwamen hem geen van beiden bekend voor.

Op de stoel, in een nachtjapon met daarover een vale zijden peignoir, en met een bijna opgebrande sigaret tussen haar vingers, zat Maria.

'Hallo', zei Alvis.

Maria keek niet eens op.

Een van de jongere vrouwen zei in het Engels: 'Amerikaan, ja? Vind je me leuk, Amerikaan?'

Alvis sloeg geen acht op het meisje. 'Maria', zei hij zachtjes.

Ze keek niet op.

'Maria?'

Eindelijk sloeg ze haar ogen op. Ze leek twintig jaar ouder, in plaats van tien. Haar armen waren voller en ze had rimpeltjes bij haar mond en haar ogen.

'Maria, wie is dat?' vroeg ze in het Engels.

Een van de meisjes begon te lachen. 'Doe niet zo flauw. Anders wil ik hem wel.'

Zonder dat er ook maar iets van herkenning doorklonk in haar stem noemde Maria de prijzen, in het Engels, per tijdseenheid. Boven haar hoofd hing een foeilelijk schilderij van een iris. Alvis moest zich bedwingen om het niet ondersteboven te hangen. Hij kocht een half uur.

Omdat hij wel vaker in dit soort tenten kwam gaf hij Maria de helft van het afgesproken bedrag. Ze vouwde de briefjes dubbel en bracht ze naar beneden, naar de man achter de bar. Toen liep Alvis achter haar aan door de gang, naar een klein kamertje. Er stonden enkel een opgemaakt bed, een nachtkastje, een kapstok en een doffe spiegel vol krassen. Het raam bood uitzicht op de haven en de straat beneden. De springveren kraakten toen ze op het bed ging zitten en zich begon uit te kleden.

'Ken je me nog?' vroeg Alvis in het Italiaans.

Ze stopte met uitkleden en bleef op het bed zitten, onbewogen, zonder ook maar een glimp van herkenning.

Alvis vertelde haar langzaam, in het Italiaans, dat hij tijdens de oorlog in Italië gelegerd was geweest, dat hij haar op een avond op een verlaten weg was tegengekomen en met haar mee naar huis was gelopen, dat hij op de dag dat hij haar had leren kennen een punt had bereikt waarop het hem niets meer kon schelen of hij het zou overleven, maar dat hij ineens niet meer dood wilde nadat hij haar had ontmoet. Hij zei dat zij hem had geïnspireerd om na de oorlog een boek te schrijven, om er iets mee te doen, maar dat hij was teruggekeerd naar Amerika ('*Ricorda... Wisconsin?*') en tien jaar lang troost had gezocht in de drank. Zijn beste vriend was omgekomen in de oorlog en had een vrouw en een zoon achtergelaten, zei hij. Alvis had helemaal niemand, maar hij was wel teruggekeerd en had al die jaren vergooid.

Ze luisterde geduldig en vroeg toen of hij met haar naar bed wilde.

Hij zei dat hij naar Licciana was gegaan om haar te zoeken – en toen hij de naam van het dorpje noemde meende hij iets in haar ogen te ontwaren, schaamte wellicht – omdat hij tot inkeer was gekomen door wat zij die nacht voor hem had gedaan: niet dat met haar hand, maar dat ze hem na afloop had getroost, dat ze zijn betraande gezicht tegen haar prachtige borsten had gedrukt. Niemand had ooit zoiets diep menselijks voor hem gedaan, zei hij.

'Wat erg,' zei Alvis, 'dat er dit van je is geworden.'

'Dit?' Tot Alvis' ontzetting begon ze te lachen. 'Dit ben ik altijd al geweest.' Met een weids handgebaar zei ze, in plat Italiaans: 'Beste jongen, ik ken je niet. En ik ken dat dorp niet waar je het over hebt. Ik heb altijd in Genua gewoond. Er komen hier wel vaker jongens zoals jij, Amerikaanse jongens die hebben gevochten en hun eerste seksuele ervaring hebben gehad met een meisje dat op mij lijkt. Dat geeft niet.' Ze leek geduldig, maar niet bijzonder geïnteresseerd in zijn verhaal. 'Was je van plan die Maria van je te redden? Wilde je haar meenemen naar Amerika?'

Alvis wist niet wat hij moest zeggen. Nee, natuurlijk was hij niet van plan haar mee te nemen naar Amerika. Wat was hij dan wél van plan geweest? Wat deed hij hier?

'Je hebt me gelukkig gemaakt door me te verkiezen boven de meisjes die jonger zijn', zei de prostituee en ze reikte naar zijn riem. 'Maar noem me alsjeblieft geen Maria meer.'

Terwijl haar handen bedreven zijn gesp losmaakten keek Alvis naar het gezicht van de vrouw. Zij was het, dat kon haast niet anders. Maar ineens was hij er niet meer zo zeker van. Ze leek ouder dan Maria nu zou zijn. En die stevige armen had hij toegeschreven aan haar leeftijd – maar was het misschien iets anders? Stortte hij zijn hart uit bij een willekeurige hoer?

Hij keek hoe haar dikke vingers de knoopjes van zijn gulp losmaakten. Hij voelde zich als verlamd, maar wist nog onder haar vandaan te rollen. Hij knoopte zijn gulp dicht en maakte zijn gesp weer vast.

'Wil je liever met een van de andere meisjes?' vroeg de prostituee. 'Ik wil er wel eentje halen, maar je moet mij hoe dan ook betalen.'

Met trillende handen pakte Alvis zijn portefeuille; hij haalde er vijftig keer zoveel uit als het bedrag dat zij had genoemd. Hij legde het geld op het bed. En toen zei hij zachtjes: 'Het spijt me dat ik je die avond niet gewoon naar huis heb gebracht.'

Ze keek alleen maar naar het geld. Alvis Bender liep de kamer uit, met het gevoel dat het laatste restje leven daar uit hem was gesijpeld. Op de overloop zaten de andere hoeren in hun tijdschrift te bladeren. Ze keken niet eens op. Beneden wurmde hij zich langs de magere, grijnzende barman en stormde naar buiten. Toen Alvis buiten in de zon stond was hij gek van de dorst. Hij stak haastig de straat over, naar een andere kroeg, en dacht: Goddank zijn er overal en altijd kroegen. Het was een geruststellende gedachte dat er een onuitputtelijke hoeveelheid kroegen op de wereld was. Hij zou elk jaar naar Italië kunnen gaan om aan dat boek te werken, en zelfs al zou het hem de rest van zijn leven kosten om zijn roman te voltooien en zichzelf dood te drinken, dan nog was het niet erg. Hij wist nu wat zijn boek zou zijn: een artefact, incompleet en vervormd, een scherf van iets abstracters. En als zijn tijd met Maria uiteindelijk nietszeggend was – een toevallige ontmoeting, een vluchtig moment, misschien zelfs de verkeerde hoer – dan was dat maar zo.

Op straat zwenkte een vrachtwagen om hem heen en hij werd even uit zijn gedachten gehaald, lang genoeg om achterom te kijken naar het bordeel waaruit hij net tevoorschijn was gekomen. Daar, achter het raam op de eerste verdieping, stond Maria – tenminste, dat maakte hij zichzelf wijs – tegen het glas geleund. Ze keek hem na, met een openhangende peignoir, en haar vingers streelden het plekje tussen haar borsten waar hij ooit snikkend zijn hoofd had gelegd. Ze keek nog een paar tellen naar hem, deed toen een stap bij het raam vandaan en was verdwenen.

Na zijn eerste productieve bezoek aan Italië boekte Alvis Bender weinig vooruitgang meer wanneer hij aan zijn roman kwam werken. In plaats daarvan bleef hij een week of wat in Rome, Milaan of Venetië, waar hij in de kroeg hing en achter de vrouwen aan zat, om zich tot slot nog een paar dagen terug te trekken in Porto Vergogna. Hij schaafde aan zijn eerste hoofdstuk, herschreef hele stukken, schoof met alinea's, haalde woorden weg, voegde zinnen toe – maar zijn roman wilde maar niet vlotten. Toch deed het hem altijd goed, lekker wat lezen, in alle rust aan zijn ene geslaagde hoofdstuk knutselen en met zijn oude vriend Carlo Tursi kletsen, diens vrouw Antonia zien en Pasquale, hun zoontje met zijn zee-ogen. Maar nu – dat zowel Carlo als Antonia bleek te zijn overleden, dat Pasquale was uitgegroeid tot een man... Alvis wist niet goed wat hij ervan moest denken. Hij had wel vaker gehoord dat echtelieden kort na elkaar overleden, dat het immense verdriet ondraaglijk was voor de achterblijver. Maar dit was nauwelijks te bevatten: een jaar terug hadden Carlo en Antonia kerngezond geleken. En nu waren ze er niet meer?

'Wanneer is dat gebeurd?' vroeg hij aan Pasquale.

'Mijn vader is afgelopen voorjaar overleden, mijn moeder drie nachten terug', zei Pasquale. 'Morgen is de uitvaart.'

Alvis nam Pasquale aandachtig op. De afgelopen lentes was Pasquale tijdens Alvis' bezoeken in Florence geweest. Het was onvoorstelbaar dat de kleine Pasquale was uitgegroeid tot deze... tot deze man. Zelfs in zijn verdriet straalde Pasquale de merkwaardige standvastigheid uit die hij ook als kind al had gehad – die blauwe ogen die de wereld heel rustig gadesloegen. Ze zaten op de veranda, in de koele ochtendlucht. Het koffertje met de draagbare schrijfmachine stond aan Alvis Benders voeten, waar in het verleden Pasquale had gezeten. 'Ik vind het heel erg voor je, Pasquale', zei hij. 'Ik kan ook een hotel elders aan de kust zoeken, als je liever alleen bent.'

Pasquale keek naar hem op. Hoewel Alvis' Italiaans meestal goed te volgen was, duurde het nu even voordat de woorden tot Pasquale doordrongen, haast alsof hij ze eerst moest vertalen. 'Nee. Ik vind het fijn als je blijft.' Hij schonk hun allebei wijn bij en schoof Alvis' glas naar hem toe.

'Grazie', zei Alvis.

Ze dronken zwijgend hun wijn, en Pasquale staarde naar het tafelblad.

'Je hoort het wel vaker, bij echtparen, dat ze kort na elkaar overlijden', zei Alvis, die zo'n brede kennis leek te hebben dat Pasquale het niet helemaal vertrouwde. 'Ze overlijden aan...' Hij zocht naar het Italiaanse woord voor verdriet. 'Dolore.'

'Nee.' Langzaam sloeg Pasquale zijn ogen op. 'Mijn tante heeft haar vermoord.'

Alvis was bang dat hij het verkeerd had verstaan. 'Je tante?'

'Ja.'

'Waarom zou ze dat doen, Pasquale?' zei Alvis.

Pasquale wreef over zijn wangen. 'Ze wilde dat ik trouwde met de Amerikaanse actrice.'

Alvis was bang dat Pasquale gek was geworden van verdriet. 'Welke actrice?'

Met een dromerige blik gaf Pasquale hem de foto van Dee Moray. Alvis haalde zijn leesbril uit zijn zak, bekeek de foto aandachtig, keek toen op. Hij zei op vlakke toon: 'Wilde je moeder dat je met Elizabeth Taylor trouwde?'

'Nee. Die andere', zei Pasquale. Hij schakelde over op Engels, alsof zulke dingen alleen in die taal geloofwaardig waren. 'Ze komt naar hotel, drie dagen. Ze maakt vergissing hier te komen.' Hij haalde zijn schouders op.

In de acht jaar dat Alvis Bender inmiddels in Porto Vergogna kwam, had hij nog maar drie andere hotelgasten gezien, en dat waren zéker geen Amerikanen geweest, en al helemaal geen beeldschone actrices, laat staan vriendinnen van Elizabeth Taylor. 'Ze is beeldschoon', zei Alvis. 'Pasquale, waar is je tante Valeria nu?'

'Ik weet het niet. Ze is de heuvels in gevlucht.' Opnieuw schonk Pasquale wijn bij. Hij keek op naar de oude familievriend, met zijn scherpe gelaatstrekken en zijn smalle snorretje, die zich koelte toewuifde met zijn hoed. 'Alvis,' zei Pasquale, 'vind je het goed als we niet praten?'

'Natuurlijk, Pasquale', zei Alvis. Zwijgend dronken ze hun wijn. In de stilte kabbelden de golven tegen de rotsen onder hen en terwijl de twee mannen uitkeken over zee steeg er een lichte, zilte mist op.

'Ze heeft je boek gelezen', zei Pasquale na een tijdje.

Alvis hield zijn hoofd schuin, vroeg zich af of hij het goed had verstaan. 'Wat zeg je nou?'

'Dee. De Amerikaanse.' Hij wees naar de blonde vrouw op de foto. 'Ze heeft je boek gelezen. Ze zei dat het treurig was, maar ook heel mooi. Ze vond het erg goed.'

'Meen je dat nou?' vroeg Alvis in het Engels. En toen: 'Krijg nou wat.' En weer was het stil, afgezien van het geluid van de zee tegen de rotsen, alsof er een pak kaarten werd geschud. 'Heeft ze... nog meer gezegd?' vroeg Alvis Bender na een poosje, nu weer in het Italiaans.

Pasquale zei dat hij niet helemaal begreep wat Alvis bedoelde.

'Over mijn hoofdstuk', zei hij. 'Heeft de actrice nog meer gezegd?'

Pasquale zei dat hij het zich echt niet meer kon herinneren, áls het al zo was.

Alvis dronk zijn glas leeg en zei dat hij naar zijn kamer ging, en Pasquale vroeg of hij het erg zou vinden als hij een kamer op de eerste verdieping zou krijgen. De actrice had op de tweede verdieping geslapen, zei hij, en hij was er nog niet aan toegekomen om de kamer te doen. Pasquale vond het vervelend om te liegen, maar hij kon het domweg niet verdragen dat er iemand anders in de kamer zou slapen, zelfs niet als het Alvis was.

'Geen punt', zei Alvis, en hij liep naar boven om zijn spullen weg te zetten.

Zodoende zat Pasquale helemaal alleen aan het tafeltje toen hij het doffe ronken van een grote motorboot hoorde. Hij keek net op tijd op om een speedboot de golfbreker in de baai van Porto Vergogna te zien ronden. De stuurman was op veel te hoge snelheid de baai in gekomen en de boot werd opgetild door de golven en klapte neer in de waterfontein van zijn eigen kielzog. Er zaten drie mannen in de boot, en toen hij vlak bij het steigertje was kon Pasquale ze duidelijk zien: aan het roer een man met een zwarte pet op, en achter hem, met zijn tweeën op het bankje, die rat van een Michael Deane en die zatlap van een Richard Burton.

Pasquale maakte geen aanstalten om naar het water te gaan. De schipper met de zwarte pet meerde af aan de houten bolder en Michael Deane en Richard Burton gingen van boord, stapten de steiger op en volgden het smalle paadje naar het hotel.

Richard Burton leek enigszins ontnuchterd en hij was onberispelijk gekleed, in een wollen overjas waar de manchetten van zijn overhemd net onderuit staken, geen stropdas.

'Ha, daar is mijn vriend', riep Richard Burton naar Pasquale, terwijl hij over het paadje naar het dorp liep. 'Zeg m'n beste, is Dee toevallig teruggekomen?'

Michael Deane volgde Burton op een paar passen afstand en nam het dorpje in zich op.

Pasquale keek over zijn schouder naar wat er nog restte van het dorp van zijn vader, en probeerde het te zien door de ogen van de Amerikaan. De kleine huizen van natuursteen en pleisterwerk oogden vermoedelijk net zo afgeleefd als hij zich voelde – alsof ze na driehonderd jaar alle greep op de rotsen hadden verloren en elk moment in zee konden tuimelen.

'Nee', zei Pasquale. Hij bleef zitten, maar toen de twee mannen de veranda naderden keek hij met een dreigende blik naar Michael Deane, die een stapje achteruit deed.

'Dus... je hebt Dee niet gezien?' vroeg Michael Deane.

'Nee', zei Pasquale nogmaals.

'Zie je, dat zei ik toch', zei Michael Deane tegen Richard Burton. 'Laten we dan maar naar Rome gaan. Daar zal ze wel opduiken. Of misschien gaat ze alsnog naar Zwitserland.'

Richard Burton haalde een hand door zijn haar, draaide zich om en wees naar de wijnfles op de verandatafel. 'Zeg m'n beste, denk je dat wij...?'

Achter zijn rug kromp Michael Deane ineen, maar Richard Burton pakte de fles, schudde er even mee en liet Deane zien dat hij leeg was.

'Het lot is ongenadig', zei hij en hij wreef over zijn lippen alsof hij omkwam van de dorst.

'Binnen staat nog meer wijn', zei Pasquale. 'In de keuken.'

'Verdomd aardig van je, Pat', zei Richard Burton. Hij gaf Pasquale een klopje op zijn schouder en liep langs hem het hotel in.

Toen hij weg was wipte Michael Deane onrustig van zijn ene voet op de andere en zei: 'Dick dacht dat ze misschien weer hiernaartoe was gegaan.'

'Zijn jullie haar kwijt?' vroeg Pasquale.

'Zo zou je het kunnen zeggen, ja.' Michael Deane fronste, alsof hij zich afvroeg of hij nog meer moest prijsgeven. 'Ze zou naar Zwitserland gaan, maar het lijkt erop dat ze helemaal niet op de trein is gestapt.' Michael Deane wreef over zijn slaap. 'Laat je het me weten als ze hier weer opduikt?'

Pasquale zei niets.

'Luister', zei Michael Deane. 'Het is allemaal nogal ingewikkeld. Jij ziet alleen haar, en ik geef toe: voor haar is het een bittere pil. Maar er zijn nog meer mensen bij betrokken, er spelen meer belangen en afwegingen. Huwelijken, carrières... het is allemaal niet zo eenvoudig.'

Pasquale kromp ineen, herinnerde zich dat hij hetzelfde tegen Dee Moray had gezegd over zijn relatie met Amedea: Het is niet zo eenvoudig.

Michael Deane schraapte zijn keel. 'Ik ben hier niet gekomen om verantwoording af te leggen. Ik ben gekomen om jou te vragen een boodschap door te geven als je haar spreekt. Zeg tegen haar dat ik begrijp dat ze kwaad is. Maar zeg ook dat ik precies weet wat ze wil. Zeg dat maar tegen haar. *Michael Deane weet precies wat je wilt.* En als iemand haar daarbij kan helpen, ben ik het.' Hij stak een hand in zijn jaszak en haalde opnieuw een envelop tevoorschijn, die hij aan Pasquale gaf. 'Er is een Italiaanse uitdrukking die me de afgelopen weken steeds meer is gaan aanspreken: *con molto discrezione.*'

Met uiterste discretie. Pasquale maakte een afwerend gebaar, alsof het geld een horzel was.

Michael Deane legde de envelop op tafel. 'Mocht ze hier opduiken, zeg dan maar tegen haar dat ze contact met me moet opnemen, *capisce?*'

Richard Burton verscheen weer in de deuropening. 'Waar was die wijn nou, kap'tein?'

Pasquale zei waar de wijn stond en Richard Burton ging weer naar binnen.

Michael Deane glimlachte. 'De goede zijn soms wat... lastig.'

'En is hij een goede?' vroeg Pasquale zonder op te kijken.

'De beste die ik ooit heb gezien.'

Alsof het zo was afgesproken dook op datzelfde moment Richard Burton weer op, met de etiketloze wijnfles. 'Goed, dan. Betaal deze man voor de vino, Deane-o.'

Michael Deane legde nog meer geld op tafel, twee maal de prijs van de fles.

Alvis Bender was op het geluid van de stemmen afgekomen maar bleef als aan de grond genageld in de deuropening staan en keek met grote ogen naar Richard Burton die de donkere wijnfles in zijn hief. '*Cin, cin, amico*', zei Richard Burton, alsof Alvis ook een Italiaan was. Hij nam een flinke slok uit de fles en richtte het woord weer tot Michael Deane. 'Nou, Deaner... dan moesten wij de wereld maar eens gaan bestormen.' Hij maakte een buiginkje voor Pasquale. 'M'n beste dirigent, u hebt hier een schitterend or-

273

kest. Niets aan veranderen.' En met die woorden liep hij in de richting van de boot.

Michael Deane haalde een visitekaartje en een pen uit zijn borstzakje. 'Dit...' met een theatraal gebaar zette hij zijn handtekening op de achterkant van het kaartje en legde het voor Pasquale op tafel, alsof het een goocheltruc was, '...is voor u, meneer Tursi. Wie weet komt er ooit een dag dat ik iets terug kan doen. *Con molta discrezione*', zei hij nogmaals. Michael Deane knikte ernstig en daalde toen achter Richard Burton aan het paadje af.

Pasquale pakte het gesigneerde visitekaartje en draaide het om. *Michael Deane, publiciteit, 20th Century Fox*, stond er.

In de deuropening van het hotel keek Alvis Bender, met stomheid geslagen, de mannen na die naar de waterlijn liepen.

'Pasquale', zei hij uiteindelijk. 'Was dat Richard Burton?'

'Ja', zei Pasquale met een zucht. En daarmee had het hele verhaal van de Amerikaanse filmlui ten einde kunnen zijn als Pasquales tante Valeria niet net dát moment had uitgekozen om weer ten tonele te verschijnen, om wankelend achter het verlaten kapelletje vandaan te komen, als een geestverschijning, gek van verdriet en schuldgevoel en een nacht in de buitenlucht, met holle ogen, een wilde bos grijze haren die alle kanten uit stonden, vuile kleren, een hongerige blik in haar ogen en strepen over haar groezelige wangen van de tranen. '*Diavolo!*'

Ze liep langs het hotel, langs Alvis Bender, langs haar neef, en daalde af naar de mannen die zich terugtrokken in de richting van het water. De wilde katten stoven voor haar uiteen. Richard Burton was al te ver, maar ze strompelde achter Michael Deane aan terwijl ze in het Italiaans tegen hem tekeerging. Duivel, beest, moordenaar. '*Omicida!*' siste ze. '*Assassino cruento!*'

Richard Burton, die al bijna bij de boot was met zijn fles, draaide zich om. 'Ik zei toch dat je voor die wijn moest betalen, Deane!'

Michael Deane bleef staan, keerde zich om en hief zijn handen voor zijn borst om zoals gewoonlijk zijn charisma in de strijd te werpen, maar de oude heks liet zich niet tegenhouden. Ze stak een knokige vinger in de lucht, priemde die vervolgens in zijn richting en slingerde hem een jammerklacht vol verwijten naar het hoofd, een verschrikkelijke vloek die weergalmde tegen de rotswand. '*Io ti maledico a morire lentamente, tormentato dalla tua anima miserabile!*'

Dat je een langzame dood mag sterven, gekweld door je ellendige ziel.

'Verdomme, Deane', riep Richard Burton. 'Ga aan boord, man.'

15

Het afgewezen eerste hoofdstuk van Michael Deanes memoires

2006
Los Angeles, Californië

ACTION.

Waar te beginnen? Geboorte zegt de man.
Goed. Ter wereld gekomen als vierde van zes kinderen van de bruid van een lepe advocaat in de stad der engelen in het jaar 1939. Maar pas echt geboren in de lente van 1962.
Toen ik ontdekte waartoe ik op aarde was.
Tot die tijd zag mijn leven eruit zoals dat van de meeste mensen. Met het hele gezin aan tafel en op zwemles. Tennissen. Zomers met neven en nichten in Florida. Geflikflooi met meegaande meisjes achter het schoolgebouw en in de bioscoop.
Was ik de slimste? Nee. De knapste? Ook niet. Ik wilde niet deugen zoals dat dan heet. Jaloerse jongens gaven me geregeld een optater. Meisjes een klap. Scholen kotsten me uit als een bedorven oester.
Voor mijn vader was ik de Verrader. Haalde zijn naam door het slijk en saboteerde de plannen die hij met me had: studeren in het buitenland. Rechten. Stage lopen in ZIJN bedrijf. In ZIJN voetsporen treden. ZIJN leven.

In plaats daarvan heb ik mijn leven geleid. Twee jaar Pomona College. Buiten de pot piesen. In 1960 gestopt om te gaan acteren. Slechte huid sloeg pokkengaten in mijn plannen. Besloot me dan maar van binnenuit in het wereldje te storten. Onderaan beginnen. Een baantje op de publiciteitsafdeling van 20th Century Fox.

We werkten vanuit de oude Fox Car Barn naast de volgevreten vrachtwagenchauffeurs. Zaten de hele dag aan de telefoon met journalisten en mensen van de roddelpers. Probeerden negatieve verhalen uit de krant te houden en positieve verhalen erin te krijgen. 's Avonds liep ik openingen en feestjes en benefietvoorstellingen af. Of ik het leuk vond? Wie zou dat niet leuk vinden? Elke avond een andere vrouw aan mijn arm. De zon en de Strip en de seks? Het leven was een en al opwinding.

Mijn baas heette Dooley. Een dikke man uit de Midwest met flaporen. Hij wilde me erbij hebben omdat ik hem scherp hield. Omdat ik een gevaar voor hem vormde. Maar op een ochtend had Dooley vrij. We kregen een opgewonden telefoontje. Er stond een persmuskiet bij het studiohek met een paar foto's die ons wel zouden interesseren. Een bekende cowboyacteur op een feestje. Een veelbelovend acteur. Bijna niemand wist dat hij een nicht van de bovenste plank was. Op die foto's blies hij op de trompet van een ander. Het meest bezielde optreden dat hij ooit heeft gegeven.

Dooley zou er pas de volgende dag weer zijn. Maar dit duldde geen uitstel. Ik belde eerst iemand van de roddelpers die bij me in het krijt stond. Verspreidde het gerucht dat de cowboyacteur verloofd was met een jonge actrice. B-films maar een aanstormend talentje. Hoe wist ik dat zij zou toehappen? Ik had een paar keer een nummertje met haar gemaakt. In verband gebracht worden met een grotere naam was de snelste weg naar de voorpagina's. Reken maar dat ze ja zou zeggen.

In deze stad drijft alles stroomopwaarts. Vervolgens kuierde ik naar het hek en huurde de fotograaf in om *promo stills* te maken voor de studio. Heb de negatieven van de cowboyverlinker eigenhandig verbrand.

Om twaalf uur die middag had ik het telefoontje gekregen. Om vijf uur was het geregeld. Maar de volgende dag was Dooley laaiend. Waarom? Skouras had gebeld. En het hoofd van de studio wilde MIJ spreken. En niet hem.

Dooley was een uur bezig om me te instrueren. De oude Skouras nooit in de ogen kijken. Niet vloeken. En wat je ook doet: NOOIT tegen die ouwe ingaan.

Prima. Ik stond een uur op de gang te wachten. Toen mocht ik naar binnen. Hij zat op een hoek van zijn bureau. Gekleed als een uitvaartondernemer. Een dikke man met een zwarte bril en achterovergekamd haar. Hij gebaarde naar een stoel. Vroeg of ik een glas Coca-Cola wilde. 'Heel graag.' Die Griekse krent draaide het flesje open. Hij schonk een derde in en reikte me het glas aan. De rest van de cola hield hij achter alsof ik het eerst moest verdienen. Hij zat op het hoekje van zijn bureau en keek hoe ik het bodempje cola opdronk terwijl hij me met vragen bestookte. Waar kwam ik vandaan? Wat hoopte ik te bereiken? Wat was mijn lievelingsfilm? Geen woord over die cowboyster. En wat wilde de grote studiobaas van deze Deane?

'Michael. Ik ben benieuwd. Wat weet je van <u>Cleopatra</u>?'

Stomme vraag. Iedereen in de stad wist alles van die film. Vooral dat de film Fox aan de rand van de afgrond bracht. Dat het idee al twintig jaar rondzong voordat Walter Wanger er in '58 mee aan de slag ging. Maar vervolgens had Wanger zijn vrouw betrapt toen ze haar agent pijpte en had hij de agent in zijn ballen geschoten. Waarop Rouben Mamoulian <u>Cleo</u> overnam. Een begroting van 2 miljoen dollar met Joan Collins. Wat nergens op sloeg. Dus zette de studio Collins aan de kant en probeerde Liz Taylor te strikken. De grootste actrice op de hele wereld maar ze had te lijden onder alle negatieve publiciteit nadat ze Eddie Fisher had afgepikt van Debbie Reynolds. Nog geen dertig en al haar vierde huwelijk. Zo'n precair punt in haar carrière en wat doet ze? Ze eist een miljoen en tien procent van Cleopatra. Er had nog nooit iemand zelfs maar een half miljoen gekregen en nu wil mevrouw maar liefst een miljoen?

De studio was ten einde raad. Skouras zei ja.

Mamoulian ging in 1960 met veertig man naar Engeland om met de productie van Cleo te beginnen. Een nachtmerrie vanaf het eerste moment. Noodweer. Tegenslag. Sets opbouwen. Sets afbreken. Sets weer opbouwen. Mamoulian kon niet één frame opnemen. Liz werd ziek. Een verkoudheid mondde uit in een kaakontsteking en toen in een hersenvliesontsteking en toen in een stafylokokkeninfectie en toen in een longontsteking. De vrouw onderging een tracheotomie en liet bijna het leven op de operatietafel. Cast en crew zaten er gezellig bij te drinken en te kaarten. Zestien maanden en zeven miljoen dollar verder had hij hooguit anderhalve meter bruikbaar beeldmateriaal. Anderhalf jaar en de man had niet eens zijn eigen lengte aan filmbeeld weten te schieten. Skouras had geen keus. Hij stuurde Mamoulian de laan uit. Haalde Joe Mankiewicz erbij. Mankie verplaatste de hele boel naar Italië en stuurde op Liz na de volledige cast weg. Haalde Dick Burton erbij om Marcus Antonius te spelen. Nam vijftig scenarioschrijvers in de arm om te redden wat er te redden viel. Al snel telde het script maar liefst vijfhonderd bladzijden. Een verhaal van negen uur. De studio moest er zeventig mille per dag op toeleggen terwijl zo'n duizend figuranten betaald kregen om niets te doen en het maar bleef regenen en er camera's verdwenen en Liz zich bedronk en Mankie het erover had om er drie films van te maken. De studio zat er nu zo diep in dat er geen weg terug meer was. Uitgesloten na twee jaar bezig te zijn geweest en twintig miljoen over de balk te hebben gesmeten en God mag weten wat nog meer terwijl die ellendige vrek van een Skouras de rit wel moest uitzitten en tegen beter weten in hoopte dat wat er uiteindelijk op het witte doek zou verschijnen godverdomme de beste film... het grootste spektakel... aller tijden... zou zijn.

'Wat ik van Cleopatra weet?' Ik keek Skouras aan. Hij zat op het hoekje van zijn bureau met de rest van mijn cola in zijn hand. 'Eerlijk gezegd niet zoveel.'

Het goede antwoord. Skouras schonk nog wat cola in mijn glas. Toen boog hij zich over zijn bureau. Pakte een manilla envelop. Gaf die aan mij. De foto die ik eruit haalde staat voorgoed in mijn geheugen gegrift. Het was bijna kunst. Twee innig verstrengelde mensen. En niet zomaar twee mensen. Dick Burton en Liz Taylor. Niet Marcus Antonius en Cleopatra op een publiciteitsfoto. Liz en Dick kussend op een terras van het Grand Hotel in Rome. Tongen die een andere mond aftastten.

Een regelrechte ramp. Ze waren allebei getrouwd. De studio had de handen nog vol aan alle negatieve publiciteit nadat Liz het huwelijk van Debbie en Eddie kapot had gemaakt. En nu deed Liz het met de beste toneelacteur van zijn tijd? Die ook nog eens een vermaard rokkenjager was? Hoe moest het nou met de kindertjes van Eddie Fisher? En het gezin van Burton? Die arme ventjes in Wales met hun groezelige koologen vol tranen omdat pappie hen in de steek had gelaten? In de kroeg zou de film worden neergesabeld. De studio zou worden neergesabeld. Het budget van de film hing al als een zwaard van Damocles boven Skouras' dikke Griekse kop. Dit zou de paardenhaar doen knappen.

Ik keek strak naar de foto.

Skouras deed zijn best om te glimlachen en een kalme indruk te wekken. Maar zijn ogen schoten als een metronoom heen en weer. 'Deane. Wat denk je?'

Wat Deane dacht? Niet zo snel.

Er was nog meer dat ik wist. Al wist ik het nog niet echt. Snap je? Zoals je je van seks bewust kunt zijn nog voordat er echt sprake van is. Ik had een gave. Maar ik was er nog niet achter hoe ik die precies kon aanwenden. Ik kon dwars door mensen heen kijken. Tot in het diepste van hun ziel. Een soort röntgenapparaat. Geen menselijke leugendetector. Een verlangendetector. Ik ben er ook wel door in de problemen gekomen. Een meisje zegt nee. Waarom? Ze heeft een vriendje. Ze zegt nee maar ik ZIE ja. Tien minuten later komt dat vriendje binnen en zijn vriendinnetje heeft de mond vol van Deane. Snap je wat ik bedoel?

Zo was het ook bij Skouras. Hij zei iets maar ik zag iets heel anders. Goed. Wat nu Deane? Je hebt je hele carrière nog voor je. En het advies van Dooley speelt nog door je hoofd. (Kijk hem niet aan. Niet vloeken. Tart hem niet.)

Hij zegt het nogmaals. 'Nou. Wat denk je?'

Diep ademhalen. 'Tja. Als u het mij vraagt bent u hier niet de enige die wordt genaaid.'

Skouras staarde me aan. Toen verhief hij zich van de hoek van zijn bureau. Hij liep eromheen en ging zitten. Vanaf dat moment behandelde hij me als een man. Geer bodempjes cola meer. Die oude zei waar het op stond. Liz? Onmogelijke vrouw. Labiel. Koppig. Dwars. Maar Burton was een vakman. En dit was niet zijn eerste *primo* verovering. Onze enige kans was om hem tot inkeer brengen. Als hij nuchter was.

Veel succes. Je eerste opdracht is naar Rome gaan en een NUCHTERE Richard Burton duidelijk maken dat hij eruit ligt als hij Liz Taylor niet met rust laat. Prima. De volgende dag zat ik in het vliegtuig.

In Rome werd me meteen duidelijk dat het niet makkelijk zou zijn. Dit was niet zomaar een affaire voor de duur van de film. Ze waren stapelgek op elkaar. Zelfs die oude snoeper van een Burton was tot over zijn oren verliefd. Voor het eerst van zijn leven duikt hij een tijdje niet met figurantes en kapsters de koffer in. In het Grand Hotel zette ik alles voor hem op een rijtje. Gaf hem de boodschap van Skouras door. Speelde het hard. Dick lachte me in mijn gezicht uit. Hem eruit schoppen? Dat leek hem stug.

Ik ben nog geen zesendertig uur bezig met de grootste klus van mijn leven en hij veegt de vloer met me aan. Zelfs een atoombom had Dick en Liz niet uit elkaar kunnen houden.

Geen wonder ook. Het was de grootste Hollywoodromance aller tijden. Niet zomaar wat seks op de set. Echte liefde. Al die leuke stellen van tegenwoordig met hun gekoppelde namen? Flauwe afspiegelingen. Kinderspel.

Dick en Liz waren goden. Onvervalst talent en charisma en net als goden lagen ze voortdurend met elkaar overhoop. Verschrikkelijk. Een adembenemende nachtmerrie. Dronken en narcistisch en vals tegen iedereen om hen heen. De film had wel wat meer van de dramatiek van die twee kunnen gebruiken. Ze draaiden een scène zo vlak als een vel papier en zodra de camera's liepen maakte Burton een spottende opmerking en siste zij iets terug en stormde vervolgens weg waarop hij achter haar aan ging en het hotelpersoneel melding maakte van goddeloze geluiden zoals glasgerinkel en geschreeuw en met die twee wist je nooit of ze elkaar in de haren vlogen of elkaar de kleren van het lijf rukten. Lege karaffen die over de balustrade van het balkon vlogen. Elke dag wel een auto in de prak. Kettingbotsingen waarbij wel tien auto's op elkaar klapten.

En ineens zag ik het.

Ik noem het zelf het moment van mijn geboorte.

Heiligen noemen het een openbaring.

Miljardairs noemen het een brainstorm.

Kunstenaars noemen het inspiratie.

Voor mij was dat het moment waarop ik begreep waarin ik me onderscheidde van anderen. Iets wat ik wel altijd had geweten maar nooit echt had begrepen. Een inzicht in de aard der dingen. Drijfveren. Diepe verlangens. In een flits overzag ik de hele wereld en was het me duidelijk: We willen wat we willen.

Dick wilde Liz. Liz wilde Dick. En wij willen auto-ongelukken. We zeggen van niet. Maar we smullen ervan. Je kijkt en je bent verkocht. Er rijden duizend mensen langs het standbeeld van David. Tweehonderd mensen kijken ernaar. Er rijden duizend mensen langs een auto-ongeluk. Duizend mensen kijken ernaar.

Inmiddels zal het wel een cliché zijn. Gesneden koek in het tijdperk van computers en gadgets die van alles en nog wat kunnen bijhouden van het aantal hits en het aantal keer dat een webpagina is bekeken tot het aantal keer dat een billboard is bekeken. Maar het was een keerpunt voor mij. Voor de stad. Voor de wereld.

Ik belde Skouras in LA. 'Dit valt niet op te lossen.'

De oude man zweeg. 'Wil je zeggen dat ik iemand anders moet sturen?'

'Nee.' Ik had een vijfjarige aan de lijn. 'Ik zeg... dat dit... niet valt op te lossen. En dat wilt u ook helemaal niet.'

Hij was furieus. Het was een man die niet gewend was slecht nieuws te krijgen. 'Waar heb je het in godsnaam over?'

'Hoeveel hebt u in deze film gestoken?'

'De feitelijke kosten van een film zijn niet...'

'Hoeveel?'

'Vijftien.'

'Ik denk eerder twintig. Een voorzichtige schatting is dat de film u vijfentwintig of zelfs dertig zal hebben gekost als hij klaar is. En hoeveel moet u in de publiciteit steken om die dertig miljoen terug te verdienen?'

Skouras was niet eens in staat het bedrag te noemen.

'Reclamespotjes en billboards en advertenties in bladen over de hele wereld. Acht? Laten we zeggen tien. Dan zit u al op veertig miljoen. Er is nog nooit een film geweest die veertig miljoen heeft opgebracht. En laten we er geen doekjes om winden. Het is geen goede film. Ik heb platjes gehad waar ik meer plezier aan heb beleefd dan aan deze film. Bagger is nog zacht uitgedrukt.'

Maakte ik Skouras helemaal af? Zonder meer. Maar alleen om zijn hachje te redden.

'Maar stel nou dat ik twintig miljoen aan GRATIS publiciteit kan regelen?'

'Dit is niet het soort publiciteit waarop we zitten te wachten!'

'Misschien wel.' Ik legde uit hoe het er op de set aan toe ging. De drank. De ruzies. De seks. Als de camera's liepen was het een ramp. Maar als de camera's niet liepen? Niemand kon zijn ogen van hen af houden. Marcus Antonius en Cleo-fucking-patra? Die oude vergane beenderen zouden iedereen worst wezen. Maar Liz en Dick? DIT is onze film. Ik zei tegen Skouras dat de film een kans maakte zolang het tussen die twee bleef zinderen.

We zouden wel gek zijn om het vuur te doven. We moesten het vuurtje juist opstoken.

Achteraf ligt het allemaal zo voor de hand. In deze wereld van ondergang en verlossing en een nieuwe ondergang. Van heel bewust naar buiten gebrachte *home sex video's*. Maar er was niet eerder zo tegenaan gekeken. Niet als het om <u>filmsterren</u> ging. Filmsterren waren Griekse goden. Volmaakte wezens. Als een van hen onderuit ging dan was het afgelopen. Fatty Arbuckle? Dood. Ava Gardner? Vergeten.

Ik stelde voor om de hele stad plat te branden teneinde dit ene huis overeind te houden. Als het me lukte zou het publiek niet <u>ondanks</u> het schandaal naar deze film gaan maar <u>dankzij</u> het schandaal. Er zou geen weg terug meer zijn. Goden zouden voorgoed tot het verleden behoren.

Ik hoorde Skouras zwaar ademen aan de andere kant van de lijn. 'Doe wat je moet doen.' En toen hing hij op.

Die middag kocht ik Liz' chauffeur om. Toen Burton en zij de veranda op liepen van de villa die ze hadden gehuurd om zich schuil te houden klonken op balkons aan drie kanten camerasluiters. Fotografen die ik had getipt. De volgende dag huurde ik een scootertje om het tweetal te volgen. Verkocht de foto's voor enkele tienduizenden dollars. Gebruikte het geld om informatie los te krijgen van weer andere chauffeurs en mensen van de visagie. Ik zette een eigen handeltje op. Liz en Dick waren laaiend. Ze smeekten me om uit te zoeken wie de informatie doorspeelde en ik deed alsof ik erachteraan ging. Ik stuurde chauffeurs en figuranten en cateraars de laan uit en na korte tijd vertrouwden Liz en Dick het mij toe om afgelegen schuilplaatsen voor ze te zoeken. Maar evengoed wisten de fotografen hen te vinden.

Of mijn plan succes had? Het verhaal werd breder uitgemeten dan welk filmverhaal ook. Liz en Dick haalden overal ter wereld de krant.

Dicks vrouw kwam erachter. Net als de man van Liz. Er waren nieuwe verwikkelingen. Ik zei tegen Skouras dat hij geduld moest hebben. De rit moest uitzitten.

Toen stapte die arme Eddie Fisher op het vliegtuig naar Rome in een poging zijn huwelijk te redden en in- eens had ik er nog een probleem bij. Om mijn plan te la- ten slagen moesten Liz en Dick nog wel bij elkaar zijn op het moment dat de film in roulatie ging. Op het mo- ment van de première op Sunset moest Dick Liz in de eetzaal van Chateau Marmont een beurt geven. En ik moest zorgen dat Eddie Fisher met zijn staart tussen zijn benen van het toneel zou verdwijnen. Maar die el- lendeling wilde vechten voor zijn zieltogende huwelijk.

Met Liz' man in Rome vormde ook Burton een probleem. Hij mokte. Hij dronk. En hij ging terug naar die ande- re vrouw op de set met wie hij af en aan had gerommeld sinds hij in Italië was.

Ze was lang en blond. Een vrouw met een opvallend ui- terlijk. Heel fotogeniek. Een actrice was destijds of- wel een sportwagen ofwel een gezinsauto. Een del of de dochter van de buren.

Maar dit was een heel ander verhaal. Volkomen uniek. Ze had geen enkele filmervaring. Kwam van het toneel. Mankie had haar om onverklaarbare redenen de rol van Cleopatra's hofdame gegeven. Enkel op grond van een castingfoto. Dacht zeker dat Liz Egyptischer zou lij- ken wanneer een van haar hofdames blond was. Wist hij veel dat een van Liz' hofdames Dick het hof zou maken.

Jezus. Ik wist niet wat ik zag. Wie geeft een lange blonde vrouw nou een rol in een film die speelt in het oude Egypte?

Laat ik haar D noemen.

D was wat we later een vrijgevochten vrouw zouden noemen. Zo'n hippiemeisje met zo'n losse moraal en van die dromerige ogen waar ik in de jaren zestig en zeven- tig zoveel plezier aan zou beleven.

Niet dat ik haar ooit heb gepakt.

Niet dat ik dat zou doen.

Maar terwijl Eddie Fisher door Rome doolde zocht Dick zijn heil bij deze stand-in. Bij D. Ik dacht niet dat ze een probleem zou vormen. Zulke types moet je gewoon zoet houden. Een mooi rolletje geven. Een contract aanbieden. En als ze dwarsliggen stuur je ze de laan uit. Zo moeilijk is dat niet. Ik zei dat Mankiewicz haar elke ochtend om vijf uur moest bellen om naar de set te komen. Om haar uit de buurt te houden van Burton. Maar toen werd ze ziek.

We hadden een Amerikaanse arts op de set. Crane. Hij had maar één taak en dat was Liz medicijnen voorschrijven. Hij onderzocht D. Nam me de volgende dag apart.

'Er is een probleem. Het kind is zwanger. Weet het zelf nog niet. Een of andere kwakzalver heeft haar ooit wijsgemaakt dat ze geen kinderen kan krijgen. Wel dus.'

Ik had natuurlijk wel eerder abortussen geregeld. Ik was pr-agent. Het stond bij wijze van spreken op mijn visitekaartje. Maar we hebben het over Italië. Katholiek Italië in 1962. In die tijd was het nog makkelijker om een stuk maansteen te bemachtigen.

Shit. Ik lek naar de pers dat de twee grootste sterren van de grootste film aller tijden iets met elkaar hebben en dan krijgen we dit? Drama Deane. Als <u>Cleopatra</u> in roulatie gaat en de vurige relatie van onze sterren is het gesprek van de dag dan maken we een kans. Maar als het gesprek van de dag is dat Burton een figurante heeft bezwangerd en dat Liz weer bij haar man terug is? Dan kunnen we het wel vergeten.

Ik smeedde een driefasenplan. Ten eerste: zorgen dat Burton een tijdje van het toneel verdween. Ik wist dat Darryl Zanuck in Frankrijk zat voor opnamen van <u>The Longest Day</u>. En ik wist dat hij Burton voor een cameo wilde om zijn oorlogsfilm wat meer cachet te geven. Ik wist dat Burton er wel oren naar had. Maar Skouras kon Zanucks bloed wel drinken. Skouras had de plek van die

oude ingenomen bij Fox. En er zaten mensen in het bestuur die eigenlijk Darryls knappe zoon Dickie op zijn
plek wilden zien. Dus ging ik achter Skouras' rug om.
Ik belde Zanuck en zei dat hij Burton tien dagen kon
lenen.

Vervolgens belde ik de dokter en zei dat hij die D
moest laten komen voor nog wat extra onderzoeken. 'Wat
voor onderzoeken?' zei hij.

'Jij bent hier verdomme de arts! Verzin maar wat. Als
ze maar een tijdje verdwijnt.'

Ik was bang dat hij zou gaan sputteren. Eed van Hip-
pocrates en zo. Maar deze Crane hapte zonder aarzeling
toe. De volgende dag komt hij met een brede glimlach
naar me toe. 'Ik heb gezegd dat ze maagkanker heeft.'

'WAT heb je gezegd?'

Crane legde uit dat de vroege symptomen van zwangerschap min of meer gelijk waren aan die van maagkanker. Kramp en misselijkheid en een tijdje moeite met de
stoelgang.

Ik wilde van het arme kind af maar van mij hoefde ze
niet dood.

Doc zei dat ik me geen zorgen moest maken. Hij had
tegen haar gezegd dat er iets aan te doen was. Een
Zwitserse arts met een nieuwe behandelmethode. Toen
gaf hij me een knipoog. Die arts in Zwitserland ver-
dooft haar natuurlijk. Dan krijgt ze de snelle behandeling. En als ze weer bijkomt is haar 'kanker' verdwenen. Wat niet weet wat niet deert. We sturen haar terug
naar Amerika om bij te komen. En ik zorg dat ze daar
een paar rollen krijgt. Iedereen blij. Probleem opgelost. Film gered.

Maar die D was een ongeleid projectiel. Haar moeder
was aan kanker overleden en ze nam de nepdiagnose nogal zwaar op als ik het even voorzichtig uitdruk. En ik
had onderschat hoeveel Dick om haar gaf.

Op het andere front had Eddie Fisher de moed opgegeven en was weer afgedropen. Ik belde Dick in Frankrijk om hem op de hoogte te brengen van het goede nieuws. Liz en hij konden elkaar weer zien. Maar hij kon nu niet naar Liz toe. Die andere vrouw had kanker. Ongeneeslijk. En Dick wilde haar niet in de steek laten. 'Het komt wel goed. Er is een arts in Zwitserland die...'

Dick viel me in de rede. Deze D wilde niet behandeld worden. Ze wilde de tijd die haar nog restte met hem doorbrengen. En de man was narcistisch genoeg om te denken dat dat een goed idee was. Hij hoefde twee dagen niet op de set van The Longest Day te zijn en hij zou D ontmoeten aan de Italiaanse Rivièra. En omdat ik Liz en hem zulke goede diensten had bewezen moest ik het regelen.

Wat kon ik doen? Burton wilde met haar afspreken in dit afgelegen kustplaatsje. Portovenere. Ergens tussen Rome en het zuiden van Frankrijk waar hij bezig was met de opnamen van The Longest Day. Ik sloeg de kaart open en mijn blik viel meteen op dat nietige stipje met een vergelijkbare naam. Porto Vergogna. Ik vraag de vrouw van het reisbureau het uit te zoeken. Ze zegt dat het een gehuchtje van niets is. Een vissersdorpje op een helling. Geen telefoon en geen weg. Volkomen afgesneden van de wereld. Onbereikbaar met de trein of de auto. Je kurt er alleen met de boot komen. 'Is er een hotel?' wilde ik weten. De vrouw van het reisbureau zei dat er een klein hotelletje was. Dus boekte ik een kamer voor Dick in Portovenere en stuurde D naar Porto Vergogna. Zei dat ze in het hotelletje op Burton moest wachten. Ik moest haar een paar dagen weg zien te houden totdat Dick weer naar Frankrijk ging en ik haar naar Zwitserland kon sluizen.

Het leek te lukken. Zij zat vast in dat dorpje. Afgesneden van de buitenwereld. Burton kwam naar Portovenere en trof daar niet háár aan maar mij. Ik zei dat D had besloten naar Zwitserland te gaan om zich te laten behandelen. Maak je over haar geen zorgen. Ze is in goede handen bij de Zwitserse artsen. Toen bracht ik hem terug naar Rome zodat hij bij Liz kon zijn.

Maar nog voordat ik ze weer had herenigd doemde er een ander probleem op. Opeens duikt er in Rome een of andere knul op uit het hotel waar D zat. Hij verkoopt me een knal. Na drie weken Rome was ik wel gewend aan Italianen die proberen je af te persen dus ik gaf hem wat geld en stuurde hem weg. Maar hij belazerde me. Ging op zoek naar Burton en vertelde hem het hele verhaal. Dat D helemaal niet ziek was. Dat ze zwanger was. Vervolgens bracht hij Burton naar haar toe. Heel fijn. Ineens zit Dick met zijn minnares vast in een hotel in Portovenere. En mijn film hangt aan een zijden draadje.

Maar gaf de Deane het op? Integendeel. Ik belde Zanuck en zorgde dat Burton terugging naar Frankrijk. Zogenaamd voor een dag reshoots voor The Longest Day. Zelf ging ik zo snel mogelijk naar Portovenere om met die D te praten.

Ik heb nog nooit iemand zo kwaad gezien. Ze kon mijn nek wel omdraaien. En dat begreep ik ook wel. Echt. Ik bood haar mijn excuses aan. Legde uit dat ik geen flauw idee had gehad dat de arts zou zeggen dat het kanker was. Zei dat het allemaal uit de hand was gelopen. Zei dat ze zich geen zorgen hoefde te maken over haar carrière. Dat zou wel goed komen. Beloofd. Ze hoefde alleen maar naar Zwitserland te gaan en daarna kon ze een rol krijgen in welke Fox-film ze maar wilde.

Maar het was een lastige tante. Ze wilde geen geld en geen filmrol. Ik wist niet wat ik hoorde. Ik had nog nooit een jonge vrouw ontmoet die níet uit was op geld of een filmrol of beide.

Op dat moment begreep ik welke verantwoordelijkheid mijn gave om te zien wat mensen echt willen met zich meebracht. Het is één ding om te weten wat mensen werkelijk willen. Maar het is nog iets anders om dat verlangen bij iemand OP TE ROEPEN. Om dat verlangen VORM TE GEVEN.

Ik deed alsof ik moest zuchten. 'Hoor eens. Het is allemaal uit de hand gelopen. Het enige wat hij wil is dat je abortus laat plegen en je mond houdt. Zeg jij maar hoe we dat het beste kunnen regelen.'

Ze deinsde achteruit. 'Hoezo "het enige wat hij wil"?'

Ik gaf geen krimp. 'Hij zit er heel erg mee in zijn maag. Dat mag duidelijk zijn. Hij kan het niet opbrengen om het je zelf te vragen. Daarom is hij vandaag vertrokken. Hij vindt het vreselijk dat het allemaal zo is gelopen.'

Ze leek nog pijnlijker getroffen dan toen ze dacht dat ze kanker had. 'Wacht even. Wil je beweren dat...'

Langzaam sloot ze haar ogen. Het was nog niet bij haar opgekomen dat Dick al die tijd zou hebben geweten waar ik mee bezig was. En eerlijk gezegd had ik er tot dat moment zelf ook niet bij stilgestaan. Maar in zekere zin was het wel zo.

Ik deed alsof ik ervan uit was gegaan dat ze wel wist dat ik uit zijn naam handelde. Ik moest improviseren. Ik had niet meer dan een dag voordat Dick zou terugkomen uit Frankrijk. Ik moest doen alsof ik het voor hem opnam. Ik zei dat hij heel veel van haar hield. Dat zijn aanbod daar niets aan veranderde. Ik zei dat ze het hem niet mocht verwijten. Dat zijn gevoelens voor haar oprecht waren. Maar Liz en hij stonden onder enorme druk met die film...

Ze onderbrak me. De puzzelstukjes schoven in elkaar. Het was de arts van Liz geweest die de diagnose had gesteld. Ze sloeg een hand voor haar mond. 'Weet Liz hier ook van?'

Ik slaakte een zucht en wilde haar hand pakken. Maar ze deinsde achteruit alsof mijn hand een slang was.

Ik zei dat er helemaal geen reshoots waren in Frankrijk. Ik zei dat Dick had gezorgd dat er een treinkaartje voor haar klaarlag op het station van La Spezia.

Ze keek alsof ze moest overgeven. Ik gaf haar mijn visitekaartje. Ze pakte het aan. Ik zei dat we zouden kijken welke Fox-films er op de rol stonden als ze weer in Amerika was. Ze kon elke rol krijgen die ze wilde. De volgende ochtend bracht ik haar naar het station. Ze stapte uit met haar bagage. Haar armen slap langs haar lichaam. Ze bleef lange tijd staan en keek naar het station en de groene heuvels erachter. Toen zette ze zich in beweging. Ik zag haar het gebouw in gaan. En ik wist het zo zeker als wat. Ze zou naar Zwitserland gaan. Over twee maanden zou ze bij me op de stoep staan. Hooguit zes maanden. Een jaar. Maar ze zou haar beloning komen opeisen. Zo gaat het altijd.

Maar zo ging het niet. Ze ging niet naar Zwitserland. Ze kwam niet naar me toe.

Die ochtend kwam Burton terug uit Frankrijk om D te zoeken. Maar in plaats daarvan trof hij mij aan.

Dick was buiten zinnen van woede. We gingen naar het station in La Spezia maar een medewerker zei dat ze alleen haar bagage had afgegeven. Daarna had ze zich omgedraaid en was in de richting van de heuvels gelopen.

Dick en ik reden terug naar Portovenere maar daar was ze niet. Dick wist me zelfs over te halen een boot te huren om terug te gaan naar dat vissersplaatsje waar ik haar een tijdje verborgen had gehouden. Maar daar was ze ook niet. Ze was van de aardbodem verdwenen.

Net toen we het vissersplaatsje wilden verlaten gebeurde er iets bizars. Er kwam een soort oude heks uit de heuvels. Vloekend en tierend. Onze chauffeur vertaalde het voor ons: 'Moordenaar!' En: 'Dat je dood mag neervallen.'

Ik wierp een blik op Burton. De oude heks gaf hem de volle laag. Jaren later moest ik nog aan die vloek denken toen ik zag hoe die arme Dick Burton zich de dood in dronk.

Die dag in de boot werd hij duidelijk gekweld door geesten. Het was het uitgelezen moment om hem tot inkeer te brengen.

'Kom op Dick. Wat kon je anders? Haar dat kind laten krijgen? Haar ten huwelijk vragen?'

'Rot op Deane.' Ik hoorde het aan zijn stem. Hij wist dat ik gelijk had.

'Deze film is verloren zonder jou. Liz is verloren zonder jou.'

Hij staarde alleen maar naar de zee.

Natuurlijk had ik gelijk. Liz was voor hem geschapen. Ze waren stapelverliefd. Ik wist het. Hij wist het. En ik maakte het allemaal mogelijk.

Ik had precies gedaan wat hij van me wilde. Al wist hij dat toen zelf nog niet. Dat doen mensen zoals ik voor mensen zoals hij.

Vanaf dat moment was duidelijk wat mijn rol in dit bestaan was. Aanvoelen wat mensen willen en doen wat anderen gedaan willen hebben. Dat waarvan ze nog niet eens weten dat ze het willen. Dat wat ze nooit zelf zouden kunnen. Dat wat ze niet onder ogen durven te zien.

In de boot keek Dick strak voor zich uit. Heeft onze vriendschap standgehouden? Yep. Waren we aanwezig op elkaars bruiloft? Reken maar. Stond de Deane met gebogen hoofd aan het graf van de grootse acteur aller tijden? Jazeker. En geen van beiden hebben we ooit met een woord gerept over wat er dat voorjaar in Italië was voorgevallen. Geen woord over de vrouw. Geen woord over het dorpje. Geen woord over de vloek van de heks.

Dat was dat.

Eenmaal weer in Rome legden Dick en Liz het bij. Ze trouwden. Maakten films. Sleepten prijzen in de wacht. Wie kent het verhaal niet? Een van de grote romances uit de geschiedenis. Een romance die ik heb vormgegeven.

En de film? Die ging in roulatie. En precies zoals ik had verwacht teerden we op de publiciteit die deze twee genereerden. Iedereen denkt dat <u>Cleopatra</u> een flop was. Dat is niet het geval. De film heeft zichzelf terugverdiend. Heeft zichzelf terugverdiend door wat ik heb gedaan. Zonder mij zou er twintig miljoen in rook zijn opgegaan. Iedere sukkel kan een kaskraker maken. Maar om een bom te ontmantelen moet je echt ballen hebben.

Dit was de allereerste opdracht van de Deane. Zijn allereerste film. En wat doet hij? Hij behoedt maar liefst een hele studio voor de ondergang. Hij breekt maar liefst het hele studiosysteem af om er een nieuw systeem voor in de plaats te zetten.

Toen Dick Zanuck die zomer Fox overnam werd ik hier natuurlijk dik voor beloond. De keet bij de parkeerplaats was verleden tijd. De afdeling Publiciteit was verleden tijd. Maar voor mij school de ware beloning niet in de baan als producer die mijn vriend Zanuck me toespeelde. De ware beloning school niet in de roem en al het geld dat me ten deel viel. De vrouwen en de coke en welk tafeltje ik maar wilde in willekeurig welk restaurant.

Voor mij was de ware beloning het inzicht dat mijn carrière zou bepalen.

We willen wat we willen.

En zo ben ik een tweede keer geboren. Zo ben ik op de wereld gekomen en zo heb ik de wereld voorgoed veranderd. Zo heb ik in 1962 aan de Italiaanse kust het concept *celebrity* uitgevonden.

[Commentaar van de redacteur: Wat een verhaal,
Michael.

Maar helaas, zelfs als we dit hoofdstuk zouden wil-
len gebruiken, voorziet de juridische afdeling een groot
aantal problemen, waar onze juristen in een apart schrij-
ven dieper op zullen ingaan.

Vanuit redactioneel oogpunt wil ik je ook nog even
ergens op wijzen: je plaatst jezelf niet in erg gunstig
daglicht in dit hoofdstuk. De onthulling dat je twee hu-
welijken te gronde hebt gericht en een jonge vrouw hebt
wijsgemaakt dat ze terminaal ziek was en haar vervol-
gens geld hebt gegeven om abortus te laten plegen – en
dat alles in het eerste hoofdstuk – is misschien niet
de beste manier om jezelf bij de lezer te introduceren.

En zelfs als de juristen ons dit verhaal zouden la-
ten gebruiken, is het wel erg onvolledig. Er zijn alle-
maal losse eindjes. Wat is er geworden van de jonge ac-
trice? Heeft ze abortus laten plegen? Heeft ze Burtons
kind gebaard? Is ze blijven acteren? Is ze beroemd ge-
worden? (Dat zou cool zijn.) Heb je op de een of andere
manier geprobeerd het goed te maken? Heb je haar opge-
spoord? Haar een geweldige rol gegeven? Heb je er ten-
minste iets van geleerd of voel je iets van berouw? Be-
grijp je waar ik naartoe wil?

Het is natuurlijk jouw leven en ik wil je geen woor-
den in de mond leggen. Maar je moet dit verhaal op de
een of andere manier afronden – de lezer enig idee geven
hoe het die vrouw is vergaan, het gevoel geven dat je
in ieder geval nog hebt geprobeerd het recht te zetten.]

16

Na de val

September 1967
Seattle, Washington

EEN DONKER TONEEL. Het geluid van golven.

MAGGIE komt op in een gekreukelde lap, fles in de hand, slierten haar voor haar ogen. Ze wankelt naar het einde van de pier, met op de achtergrond het geluid van de branding. Net wanneer ze bijna van de pier tuimelt komt QUENTIN het huisje uit gestormd en slaat zijn armen om haar heen. Ze draait zich om en ze omhelzen elkaar. Binnen in het huisje klinkt zachte jazzmuziek.

MAGGIE: Er is van je gehouden, Quentin; er is van niemand meer gehouden dan van jou.
QUENTIN: [*laat haar weer los*] Mijn vliegtuig stond de hele dag aan de grond...
MAGGIE: [*dronken, maar helder*] Ik wilde mezelf net van kant maken. Of geloof je dat ook niet?

'Wacht, wacht, wacht.'

Op het toneel liet Debra Bender haar schouders hangen terwijl de regisseur op de eerste rij uit zijn stoel kwam; bril met zwart montuur op het puntje van zijn neus, potlood achter zijn oor, script in zijn hand. 'Dee, engel, wat gebeurde er?'

Ze keek naar beneden, naar de eerste rij. 'Wat is er nu weer, Ron?' 'Ik dacht dat we hadden afgesproken dat je dieper zou gaan. Het sterker zou aanzetten.'

Ze wisselde een snelle blik met haar tegenspeler, Aaron, die een zucht slaakte en zijn keel schraapte. 'Ik vind het prima zoals ze het doet, Ron.' Hij maakte een berustend gebaar in Debra's richting: *Zo. Meer kan ik niet doen.*

Maar Ron negeerde de andere acteur en besteeg het trappetje aan de rand van het toneel. Vastberaden liep hij tussen de spelers door en legde een hand op Debra's onderrug, alsof ze gingen dansen. 'Dee, we hebben nog maar tien dagen voor de première. Ik wil niet dat jouw spel verloren gaat omdat het te subtiel is.'

'Nou, ik geloof niet dat subtiliteit het probleem is, Ron.' Kalm wurmde ze zich onder zijn hand vandaan. 'Als Maggie al begint als een waanzinnige, kan de scène verder geen kant meer op.'

'Ze wil zichzelf van kant maken, Dee. Ze ís waanzinnig.'

'Ja, maar ik bedoel...'

'Ze drinkt, ze slikt pillen, ze werkt de ene man na de andere af ...

'Dat weet ik ook wel, maar...'

Rons hand gleed langzaam over haar rug. Als de man iets was, dan was het consequent. 'Dit is een flashback waarin duidelijk wordt dat Quentin er alles aan heeft gedaan om te voorkomen dat ze zelfmoord pleegt.'

'Tja...' Debra keek nog een keer over Rons schouder naar Aaron, die een gebaar maakte alsof hij masturbeerde.

Ron deed nog een stapje dichter naar haar toe, hulde haar in een aftershavewolk. 'Maggie heeft Quentin helemaal leeggezogen, Dee. Ze sleurt hem mee in haar val...'

Achter Rons rug neukte Aaron een denkbeeldige partner.

'Uh-huh', zei Debra. 'Misschien kunnen we even onder vier ogen praten, Ron.'

Zijn hand gleed nog verder naar beneden. 'Dat lijkt me een prima idee.'

Ze stapten van het toneel en liepen een stukje door het middenpad, totdat Debra op een stoel met houten rugleuning ging zitten. In plaats van naast haar plaats te nemen wurmde Ron zich tussen haar en de rugleuning van de stoel vóór haar in, zodat hun benen elkaar raakten. Jezus, het leek wel alsof er Aqua Velva uit al zijn poriën kwam.

'Wat is er aan de hand, engel?'

Wat er aan de hand was? Ze schoot bijna in de lach. Waar moest ze beginnen? Misschien was het probleem wel dat ze ja had gezegd tegen een rol in een stuk over Arthur Miller en Marilyn Monroe, geregisseerd door de man waar ze stom genoeg zes jaar geleden een keer mee naar bed was geweest en die ze later weer tegen het lijf was gelopen op een sponsorfeest voor het Seattle Repertory Theatre. En misschien was dát wel haar eerste stommiteit geweest, bedacht ze nu, om tegen beter weten in naar die bijeenkomst te gaan. Na terugkeer in Seattle had ze het theaterwereldje de eerste paar jaar gemeden – om niet te hoeven uitleggen hoe ze aan een kind kwam en waarom haar 'filmcarrière' was stukgelopen. Maar toen zag ze een advertentie voor het sponsorfeest en kon ze er niet langer omheen hoezeer ze het miste. Bij binnenkomst voelde ze meteen die warme gloed van het vertrouwde, alsof je door de gangen van je oude middelbare school loopt. En toen zag ze Ron staan, met een fonduevorkje in zijn hand, als een soort duiveltje. Ron had naam gemaakt in de plaatselijke theaterwereld in de jaren dat zij weg was geweest en ze was oprecht blij hem te zien, maar na een blik op Debra en op de oude man aan haar zijde – ze stelde ze aan elkaar voor: *Ron, dit is mijn man, Alvis* – trok hij wit weg en verliet het feest.

'Ik heb het gevoel dat je dit hele stuk heel erg... persoonlijk opvat', zei Debra.

'Dit stuk ís persoonlijk', zei Ron ernstig. Hij zette zijn bril af en beet op het pootje. 'Elk stuk is persoonlijk, Dee. Kunst is altijd persoonlijk. Waarom zou je het anders maken? Dit is het meest persoonlijke stuk dat ik ooit heb gedaan.'

Ron had haar twee weken na de fundraising party gebeld en zich verontschuldigd voor zijn abrupte vertrek; hij zei dat het weerzien hem nogal had overvallen. Hij vroeg wat ze nu deed. Ze was huis-vrouw, zei ze. Haar man was Chevrolet-dealer in Seattle en zij voed-de hun zoontje op. Ron vroeg of ze het acteren niet miste en Debra mompelde wat onnozels, dat het fijn was om er een tijdje tussenuit te zijn, maar ondertussen dacht ze: Ik mis het zoals ik de liefde mis. Ik leef eigenlijk maar half.

Een paar weken later belde Ron om te zeggen dat het Repertory Theatre een stuk van Arthur Miller zou gaan doen, en dat hij het ging regisseren. Had zij er oren naar om een van de hoofdrollen te vertolken? Ze moest naar lucht happen, werd duizelig, voelde zich weer twintig. En eerlijk is eerlijk, waarschijnlijk zou ze nee hebben gezegd als ze niet net naar de film was geweest: de nieuwste van Dick en Liz. Uitgerekend *The Taming of the Shrew*. Het was de vijfde film waarin ze samen speelden, maar Debra had het niet kunnen opbren-gen om naar hun eerdere films te gaan. Toen zowel Burton als Tay-lor het jaar daarvoor was genomineerd voor een Oscar voor *Who's Afraid of Virginia Woolf?* had ze zich afgevraagd of ze misschien ten onrechte had gemeend dat Dick zijn talent vergooide. Toen zag ze in een tijdschrift een advertentie voor *The Taming of the Shrew* – 'Het meest bejubelde acteursechtpaar ooit... in een film die hen op het lijf is geschreven!' – en ze had een oppas geregeld, gezegd dat ze naar de dokter moest, en was zonder het Alvis te vertellen naar de matinee gegaan. En al kostte het haar grote moeite om het toe te geven, het was een geweldige film. Dick speelde fantastisch, kundig en zuiver, en hij schitterde als de dronken Petrucio in de trouwscène, alsof hij volkomen samenviel met zijn personage – wat natuurlijk in zekere zin ook zo was. Het geheel – Shakespeare, Liz, Dick, Italië – druk-te zwaar op haar, als een vroege dood, en ze zat die dag te huilen in de bioscoop, rouwend om het verlies van haar jongere ik, haar dro-men. *Dat heb je allemaal opgegeven*, zei een stem. *Nee*, dacht ze, *dat hebben ze me allemaal afgenomen*. Ze bleef zitten totdat de aftiteling was afgelopen en de zaallichten weer aangingen, en nog zat ze daar, helemaal alleen.

Twee weken daarna belde Ron om haar die rol aan te bieden. De-bra hing op en begon weer te huilen – Pat legde zijn Tinker Toys neer om te vragen: *Tis-er, mama?* En die avond, toen Alvis uit zijn werk kwam en ze hun martini voor het eten dronken, vertelde Debra Alvis van het telefoontje. Hij was blij voor haar. Hij wist hoezeer ze het had gemist om te spelen. Zij speelde advocaat van de duivel: Hoe moest het dan met Pat? Alvis haalde zijn schouders op; ze zouden een oppas nemen. Maar misschien was dit niet zo'n goed moment. Alvis lachte alleen maar. Dan was er nog iets, zei Debra: de regisseur was ene Ron Frye, en voordat ze naar Hollywood was vertrokken – en uiteindelijk naar Italië – was ze zo stom geweest om iets met hem te beginnen. Het had maar heel kort geduurd, zei ze, en het had ook weinig te betekenen gehad; het was voornamelijk uit verveling geweest, of omdat ze zich gevleid voelde dat hij voor haar viel. Ron was destijds getrouwd. Aha, zei Alvis. Maar er is niets tussen ons, drukte ze Alvis op het hart. Het was haar jongere ik geweest, de vrouw die van mening was dat ze regels en conventies, zoals het huwelijk, gewoon kon negeren en dat ze dan geen greep op haar hadden. Ze voelde zich op geen enkele manier meer verwant met haar jongere ik.

De sterke, zelfverzekerde Alvis deed haar verleden met Ron met een schouderophalen af en zei dat ze ja moest zeggen. Dat deed ze dan ook – en ze kreeg de rol. Maar toen ze eenmaal gingen repeteren werd het Debra duidelijk dat Ron een sterke band voelde met Quentin, Millers protagonist. Sterker nog, hij had het gevoel dat hij Arthur Miller wás, het genie dat op de nek werd gezeten door een oppervlakkige, jonge, verdorven actrice – en die oppervlakkige, jonge, verdorven actrice was zij, natuurlijk. In de theaterzaal bleef Dee met haar benen schuiven totdat ze die van hem niet langer raakten. 'Luister, Ron, even over wat er tussen ons is voorgevallen...'

'Vóórgevallen?' viel hij haar in de rede. 'Je doet net alsof het een auto-ongeluk was.' Hij legde een hand op haar been.

Sommige herinneringen blijven heel dicht bij je; je hoeft je ogen maar te sluiten of je zit er middenin. Dat zijn herinneringen uit de eerste hand – ik-herinneringen. Maar er zijn ook herinneringen uit de tweede hand, jij-herinneringen, van horen zeggen, en die zijn verraderlijker: je slaat jezelf vol ongeloof gade – bijvoorbeeld op het feest voor alle medewerkers aan *Much Ado*, in het Old Playhouse, in 1961, toen je Ron verleidde. Ook als je de herinnering terughaalt is het net of je naar een film kijkt; je ziet jezelf op het witte doek de meest vreselijke dingen doen en je kunt je ogen nauwelijks geloven – deze andere Debra, enorm gevleid door alle aandacht, en Ron, de acteur met de pijp die in New York een opleiding heeft gevolgd en die Off-Broadway heeft opgetreden, en je raakt met hem in gesprek op dat feest, ratelt maar door over je lachwekkende ambities (*Ik wil het allebei: toneel én film*), je doet koket, dan strijdbaar, dan weer verlegen, en je speelt je rol met verve (*Eén nacht maar*), haast alsof je de grenzen wilt verkennen van waartoe je in staat bent...

Maar deze keer, in het verlaten theater, duwde ze zijn hand weg.

'Ron. Ik ben getrouwd.'

'Toen ik getrouwd was, gaf het niet. Maar jouw relaties zijn... wat zal ik zeggen? Heilig?'

'Nee. We zijn nu gewoon... ouder? We zouden beter moeten weten.'

Hij beet op zijn lip en keek naar een punt ergens achter in de zaal. 'Dee, ik bedoel het niet onaardig, maar... een zatlap van ín de veertig? Een tweedehandsautoverkoper? Is dát je grote liefde?'

Ze kromp ineen. Alvis had haar twee keer opgehaald van een repetitie, en beide keren was hij eerst de kroeg in geweest. Ze hield voet bij stuk. 'Ron, als je me bij dit stuk hebt gehaald omdat je denkt dat we de draad gewoon weer kunnen oppakken, kan ik alleen maar zeggen: Zet het uit je hoofd. Het is verleden tijd. We zijn misschien twee keer met elkaar naar bed geweest? Als we dit stuk willen doen, moet je het loslaten.'

'Lóslaten? Waar denk je dat dit stuk over gáát, Dee?'

'Debra. Ik heet nu Debra. Geen Dee meer. En dit stuk gaat niet over ons, Ron. Het gaat over Arthur Miller en Marilyn Monroe.'

Hij zette zijn bril af, zette hem weer op en haalde een hand door zijn haar. Hij haalde diep adem, theatraal. Beroepsdeformatie – acteurs die elk moment spelen alsof het niet alleen speciaal voor hen is geschreven, maar alsof het ook nog eens een cruciaal moment is in het stuk over hun leven. 'Is het ooit bij je opgekomen dat dit weleens de reden zou kunnen zijn dat je nooit echt bent doorgebroken? Want voor echt grote acteurs, Dee... Debra... gaat het wel degelijk over henzelf. Gaat het altijd over henzelf!'

En het gekke was dat hij gelijk had. Dat wist zij ook. Ze had de echt groten van nabij meegemaakt en ze leefden als Cleopatra en Marcus Antonius, als Katherine en Petrucio, alsof de scène eindigde op het moment dat zij het toneel verlieten, alsof de wereld tot stilstand kwam op het moment dat zij hun ogen sloten.

'Je ziet niet eens wat je doet', zei Ron. 'Je gebruikt mensen. Je speelt met ze en je behandelt ze als oud vuil.' De woorden kwamen haar pijnlijk bekend voor en Debra stond met haar mond vol tanden. Toen draaide Ron zich om en stormde het toneel op, terwijl Debra in haar eentje achterbleef op de stoel met de houten rugleuning. 'Dat was het voor vandaag!' schreeuwde hij.

Ze belde naar huis. De oppas, het buurmeisje Emma, zei dat Pat de knop van de televisie weer kapot had gemaakt. Ze hoorde Pat in de keuken op pannen slaan. 'Pat, ik heb je moeder aan de telefoon.'

Het slaan werd harder.

'Waar is zijn vader?' vroeg Debra.

Emma zei dat Alvis had gebeld, vanaf Bender Chevrolet, om te vragen of ze tot tien uur kon blijven, dat hij na het werk een eetafspraak had en dat als Debra belde, ze naar Trader Vic's moest komen.

Dee keek op haar horloge. Het was tegen zevenen. 'Hoe laat heeft hij gebeld, Emma?'

'Om een uur of vier.'

Drie uur lang? Dan kon hij zomaar zes cocktails verder zijn – vier als hij niet meteen naar de bar was gegaan. Zelfs voor Alvis was dat een fikse voorsprong. 'Dank je, Emma. We komen zo naar huis.'

'Eh, mevrouw Bender, de vorige keer werd het na middernacht, terwijl ik de volgende dag naar school moest.'

'Ik weet het, Emma. Het spijt me. Ik beloof dat we nu eerder thuis zijn.' Debra hing op, trok haar jas aan en stapte de frisse buitenlucht van Seattle in – het leek alsof er vanuit het trottoir een fijne nevel opsteeg. Rons auto stond nog op de parkeerplaats en ze liep snel naar haar Corvair, stapte in en draaide het contactsleuteltje om. Er gebeurde niets. Ze probeerde het nog een keer. Nog altijd niets.

De eerste twee jaar van hun huwelijk had Alvis elk jaar een nieuwe Chevrolet voor haar geregeld. Maar nu had ze gezegd dat het nergens voor nodig was; ze zou gewoon de Corvair houden. Die nu ineens niet wilde starten: moest zij weer hebben. Ze overwoog om naar Trader Vic's te bellen, maar het was maar een blok of tien, twaalf verderop, min of meer in een rechte lijn over Fifth. Ze zou de monorail kunnen nemen. Maar toen ze eenmaal buiten stond, besloot ze te gaan lopen. Alvis zou kwaad worden – een van de dingen die hij op Seattle tegen had was het 'louche centrum', waar zij nu doorheen zou moeten – maar ze wilde graag een frisse neus halen na die vervelende toestand met Ron.

Ze zette er flink de pas in, haar paraplu priemde schuin naar voren in de venijnige mist. Tijdens het lopen bedacht ze wat ze tegen Ron had moeten zeggen (*Ja, Alvis is mijn grote liefde*). Ze hoorde weer zijn bijtende woorden (*Je gebruikt mensen... behandelt ze als oud vuil*). Tijdens haar eerste afspraakje met Alvis had ze zelf soortgelijke woorden gebruikt om het filmwereldje te beschrijven. Eenmaal teruggekeerd uit Italië leek Seattle een andere stad, een stad vol beloften. De stad kwam haar groter voor dan eerst, maar misschien was ze zelf kleiner geworden door alles wat er in Italië was voorgevallen, ze keerde verslagen terug in een stad die zich koesterde in de gloed van de Wereldtentoonstelling; zelfs haar voormalige toneelvrienden konden zich verheugen in een nieuw theater op het tentoonstellingsterrein. Dee ging niet naar de wereldtentoonstelling, en evenmin naar het theater, zoals ze ook niet naar *Cleopatra* was gaan kijken toen de film in roulatie ging (al had ze zich wel, enigszins beschaamd, verkneukeld over de slechte recensies); ze was ingetrokken bij haar zus om haar 'wonden te likken', zoals Darlene het zo treffend verwoordde. Dee was van plan geweest het kind ter adoptie af te staan, maar Darlene had haar weten over te halen het te houden. Dee zei tegen haar familie dat de vader een Italiaanse herbergier was, en die leugen bracht haar op het idee het kind naar

Pasquale te vernoemen. Toen Pat drie maanden oud was pakte Debra haar oude baantje weer op, bij Frederick en Nelson in de Men's Grill, en op een dag schonk ze een gingerale in voor een klant, keek op en zag een man die haar bekend voorkwam, lang, slank, aantrekkelijk, met licht afhangende schouders en grijzend bij de slapen. Het duurde even voor ze hem kon thuisbrengen – Alvis Bender, de vriend van Pasquale. 'Dee Moray', zei hij.

'Je hebt geen snor meer', zei ze, en toen: 'Ik heet nu Debra. Debra Moore.'

'Sorry, Debra', zei Alvis, en hij ging aan de bar zitten. Alvis vertelde dat zijn vader plannen had om een Chevrolet-vestiging in Seattle over te nemen en dat hij hem had gestuurd om polshoogte te nemen.

Het was vreemd om Alvis in Seattle tegen het lijf te lopen. Italië leek inmiddels een droom waaruit ze halverwege was ontwaakt; het leek een déjà vu om iemand uit die periode te zien, alsof je op straat een romanpersonage tegen het lijf loopt. Maar hij was innemend en aangenaam gezelschap, en ze vond het een opluchting om met iemand te praten die het hele verhaal kende. Ze had tegen iedereen gelogen over wat er was gebeurd en ineens had ze het gevoel alsof ze een jaar lang haar adem had ingehouden.

Ze gingen wat drinken, uit eten. Alvis was grappig en ze voelde zich meteen bij hem op haar gemak. De autohandel van zijn vader floreerde en dat was ook prettig, om met een man te zijn die duidelijk voor zichzelf kon zorgen. Bij de deur van haar appartement gaf hij haar een kus op haar wang.

De volgende dag kwam Alvis weer bij haar lunchen en zei dat hij iets moest opbiechten: het was geen toeval dat ze elkaar tegen het lijf waren gelopen. Ze had hem het een en ander over zichzelf verteld, die laatste paar dagen in Italië – ze waren samen met een boot naar La Spezia gegaan en hij had haar vergezeld in de trein naar het vliegveld van Rome – en ze had onder meer gezegd dat ze van plan was terug te gaan naar Seattle. Wat zou ze daar dan gaan doen? had Alvis gevraagd. Ze had haar schouders opgehaald, gezegd dat ze in een groot warenhuis had gewerkt en het daar misschien weer zou proberen. Dus toen zijn vader liet vallen dat hij een Chevrolet-vestiging in Seattle wilde overnemen, had Alvis de kans om haar te gaan zoeken met beide handen aangegrepen.

Hij was allerlei warenhuizen afgegaan – de Bon Marché en Rhodes of Seattle – totdat iemand zei dat er ergens bij de parfumafdeling van Frederick en Nelson een lange, blonde vrouw werkte die Debra heette en die actrice was geweest.

'Ben je dan helemaal naar Seattle gekomen... om mij te zoeken?'

'We willen hier ook echt een Chevrolet-vestiging opzetten. Maar, ja, ik hoopte je te zien.' Hij keek om zich heen. 'Weet je nog dat je in Italië zei dat je mijn boek mooi vond, en dat ik zei dat ik moeite had om het af te maken? Weet je nog wat je toen zei? "Misschien is het al af. Misschien is dit alles"?'

'O, ik bedoelde niet...'

'Nee, nee', onderbrak hij haar. 'Het is niet erg. Ik had ook al vijf jaar lang niets nieuws geschreven. Elke keer opnieuw herschreef ik dat ene hoofdstuk. Maar door die opmerking van jou was het net alsof ik ineens mocht toegeven dat ik verder niets te zeggen had... niet meer dan dat ene hoofdstuk... en dat ik de draad weer moest oppakken.' Hij glimlachte. 'Ik ben dit jaar niet naar Italië gegaan. Ik geloof dat het klaar is. Het wordt tijd voor iets nieuws.'

De manier waarop hij het zei – *het wordt tijd voor iets nieuws* – trof haar als ongekend vertrouwd; het was precies wat ze zichzelf had voorgehouden. 'Wat ga je dan doen?'

'Nou,' zei hij, 'daar wilde ik het met je over hebben. Wat ik graag zou willen, wat ik echt het allerliefste zou willen... is naar mooie jazz luisteren.'

Ze glimlachte. 'Jazz?'

Ja, zei hij. De portier van zijn hotel had het gehad over een club in Cherry Street, aan de voet van de heuvel?

'The Penthouse', zei ze.

Hij tikte met een vinger tegen zijn neus, alsof ze Hints speelden. 'Precies.'

Ze lachte. 'Vraagt u me mee uit, meneer Bender?'

Hij lachte zijn sluwe lachje. 'Dat ligt aan het antwoord, mevrouw Moore.'

Ze nam hem aandachtig op, vorsend – zijn lichaam een groot vraagteken, scherpe gelaatstrekken, modieuze bos grijzend donkerblond haar – en ze dacht: Ach, waarom ook niet.

Zo zit het, Ron: dit is haar grote liefde.

En nu zag ze, een huizenblok verwijderd van Trader Vic's, Alvis' Biscayne staan, met één wiel half op de stoep. Had hij al gedronken op zijn werk? Ze wierp een blik in de auto, maar op een half opgebrande sigaret in de asbak na, wees niets erop dat dit zo'n dag was dat hij het op een zuipen zette.

Ze liep Trader Vic's binnen, een overdaad aan warme lucht en bamboe, tiki en totem, een uitgeholde-boomstamkano aan het plafond. Ze liet haar blik door de gelambriseerde ruimte gaan, maar ze zag alleen maar kletsende stellen aan de tafels zitten, en grote, ronde stoelen. Hij was nergens te bekennen. Na ongeveer een minuut dook de bedrijfsleider, Harry Wong, naast haar op, met een mai tai. 'Je ligt aardig achter.' Hij wees naar een tafeltje helemaal achterin en ze zag Alvis zitten, de hoge rugleuning van een grote rotan stoel omkranste zijn hoofd als een renaissancistische halo. Alvis deed waar hij goed in was: drinken en praten, een preek afsteken tegen een ober die zich zo snel mogelijk uit de voeten wilde maken. Maar Alvis had een van zijn grote handen op de arm van die arme jongen gelegd, waardoor hij geen kant op kon.

Ze nam het drankje aan van Harry Wong. 'Bedankt dat je hem overeind hebt gehouden, Harry.' Ze zette het glas aan haar lippen, de zoete likeur en de rum brandden in haar keel, en tot haar eigen verbazing sloeg ze in een keer de helft achterover. Met ogen die wazig waren van de tranen keek ze naar haar glas. Op de middelbare school had iemand een keer een briefje in haar kastje gedaan. 'Hoer' stond erop. Ze was de hele dag kwaad geweest, en toen ze die avond thuiskwam en haar moeder zag barstte ze om onduidelijke redenen in tranen uit. Zo voelde ze zich nu ook. De aanblik van Alvis – of zelfs *Dronken Doctor Alvis*, zijn alter ego dat alles beter wist – was haar te veel. Voorzichtig bette ze haar ogen, zette het glas aan haar lippen en dronk het leeg. Ze gaf het lege glas aan Harry. 'Harry, heb je wat water voor ons, en misschien wat te eten voor meneer Bender?'

Harry knikte.

Ze liep tussen de pratende mensen door, ving vele blikken op en kreeg nog net het staartje mee van de Bobby-gaat-het-winnen-van-LBJ-speech van haar man: '... en ik zou eraan willen toevoegen dat het enige waarop de Kennedy-regering echt prat kan gaan, de integratie, sowieso aan Bobby te danken is – en kijk deze vrouw nou!'

Alvis keek haar stralend aan, zijn benevelde ogen leken uit te vloeien in de hoeken. De ober maakte zich uit de voeten nu zijn arm was bevrijd en hij knikte even in Debra's richting, blij dat ze op tijd was gekomen. Alvis kwam overeind als een paraplu die wordt opengeklapt. Hij schoof haar stoel naar achteren, onder alle omstandigheden een heer. 'Telkens wanneer ik je zie, stokt de adem me in de keel.'

Ze ging zitten. 'Ik ben kennelijk vergeten dat we uit eten zouden gaan.'

'We gaan elke vrijdag uit eten.'

'Het is donderdag, Alvis.'

'Je moet niet zo in vaste patronen denken.'

Harry bracht hun allebei een hoog glas water en een bord loempiaatjes. Alvis nam een slokje. 'Dit is de slechtste martini die ik ooit heb gedronken, Harry.'

'De dame maakt de dienst uit, Alvis.'

Debra pakte de sigaret uit Alvis' hand en stopte er een loempiatje in. Alvis deed of hij er een trekje van nam. 'Zacht', zei hij. Debra nam een flinke trek van zijn sigaret.

Terwijl hij het loempiaatje at zei Alvis, met nasale stem: 'En hoe was het in het *tee-ah-te*, liefste?'

'Ik word helemaal gek van Ron.'

'Aha. De dartele regisseur. Moet ik je achterwerk controleren op vingerafdrukken?' Zijn grapje moest een heel lichte onzekerheid verhullen, een zweem van geveinsde jaloezie. Ze was blij om beide – dat hij iets van jaloezie voelde en dat hij het afdeed met een grapje. Dat had ze tegen Ron moeten zeggen, dat haar echtgenoot een man was die dergelijke onzekere, kinderachtige spelletjes was ontgroeid. Ze vertelde Alvis dat Ron haar voortdurend onderbrak, druk op haar uitoefende om Maggie neer te zetten als een karikatuur – hijgerig en onnozel, als een imitatie van Marilyn. 'Ik had er nooit aan moeten beginnen', zei ze, en met een demonstratief gebaar maakte ze haar sigaret uit, drukte het peukje als een kniegewricht dubbel in de asbak.

'Ach, trek het je niet aan.' Hij stak nog een sigaret op. 'Je kon moeilijk nee zeggen tegen dit stuk, Debra. Je weet nooit hoeveel kansen je krijgt in het leven.' Hij had het natuurlijk niet alleen over haar, maar ook over zichzelf – Alvis de mislukte schrijver, de man die zijn leven vergooide als autohandelaar, gedoemd om eeuwig en altijd de slimste te zijn.

'Hij zei afschuwelijke dingen.' Debra vertelde Alvis niet dat Ron aan haar had gezeten (dat kon ze zelf wel aan) of dat hij Alvis een oude zatlap had genoemd. Maar ze vertelde wel wat hij nog meer voor naars had gezegd – *Je gebruikt mensen. Je speelt met ze en behandelt ze als oud vuil*'– en Debra had het nog niet gezegd of ze begon te huilen.

'Schatje toch.' Hij schoof zijn stoel dichter naar haar toe en sloeg een arm om haar schouder. 'Ik ga me bijna zorgen maken als je vindt dat die rotzak je tranen waard is.'

'Ik huil niet om hem.' Debra veegde de tranen uit haar ogen. 'Maar stel nou dat hij gelijk heeft?'

'Jezus, Dee.' Alvis wenkte Harry Wong. 'Harry. Zie je deze verdrietige schoonheid aan mijn tafeltje?'

Harry Wong zei met een glimlach dat hij haar zag.

'Heb jij het gevoel dat ze je gebruikt?'

'Was het maar waar.'

'Zie je, je moet nooit op één mening afgaan', zei Alvis. 'En, dokter Wong, kunt u een middeltje voorschrijven tegen dergelijke wanen? Doe maar twee. Dubbele.'

Toen Harry weg was, keek Alvis haar weer aan. 'Luister goed, mevrouw Bender: Het is niet aan Regisseur Eikel om u te vertellen hoe u in elkaar zit. Is dat duidelijk?'

Ze keek in zijn rustige, whiskybruine ogen en knikte.

'Het enige wat we hebben is het verhaal dat we vertellen. Alles wat we doen, alle beslissingen die we nemen, onze kracht, onze zwakte, onze drijfveren, achtergrond en karakter... alles waar we in geloven... het is allemaal niet écht; het is allemaal onderdeel van het verhaal dat we vertellen. Maar waar het om gaat is dat het godverdomme wel óns verhaal is!'

Zijn beschonken opwinding deed Debra blozen; ze wist dat het voornamelijk de rum was die sprak, maar toch sneed het ook wel hout, zoals de meeste van Alvis' dronken tirades.

'Het is niet aan je ouders om jouw verhaal te vertellen. Evenmin is het aan je zussen. En wanneer hij oud genoeg is, is het zelfs niet aan Pat om jouw verhaal te vertellen. Ik ben je man, en het is ook niet aan mij om jouw verhaal te vertellen. Dus al is die regisseur nog zo verliefd, het is domweg niet aan hem om het te vertellen. Zelfs die vervloekte Richard Burton bepaalt niet wat jóúw verhaal is!' Debra keek zenuwachtig om zich heen, enigszins verbijsterd; de naam viel nooit – zelfs niet wanneer ze het erover hadden of ze Pat uiteindelijk de waarheid zouden vertellen. 'Niemand gaat jou vertellen wat jouw leven voorstelt! Is dat duidelijk?'

Ze kuste hem innig, uit dankbaarheid, maar ook met de bedoeling hem het zwijgen op te leggen, en toen ze hem weer losliet stond er voor ieder van hen een nieuwe mai tai op tafel. *Haar grote liefde?* Als Alvis gelijk had en zíj het verhaal mocht vertellen? Ja, dan misschien wel.

Dee stond rillend naast het geopende portier van haar auto en keek op naar de donkere Space Needle, terwijl Alvis in de Corvair kroop. 'Eens kijken wat er aan de hand is.' De auto startte natuurlijk meteen. Hij keek haar aan en haalde zijn schouders op. 'Ik weet het ook niet. Weet je zeker dat je het sleuteltje helemaal hebt omgedraaid?'

Ze legde een vinger tegen haar lippen en zette haar Marilyn-stem op: 'Gosh, Mister Mechanic, ik wist niet dat ik het sleuteltje moest ómdraaien.'

'Als u even naast me op de achterbank komt zitten, mevrouw, dan zal ik u nog een leuk extraatje laten zien van deze prachtwagen.'

Ze boog zich naar hem toe en kuste hem – zijn hand ging naar de knoopjes aan de voorkant van haar jurk, hij maakte er eentje los en stak zijn hand in haar jurk, liet hem over haar buik en langs haar heup glijden, drukte zijn duim onder het elastiek van haar panty. Ze draaide van hem weg en pakte zijn hand. 'Tjonge, u bent wel een heel snelle monteur.'

Hij stapte uit en kuste haar innig, met een hand in haar nek en de andere om haar middel.

'Toe, tien minuutjes op de achterbank? De jongelui doen niet anders.'

'Vergeet de oppas niet.'

'De achterbank is groot genoeg', zei hij. 'Maar denk je dat we háár zo gek krijgen?'

Ze had het grapje zien aankomen, maar toch schoot ze in de lach. Bij Alvis zag ze het vrijwel altijd aankomen, maar moest dan toch lachen.

'Ze rekent natuurlijk wel vier dollar per uur', zei Debra.

Alvis slaakte een diepe zucht, met zijn armen nog om haar middel. 'Schatje, je bent zó sexy als je een grapje maakt.' Hij sloot zijn ogen, legde zijn hoofd in zijn nek en had een brede grijns, voor zover dat kon met zo'n smal gezicht. 'Soms zou ik willen dat we nog niet getrouwd waren, dan kon ik je ten huwelijk vragen.'

'Je mag het altijd vragen.'

'Met het risico dat je nee zegt?' Hij gaf haar een kus en deed een stap naar achteren, maakte met een weids armgebaar een buiging. 'Uw koets.' Ze maakte een reverence en stapte in de koude Corvair. Hij drukte het portier dicht en bleef staan, keek door het raampje naar binnen. Ze zette de ruitenwissers aan en de natte drab die naar de zijkant van de auto zwiepte, belandde bijna op Alvis.

Hij sprong opzij, en met een glimlach keek ze hem na terwijl hij naar zijn eigen auto liep.

Ze voelde zich beter, al vroeg ze zich nog steeds af waarom ze zich zo kwaad maakte over Ron. Alleen omdat hij een hitsige klootzak was? Of waren zijn woorden pijnlijk dichtbij gekomen – *je grote liefde?* Nee, misschien niet. Maar moest dat dan? Kon een mens niet over die kinderlijke fantasie heen groeien? Kon liefde niet gewoon tederder zijn, ingetogener, rustiger, niet alles-verterend? Was dat wat Ron bij haar losmaakte – schuldgevoel (*Je gebruikt mensen*) – misschien door te insinueren dat zij, in een moeilijke periode in haar leven, haar uiterlijk had gebruikt om zich te verzekeren van de liefde van een oudere man, van een bepaalde mate van veiligheid en een gloednieuwe Corvair, dat ze de hartstocht had verruild voor haar eigen weerspiegeling in zijn dweepzieke ogen? Misschien was ze inderdaad Maggie. Bij die gedachte begon ze weer te huilen.

Ze volgde de Biscayne, haast gehypnotiseerd door de knipperende achterlichten. Denny Street was vrijwel verlaten. Ze vond het een vreselijke auto, die van Alvis; echt zo'n oudemannenauto. Hij kon willekeurig welke Chevrolet nemen en hij koos een Biscayne? Bij het volgende stoplicht ging ze naast hem staan en draaide haar raampje naar beneden. Hij reikte over de passagiersstoel en draaide ook het raampje open.

'Het wordt echt tijd voor een nieuwe auto', zei ze. 'Waarom neem je niet ook een Corvette?'

'Uitgesloten.' Hij trok zijn schouders op. 'Ik heb nu een kind, hè.'

'Houden kinderen niet van Corvettes?'

'Kinderen zijn dol op Corvettes.' Hij wapperde met zijn hand naar achteren, als een goochelaar, of een jonge vrouw in een showroom. 'Maar een Corvette heeft geen achterbank.'

'Dan zetten we hem op het dak.'

'Wil je vijf kinderen op het dak zetten?'

'Krijgen we er vijf?'

'O, had ik dat nog niet gezegd?'

Ze lachte en voelde de behoefte om... tja, om zich te verontschuldigen? Of om domweg voor de honderdste keer te zeggen dat ze van hem hield – misschien wel om zichzelf gerust te stellen?

Alvis pakte een sigaret en stak hem aan met de autoaansteker, zijn gezicht oplichtend in de gele gloed. 'Geen kwaad woord over mijn auto', zei hij. Hij knipoogde met een van zijn benevelde bruine ogen, trapte tegelijkertijd op het gaspedaal en op de rem, zodat de zware motor begon te loeien en de banden gierend en wel gele rook deden opstuiven, en hij wist het precies zo te timen dat op het moment dat het stoplicht voor hen op groen sprong, hij de rem losliet en de auto wegspoot. In Debra Benders geheugen zal wat er vervolgens gebeurde altijd worden voorafgegaan door het geluid: de Biscayne die de kruising op schiet, precies op het moment dat van links een oude, zwarte pick-up – zonder licht, een andere dronkenlap die nog snel even het gas intrapt om het oranje licht te halen – komt aan denderen, tegen Alvis' auto klapt, het portier verwringt en met de Biscayne op de hoorns over het kruispunt schuift, een eindeloos gekrijs van metaal en glas, Debra die op dezelfde huiveringwekkende toonhoogte begint te gillen, een ijselijke kreet die nog lang nagalmt nadat de verwrongen auto's in de verte tegen een stoeprand tot stilstand zijn gekomen.

17

De slag om Porto Vergogna

April 1962
Porto Vergogna, Italië

Pasquale keek Richard Burton en Michael Deane na toen ze zich naar hun gehuurde speedboot haastten, terwijl zijn tante Valeria hen schreeuwend op de hielen zat en met een gekromde vinger naar hen wees: 'Tuig! Moordenaars!' Pasquale stond er ongemakkelijk bij. Zijn wereld was aan duigen, uiteengevallen in zo veel stukken dat hij nauwelijks kon bedenken welke scherf hij als eerste moest oppakken: zijn vader en moeder die nu allebei waren overleden, Amedea en zijn zoon die in Florence zaten, zijn tante die tekeerging tegen de filmlui. De stukken waarin zijn leven uiteen was gevallen lagen aan zijn voeten als een spiegel die altijd zijn blik had beantwoord, maar pas nu hij kapot was het leven erachter toonde.

Valeria was al bijna de zee in gewaad, luid snikkend en verwensingen uitend, met het speeksel op haar oude grijze lippen, toen Pasquale haar wist in te halen. De boot voer weg van de steiger. Pasquale pakte zijn tante bij de magere, knokige schouders. 'Nee, Zia. Laat ze maar gaan. Het is goed.' Michael Deane keek hem indringend aan vanuit de boot – maar Richard Burton keek recht naar voren en draaide de hals van de wijnfles rond tussen zijn handen terwijl ze in de richting van de golfbreker voeren. Achter hen stonden de vissersvrouwen zwijgend toe te kijken. Wisten ze wat Valeria had gedaan? Ze liet zich achterover in Pasquales armen vallen, huilend. Samen stonden ze bij het water en zagen de speedboot de punt ronden, en op het moment dat de schipper gas gaf kwam de boeg uit het water, loeide de motor, verhief de boot zich en spoot weg.

Pasquale hielp Valeria terug naar het hotel en naar haar kamer, waar ze snikkend en mompelend in bed ging liggen. 'Ik heb iets vreselijks gedaan', zei ze.

'Nee', zei Pasquale. En hoewel Valeria wél iets vreselijks had gedaan, hoewel ze de ergst denkbare zonde had begaan, wist Pasquale wat zijn moeder zou willen dat hij zei – en dat zei hij dan ook: 'Het is goed dat je haar hebt geholpen.'

Valeria keek hem recht aan, knikte en wendde haar blik af. Pasquale probeerde de aanwezigheid van zijn moeder te voelen, maar ze leek volledig verdwenen uit het hotel, alles leek eruit verdwenen. Hij liet zijn tante achter in haar kamer. In de trattoria zat Alvis Bender aan een gietijzeren tafeltje wat uit het raam te staren, met een geopende fles wijn voor zich. Hij keek op. 'Gaat het, met je tante?'

'Ja', zei hij, maar hij moest denken aan de woorden van Michael Deane – *Het is niet zo eenvoudig* – en aan Dee Moray die die ochtend op het station van La Spezia was verdwenen. Enkele dagen eerder had Pasquale haar tijdens een wandeling de paadjes gewezen die over de heuvels naar Portovenere en La Spezia liepen. Hij zag voor zich hoe ze uit La Spezia was komen lopen en langs de hellingen omhoogkeek.

'Ik ga een eindje lopen, Alvis', zei hij.

Alvis knikte en pakte zijn glas.

Pasquale liep door de voordeur naar buiten, liet de hordeur achter zich dichtvallen. Hij draaide zich om en liep langs het huis van Lugo, waar Bettina, de vrouw van de held, in de deuropening naar hem stond te kijken. Hij zei niets tegen haar, maar volgde het smalle paadje omhoog het dorp uit. Bij elke stap rolden er steentjes van de helling. Snel liep hij over het oude ezelpaadje en toen keek hij van boven op het lint dat flapperend om de rotsen zijn bespottelijke tennisbaan afbakende.

Slingerend door de olijfboomgaarden kwam Pasquale steeds hoger op de helling boven Porto Vergogna, hees zichzelf omhoog bij de sinaasappelboomgaard. Uiteindelijk liep hij over de richel naar de volgende kloof en klom verder. Na een paar minuten klauterde Pasquale over het rijtje rotsblokken en stond bij de oude geschutsbunker – en meteen wist hij dat hij het bij het juiste eind had gehad. Ze was komen lopen uit La Spezia. De takken en stenen waren weggehaald, de opening die hij had afgedekt toen ze waren vertrokken lag nu bloot.

Terwijl de wind aan hem rukte stapte Pasquale over de gekliefde rots op het betonnen dak en liet zich zakken in de geschutsbunker eronder.

Het was zonniger en later op de dag dan de vorige keer, dus viel er meer licht naar binnen door de drie smalle schietgaten; desondanks duurde het even voordat Pasquales ogen gewend waren aan het donker. Maar toen zag hij haar. Ze zat in een hoekje van de bunker, tegen de betonnen muur, haar jasje om haar benen en schouders geslagen. Ze zag er zo broos uit in de schemer van de betonnen koepel – zo volkomen anders dan het elfachtige wezen dat nog maar een paar dagen daarvoor in zijn dorpje was gearriveerd.

'Hoe wist je dat ik hier was?' vroeg ze.

'Ik wist niet', zei hij. 'Ik hoopte.'

Hij ging naast haar zitten, bij de muur tegenover de schilderingen. Na een poosje liet Dee zich tegen zijn schouder zakken. Pasquale sloeg een arm om haar heen, trok haar nog iets dichter tegen zich aan, haar wang tegen zijn borst. De vorige keer dat ze hier waren, was het ochtend geweest – het zonlicht was door de schietgaten op de vloer gevallen. Maar nu, in de late namiddag, was de stand van de zon anders en kroop het licht, dat direct op de muur viel, omhoog totdat het de schilderingen voor hen had bereikt – drie smalle rechthoeken die de vervaalde portretten beschenen.

'Ik was van plan door te lopen tot je hotel', zei ze. 'Ik wilde alleen nog even wachten totdat het licht op de schilderingen zou vallen.'

'Is mooi', zei hij.

'Eerst vond ik het zo ongelooflijk treurig,' zei ze, 'dat niemand deze schilderingen ooit zou zien. Maar toen dacht ik: Stel nou dat je zou proberen deze wand weg te halen om hem ergens in een galerie te zetten? Dan zouden het gewoon vijf vale schilderingen in een galerie zijn. En ineens ging het door me heen: misschien zijn het alleen maar zulke sterke portretten omdat ze zich op deze plek bevinden.

'Ja', zei hij weer. 'Dat denk ik.'

Ze bleven zwijgend zitten terwijl de dag voortschreed en het zonlicht uit de schietgaten langzaam over de muur met schilderingen kroop. Pasquales ogen werden zwaar en hij kon zich niets intiemers voorstellen dan halverwege de middag dicht tegen iemand aan in slaap te vallen.

Op de muur van de geschutsbunker werd het gezicht van de vrouw op het tweede portret door een van de rechthoeken vol in het licht gezet, en het was alsof ze nauwelijks merkbaar haar hoofd draaide om de andere mooie blondine op te nemen – de echte vrouw, die tegen de jonge Italiaan aan was gekropen. Het was Pasquale vaker opgevallen dat het verschuivende zonlicht de schilderingen in de late namiddag kon veranderen, ze bijna tot leven kon wekken.

'Denk je echt dat hij haar heeft teruggezien?' fluisterde Dee. 'De man die dit heeft geschilderd?'

Pasquale had zich hetzelfde afgevraagd: of de kunstenaar ooit was teruggekeerd naar Duitsland, naar de vrouw wiens portret hij had geschilderd. Uit de verhalen van de vissers wist hij dat de meeste Duitse soldaten hier aan hun lot waren overgelaten en uiteindelijk gevangen waren genomen of gedood door de Amerikanen die het platteland schoonveegden. Hij vroeg zich af of de Duitse vrouw ooit had geweten dat er iemand zoveel van haar had gehouden dat hij haar twee keer had geschilderd op de kille betonnen wand van een geschutsbunker.

'Ja', zei Pasquale. 'Dat denk ik.'

'En, zijn ze met elkaar getrouwd?' zei Dee.

Pasquale zag het helemaal voor zich. 'Ja.'

'Hebben ze kinderen gekregen?'

'*Un bambino*', zei Pasquale – een jongetje. Hij hoorde het zichzelf zeggen, en hij voelde een druk op zijn borst, zoals hij die soms in zijn buik voelde wanneer hij zwaar had getafeld; het was gewoon te veel.

'Je zei laatst dat je uit Rome zou komen kruipen om me te zien.'
Dee kneep even in Pasquales arm. 'Dat was zo lief van je.'

'Ja.' *Het is niet zo eenvoudig...*

Ze liet zich weer tegen zijn schouder zakken. Het licht uit de schietgaten gleed over de muur en was bijna voorbij de schilderingen, op een enkel rechthoekje na in de bovenste hoek van de laatste afbeelding van de vrouw – de zon had haar galeriewerk voor die dag er bijna op zitten. 'Denk je echt dat de kunstenaar het heeft gehaald en haar terug heeft gezien?'

'O, ja', zei Pasquale met een stem schor van emoties.

'Dat zeg je niet alleen om mij een plezier te doen?'

Omdat hij het gevoel had dat hij uit elkaar zou spatten en omdat zijn Engels ontoereikend was om te zeggen wat er allemaal in hem omging – dat hij van mening was dat naarmate je langer leefde, je ook meer te maken kreeg met berouw en verlangen, dat het hele leven één groots drama was – zei Pasquale Tursi alleen maar: 'Ja.'

Het was al laat in de middag toen ze terugkeerden naar het dorpje en Pasquale Dee Moray en Alvis Bender aan elkaar voorstelde. Alvis zat te lezen op de veranda van Hotel Redelijk Uitzicht en hij schoot overeind, zijn boek viel op zijn stoel. Dee en Alvis schudden elkaar wat stuntelig de hand en het leek alsof de anders altijd zo spraakzame Bender zijn tong had verloren – misschien kwam het doordat ze zo mooi was, misschien kwam het door de merkwaardige gebeurtenissen van die dag.

'Erg leuk om u te ontmoeten', zei ze. 'Neemt u me niet kwalijk, maar ik ga even rusten. Ik heb een heel eind gewandeld en ik ben doodmoe.'

'Nee, vanzelfsprekend', zei Alvis, en pas op dat moment dacht hij eraan zijn hoed af te nemen, die hij voor zijn borst hield.

En ineens viel bij Dee het kwartje. 'O... meneer Bender', zei ze, terwijl ze zich omdraaide. 'De schrijver?'

Hij keek naar de grond, voelde zich ongemakkelijk bij het woord. 'Nee, hoor... geen echte schrijver.'

'En óf u een echte schrijver bent', zei ze. 'Ik heb genoten van uw boek.'

'Dank u', zei Alvis Bender. Zijn wangen kleurden op een manier die nieuw was voor Pasquale en die hij niet kon rijmen met de lange, intellectuele Amerikaan. 'Nou ja, ik bedoel... het is nog niet af, natuurlijk. Er is nog meer te vertellen.'

'Natuurlijk.'

Alvis keek even naar Pasquale, en toen weer naar de knappe actrice. Hij lachte. 'Hoewel, als ik eerlijk ben, is het me niet gelukt veel meer op papier te krijgen.'

Ze glimlachte warm en zei: 'Tja... misschien is er gewoon niet meer. Als dat zo is, dan vind ik het prachtig.' En met die woorden verontschuldigde ze zichzelf nogmaals en verdween naar binnen.

Pasquale en Alvis Bender stonden naast elkaar op de veranda en keken naar de dichte deur van het hotel.

'Jezus. Is dat het liefje van Burton?' zei Alvis. 'Ik had me haar heel anders voorgesteld.'

'Ja', was het enige wat Pasquale kon uitbrengen.

Valeria stond weer in het kleine keukentje, achter het fornuis. Pasquale keek toe terwijl ze weer een pan soep maakte. Toen de soep klaar was bracht hij een kom naar Dee's kamer, maar ze sliep al. Hij bleef een poosje naar haar staan kijken om zeker te weten dat ze nog ademde. Toen zette hij de soep op haar nachtkastje en ging terug naar de trattoria, waar Alvis Bender met een kom van Valeria's soep voor zijn neus uit het raam staarde.

'Het is hier volkomen uit de hand gelopen, Pasquale. De hele wereld stroomt het dorp binnen.'

Pasquale was te moe om nog iets te zeggen en hij liep langs Alvis naar de deur, keek uit over de groenige zee. Aan het water zag hij de vissers, voor wie het werk erop zat – rokend en lachend hingen ze hun netten te drogen en spoelden hun boot schoon.

Pasquale duwde de deur open, stapte de houten veranda op en rookte een sigaret. De vissers kwamen een voor een naar boven met wat er over was van de vangst, en allemaal knikten of zwaaiden ze even. Tomasso de Oudere kwam naar hem toe met een lijn kleine visjes en zei dat hij niet alle ansjovis aan de toeristenrestaurants had verkocht, maar wat apart had gehouden. Kon hij Valeria daar misschien blij mee maken? Ja, zei Pasquale. Tomasso ging naar binnen en kwam een paar minuten later zonder visjes weer naar buiten.

Alvis Bender had gelijk. Iemand had de kranen opengedraaid en de wereld stroomde naar binnen. Pasquale had altijd gewild dat het slaperige dorpje zou ontwaken... en kijk nu eens.

Misschien was hij daarom niet eens echt verbaasd toen hij een paar minuten later weer een motor hoorde en Gualfredo's tien meter lange boot deinend de baai in kwam – Orenzio stond aan het roer, maar dit keer kreeg hij instructies van Gualfredo, die de bruut van een Pelle aan zijn zijde had staan.

Pasquale was bang dat hij zijn kaak stuk zou bijten. Dit was de ultieme belediging, dit was meer dan hij kon verdragen. In al zijn verwarring en verdriet leek Gualfredo een doorn die in zijn vlees stak. Hij deed de hordeur open, ging naar binnen en graaide zijn moeders stok van de kapstok. Alvis Bender keek op van zijn wijnglas en zei: 'Wat is er, Pasquale?' Maar Pasquale gaf geen antwoord, draaide zich om en ging weer naar buiten, liep met vastberaden pas over de steile *strada* naar de twee mannen die net van boord stapten; de keitjes schoten onder zijn voeten door terwijl Pasquale grote stappen nam en de wolken langs het paarsblauw boven zijn hoofd joegen – het laatste zonlicht zette de kustlijn in een warme gloed, golven sloegen tegen glanzende rotsen.

De mannen waren aan land gegaan, liepen over het pad, Gualfredo met een glimlach om zijn lippen: 'De Amerikaanse heeft hier drie nachten geslapen terwijl ze in mijn hotel had moeten zitten, Pasquale. Die nachten ben je mij verschuldigd.'

Ze waren nog altijd veertig meter van hem verwijderd, met achter hen het wegstervende zonlicht, waardoor Pasquale de blik in hun ogen niet kon zien, alleen hun silhouet. Hij zei niets, liep alleen, terwijl er van alles door zijn hoofd spookte, Richard Burton en Michael Deane, zijn tante die zijn moeder vergiftigde, Amedea en zijn zoon, zijn mislukte tennisbaan, zijn knieval voor Gualfredo de vorige keer, de waarheid die over hemzelf aan het licht was gekomen: dat hij in wezen zwak was.

'Er staat nog een barrekening open van die Engelsman', zei Gualfredo, nu op twintig meter afstand. 'Die kun je dan ook gelijk betalen.'

'Nee', zei Pasquale alleen maar.

'Nee?' vroeg Gualfredo.

Achter zich hoorde hij Alvis Bender de veranda op komen. 'Alles in orde, Pasquale?'

Gualfredo keek op naar het hotel. 'Heb je nu weer een Amerikaanse gast? Wat voer je in je schild, Tursi? Ik zal de belasting moeten verdubbelen.'

Pasquale bereikte hen precies op het punt waar het paadje uitkwam op het piazza, waar de rotsen van de kust versmolten met de eerste keien van een strada. Gualfredo had zijn mond alweer open maar nog voordat hij iets kon zeggen haalde Pasquale uit met de stok. Met een luid gekraak trof hij de stierennek van de bruut Pelle, die dit duidelijk niet had zien aankomen en als een gevelde boom ter aarde stortte. Pasquale hief de stok om opnieuw uit te halen... maar de stok bleek in tweeën te zijn gebroken tegen de nek van de enorme man. Hij wierp het handvat weg en ging Gualfredo met zijn blote handen te lijf.

Maar Gualfredo was een echte vechtjas. Hij ontweek Pasquales vuistslag en plaatste zelf twee snelle klappen – een tegen Pasquales wang, die meteen begon te gloeien, en eentje tegen zijn oor, waarop Pasquale meteen een suizende pieptoon hoorde en naar achteren wankelend tegen de gevallen Pelle opbotste. Pasquale begreep dat de adrenaline die door zijn lijf gierde niet onuitputtelijk was en dook boven op de ingesnoerde-worstgestalte van Gualfredo af, zodat Gualfredo's stoten hem niet meer vol konden raken. Zelf haalde hij wild uit en raakte Gualfredo's hoofd met lichte petsen en zware meloendreunen: polsen, vuisten, ellebogen – hij wierp alles in de strijd.

Maar ineens daalde de reusachtige lamsbouthand van Pelle neer op zijn haar, voelde hij een tweede vlezige hand op zijn rug en werd hij weggetrokken. Pas op dat moment bedacht Pasquale dat het misschien anders zou uitpakken dan hij had gedacht, dat adrenaline en een gebroken stok misschien niet zouden volstaan. En ineens was ook de adrenaline verdwenen en maakte Pasquale een zacht, jammerend geluid, als een kind dat zichzelf in slaap huilt. Als een grondgraafmachine die uit het niets opdook raakte Pelles vuist hem vol in zijn maag, tilde hem op en sloeg hem tegen de grond, dubbelgeklapt, en het leek alsof er op de hele wereld niet één zuurstofmolecuul meer was die zijn longen kon bereiken.

De reus Pelle stond over hem heen gebogen, een diepe frons in zijn voorhoofd, omkranst door alle sterretjes die Pasquale zag terwijl hij happend naar adem wachtte op de genadeklap van de grondgraafmachine. Pasquale boog naar voren en haalde zijn vingers door de aarde, vroeg zich af waarom hij de zee niet kon ruiken maar wist ook dat er geen geur kon zijn zolang er geen zuurstof was. Pelle maakte een minieme beweging in zijn richting en op datzelfde moment schoot er een schaduw voor de zon. Pasquale keek op en zag hoe Alvis Bender vanaf de rotswand op de massieve rug van Pelle dook, die heel even aarzelde (hij leek net een student met een gitaar over zijn schouder) voordat hij naar achteren reikte en de lange, magere Amerikaan wegslingerde als een natte dweil, glibberend over de rotsachtige kust.

Pasquale probeerde overeind te krabbelen, maar nog altijd was er geen zuurstof.

Op dat moment deed Pelle een stap in zijn richting en gebeurden er tegelijkertijd drie ongelooflijke dingen: vlak voor hem klonk een bescheiden *PLOP* en achter hem een enorme knal, en uit de grote linkervoet van de reus Pelle spoot rood vocht terwijl de grote man het uitschreeuwde en naar zijn voet greep.

Piepend van ademnood wierp Pasquale een blik over zijn linkerschouder. Oude Lugo kwam over het smalle paadje hun kant op lopen, nog in zijn oliepak, en ontgrendelde zijn geweer om er nog een kogel in te stoppen – aan de groezelige loop van zijn geweer hing een groene tak, vermoedelijk meegetrokken uit de tuin van zijn vrouw. De loop van het geweer was gericht op Gualfredo.

'Ik had eigenlijk dat piemeltje van je willen raken, Gualfredo, maar ik ben niet meer zo'n goede schutter als vroeger', zei Lugo. 'Maar zelfs een blinde kan die pens van jou nog raken.'

'Die ouwe heeft me in mijn voet geschoten, Gualfredo', constateerde de reusachtige Pelle op nuchtere toon, haast plechtig.

In de minuut die volgde werd er aardig wat gekermd en heen en weer geschuifeld, en toen zette iemand de zuurstofkraan weer open, zodat Pasquale kon ademhalen. Als een stel kinderen die hun rotzooi moeten opruimen vielen de mannen terug in een duidelijke en overzichtelijke hiërarchie, het soort hiërarchie dat ontstaat wanneer één iemand een wapen op de rest richt. Alvis Bender kwam overeind, een grote bult boven zijn oor; Pasquale hoorde nog steeds een piep in zijn oor; Gualfredo wreef over zijn pijnlijke hoofd; maar Pelle was er het ergst aan toe, de kogel was dwars door zijn voet heen gegaan.

Lugo keek met iets van teleurstelling naar Pelles wond. 'Ik heb op je voet gemikt om je tegen te houden', zei hij. 'Het was niet mijn bedoeling je te raken.'

'Het was een lastig schot', zei de reus met iets van bewondering.

De zon was inmiddels niet veel meer dan een veeg aan de horizon en Valeria was met een lantaarn het hotel uit gekomen. Ze zei tegen Pasquale dat de Amerikaanse overal doorheen was geslapen, dat ze doodop moest zijn. Vervolgens maakte Valeria, terwijl Lugo met zijn geweer naast haar stond, Pelles wond schoon en legde een stevig verband aan van een in repen gescheurde kussensloop en visgaren. De grote man kromp ineen toen ze de wond afbond.

Alvis Bender leek bijzonder geïnteresseerd in Pelles gewonde voet en bestookte hem met vragen. Deed het pijn? Zou hij nog kunnen lopen? Wat was het voor gevoel?

'Ik heb veel verwondingen gezien in de oorlog', zei Valeria, die opmerkelijk vriendelijk was tegen de reus die was gekomen om haar neef af te persen. 'Deze kogel is er dwars doorheen gegaan.' Ze hield de lantaarn scheef en wiste het zweet van Pelles hoofd, dat wel een bierfust leek. 'Het komt wel goed.'

'Bedankt', zei Pelle.

Pasquale nam even een kijkje bij Dee Moray. Ze lag inderdaad te slapen, zoals zijn tante al had gezegd, en ze had niets gemerkt van het geweerschot dat een einde had gemaakt aan de schermutseling.

Toen Pasquale weer beneden kwam stond Gualfredo op het piazza tegen een muur geleund. Hij sprak op gedempte toon tegen Pasquale, zijn blik nog steeds op Lugo's geweer gericht. 'Je begaat een grote vergissing, Tursi. Dat begrijp je toch wel, hè? Een heel grote vergissing.'

Pasquale zweeg.

'Je begrijpt dat ik terugkom. En dan zijn het geen oude vissers die de trekker overhalen.'

Pasquale kon weinig anders doen dan die schoft van een Gualfredo zo ijzig mogelijk aankijken, net zo lang totdat Gualfredo zijn blik afwendde.

Een paar minuten later begonnen Gualfredo en een hinkende Pelle aan de afdaling naar hun boot. Lugo liep met hen mee alsof ze oude vrienden waren, zijn geweer in zijn armen als een grote, magere baby. Bij het water keerde de oude Lugo zich om naar Gualfredo, sprak een paar zinnen, wees naar het dorpje, gebaarde met het geweer en liep toen weer over het paadje naar het piazza, waar Pasquale en Alvis Bender nog zaten bij te komen. De boot maakte vaart en Gualfredo en Pelle werden opgeslokt door de duisternis.

Op het terras van het hotel schonk Pasquale een glas wijn in voor de oude man.

Lugo de Overspelige Oorlogsheld sloeg de wijn in een grote teug achterover en keek toen naar Alvis Bender, wiens bijdrage aan de strijd minimaal was geweest. '*Liberatore*', zei hij, met een zweem van cynisme – Bevrijder. Alvis Bender knikte alleen maar. Pasquale had het zich niet eerder gerealiseerd, maar een hele generatie mannen was getekend door de oorlog, net als zijn vader, en toch hadden ze het er zelden over. Pasquale had de oorlog altijd beschouwd als een groot geheel, maar hij had Alvis horen praten over zíjn oorlog, alsof iedereen een andere oorlog had meegemaakt, miljoenen mensen met miljoenen verschillende oorlogen.

'Wat heb je tegen Gualfredo gezegd?' wilde Pasquale van Lugo weten.

Lugo keek van Alvis Bender naar de kust, achter zich. 'Ik heb tegen Gualfredo gezegd dat hij de reputatie heeft een harde te zijn, maar dat als hij nog een keer naar Porto Vergogna komt, ik zijn poten onder zijn lijf vandaan schiet, zijn broek naar beneden trek terwijl hij aan het water ligt te krimpen van de pijn, mijn tuingereedschap in zijn dikke reet steek en de trekker overhaal. Ik heb gezegd dat hij in de laatste momenten van zijn miezerige bestaan zou voelen hoe de stront uit zijn neus en zijn oren spuit.'

Daar wist Pasquale noch Alvis Bender iets op te zeggen. Ze keken toe terwijl de oude Lugo zijn wijn opdronk, zijn glas neerzette en terugging naar zijn vrouw. Zij pakte voorzichtig het geweer uit zijn handen waarna hij in hun huisje verdween.

18

De frontman

*Kort geleden
Sandpoint, Idaho*

Om 11.14 uur verlaat de gedoemde Deane Delegatie het vliegveld van Los Angeles voor de eerste etappe van de epische reis, en neemt een hele businessclass-rij in beslag op een directe vlucht van Virgin Airlines naar Seattle. Op stoel 2A staart Michael Deane uit zijn raampje en stelt zich voor dat de actrice er nog precies zo uitziet als vijftig jaar terug (en hij zelf ook), stelt zich voor dat ze hem ogenblikkelijk vergeeft (*Zand erover, schat*). Op stoel 2B kijkt Claire Silver heel af en toe op van het afgewezen openingshoofdstuk van Michael Deanes memoires, in gefluisterd ontzag (*Het is niet waar... een kind van Richard Burton?*). Het verhaal is op zo'n prozaïsche manier verontrustend dat het niet langer de vraag zou moeten zijn of ze die baan bij het cultmuseum wel moet aannemen, maar haar afkeer maakt plaats voor fascinatie, en vervolgens nieuwsgierigheid, en ze slaat het ene getypte vel na het andere om, steeds sneller, en hoort niet eens dat Shane Wheeler vanaf stoel 2C keer op keer achteloos probeert de onderhandelingen over het middenpad heen te heropenen (*Ik vraag me af... misschien moet ik met* Donner! *de boer op gaan...*). Shane ziet dat Claire volkomen in de ban is van een of ander document dat Michael Deane haar heeft gegeven, en hij vreest dat het een ander script is, misschien wel nog bizarder dan zijn *Donner!*-pitch, en ogenblikkelijk staakt hij zijn angstvallige voorzetten. Hij draait zijn hoofd en begint een babbeltje met de oude Pasquale Tursi op stoel 2D ('*È sposato?*' Bent u getrouwd? '*Sì, ma mia moglie è morta.*' Ja, maar mijn vrouw is dood. '*Ah. Mi dispiace. Figli?*' O. Wat erg. Hebt u kinderen? '*Sì, tre figli e sei nipoti.*' Ja, drie kinderen, zes kleinkinderen.) Nu hij het over zijn familie heeft geneert Pasquale zich voor zijn malle, sentimentele aanstellerij, een oude man die zich tegen het einde van zijn leven zo laat gaan: als een verliefde puber is hij op zoek naar een vrouw die hij slechts drie dagen heeft gekend. De dwaasheid ten top.

Maar is niet elke queeste dwaasheid? El Dorado en de Fontein van de Eeuwige Jeugd en de zoektocht naar intelligent leven in het heelal – we wéten wat daar is. Wat ons echt fascineert, is wat er níét is. Dankzij de moderne technologie mag de avontuurlijke reis dan zijn teruggebracht tot een paar autoritjes en een paar continentale vluchten – vier staten en vijftienhonderd kilometer in één middag – maar een ware queeste wordt niet gemeten in tijd of afstand, maar in hoopvolle verwachtingen. Een queeste als deze kent slechts twee positieve uitkomsten, de hoop om bij toeval een grootse ontdekking te doen – koers zetten naar Azië en op Amerika stuiten – en de hoop van vogelverschrikkers en tinnen mannetjes: tot de ontdekking komen dat je allang hebt waarnaar je al die tijd op zoek was.

In de Stad van Smaragd stapt de tragische Deane Delegatie over in een ander vliegtuig. Shane zegt tussen neus en lippen door dat William Eddy er maanden over zou hebben gedaan om de afstand af te leggen die zij net in twee uur hebben gevlogen.

'En we hebben niet eens iemand hoeven opeten', zegt Michael Deane, om er, dreigender dan bedoeld, aan toe te voegen: 'Tot dusverre.'

Voor de laatste etappe zitten ze opeengepakt in een propellervliegtuigje, een tandpastatube vol studenten op weg naar huis en vertegenwoordigers. De vlucht is genadig kort: tien minuten taxiën, tien minuten stijgen boven een broodmes van kartelige bergtoppen, tien minuten vliegen over een rimpelige woestijn, nog eens tien minuten boven een lappendeken van akkers, dan een wolkengordijn dat openbreekt en dan wordt de afdaling ingezet boven een lage, met dennen omzoomde stad. Op drieduizend voet verwelkomt de gezagvoerder hen slaperig en voorbarig in Spokane, Washington, waar het 12 graden Celsius is.

Als het landingsgestel de grond raakt ziet Claire dat zes van de acht oproepen en sms'jes op haar mobiele telefoon afkomstig zijn van Daryl, die inmiddels al zesendertig uur geen contact meer heeft gehad met zijn vriendin en eindelijk begint te vermoeden dat er iets aan de hand is. Het eerste berichtje luidt: *Boos?* Het tweede: *Om de strippers?* Claire stopt haar telefoon weg zonder de rest te lezen.

Ze verlaten het vliegtuig en lopen door een keurige, frisse luchthaven, die wel iets wegheeft van een schoon busstation, langs lichtreclames voor indianencasino's, langs foto's van rivieren en oude, bakstenen gebouwen, langs borden die hen verwelkomen in wat 'The Inland Northwest' wordt genoemd. Het is een merkwaardig gezelschap: de oude Pasquale in zijn donkere pak, met hoed en stok, alsof hij zo uit een zwart-witfilm is gestapt; Michael Deane, die eruitziet als een tijdreisexperiment van een heel andere soort, een schuifelende opa met een babyface; Shane, inmiddels als de dood dat hij zijn hand heeft overspeeld, die voortdurend door zijn haar woelt en wat voor zich uit mompelt: 'Ik heb ook nog wel wat andere ideeën.' Claire is de enige die de reis goed heeft doorstaan, wat Shane doet denken aan Eddy's Laatste Strohalm: ook daar waren het de vrouwen die op het einde van de tocht nog enige kracht in zich hadden.

Buiten is de avondhemel krijtwit, de lucht tintelfris. Geen spoor van de stad waar ze net overheen zijn gevlogen, alleen bomen en lage basaltblokken rond de parkeergarages van de luchthaven.

Michaels mannetje, Emmett, heeft gezorgd dat ze worden opgewacht door een privédetective, een magere, kalende man van ergens in de vijftig, die tegen een vieze Ford Expedition staat geleund. Hij draagt een dikke overjas over zijn colbertje en heeft een bordje in zijn handen dat weinig vertrouwen wekt: MICHAEL DUNN.

Ze lopen naar hem toe en Claire zegt: 'Michael Déane?'

'Over die oude actrice, toch?' De privédetective kijkt nauwelijks naar Michaels merkwaardige gezicht – alsof hem op het hart is gedrukt dat vooral niet te doen. Hij stelt zich voor als Alan, gepensioneerd agent en privédetective. Hij houdt het portier voor hen open en zet hun bagage in de auto. Claire kruipt op de achterbank, tussen Michael en Pasquale in, en Shane gaat voorin zitten, naast de privé-detective.

Als ze eenmaal in de suv zitten, overhandigt Alan hun een dossiermap. 'Ik heb begrepen dat dit de allerhoogste prioriteit heeft. Het is behoorlijk gedegen, als je bedenkt dat ik maar vierentwintig uur de tijd had.'

De map gaat naar de achterbank en Claire ontfermt zich erover, bladert snel langs een geboorteakte en een geboorteadvertentie uit Cle Elum, Washington. 'U zei dat ze in 1962 een jaar of twintig was', zegt de privédetective tegen Michael, die hij in het achteruitkijkspiegeltje aankijkt. 'Maar haar feitelijke geboortedatum is eind '39. Verbaast me niets. Er zijn twee soorten mensen die steevast liegen over hun geboortedatum: actrices en Latijns-Amerikaanse pitchers.'

Claire gaat snel door naar het tweede document in de map – terwijl Michael over haar ene schouder meekijkt, en Pasquale over de andere – een fotokopie van een bladzijde uit het jaarboek van 1956 van de Cle Elum High School. Je hoeft niet lang te zoeken: de opvallende blondine met de sterke gelaatstrekken van een geboren actrice. Om haar heen twee pagina's vol zwarte kohlrandjes en vetkuiven, dromerige ogen, flaporen, kortgeschoren koppies, puistjes en opgestoken haar. Zelfs in zwart-wit springt Debra Moore eruit, haar ogen zijn eenvoudigweg te groot en te indringend voor deze kleine school en dit kleine plaatsje. Het onderschrift bij haar foto: 'DEBRA "DEE" MOORE: Warrior Cheer Squad – 3 jaar. Kittitas County Fair Princess, Musical Theater – 3 jaar, Toneelclub bovenbouw – 2 jaar.' Iedere leerling heeft een bekend citaat uitgekozen (Lincoln, Whitman, Nightingale, Jezus), maar dat van Debra Moore is afkomstig van Émile Zola: *Ik ben hier om ten volle te leven.*

'Ze woont nu in Sandpoint', zegt de privédetective. 'Anderhalf uur rijden. Mooie rit. Ze runt een klein theater. Er is vanavond een uitvoering. Ik heb vier kaartjes voor jullie gereserveerd, en vier hotelkamers. Morgenmiddag kom ik jullie weer ophalen.' De suv draait een snelweg op en voegt in, daalt een steile helling af en rijdt Spokane binnen: een centrum met laagbouw, baksteen, natuursteen en glas, afgewisseld met billboards en bovengrondse parkeerplaatsen, het geheel min of meer in tweeën gedeeld door het snelwegviaduct.

Tijdens de rit wordt er gelezen, voornamelijk affiches, speeldata en bezettingen: *Een midzomernachtsdroom*, uitgevoerd in 1959 door de toneelclub van de universiteit van Washington, met 'Dee Anne Moore' als Helena. Op elke foto springt ze eruit, alsof iedereen is verstard in de jaren vijftig terwijl zij ineens tot leven is gewekt, een vrouw van deze tijd.

'Ze is beeldschoon', zegt Claire.

'Ja', zegt Michael Deane vanachter haar rechterschouder.

'*Sì*', zegt Pasquale vanachter haar linkerschouder.

In recensies uit de *Seattle Times* en de *Post-Intelligencer* wordt 'Debra Moore' kort geprezen vanwege enkele rollen die ze in 1960 en 1961 heeft vertolkt, en de highlighter van de privédetective heeft 'getalenteerde nieuwkomer' en 'blikvanger Dee Moore' gemarkeerd. Dan volgen twee fotokopieën van artikelen uit de *Seattle Times* van 1967, het eerste over een dodelijk auto-ongeluk, het tweede een necrologie van de bestuurder, Alvis James Bender.

Nog voordat Claire doorheeft wat precies de link is met Dee Moray, pakt Pasquale het papier uit haar handen, buigt naar voren en drukt het Shane Wheeler in handen, op de passagiersstoel. 'Dit? Wat staat er?'

Shane leest de bescheiden necrologie voor. Bender had gevochten in de Tweede Wereldoorlog en was werkzaam als Chevrolet-dealer in Noord-Seattle. Hij was in 1963 naar Seattle verhuisd, slechts vier jaar voor zijn dood. Zijn beide ouders in Madison waren nog in leven, evenals een broer en een zus, enkele neven en nichten, zijn vrouw Debra Bender en hun zoon, Pat Bender, die in Seattle woonde.

'Ze waren getrouwd', zegt Shane tegen Pasquale. '*Sposati*. Hij was de echtgenoot van Dee Moray. *Il marito. Morto, incidente di macchina.*'

Claire werpt een blik opzij. Pasquale is wit weggetrokken. Hij vraagt wanneer. '*Quando?*'

'*Nel sessantasette.*'

'*Tutto questo è pazzesco*', mompelt Pasquale. Het is allemaal krankzinnig. Hij zegt niets meer, laat zich onderuitzakken op de achterbank, zijn hand gaat langzaam naar zijn mond. Hij lijkt elke belangstelling voor de papieren te hebben verloren en staart uit het raam, naar de vele grote winkels langs de snelweg, zoals hij eerder in het vliegtuig ook uit het raampje staarde.

Claires blik gaat van Shane naar Pasquale en weer terug. 'Had hij gedacht dat ze altijd alleen zou blijven? Vijftig jaar lang... dat is wel heel veel gevraagd.'

Pasquale zwijgt.

'Heb je weleens gedacht aan een *programma* waarin je mensen weer in contact brengt met hun oude vlam van de middelbare school?' vraagt Shane aan Michael, die doet of hij de vraag niet hoort.

De map bevat ook nog een diploma uit 1970 van de universiteit in Seattle (een bachelor didactiek en Italiaans), overlijdensberichten van de ouders van Debra Moore, afschriften van testamenten, belastingopgaven van een huis dat in 1987 van de hand is gedaan. In een veel nieuwer jaarboek uit 1976 staat een zwart-witfoto van het docentenkorps van Garfield High, waarop zij wordt aangeduid als 'Mevrouw Moore-Bender: Toneel, Italiaans.' Ze lijkt met elke foto aantrekkelijker te worden, haar gelaatstrekken uitgesprokener – of misschien is het enkel in vergelijking met de andere docenten, alle mannen met hun uitgebluste ogen, hun brede stropdas en ongelijkmatige bakkebaarden, alle gezette vrouwen met hun korte haar en hun vlinderbril. Op de foto van de toneelclub staat ze in het midden van een groep slungelige en langharige studenten, die gekke gezichten trekken voor de camera – een tulp in een veld vol onkruid.

In de map zit ook nog een gekopieerd krantenartikel, uit de *Sandpoint Daily Bee*, van ergens in 1999, waarin wordt vermeld dat 'Debra Moore, een gerespecteerd toneeldocente en hoofd van een klein theater in Seattle, de positie zal gaan bekleden van artistiek directeur van de Theater Arts Group of Northern Idaho' en dat ze 'hoopt het vertrouwde aanbod van komedies en musicals te kunnen verrijken met enkele vernieuwende stukken'.

Tot slot zitten er nog wat documenten in de map over haar zoon, Pasquale 'Pat' Bender; die documenten vallen uiteen in twee categorieën – verkeers- en wetsovertredingen (voornamelijk rijden onder invloed en bezit van verdovende middelen) en kranten- en tijdschriftartikelen over verschillende bands waarvan hij de frontman was. In de gauwigheid telt Claire er zeker vijf – The Garys, Filigree Handpipe, Go with Dog, The Oncelers en The Reticents, waarvan de laatste het meeste succes had, met een heus contract bij Sub Pop, een platenlabel uit Seattle, waarbij ze in de jaren negentig drie platen hadden gemaakt. De meeste artikelen zijn afkomstig uit kleine alternatieve bladen – concert- en muziekrecensies, aankondigingen van een release party of een geannuleerd optreden – maar er zit ook een klein stukje tussen uit *Spin*, over een cd die *Manna* heet en die twee sterren krijgt, met de volgende omschrijving: '... *wanneer de manier waarop Pat Bender live het publiek weet te bespelen zich vertaalt naar de studio, klinkt dit trio uit Seattle vol en speels. Maar alles wat ze doen wordt onderuitgehaald doordat Bender er steeds niet helemaal bij lijkt te zijn, alsof hij stomdronken naar de studio is gekomen – of broodnuchter, wat misschien nog wel erger is voor iemand met zo'n cultstatus.*'

Tot slot zitten er stukjes bij uit de *Willamette Week* en *The Mercury*, over Pat Benders solo-optredens in enkele clubs in de buurt van Portland in 2007 en 2008, en een stukje uit *The Scotsman*, een Schotse krant, waarin een vaag optreden – *Pat Bender: I Can't Help Meself!* – volkomen wordt afgebrand.

En dat is het. Ze bekijken de verschillende documenten, wisselen ze uit, en als ze weer opkijken blijken ze zich aan de rand van de stadsuitbreiding te bevinden, nieuwbouwblokken, platen basalt en stevig hout. Een heel leven dat op een dergelijke manier is gereduceerd tot een paar vellen papier: het heeft iets profaans, iets opwindends. De privédetective trommelt met zijn vingers op zijn stuur, op de melodie van een nummer dat verder niemand hoort. 'Bijna bij de staatsgrens.'

De epische reis van de Deane Delegatie is bijna ten einde, nog één staatsgrens te gaan – een merkwaardig gezelschap van vier mensen

in een voertuig dat wordt voortgedreven door de vluchtige brandstof van een verkwist leven. Ze kunnen een afstand van 100 kilometer overbruggen in een uur, vijftig jaar in een dag, en die snelheid
voelt onnatuurlijk, ongepast, en ze kijken allemaal door hun eigen
raampje naar buiten, waar de tijd zich uitstrekt en verglijdt, en drie
kilometer lang, bijna drie minuten, wordt er gezwegen, totdat Shane
Wheeler zegt: 'Of anders misschien iets met anorexiameisjes?'

Michael Deane slaat geen acht op de tolk, buigt zich naar de bestuurder en zegt: 'Kunt u ons iets vertellen over het stuk dat we gaan
zien?'

FRONT MAN
Deel IV van de Seattle Cyclus
Een toneelstuk in drie bedrijven
Geschreven door Lydia Parker

PERSONEN:
PAT, een muzikant op leeftijd
LYDIA, scenarioschrijfster en Pats vriendin
MARLA, een jonge serveerster
LYLE, Lydia's stiefvader
JOE, een Britse muziekpromotor
UMI, een Engels meisje dat veel uitgaat
LONDENAAR, een passerende zakenman

SPELERS:
PAT: Pat Bender
LYDIA: Bryn Pace
LYLE: Kevin Guest
MARLA/UMI: Shannon Curtis
JOE/LONDENAAR: Benny Giddons

*De handeling vindt plaats tussen 2005 en 2008,
in Seattle, Londen en Sandpoint, Ohio.*

EERSTE BEDRIJF
Eerste toneel

[Een bed in een benauwd appartement. Twee
mensen verstrikt in de lakens, Pat, 43, en
Marla, 22. Het is schemerig; het publiek kan
de gestalten zien, maar de gezichten
nauwelijks.]

Marla: Goh.
Pat: Mm. Dat was lekker. Bedankt.
Marla: O. Ja. Tuurlijk.
Pat: Hoor eens, ik bedoel het niet lullig,
         maar zullen we ons weer aankleden en
         gaan?
Marla: O. Dus... dit was het?
Pat: Hoe bedoel je?
Marla: Niks, laat maar. Ik dacht gewoon...
Pat: [met een lach] Wat?
Marla: Niks, laat maar.
Pat: Zeg op.
Marla: Nou ja... ik heb zoveel meisjes in de
         club horen vertellen dat ze met je
         naar bed waren geweest. Ik begon bijna
         aan mezelf te twijfelen, dat ik het
         nog nooit met de geweldige Pat Bender
         had gedaan. En toen je vanavond in je
         eentje binnenkwam dacht ik, dit is mijn
         kans. Nou ja, ik had gewoon verwacht
         dat het... wat zal ik zeggen... dat het
         anders zou zijn.
Pat: Anders... dan wat?
Marla: Ik weet het niet.
Pat: Dit is namelijk min of meer zoals ik het
         altijd doe.

Marla: Het was oké.

Pat: Oké? Het wordt steeds mooier.

Marla: Nou ja, ik heb me denk ik gewoon verkeken op het beeld, dat je zo'n versierder bent. Ik ging ervan uit dat je dingen zou weten.

Pat: Dingen? Wat voor dingen?

Marla: Ik weet het niet goed. Bepaalde... technieken.

Pat: Technieken? Zoals? Levitatie? Hypnose?

Marla: Nee, nou ja, na alles wat ik had gehoord dacht ik dat ik... nou ja... wel een keer of vier, vijf...

Pat: Een keer of vier, vijf wat?

Marla: [ineens verlegen] Je weet wel.

Pat: O. Dat. Hoeveel keer was het dan?

Marla: Niet één keer, tot nog toe.

Pat: O. Nou, weet je wat: Je houdt een paar keer van me te goed. Maar kunnen we ons nu dan aankleden, want straks...

[Buiten beeld slaat een deur dicht. De hele scène heeft zich min of meer in het donker afgespeeld, het enige licht is afkomstig uit een deuropening. Nog altijd in silhouet trekt Pat de lakens over Marla's hoofd.]

Pat: O shit.

[Lydia, in de 30, camouflagebroek, Leninpetje KOMT OP. Ze blijft even staan in de deuropening, haar gezicht verlicht door het schijnsel uit de andere kamer.]

Pat: Ik dacht dat je aan het repeteren was.

336

Lydia: Ik ben eerder weggegaan. We moeten
        praten, Pat.

[*Ze loopt de kamer in, wil de lamp op het*
nachtkastje aandoen.]

Pat: Eh... mag het licht uit blijven?
Lydia: Heb je weer migraine?
Pat: Ja, vreselijk.
Lydia: Goed dan. Het spijt me dat ik vanavond
        het restaurant uit ben gestormd. Je
        hebt gelijk. Er zijn nog steeds momenten
        dat ik je probeer te veranderen.
Pat: Lydia...
Lydia: Nee, laat me even uitpraten, Pat. Dit is
        belangrijk.

[*Lydia loopt naar het raam, kijkt naar buiten,*
een lantaarnpaal zet haar gezicht in een gloed.]

Lydia: Ik heb zo lang geprobeerd je
        'erbovenop' te helpen dat ik je niet
        altijd recht doe, dat ik me niet altijd
        realiseer hoever we zijn gekomen. Je
        bent al bijna twee jaar clean, maar ik
        ben zo beducht voor problemen dat het
        soms lijkt alsof ik niets anders meer
        kan zien. Zelfs al zijn er helemaal geen
        problemen.
Pat: Lydia...
Lydia: [*draait zich weer naar hem*] Pat, toe.
        Laat me nou even uitpraten. Ik heb
        nagedacht. Het zou het beste zijn om
        te verhuizen. Seattle voorgoed achter
        ons te laten. We zouden in Idaho kunnen

gaan wonen. Dan ben je ook dichter
bij je moeder. Ja, ik weet het, ik heb
gezegd dat we niet kunnen weglopen
voor onze problemen, maar misschien is
het toch wel een goed idee. Een frisse
start. Breken met het verleden... al dat
gezeik met die bands van jou, met mijn
moeder en mijn stiefvader.

Pat: Lydia...

Lydia: Ik weet wat je wilt zeggen.

Pat: Dat vraag ik me af.

Lydia: Jij gaat zeggen: als we nou eens naar
New York verhuisden? Ik weet dat we die
kans hebben verkloot. Maar toen waren
we nog jonger, Pat. En jij gebruikte
nog. Hoe hadden we het ooit moeten
redden? Het was bijna een verademing,
die dag dat ik thuiskwam en zag dat
je al onze spullen naar de lommerd
had gebracht. Ik wachtte op het moment
dat de bodem onder ons bestaan zou
wegvallen. En ineens was dat zo.

[Lydia draait zich weer naar het raam.]

Lydia: Daarna heb ik tegen je moeder gezegd
dat je beroemd zou zijn geworden als je
je verslaving onder controle had weten
te krijgen. Ik zal nooit vergeten wat ze
toen zei: 'Maar lieverd, dat ís zijn
verslaving.'

Pat: Jezus, Lydia...

Lydia: Pat, ik ben vanavond eerder van de
repetitie weggegaan omdat je moeder
belde, uit Idaho. Ik weet niet goed hoe

ik het moet zeggen, dus zeg ik het maar
gewoon. De kanker is terug.

[*Lydia loopt naar het bed, gaat aan Pats kant
zitten.*]

Lydia: Ze zien geen heil meer in opereren.
        Misschien heeft ze nog maanden, of
        jaren, maar er valt niets meer tegen
        te doen. Ze krijgt nog wel chemo, maar
        alle mogelijkheden voor bestraling zijn
        uitgeput, ze kunnen het alleen nog zo
        draaglijk mogelijk maken. Maar ze klonk
        goed, Pat. Ze heeft gevraagd of ik het
        jou wilde vertellen. Ze is bang dat je
        weer gaat gebruiken. Ik heb gezegd dat
        je veel sterker bent dan...
Pat: [*fluisterend*] Lydia, toe...
Lydia: Laten we verhuizen, Pat. Laten we het
        gewoon doen. Toe? Weet je wat het is...
        we gaan er altijd maar van uit dat
        de cycli eindeloos zijn... we krijgen
        ruzie, gaan uit elkaar, maken het weer
        goed, ons leven draait steeds maar in
        hetzelfde cirkeltje rond, maar stel nou
        dat het geen cirkel is? Stel dat we
        achteraf moeten constateren dat we niet
        eens een poging hebben gedaan er uit te
        breken?

[*Op de rand van het bed tast Lydia in de wirwar
van lakens naar Pats hand. Ineens voelt ze iets,
deinst achteruit, springt op van het bed en doet
het licht aan, waardoor Pat en de andere hobbel
in het bed meedogenloos worden uitgelicht. Ze*]

*slaat het beddengoed terug. Pas op dat moment
zien we de spelers in het volle licht. Marla
houdt het laken voor haar borsten, wappert er
een beetje mee. Lydia loopt achterwaarts naar
de muur. Pat staart alleen voor zich uit.]*

Lydia: O.

*[Pat komt langzaam van het bed om zijn kleren te
pakken. Maar dan blijft hij staan. Hij is naakt,
het is alsof hij zichzelf voor het eerst ziet.
Hij kijkt naar beneden, verbaasd dat hij zo oud
en dik is geworden. Uiteindelijk draait hij zich
naar Lydia, die in de deuropening staat. De
stilte lijkt een eeuwigheid te duren.]*

Pat: Eh... een triootje zit er zeker niet in?

DOEK

Er gaat haast hoorbaar een schok door het halflege theater, gevolgd
door wat nerveuze, ongemakkelijke lachjes. Wanneer het toneel-
licht wordt gedimd realiseert Claire zich dat ze gedurende de korte
openingsscène haar adem heeft ingehouden. Nu laat ze haar adem
ontsnappen, net als de andere toeschouwers, een plotselinge ontlading, schuldbewuste lachjes bij de aanblik van deze proleet die
naakt op het toneel staat – zijn kruis kies en kunstig aan het oog
onttrokken door een deken over het voeteneinde van het bed.

In de duisternis van een decorwisseling blijven er spookbeel-
den op Claires netvlies hangen. Ze realiseert zich hoe slim het stuk
in elkaar zit: het speelt zich goeddeels af in de schemer, waardoor
het publiek wordt gedwongen in het halfduister naar de personna-
ges te zoeken, en als dan eindelijk het felle licht aangaat, worden
Lydia's gekwelde blik en Pats bleke zachtheid als röntgenstralen op
het netvlies gebrand – de arme vrouw die strak naar haar naakte

vriendje kijkt, een andere vrouw in hun bed, een stroboscoop van verraad en berouw.

Het was niet bepaald wat Claire had verwacht (amateurtoneel? in Idaho?) toen ze aankwamen in Sandpoint, een wat ouderwets wildwest-wintersportplaatsje aan de oever van een reusachtig bergmeer. De privédetective gunde hun geen tijd om in te checken in het hotel maar zette hen af bij het Panida Theater, met het mooie verticale uithangbord aan de opvallende gevel in de L-vormige binnenstad; een klassieke entree die toegang bood tot een art-decotheater – te groot voor dit intieme, persoonlijke stuk, maar evengoed indrukwekkend, met zorg gerestaureerd in de oorspronkelijke filmhuisstijl. De achterste helft van de zaal was leeg, maar voorin zaten in het zwart geklede, hippe inwoners van het stadje, oudere vrouwen op Birkenstocks, geblondeerde vrouwen in skikleding, en zelfs wat welgestelde oudere echtparen die – voor zover Claire verstand had van amateurtoneel – de mecenassen van dit theatergezelschap waren. Eenmaal op haar stoel met de harde rugleuning gezeten, wierp Claire een blik op de gefotokopieerde voorkant van het programmaboekje: FRONT MAN * VOORPREMIÈRE * THEATER ARTS GROUP OF NORTHERN IDAHO. Nou, ik ben benieuwd, dacht Claire: het amateuruurtje.

Maar dan begint het en Claire is volkomen overrompeld. Net als Shane. 'Wauw', fluistert hij. Claire werpt een blik op Pasquale Tursi en hij lijkt ook gefascineerd, al is het moeilijk om zijn blik te peilen – spreekt er bewondering uit voor het stuk, of vraagt hij zich alleen maar af wat die naakte man op het toneel doet?

Claire kijkt naar rechts, naar Michael, en het wassen beeld lijkt geschokt, zijn hand ligt op zijn hart. 'Mijn god, Claire. Heb je dat gezien? Heb je hém gezien?'

Ja. Dat speelt ook mee. Het is onmiskenbaar. Pat Bender heeft een ongekende présence op het toneel. Ze weet niet of het komt doordat ze weet wie zijn vader is, of misschien doordat hij zichzelf speelt – maar gedurende een kort, vluchtig moment denkt ze dat hij misschien wel de beste acteur aller tijden is.

Dan gaan de lichten weer aan.

Het is een eenvoudig stuk. Na de openingsscène volgen we Pat en Lydia op hun parallelle reis. Die van Pat begint met drie dronken jaren in de wildernis, waarin hij probeert af te rekenen met zijn demonen. Hij treedt op met een musical-komedie-monoloog over alle bandjes waarin hij ooit in heeft gezeten, en over het feit dat hij Lydia in de steek heeft gelaten – een show waarvoor een enthousiaste Ierse producer hem uiteindelijk naar Londen en Schotland haalt. Dit tripje van Pat heeft iets weg van een wanhoopsdaad, een klungelige laatste poging om door te breken. Uiteindelijk loopt het mis wanneer Pat Joe verraadt door naar bed te gaan met Umi, het meisje op wie zijn jonge vriend al jaren verliefd is. Joe gaat ervandoor met Pats geld en Pat zelf blijft berooid achter in Londen.

In Lydia's verhaal, dat er parallel aan loopt, gaat haar moeder onverwacht dood en wordt Lydia opgezadeld met de zorg voor haar seniele stiefvader, Lyle, een man met wie ze het nooit heeft kunnen vinden. Lyle zorgt voor de komische noot, vergeet voortdurend dat zijn vrouw is overleden en vraagt aan de vijfendertigjarige Lydia of ze niet naar school moet. Lydia wil hem in een verpleegtehuis stoppen, maar Lyle verzet zich daar met hand en tand tegen en uiteindelijk laat Lydia zich vermurwen. In een verteltechniek die beter uitpakt dan Claire had verwacht vult Lydia lacunes aan en markeert het verstrijken van de tijd door haar telefoongesprekken met Pats moeder, Debra, die in Idaho woont. Debra verschijnt niet één keer op het toneel maar ze is een onzichtbare, onhoorbare aanwezigheid aan de andere kant van de lijn. 'Lyle heeft vandaag in bed geplast', zegt Lydia, en ze wacht even op de reactie van de onzichtbare Debra (of Dee, zoals ze haar soms noemt). 'Ja, Dee, natuurlijk kan dat gebeuren... maar het was míjn bed! Ik keek op en zag hem op mijn bed staan, plassend en wel, een hete straal, en ik hoorde hem roepen: 'Waar zijn de doekjes?'

Uiteindelijk brandt Lyle zich aan de oven terwijl Lydia op haar werk is, en dan zit er echt niets anders op dan hem naar een verpleegtehuis te brengen. Lyle begint te huilen als ze het hem vertelt. 'Het komt wel goed', drukt ze hem op het hart. 'Geloof me.'

'Het gaat me niet om mezelf', zegt Lyle. 'Maar weet je wat het is... ik heb je moeder een belofte gedaan. Wie moet er nou voor jou zorgen?'

Als Lydia dat tot zich laat doordringen – dat Lyle in de veronderstelling verkeert dat hij voor háár heeft gezorgd – beseft ze dat ze zich het prettigst voelt als ze iemand heeft om voor te zorgen, en zodoende gaat ze naar Idaho om voor Pats zieke moeder te zorgen. Op een avond, als ze bij Debra op de bank ligt te slapen, gaat de telefoon. Aan de andere kant van het toneel floepen de lichten aan – en we zien Pat in een rode telefooncel staan, waar hij zijn moeder belt om haar om hulp te vragen. Aanvankelijk is Lydia blij hem te spreken. Maar het enige wat Pat bezig lijkt te houden is dat hij aan de grond zit en geld nodig heeft om uit Londen weg te komen. Hij informeert niet eens naar zijn moeder.

Lydia zwijgt, aan de andere kant van de lijn. 'O, wacht even. Hoe laat is het bij jou?' vraagt hij. 'Drie uur 's nachts', zegt Lydia zachtjes. En Pats hand zakt naar zijn borst, net als in de eerste scène.

'Wie is dat, lieverd?' klinkt een stem buiten beeld – de eerste woorden die Pats moeder in het hele stuk spreekt. Pat fluistert, in zijn Londense telefooncel: 'Toe, Lydia, zeg het.' Lydia haalt diep adem en zegt: 'Niemand.' Ze hangt op en het licht in de telefooncel gaat uit.

Van Pat is weinig meer over, een Londense zwerver – haveloos, dronken, in kleermakerszit op een straathoek, met zijn gitaar. Hij maakt muziek en bedelt, in de hoop genoeg geld bij elkaar te scharrelen om naar huis te gaan. Een passerende Londenaar biedt Pat twintig pond om een liefdesliedje te spelen. Pat begint met *Lydia* maar valt dan stil. Hij brengt het niet op.

In Idaho, waar sneeuwvlokken voor het raam het verstrijken van de tijd aangeven, wordt Lydia weer gebeld. Haar stiefvader is overleden in het verzorgingstehuis. Ze bedankt de beller en wil wat te eten maken voor Pats moeder, maar ze brengt het niet op. Wezenloos staart ze naar haar handen. Ze lijkt volkomen alleen in deze scène, in de wereld. Op dat moment wordt er op de deur geklopt. Ze doet open. En daar staat Pat Bender, scherp uitgetekend in dezelfde deuropening waar Lydia aan het begin van het stuk stond. Lydia kijkt strak naar haar verloren gewaande vriendje, deze verlopen Odysseus die probeerde thuis te komen door over de wereld te dolen. Het is de eerste keer dat ze samen op het toneel staan sinds het pijnlijke moment dat hij voor haar stond, naakt, aan het begin van het stuk. Er volgt weer een lange stilte, een echo van de eerste stilte, die zo lang aanhoudt dat het publiek het nauwelijks meer kan verdragen (*Laat iémand iets zeggen!*), totdat Pat Bender heel licht zijn schouders ophaalt en fluistert: 'Ben ik te laat?' – waarmee hij zichzelf nog meer bloot lijkt te geven dan in die eerste scène.

Lydia schudt het hoofd: nee, zijn moeder leeft nog. Pat laat zijn schouders zakken, van opluchting en uitputting en gêne, en hij steekt zijn handen uit – een gebaar van overgave. Weer klinkt Dee's stem, buiten beeld. 'Wie is daar, lieverd?' Lydia werpt een blik over haar schouder en het moment lijkt op een of andere manier nog meer te worden gerekt. 'Niemand', zegt Pat, zijn stem hees en gebroken. Dan reikt Lydia hem de hand, en zodra hun handen elkaar raken dooft het licht. Het stuk is afgelopen.

Claire laat haar adem ontsnappen – voor haar gevoel heeft ze hem anderhalf uur lang ingehouden. Iedereen die de reis heeft gemaakt voelt hetzelfde – alsof er iets is voltooid – en in het donderende applaus voelen ze zich allemaal een ontdekkingsreiziger die bij toeval op iets groots is gestuit: de toevallige, louterende ontdekking van zichzelf. Halverwege deze ontlading buigt Michael zich naar Claire en zegt: 'Zág je dat?'

Aan haar andere kant drukt Pasquale Tursi een hand tegen zijn borst, alsof hij een hartaanval heeft. '*Bravo*', zegt hij. En dan: '*È troppo tardi?*' Claire kan slechts gissen naar wat hij bedoelt, want hun voormalige Italiaanse tolk lijkt volkomen van de wereld, met zijn hoofd in zijn handen. 'Kut', zegt Shane. 'Ik heb mijn hele leven verkloot.'

Claire merkt zelf ook dat wat ze zojuist heeft gezien aanzet tot retrospectie. Eerder heeft ze tegen Shane gezegd dat haar relatie met Daryl 'uitzichtloos' was. Nu realiseert ze zich dat ze het hele stuk aan Daryl heeft gedacht, de onmogelijke, onverbeterlijke Daryl, het vriendje van wie ze kennelijk geen afscheid kan nemen. *Misschien is liefde altijd uitzichtloos.* Misschien is Michael Deanes motto wijzer dan hij denkt: We willen wat we willen – *we hebben lief wie we liefhebben.* Claire pakt haar telefoon en zet hem aan. Ze ziet het laatste sms'je van Daryl. *Laat ff horen of je ok bent.*

Ze tikt terug: *Alles ok.*

Michael Deane, die naast haar zit, legt een hand op haar arm. 'Dit is het', zegt hij.

Claire kijkt op van haar mobieltje en denkt heel even dat Michael het over Daryl heeft. Dan valt het kwartje. Ze vraagt zich af of haar deal met het Lot nog geldig is. Is *Front Man* de fantastische film waardoor ze in het vak kan blijven? 'Wil je het stuk kopen?' vraagt ze.

'Ik wil alles kopen', zegt Michael Deane. 'Het stuk, zijn nummers... alles.' Hij staat op en laat zijn blik door het zaaltje glijden. 'Ik koop de hele zwik.'

Nadat ze even haar visitekaartje heeft laten zien (*Hollywood? Serieus?*) wordt Claire van harte uitgenodigd voor de afterparty door Keith, een uitsmijter met een sikje en een flink aantal piercings. Op zijn aanwijzingen lopen ze een blok verder naar een bakstenen pui, waarachter een brede trap schuilgaat – het gebouw is met opzet in de oorspronkelijke stijl gelaten, met blootliggende leidingen en muren die deels uit kale bakstenen bestaan. Het doet Claire denken aan de trappen naar de ontelbare feesten uit haar studententijd. Maar de schaal is anders, de breedte van de gangen en de hoogte van de plafonds – die overdaad aan loze ruimte in al die oude wildweststadjes.

Pasquale blijft bij de deur staan. '*È qui, lei?*' Is ze hier?

Shane kijkt op van zijn telefoon. Misschien, zegt hij. '*C'è una festa, per gli attori.*' Het is een feest voor de spelers. Shane richt zijn aandacht weer op zijn telefoon en stuurt Saundra een sms'je: *Kunnen we praten? Alsjeblieft? Ik begrijp nu wat een eikel ik ben geweest.*

Pasquale kijkt op naar het gebouw waar Dee zich wellicht bevindt, neemt zijn hoed af, strijkt zijn haar glad en loopt de trap op. Boven aan de trap helpt Claire een hijgende Michael Deane de laatste treden op. Op de overloop zijn drie deuren naar drie verschillende appartementen. Ze lopen naar de achterkant van het gebouw, naar de enige deur die openstaat, met een wijnkruik als deurstopper.

Het appartement aan de achterkant is groot en mooi op dezelfde sobere manier als de rest van het gebouw. Het duurt even voordat ze gewend zijn aan het kaarslicht – het is een enorme loft van twee verdiepingen, met hoge plafonds. De kamer zelf is een kunstwerk, of een grote puinhoop – vol oude schoolkluisjes, hockeysticks en krantenbakken – en in het midden van dit alles een wenteltrap van oude balken, die lijkt te zweven in de ijle lucht. Als ze wat beter kijken zien ze dat de trap aan drie gedraaide kabels hangt.

'Dit hele appartement is ingericht met gevonden kunstvoorwerpen', zegt Keith, de uitsmijter, die vlak na hen binnenkomt. Hij heeft dun haar, stekeltjes, en pijnlijk ogende piercings in zijn lippen, nek, oorschelpen en neus, en ringetjes in zijn oren. Hij heeft zelf ook in TAGNI-stukken gespeeld, vertelt hij, en daarnaast is hij ook nog dichter, kunstschilder en videokunstenaar. (Is dat alles? denkt Claire verwonderd. Geen danstherapeut? Zandsculpturenmaker?)

'Videokunstenaar?' Hij heeft Michaels aandacht. 'Heb je je camera in de buurt?'

'Die heb ik altijd bij me', zegt Keith, en hij haalt een eenvoudige, kleine digitale camera uit zijn zak. 'Mijn leven is mijn documentaire.'

Pasquale laat zijn blik langs de aanwezigen glijden, maar hij ziet Dee nergens. Hij buigt zich naar Shane om hem om hulp te vragen, maar zijn tolk kijkt vertwijfeld naar Saundra's antwoord: *Daar kom je NU pas achter, dat je een eikel bent? Donder toch op.*

Keith ziet Pasquale en Michael om zich heen kijken, interpreteert het als nieuwsgierigheid en loopt naar hen toe om een en ander toe te lichten. De ontwerper van het appartement, legt hij uit, is een Vietnamveteraan, aan wie vorige week een special is gewijd in het blad *Dwell*. 'Zijn uitgangspunt is in grote lijnen dat vormen naast hun jeugdige karakter ook een intrinsieke volwassenheid hebben, en dat we maar al te vaak geneigd zijn interessante voorwerpen af te danken op het moment dat deze rijpe, veel interessantere tweede natuur in beeld komt. Twee oude hockeysticks – lekker belangrijk. Maar hockeysticks die nu een stoel zijn? Kijk, dan heb je wat.'

'Het is allemaal prachtig', zegt Michael ernstig, terwijl hij zijn blik door de ruimte laat glijden.

De spelers en de medewerkers zijn nog niet gearriveerd; tot nog toe bestaat het feestje uit zo'n vijftien tot twintig man publiek, zwarte bril en hippiesandalen, die op gedempte toon praten, af en toe in lachen uitbarsten en beurtelings de merkwaardige leden van de dolende Deane Delegatie opnemen. De aanwezigen komen Claire vertrouwd voor: minder lang, net iets minder verfijnd, maar verder niet zo heel anders dan op welke afterparty ook. Er staan wijn en hapjes klaar op een metalen tafel die is gemaakt van de deur van een oude goederenlift; een lepel van een graafmachine is gevuld met ijsklontjes en bier. Als Claire naar het toilet moet merkt ze tot haar opluchting dat de wc gewoon een wc is en geen oude motorboot.

Na een tijdje druppelen de spelers en de medewerkers binnen. Het spreekt zich rond dat de beroemde Michael Deane zich onder de aanwezigen bevindt, en iedereen met serieuze ambities komt zijn kant op, laat vallen dat hij of zij in lowbudgetfilms heeft gespeeld die zijn opgenomen in Spokane, samen met Cuba Gooding jr., Antonio Banderas, de zus van John Travolta. Werkelijk iedereen met wie Claire praat is een kunstenaar – acteurs en musici en kunstschilders en grafisch ontwerpers en balletleraren en schrijvers en beeldhouwers en meer pottenbakkers dan waar een stad van deze omvang ooit behoefte aan kan hebben. Zelfs de onderwijzers en de juristen doen aan toneel, of spelen in een bandje, of maken ijssculpturen – Michael vindt het allemaal even fascinerend. Claire staat te kijken van zijn energie en zijn oprechte belangstelling. Hij is ook al aan zijn derde glas wijn bezig – zoveel heeft ze hem nog nooit zien drinken.

Een aantrekkelijke oudere vrouw in een zonnejurk, met de diepe rimpels van een zonaanbidster, de tegenpool van Michaels gladde huid, buigt naar voren en voelt zelfs even aan zijn voorhoofd. 'Mijn god,' zegt ze, 'wat een prachtig gezicht.' Alsof het een kunstwerk is dat hij heeft geschapen.

'Dank je', zegt Michael, want zo is het ook – het is zijn kunstwerk.
De vrouw zegt dat ze Fantom heet, 'met een F', en ze vertelt dat ze kleine beeldjes maakt van zeep, die ze verkoopt op kunstmarkten en bazaars.

'Ik zou die beeldjes dolgraag een keer zien', zegt Michael. 'Is iedereen hier kunstenaar?'

'Ja, ik weet het', zegt Fantom terwijl ze in haar tas graaft. 'Het is een beetje een cliché, hè?'

Terwijl Michael de minuscule zeepkunst bekijkt, begint de rest van de Deane Delegatie wat onrustig te worden. Pasquale houdt gespannen de deur in het oog terwijl zijn dweepzieke tolk, nog altijd diep gekwetst door Saundra's afwijzende sms, een fles Canadese whiskey pakt en zichzelf een stevig glas inschenkt, en Claire met Keith over het stuk praat.

'Heftig, hè?' zegt Keith. 'Debra brengt meestal stukken voor kinderen op de planken, musicals, vakantiekluchten... alles wat de wintersporters een paar uur van de piste weet te houden. Maar eens per jaar doen Lydia en zij iets vernieuwends, zoals dit. Ze heeft het weleens aan de stok met het bestuur, vooral met zure gelovigen, maar dit is de prijs die ze voor haar moesten betalen. Maak de toeristen gelukkig, en dan mag je je een keer per jaar uitleven.'

Inmiddels zijn alle spelers en medewerkers op het feest gearriveerd – op Pat en Lydia na. Claire staat ineens te praten met Shannon, de actrice die de vrouw speelde die aan het begin van het stuk met Pat in bed lag. 'Als ik het goed heb begrepen kom je uit...' Shannon slikt, krijgt het woord nauwelijks over haar lippen, '... Hollywood?' Ze knippert snel, twee keer achter elkaar. 'Hoe ís het daar?'

Na twee glazen wijn voelt Claire de vermoeidheid van de afgelopen achtenveertig uur, glimlacht en neemt even de tijd om over de vraag na te denken. Tja, hoe ís het daar? Bepaald niet zoals ze het zich had voorgesteld. Maar misschien is dat niet zo erg. We willen wat we willen. Thuis kwelt ze zichzelf met de gedachte aan wat ze allemaal niet is – en vergeet dan misschien waar ze eigenlijk is. Ze neemt even de tijd om rond te kijken – in dit appartement dat is opgebouwd uit troep, in een krankzinnige kunstenaarsenclave in de bergen, waar Michael stralend visitekaartjes uitdeelt aan soapschrijvers en acteurs, met de opmerking dat hij 'misschien wel iets' voor ze kan betekenen, waar Pasquale angstvallig de deur in de gaten houdt in afwachting van een vrouw die hij vijftig jaar geleden voor het laatst heeft gezien, waar een behoorlijk aangeschoten Shane zijn mouw heeft opgerold om een geïmponeerde Keith uit te leggen wat de gedachte achter zijn tatoeage is – en op dat moment dringt het tot Claire door dat Pat Bender en zijn moeder en zijn vriendin niet naar deze afterparty komen.

'Wat? Nee, klopt', bevestigt Keith haar vermoeden. 'Ze gaan nooit naar de afterparty. Dat trekt Pat niet, al die drank en weed.'

'Waar zijn ze dan?' wil Michael weten.

'In het boshuis, denk ik', zegt Keith. 'Chillen met Dee.'

Michael Deane pakt Keiths arm. 'Kun je ons daar naartoe brengen?'

Claire komt tussenbeide. 'Misschien kunnen we beter tot morgenochtend wachten, Michael.'

'Nee', zegt de leider van de Deane Delegatie, dronken van hoop. Hij werpt een blik op de oude, geduldige Pasquale en neemt een laatste, ingrijpende beslissing: 'Het is bijna vijftig jaar geleden. We hebben lang genoeg gewacht.'

19

Het requiem

April 1962
Porto Vergogna, Italië

Pasquale werd in het donker wakker. Hij ging rechtop zitten en pakte zijn horloge. Half vijf. Hij hoorde de zware stemmen van de vissers en het geluid van de boten die naar het water werden gesleept. Hij stond op, kleedde zich snel aan en liep door de schemerige morgenstond naar het water, waar Tomasso de Communist het visgerei in zijn boot in orde maakte.

'Wat kom je doen?' vroeg Tomasso.

Pasquale vroeg of Tomasso hem naar La Spezia kon brengen voor het afscheid van zijn moeder.

Tomasso legde een hand op zijn hart. 'Natuurlijk', zei hij. Hij zou een paar uur gaan vissen en voor de lunch terugkeren om Pasquale op te halen. Was dat goed?

'Ja, prima', zei Pasquale. 'Dank je.'

Zijn oude vriend tikte even tegen zijn pet, stapte weer in zijn boot en trok aan het startkoord, waarop de motor zijn keel schraapte. Pasquale zag hoe Tomasso zich bij de andere vissers voegde, de rompen rollend op de licht golvende zee.

Pasquale liep terug naar het hotel en kroop weer in bed, maar hij kon de slaap niet vatten. Hij lag op zijn rug en dacht aan Dee Moray in het bed vlak boven hem.

Zijn ouders hadden hem 's zomers weleens meegenomen naar het strand van Chiavari. Op een keer had hij, terwijl hij wat in het zand speelde, een beeldschone vrouw op een badhanddoek in de zon zien liggen. Haar huid glom. Pasquale kon zijn blik niet van haar afhouden. Toen ze uiteindelijk haar handdoek oprolde en vertrok, zwaaide ze even naar hem, maar de kleine Pasquale was als verlamd, niet in staat terug te zwaaien. Maar hij zag wel dat er iets uit haar tas viel. Hij stoof erop af en viste het uit het zand. Het was een ring, met rode steentjes. Pasquale liet de ring even in zijn handpalm liggen terwijl de vrouw wegliep. Toen keek hij op en zag dat zijn moeder naar hem keek, benieuwd wat hij zou doen. 'Signora!' riep hij, en hij rende achter de vrouw aan over het strand. De vrouw bleef staan, nam de ring aan, bedankte hem, gaf hem een klopje op zijn hoofd en overhandigde hem een muntje van vijftig lire. Toen hij terugkwam zei Pasquales moeder: 'Ik hoop dat je hetzelfde zou hebben gedaan als ik niet had gekeken.' Pasquale begreep niet goed wat ze bedoelde. 'Soms,' zei ze, 'is er een verschil tussen wat we willen doen en wat we moeten doen.' Ze legde een hand op zijn schouder. 'Pasqo, hoe kleiner de kloof tussen wat je het liefste wilt en wat je eigenlijk zou moeten doen, hoe gelukkiger je zult zijn.'

Hij kon zijn moeder niet vertellen waarom hij de ring niet meteen had teruggegeven: hij dacht dat hij met de vrouw zou moeten trouwen als hij haar een ring zou geven, en dan zou hij bij zijn ouders vandaan moeten. Met zijn zeven jaar was de wijze les van zijn moeder hem ontgaan, maar nu begreep Pasquale wat ze bedoelde – dat het leven zo veel makkelijker zou zijn als onze bedoelingen en onze verlangens altijd op één lijn lagen.

Toen de zon eindelijk boven de kliftoppen uitkwam, waste Pasquale zich bij het wasbakje in zijn kamer en trok zijn oude, nette pak aan. Beneden in de keuken trof hij zijn tante Valeria, klaarwakker, in haar lievelingsstoel. Ze wierp een vluchtige blik op zijn pak.

'Ik kan niet naar de mis', verzuchtte zijn tante. 'Ik durf de priester niet onder ogen te komen.'

Pasquale zei dat hij het begreep. Hij ging naar buiten om op de veranda een sigaret te roken. Zonder de vissers voelde het dorpje leeg, op het piazza struinden alleen de katten. Er hing een lichte nevel, de ochtendmist was nog niet weggebrand door de zon en de golven sloegen lusteloos tegen de lage rotsen.

Hij hoorde voetstappen op de trap. Hoelang had hij niet gehoopt op een Amerikaanse gast? En nu had hij er ineens twee. De voetstappen klonken zwaar op de houten veranda en even later stond Alvis Bender naast hem. Alvis stak zijn pijp op en rekte zijn nek, eerst naar de ene en toen naar de andere kant. Hij wreef over de blauwe plek boven zijn oog. 'Ik ben niet zo'n vechtjas meer, Pasquale.'

'Ben je gewond?' vroeg Pasquale.

'Mijn trots is gekrenkt, ja.' Alvis nam een trek van zijn pijp. 'Het is gek', zei hij in een wolk rook. 'Ik kwam hier altijd voor de rust, en omdat ik dacht me hier lang genoeg aan de wereld te kunnen onttrekken om tot schrijven te komen. Maar dat is voorbij, hè, Pasquale?'

Pasquale keek aandachtig naar het gezicht van zijn vriend. Hij had zo'n open blik, zo'n echt Amerikaanse uitstraling, net als Dee, net als Michael Deane. Pasquale meende dat hij Amerikanen er overal uit zou kunnen pikken, door die eigenschap – de openheid, het koppige geloof in kansen, iets wat volgens Pasquale zelfs de jongste Italianen ontbeerden. Misschien was het te wijten aan het leeftijdsverschil tussen beide landen – Amerika dat met zijn jeugdige expansiedrift overal drive-inbioscopen en cowboyrestaurants neerzette; de Italianen die altijd naar binnen keerden, die leefden te midden van eeuwenoude objecten, de overblijfselen van keizerrijken.

Hij moest denken aan Alvis Benders bewering dat verhalen net landen waren – Italië een heldendicht, Engeland een lijvige roman, Amerika een schreeuwerige speelfilm in Technicolor – en hij herinnerde zich ook dat Dee Moray had gezegd dat ze jaren had gewacht 'totdat de film van haar leven zou beginnen', en dat ze haar leven bijna voorbij had laten gaan met wachten.

Alvis stak zijn pijp weer op. '*Lei è molto bella*', zei hij. Ze is erg mooi.

Pasquale keek Alvis aan. Hij bedoelde natuurlijk Dee Moray, maar op dat moment speelde Amedea door Pasquales gedachten. '*Sì*', zei Pasquale. Toen zei hij, in het Engels: 'Alvis, vandaag is de requiemmis voor mijn moeder.'

De twee mannen waren zo voorkomend, zo op elkaar gesteld, dat ze soms hele gesprekken voerden in de taal van de ander. '*Si, Pasquale. Dispiace. Devo venire?*'

'Nee. Dank je. Ik doe dit alleen.'

'*Posso fare qualcosa?*'

Ja. Hij kon wel iets voor hem doen, zei Pasquale. Hij keek op en zag Tomasso de Communist de baai weer in komen varen. Het was bijna tijd. Pasquale keek Alvis aan en schakelde weer over op het Italiaans, om vergissingen uit te sluiten. 'Als ik vanavond niet terug ben, moet je iets voor me doen.'

'Zeg het maar.'

'Kun jij je over Dee Moray ontfermen? Zorgen dat ze weer veilig in Amerika komt?'

'Hoezo? Ga je ergens heen, Pasquale?'

Pasquale stak een hand in zijn zak en overhandigde Alvis het geld dat Michael Deane hem had gegeven. 'En wil je dit aan haar geven?'

'Natuurlijk', zei Alvis, en hij vroeg opnieuw: 'Maar waar ga je heen?'

'Dank je', zei Pasquale, die er weer voor koos de vraag onbeantwoord te laten, uit angst dat als hij hardop zou zeggen wat hij van plan was, hij misschien niet langer de kracht zou hebben om het te doen.

Tomasso's boot was bijna bij de steiger. Pasquale legde een hand op de arm van zijn Amerikaanse vriend, nam het dorpje nog eens in zich op en liep toen zonder een woord te zeggen het hotel in. Valeria was in de keuken bezig het ontbijt klaar te maken. Zijn tante maakte nooit ontbijt, al had Carlo haar jarenlang voorgehouden dat een hotel dat hoopte op Franse en Amerikaanse gasten, toch echt ontbijt moest serveren. (*Ontbijten is voor slappelingen*, zei ze altijd. *Welke luiwammes verwacht nou iets te eten te krijgen voordat hij iets heeft gepresteerd?*) Maar nu maakte ze een brioche en espresso.

'Komt die Amerikaanse hoer beneden ontbijten?' vroeg Valeria.

Dit was het dan, het moment waarop hij moest beslissen wie hij zou zijn. Pasquale haalde diep adem en liep de trap op om te vragen of Dee Moray trek had. Het licht dat onder haar deur door kwam maakte hem duidelijk dat haar luiken openstonden. Hij haalde nog eens diep adem om moed te vatten en klopte toen zachtjes op haar deur.

'Binnen.'

Ze zat rechtop in bed en was bezig haar lange haren in een paardenstaart te doen. 'Ongelooflijk, hoe lang ik heb geslapen', zei ze. 'Je realiseert je pas hoe moe je bent als je tien uur hebt geslapen.' Ze lachte naar hem, en op dat moment vroeg Pasquale zich af of hij ooit in staat zou zijn de kloof tussen zijn bedoelingen en zijn verlangens te dichten.

'Je ziet er mooi uit, Pasquale', zei ze. En ze keek naar haar eigen kleren, dezelfde die ze op het station had gedragen: strakke, zwarte broek, een blouse en een wollen trui. Ze lachte. 'Tja, al mijn spullen zijn nog op het station van La Spezia.'

Pasquale keek naar zijn voeten, om maar niet in haar ogen te kijken.

'Gaat het wel, Pasquale?'

'Ja', zei hij, en hij keek op, vond haar ogen. Als hij niet met haar in één ruimte was, wist hij wat hij zou moeten doen, maar zodra hij die ogen zag... 'Je komt ontbijten nu? Is brioche. En *caffé*.'

'Ja', zei ze. 'Ik kom eraan.'

Hij was niet in staat de rest te zeggen. Pasquale knikte nauwelijks merkbaar en wilde weggaan.

'Dank je, Pasquale', zei ze.

Bij het horen van zijn naam draaide hij zich weer om. In haar ogen kijken was alsof je je voor een deur bevond die op een kier stond. Je kón toch haast niet anders dan de deur openduwen om te kijken wat erachter schuilging?

Ze lachte naar hem. 'Weet je nog, de eerste avond dat ik hier was, toen we hebben afgesproken dat we alles tegen elkaar zouden zeggen? Dat we niets zouden verzwijgen?'

'Ja', wist Pasquale uit te brengen.

Ze lachte wat ongemakkelijk. 'Nou, het is gek. Toen ik vanochtend wakker werd realiseerde ik me dat ik geen idee heb hoe het nu verder moet. Of ik het kind moet houden... Of ik moet blijven acteren... Of ik naar Zwitserland moet gaan... of terug naar Amerika. Ik weet het echt niet. Maar toen ik wakker werd was alles goed. Weet je waarom?'

Pasquale greep de deurknop. Hij schudde zijn hoofd.

'Ik was blij dat ik jou weer zou zien.'

'Ja', zei hij. 'Ik ook.' De deur leek iets verder open te gaan – de glimp die hij opving van wat zich erachter bevond was een kwelling. Hij wilde nog meer zeggen, wilde alles zeggen wat hij op zijn hart had – maar hij kon het niet. De taal was het punt niet; hij betwijfelde of de woorden überhaupt bestonden, in welke taal ook.

'Goed', zei Dee. 'Ik kom zo.' En op dat moment, precies op het moment dat hij zich wilde omdraaien, zei ze zachtjes – de woorden leken gewoon van haar prachtige lippen te rollen, als stromend water: 'Dan kunnen we het er misschien over hebben hoe het verder moet.'

Verder. Ja. Pasquale begreep zelf niet goed hoe hij erin slaagde de kamer te verlaten, maar toch wist hij het klaar te spelen. Hij trok haar deur achter zich dicht en stond met een gestrekte arm op de gang, zijn vlakke hand tegen het hout, en hij haalde diep adem. Na lange tijd duwde hij zich weg van de deur en wist de trap te bereiken, en uiteindelijk zijn eigen kamer. Pasquale pakte zijn jas, zijn hoed en zijn ingepakte tas van het bed. Hij verliet zijn kamer en daalde de trap af. Beneden wachtte Valeria hem op.

'Pasqo', zei ze. 'Wil je de priester vragen om een gebed voor me te zeggen?'

Hij beloofde het. Toen gaf hij zijn tante een kus op de wang en ging naar buiten.

Alvis Bender stond op de veranda, met zijn pijp. Pasquale legde even een hand op de arm van zijn Amerikaanse vriend en liep toen naar de steiger, waar Tomasso de Communist op hem wachtte. Tomasso liet zijn peuk op de grond vallen en trapte hem uit. 'Je ziet er goed uit, Pasquale. Je moeder zou trots zijn.'

Pasquale stapte in de boot, vies van de visseningewanden, en ging voorin zitten, zijn knieën tegen elkaar als een schooljongen aan een tafeltje. Hij kon niet voorkomen dat zijn blik langs de voorkant van het hotel gleed, waar Dee Moray net de veranda op kwam lopen en naast Alvis Bender ging staan. Ze hield een hand boven haar ogen tegen de zon en keek nieuwsgierig zijn kant op.

Weer voelde Pasquale hoe hij heen en weer werd getrokken tussen lichaam en geest – en op dat moment wist hij werkelijk niet welke van de twee zou winnen. Zou hij in de boot blijven zitten? Of zou hij het paadje naar het hotel op rennen en haar in zijn armen sluiten? En wat zou zij doen als hij dat deed? Er was niets uitgesproken tussen hen, er was enkel en alleen die deur die op een kiertje stond. Maar toch... de aantrekkingskracht was ongekend.

Op dat moment voelde Pasquale Tursi zich dan eindelijk letterlijk verscheurd. Zijn leven bestond nu uit twee levens: het leven dat hij zou leiden en het leven waarvan hij zich eeuwig zou afvragen hoe het zou zijn geweest.

'Toe', zei Pasquale met schorre stem tegen Tomasso. 'Ga maar.'

De oude visser trok aan het startkoord, maar de motor weigerde dienst. En Dee Moray riep vanaf de veranda: 'Pasquale! Waar ga je naartoe?'

'Toe', fluisterde Pasquale, die inmiddels trillende benen had, tegen Tomasso.

Eindelijk sloeg de motor aan. Tomasso ging achterin zitten, pakte het roer en voer langzaam weg van de steiger, de baai uit. Op de veranda draaide Dee haar hoofd naar Alvis Bender, in de hoop op een verklaring. Alvis zal gezegd hebben dat Pasquales moeder was overleden, want haar hand schoot naar haar mond.

Pasquale dwong zichzelf de andere kant op te kijken. Het was alsof hij een stuk ijzer moest loswrikken van een magneet, maar hij speelde het klaar: hij draaide zich naar de boeg, sloot zijn ogen, zag haar in zijn herinnering nog staan. Hij trilde van de inspanning die het hem kostte om niet achterom te kijken totdat ze de golfbreker hadden gerond, totdat ze zich op open zee bevonden en Pasquale zijn adem liet ontsnappen, zijn hoofd op zijn borst liet zakken.

'Je bent een merkwaardige jongeman', zei Tomasso de Communist.

In La Spezia bedankte Pasquale zijn oude vriend en hij keek Tomasso na toen die zijn vissersbootje weer de haven uit manoeuvreerde, terug naar de vaargeul tussen Portovenere en Isola Palmaria. Toen ging hij naar het kapelletje bij het kerkhof, waar de priester al zat te wachten, de halen van de kam nog goed zichtbaar in zijn dunne haar. Er waren twee oudere vrouwen komen opdagen, vrouwen die veel begrafenissen afliepen, en een jongen met een enigszins verwilderd uiterlijk. De kapel was donker, schimmelig en leeg, verlicht door kaarsen. De requiemmis leek niets met zijn moeder van doen te hebben, en Pasquale schrok dan ook even toen hij haar naam hoorde in het monotone Latijn van de priester (*Antonia, requiem aeterna dona eis, Domine*). Ja, dacht hij, ze is er niet meer, en dat besef greep hem naar de keel. Na de begrafenis verklaarde de priester zich bereid om een gebed te zeggen voor Pasquales tante en om over een paar weken het trigesimo uit te spreken, waarna Pasquale hem nogmaals betaalde. De priester hief zijn hand om hem te zegenen, maar Pasquale had zich al omgedraaid.

Uitgeput ging Pasquale naar het station om Dee's bagage te halen. Alles stond nog op haar te wachten. Pasquale betaalde de beambte en zei dat ze haar spullen de volgende dag zou komen halen. Vervolgens regelde hij een watertaxi om Dee Moray en Alvis Bender op te halen. En voor zichzelf kocht hij een treinkaartje naar Florence.

Pasquale ging in de coupé zitten en viel ogenblikkelijk in slaap, om met een schok te ontwaken op het moment dat de trein het station van Florence binnenreed. Hij nam een kamer in een hotel drie blokken van het piazza Massimo d'Azeglio, ging in bad en trok daarna zijn pak weer aan. In het laatste schemerlicht van die schier eindeloze dag stond Pasquale een sigaret te roken in de schaduw van de bomen aan de rand van de binnenplaats, totdat hij Amedea en haar familie zag terugkeren van hun avondwandeling, als eendjes op een rij.

Toen de mooie Amedea Bruno uit zijn kinderwagen tilde, moest Pasquale weer denken aan zijn moeder, die dag op het strand – haar angst dat Pasquale, als zij er niet bij was, niet in staat zou zijn de kloof te overbruggen tussen wat hij het liefste wilde en wat hij eigenlijk zou moeten doen. Hij zou willen dat hij zijn moeder kon geruststellen: een man wil meerdere dingen in zijn leven, maar als één van die dingen ook is wat hij eigenlijk zou moeten doen, zou hij wel gek zijn om niet daarvoor te kiezen.

Pasquale wachtte totdat de Montelupo's naar binnen waren. Toen gooide hij zijn sigaret op de grond en trapte hem uit, stak het piazza over en liep naar de grote, zwarte deur. Hij drukte op de bel.

Aan de andere kant van de deur klonken voetstappen en Amedea's vader deed open, met zijn grote, kale hoofd geheven en met een priemende blik in zijn ogen, waarmee hij Pasquale opnam alsof hij naar een ondermaats gerecht in een restaurant keek. Amedea's zus Donata, die achter haar vader stond, zag Pasquale en sloeg een hand voor haar mond. Ze draaide zich om en gilde naar boven: 'Amedea!' Bruno keek over zijn schouder naar zijn dochter, en toen weer met een strenge blik naar Pasquale, die voorzichtig zijn hoed afnam.

'Ja?' zei Bruno Montelupo. 'Wat moet je?'

Achter haar vaders rug, op de trap, verscheen de bevallige Amedea, die langzaam haar hoofd schudde, alsof ze wilde proberen hem nog op andere gedachten te brengen... maar achter de hand die ze voor haar mond had geslagen, meende Pasquale ook een glimlach te zien.

'Meneer', zei hij. 'Ik ben Pasquale Tursi uit Porto Vergogna. Ik kom de hand vragen van uw dochter, Amedea.' Hij schraapte zijn keel. 'Ik kom voor mijn zoon.'

20

Het oneindige vuur

Kort geleden
Sandpoint, Idaho

Debra wordt wakker in het donker, op de veranda aan de achterkant van haar boshuis, waar ze zo graag naar de sterren kijkt. Vanavond is de lucht fris, de hemel helder, de speldenprikjes van licht fel. Doordringend. Ze fonkelen niet, ze branden. De veranda aan de voorkant biedt uitzicht op het door bergen omzoomde gletsjermeer, en dat is het uitzicht dat haar gasten gewoonlijk de adem beneemt. Maar zelf vindt ze het 's nachts minder prettig aan de voorkant, waar de lichten van de aanlegsteigers, de boten en de andere huizen om de aandacht vechten. Zij zit dan liever hier achter, in de schaduw van het huis, op de kleine open plek tussen de dennen en de sparren, waar ze alleen is met de hemel, waar ze vijftig miljoen kilometer ver kan kijken, een triljard jaar. Ze had nooit veel verstand van de sterren totdat ze trouwde met Alvis, die het leuk vond om de bergen in te rijden op zoek naar plekken zonder lichtvervuiling. Hij vond het jammer als mensen niet in staat waren de oneindigheid te bevatten – niet alleen een kwestie van verbeelding maar ook domweg van gezichtsveld.

Ze hoort grind knerpen; daar is ze natuurlijk wakker van geworden – de Jeep van Pat die over de lange oprit rijdt. Ze zijn terug van het stuk. Hoelang heeft ze dan geslapen? Ze voelt even aan haar koude theekop. Een flinke tijd. Ze heeft het behaaglijk warm, op een van haar voeten na, waar de deken van af is gegleden. Pat heeft aan weerszijden van haar lievelingsbankje een straalkacheltje in de vorm van een open haard neergezet, zodat ze ook hier kan slapen. Eerst had ze nog wat gesputterd over energieverkwisting, ze kon wel wachten tot de zomer. Maar Pat had beloofd 'de rest van zijn leven' het licht uit te doen wanneer hij de kamer verliet, als ze hem op dit punt zijn zin gaf. En ze moet toegeven dat het heerlijk is om hier te slapen; niets is zo fijn als buiten wakker worden, in de kou, lekker weggekropen in de couveuse die haar zoon voor haar heeft gemaakt. Ze draait de kacheltjes uit, voelt aan de afschuwelijke onderlegger waar ze tegenwoordig op slaapt – goddank droog – slaat haar dikke vest om zich heen en loopt nog wat onvast het huis in. Eenmaal binnen hoort ze onder zich de garagedeur dichtgaan.

Het huis staat op een landtong, zeventig meter boven een baai van het diepe bergmeer. Het huis, dat ze zelf heeft ontworpen en dat ze heeft laten bouwen van het geld dat hun huis in Seattle opbracht, is in de hoogte gebouwd: vier verdiepingen, grote open ruimten, en onderin een garage voor twee auto's. Pat en Lydia hebben de eerste verdieping voor zichzelf, de tweede verdieping is een gemeenschappelijke woonruimte – woonkamer / open keuken / eetkamer – en de bovenste verdieping is van Dee: slaapkamer, badkamer met bubbelbad en haar woonkamer. Toen ze het huis liet bouwen kon ze natuurlijk niet weten dat ze er het grootste deel van haar tijd kankerpatiënt zou zijn, en dat ze er ook haar verzwakte nadagen zou slijten – toen ze was uitbehandeld had ze besloten de ziekte op haar beloop te laten. Als ze dat wel had geweten zou ze een bungalow hebben laten bouwen, met minder trappen.

'Mam? We zijn weer thuis!'

Hij roept altijd naar boven als hij thuiskomt en ze doet net alsof ze niet weet waarom. 'Ik leef nog, hoor', wil ze dan zeggen, maar dat zou bot zijn. Ze is niet verbitterd, al vindt ze het wel gek hoe mensen omgaan met stervenden – alsof het buitenaardse wezens zijn.

Ze daalt langzaam de trap af. 'Hoe ging het, vanavond? Hoe was het publiek?'

'Klein maar enthousiast', roept Lydia naar boven. 'Het einde werkte vanavond een stuk beter.'

'Hebben jullie honger?' wil Debra weten. Pat heeft altijd trek na een optreden, en bij dit stuk is hij steevast uitgehongerd. Toen Lydia het af had liet ze het meteen aan Debra lezen, die er kapot van was. Het was het beste stuk dat Lydia ooit had geschreven, de kroon op een cyclus van autobiografische stukken waar Lydia jaren eerder aan was begonnen met een stuk over de scheiding van haar ouders. Debra was ervan overtuigd geweest dat ze de cyclus niet kon voltooien zónder over Pat te schrijven. Het voornaamste probleem met *Front Man* was dat ze maar één iemand wist te bedenken die de rol van Pat kon vertolken – en dat was Pat zelf. Zowel Lydia als zij vreesde voor een terugval wanneer Pat die periode opnieuw zou moeten beleven – maar Debra zei tegen Lydia dat ze het hem hoe dan ook moest laten lezen. Hij ging met de vellen papier naar beneden en kwam drie uur later weer boven, gaf Lydia een kus en stond erop dat ze het zouden doen – en dat hij zichzelf zou spelen. Het leek hem moeilijker om te zien hoe iemand anders hem op de toppen van zijn navelstaarderij zou spelen dan dat hij het zelf weer vorm zou moeten geven. Hij zit al meer dan een jaar bij het toneelgezelschap; het is een goede uitlaatklep voor zijn verlangen om in de schijnwerpers te staan – niet op de narcistische manier van vroeger, met zijn bands, maar op een meer gedisciplineerde manier, binnen een kader, in groepsverband. En hij is een geboren acteur, natuurlijk.

Debra staat eieren te klutsen als Pat om de zuil in de keuken heen loopt en haar een kus geeft. Zijn aanwezigheid vult nog altijd het hele huis. 'Je krijgt de groeten van Ted en Isola.'

'O?' Ze giet de eieren in een pan. 'Hoe is het met ze?'

'Stelletje rechtse mafketels.'

Ze snijdt plakjes kaas voor zijn omelet en Pat eet ze een voor een op. 'Ik mag hopen dat je dat tegen ze hebt gezegd,' zegt ze, 'want ik word doodmoe van al die cheques die ze uitschrijven om het theater overeind te houden.'

'Ze willen dat we *Thoroughly Modern Millie* gaan doen. Ted wil zelf ook een rol. Hij zei dat ik het ook niet slecht zou doen. Zie je het voor je? Ted en ik samen op de planken?'

'Mmm, ik weet niet of je wel aan Ted gewaagd bent.'

'Dat is dan omdat ik zo'n slechte docente heb gehad', zei hij. Dan: 'Hoe voel je je?'

'Goed', zegt ze.

'Heb je hydromorfon genomen?'

'Nee.' Ze heeft een hekel aan pijnstillers, ze wil alles bewust meemaken. 'Ik voel me prima.'

Pat legt een hand tegen haar voorhoofd. 'Je voelt warm.'

'Niks aan de hand. Ik kom net van buiten.'

'Serieus?'

'Ik heb in die oven gelegen die je voor me hebt gemaakt. Ik denk dat ik gekookt ben.'

Hij pakt de snijplank. 'Laat mij maar. Ik kan heus wel een omelet maken.'

'Sinds wanneer?'

'Anders vraag ik wel of Lydia het doet. Ze is heel goed in dat soort vrouwendingen.'

Debra laat de uien voor wat ze zijn en haalt met het mes naar hem uit.

'Deze dolkstoot, van alle het onnatuurlijkst', zegt hij.

Het zijn cadeautjes, zoals hij haar af en toe weet te verrassen met de dingen die hij zich nog herinnert. 'Julius Caesar. Dat stuk heb ik gedoceerd', zegt ze. Zonder erbij na te denken komt ze met haar lievelingscitaat: 'De lafaard sterft vele malen eer hij sterft; nooit smaakt de dappere meer dan eens de dood.'

Pat gaat op het aanrecht zitten. 'Dat snijdt dieper dan de dolk.'

Lydia komt de trap op, wrijft haar haren droog na het douchen. Ze vertelt Debra ook nog een keer dat Ted en Isola naar het stuk waren gekomen en hebben gevraagd hoe het met haar ging.

Debra kent de stembuiging van hun bezorgdheid maar al te goed: *Hoe is het met haar?*

Ze leeft nog. O, wat ze allemaal zou willen zeggen – het is een mijnenveld van plichtplegingen en etiquette, dat sterven. Ze krijgt het ene na het andere homeopathische middeltje aangeboden door de plaatselijke excentriekelingen: magneten en kruiden en tijgerbalsem. Sommige mensen geven haar boeken – zelfhulpboeken, lijvige werken over rouw, folders over sterven. *Ik ben niet meer te hel-pen, niet door mezelf en niet door anderen,* wil ze zeggen. En: *zijn die boeken over rouw niet voor de nabestaanden?* En: *Bedankt voor het boek over het stervensproces, maar dat is nou zo ongeveer het enige wat min of meer vanzelf gaat.* Ze zullen aan Pat vragen: *Hoe is het met haar?* En ze zullen haar vragen: *Hoe is het met je?* Maar nie-mand wil horen dat ze de hele tijd moe is, dat haar blaas lekt, dat ze er beducht op is dat haar organen het elk moment kunnen begeven. Wat ze willen horen is dat ze er vrede mee heeft, dat ze een fantas-tisch leven heeft gehad, dat ze zo gelukkig is dat ze haar zoon weer terug heeft – dus zegt ze dat maar. En eerlijk is eerlijk, het meren-deel van de tijd HEEFT ze er vrede mee, en ze HEEFT een fantastisch leven gehad en ze IS blij dat ze haar zoon weer terug heeft. Ze weet in welke la het telefoonnummer van het hospice ligt; en dat van het bedrijf dat ziekenhuisbedden plaatst; en dat van de leverancier van de morfinepomp. Soms kost het haar grote moeite om wakker te worden na een dutje en dan bedenkt ze dat het helemaal niet zo erg zou zijn om gewoon te blijven slapen – niets engs aan. De band tus-sen Pat en Lydia is steviger dan ze ooit had durven denken, en het bestuur heeft ermee ingestemd dat Lydia de leiding van het theater overneemt. Het huis is afbetaald en er staat nog genoeg geld op de bank voor de belasting en alle overige kosten, dus Pat kan de rest van zijn leven 's ochtends in de tuin blijven rommelen, wat hij heer-lijk vindt – tuinieren, verven en beitsen, snoeien, de oprit en de om-heining onderhouden; als hij maar met zijn handen bezig is. Als ze nu ziet hoe gelukkig Pat en Lydia zijn, voelt ze zich als een zalm die heeft gepaaid: haar werk zit erop. Maar eerlijk is eerlijk, er zijn ook momenten dat ze razend wordt bij het idee dat ze er vrede mee zou moeten hebben. Vrede? Wie zou hier, bij zijn volle verstand, ooit vrede mee kunnen hebben? Wie van het leven heeft genoten kan toch niet van mening zijn dat het na één keer wel mooi is geweest? Wie zou zelfs maar een dag kunnen leven zonder de zoete pijn van de smart te voelen?

Tijdens haar chemokuren waren er momenten geweest dat ze zo graag verlost wilde zijn van alle pijn en ongemak dat ze zich kon voorstellen dat ze troost zou vinden in haar eigen dood. Dat was een van de redenen dat ze – na alle chemicaliën en bestralingen en operaties, nadat haar beide borsten waren afgezet, nadat de artsen alle mogelijke conventionele en nucleaire wapens in stelling hadden gebracht tegen haar steeds brozere lijf, en nadat er alsnog sporen van kanker in haar bekken waren aangetroffen – had besloten om de ziekte op haar beloop te laten. Ze had zich gewonnen gegeven. De artsen zeiden dat er misschien nog iets gedaan kon worden, afhankelijk van de vraag of het om primaire kanker ging of om uitzaaiingen, maar zij had gezegd dat het van haar niet meer hoefde. Pat was weer thuis, en ze gaf de voorkeur aan zes maanden harmonie boven drie jaar naalden en misselijkheid. En ze heeft geluk gehad: ze houdt het nu al bijna twee jaar vol en heeft zich het merendeel van de tijd goed gevoeld, al schrikt ze nog steeds wanneer ze een glimp van zichzelf in de spiegel opvangt: *Wie is die schim – die lange, magere vrouw zonder borsten, met dat grijze stekeltjeshaar?*

Debra kruipt weg in haar vest, warmt haar thee weer op. Ze leunt tegen het aanrecht en ziet met een glimlach hoe haar zoon een tweede keer opschept en hoe Lydia haar hand naar zijn bord uitsteekt om een champignon met wat kaas te snaaien. Pat kijkt op naar zijn moeder, benieuwd of zij de schaamteloze diefstal heeft opgemerkt. 'Je steekt háár toch niet ook neer?'

Op dat moment knerpt er een auto over het grind. Pat hoort het ook en kijkt op zijn horloge. Hij haalt zijn schouders op. 'Geen idee.'

Pat loopt naar het raam, legt zijn hand tegen het glas en tuurt naar beneden, naar de oprit, de vage gloed van koplampen. 'Het is Keiths Bronco.' Hij komt bij het raam vandaan. 'De afterparty. Hij zal wel dronken zijn. Ik ga wel even kijken.'

Hij springt met meerdere treden tegelijk de trap af, als een kind.

'Hoe was hij vanavond?' vraagt Debra zachtjes als hij buiten gehoorsafstand is.

Lydia pakt de overgebleven uien en champignons van Pats bord. 'Fantastisch. Hij houdt alle blikken gevangen. Maar jezus, ik zal wel blij zijn als dit stuk is afgelopen. Als het doek is gevallen zit hij soms nog tijden voor zich uit te staren... met zo'n afwezige blik in zijn ogen.

Een kwartier lang is hij helemaal van de wereld. Ik durf nauwelijks meer adem te halen sinds ik dat stomme stuk heb geschreven.'

'Je durft al veel langer nauwelijks adem te halen', zegt Debra, en ze glimlachen allebei. 'Het is een prachtig stuk, Lydia. Maak je niet zoveel zorgen, en geniet ervan.'

Lydia neemt een slok van Pats sinaasappelsap. 'Ik weet het niet.'

Debra pakt Lydia's hand. 'Jij moest het gewoon schrijven en hij moest het gewoon spelen, en ik ben alleen zo dankbaar dat ik het nog heb kunnen zien.'

Lydia houdt haar hoofd schuin, fronst haar voorhoofd en vecht tegen haar tranen. 'Hè verdomme, Dee, doe dat nou niet.'

Dan horen ze op de trap drie verdiepingen lager stemmen, Pat en Keith, en nog iemand anders, en vervolgens gestommel, vijf of misschien wel zes paar voeten op de trap.

Pat is als eerste boven, haalt zijn schouders op. 'Ik begrijp dat er een paar oude vrienden van je in de zaal zaten, mam. Keith heeft ze meegenomen... ik hoop dat je dat niet erg vindt ...'

Pat wordt gevolgd door Keith. Zo te zien is hij niet dronken, maar hij heeft de kleine videocamera in de aanslag die hij soms gebruikt om dingen vast te leggen – Debra heeft geen flauw idee wat Keith precies vastlegt. 'Hé, Dee. Sorry dat we zo laat nog langskomen, maar deze mensen wilden je per se spreken...'

'Het is goed, Keith', zegt ze, en dan komen een voor een de anderen de trap op: een aantrekkelijke vrouw met rode krullen, een magere, jonge man met een wilde bos haar, die wél dronken lijkt te zijn – Debra kan ze geen van beiden thuisbrengen – gevolgd door een merkwaardige verschijning, een enigszins gebogen oude man in een keurig pak, al even mager als zij, die haar tegelijkertijd vaag bekend voorkomt en ook weer niet; hij heeft een merkwaardig, rimpelloos gezicht, als een computerbewerking van hoe een gezicht er over tientallen jaren uitziet, maar dan in omgekeerde volgorde, een jongensgezicht dat is geplakt op de nek van een oude man – en tot slot nog een oudere heer, in een donkergrijs pak. Die laatste trekt haar aandacht als hij een stap bij het groepje vandaan doet, in de richting van de bar die de keuken scheidt van de woonkamer. Hij neemt zijn gleufhoed af en kijkt haar aan met twee ogen zo lichtblauw dat ze haast doorschijnend lijken – ogen die haar opnemen met een mengeling van warmte en medelijden, ogen die Dee Moray in één klap meevoeren naar vijftig jaar terug, naar een ander leven.

'Dag, Dee', zegt hij.

Debra's theekopje valt op het aanrecht. 'Pasquale?'

Natuurlijk waren er momenten geweest, alweer jaren geleden, waarop ze dacht dat ze hem ooit zou terugzien. Die laatste dag in Italië, toen ze hem bij het hotel weg zag varen, kon ze zich niet voorstellen dat ze hem níét meer zou terugzien. Niet dat ze er iets over hadden afgesproken, het was meer stilzwijgend, er was duidelijk sprake van aantrekkingskracht en verwachtingen. Toen Alvis haar vertelde dat Pasquales moeder was overleden, dat hij naar de begrafenis ging en misschien niet zou terugkomen, was Dee verbijsterd; waarom had Pasquale haar dat niet verteld? Toen er een boot kwam met haar spullen en Alvis zei dat Pasquale hem had gevraagd om te zorgen dat ze veilig terug zou keren in Amerika, dacht ze dat Pasquale misschien tijd nodig had om na te denken. Dus ging ze naar huis, om daar te bevallen. Ze stuurde hem een kaart, met de gedachte dat hij misschíén... maar ze kreeg geen antwoord. Daarna dacht ze nog weleens aan Pasquale, maar met het verstrijken van de jaren minder en minder; Alvis en zij hadden het er wel over om op vakantie te gaan naar Italië, om weer naar Porto Vergogna te gaan, maar het kwam er nooit van. En later, toen Alvis was overleden en zij haar lesbevoegdheid had gehaald en cursussen Italiaans had gedaan, overwoog ze om samen met Pat te gaan; ze had zelfs een reisbureau gebeld, maar daar kreeg ze niet alleen te horen dat er 'geen enkele vermelding' was van 'een Hotel Redelijk Uitzicht', maar ook dat het hele plaatsje Porto Vergogna onvindbaar was. Bedoelde ze misschien Portovenere?

Debra vroeg zich inmiddels bijna af of haar geheugen haar parten speelde, of ze het allemaal had verzonnen – Pasquale, de vissers, de schilderingen in de bunker, het dorpje tegen de rotswand – of het een scène was uit een film die ze ooit had gezien.

Maar nee – hier staat hij dan, Pasquale Tursi, ouder natuurlijk, zijn zwarte haar inmiddels leigrijs, diepe rimpels in zijn gezicht, zijn kaaklijn iets uitgezakt, maar met diezelfde ogen, nog altijd die ogen. Hij is het. En hij doet een stap naar voren, totdat het keukenblok het enige is dat hen nog scheidt.

Plotseling voelt ze zich enorm opgelaten, haar tweeëntwintigjarige ijdelheid steekt de kop op: Jezus, ze ziet er niet uit. Een paar tellen lang blijven ze zo staan, een manke oude man en een zieke vrouw, op nog geen anderhalve meter van elkaar, maar gescheiden door een stevig blok graniet, vijftig jaar en twee ten volle geleefde levens. Iedereen zwijgt. Iedereen houdt zijn adem in.

Dee Moray is degene die uiteindelijk de stilte verbreekt en met een glimlach tegen haar oude vriend zegt: '*Perché ci hai messo così tanto tempo?*' Waar bleef je al die tijd?

Die glimlach is nog altijd te breed voor haar fijne gezicht. Maar wat hem echt raakt: ze heeft Italiaans geleerd. Pasquale zegt zachtjes, ook met een glimlach: '*Mi dispiace. Avevo qualcosa di importante da fare.*' Het spijt me. Ik moest iets belangrijks doen.

Van de andere zes mensen die zich in de ruimte hebben verspreid is er maar eentje die echt begrijpt wat ze zeggen: Shane Wheeler, die zelfs na vier haastige, vertwijfelde glazen whiskey nog steeds de sterke band voelt die je als tolk zo gemakkelijk opbouwt met je 'klant'. Hij heeft een bewogen dag achter de rug, wakker worden naast Claire, te horen krijgen dat zijn pitch slechts een afleidingsmanoeuvre was, zijn pogingen zien stuklopen om er tijdens de lange vlucht nog meer uit te slepen, vervolgens de catharsis van het toneelstuk, waar hij zich sterk identificeerde met het mislukte leven van Pat Bender, die toenadering zoekt tot zijn ex en de deur in zijn gezicht gesmeten krijgt. Na dat alles in combinatie met de whiskeys is de emotionele hereniging van Pasquale en Dee bijna meer dan Shane kan verdragen. Hij slaakt een diepe zucht, een bescheiden luchtverplaatsing die de anderen uit hun trance lijkt te halen...

Alle ogen richten zich op Pasquale en Dee. Michael Deane pakt Claires arm; zij slaat haar andere hand voor haar mond; Lydia werpt een zijdelingse blik op Pat (zelfs op dit moment maakt ze zich onwillekeurig zorgen). Pat kijkt van zijn moeder naar de vriendelijke oude man – *noemde ze hem nou Pasquale?* – en dan schiet zijn blik naar Keith, die boven aan de trap staat met die achterlijke camera die hij altijd bij zich heeft, en een stapje opzij doet om het juiste kader te zoeken, aangezien hij dit moment om onduidelijke redenen wil vastleggen. 'Waar ben je mee bezig?' zegt hij. 'Doe die camera weg.' Keith haalt zijn schouders op en knikt naar Michael Deane, de man die hem hiervoor betaalt.

Ook Debra wordt zich bewust van de andere aanwezigen. Ze laat haar blik over de verwachtingsvolle gezichten glijden, totdat hij blijft hangen bij de andere oude man, de man met het merkwaardige, plastic kwajongensgezicht. Jezus. Ze kent hem ook...

'Michael Deane.'

Hij trekt zijn bovenlip op, over zijn schaamteloos witte tanden.

'Dag, Dee.'

Zelfs nu nog lopen de rillingen over haar rug wanneer ze zijn naam zegt, en hem haar naam hoort zeggen. Dat voelt Deane, want hij wendt zijn gezicht af. Ze heeft natuurlijk het een en ander over hem gelezen, in de loop der jaren. Ze weet alles van zijn lange en succesvolle loopbaan. Ze heeft lange tijd niet eens meer naar aftitelingen durven kijken uit angst zijn naam te zien: A Michael Deane Production.

'Mam?' Pat doet een stap naar voren. 'Gaat het wel?'

'Ja, hoor', zegt ze. Maar ze kijkt Michael strak aan, alle ogen volgen haar blik.

Michael Deane voelt alle blikken en hij weet: dit is zijn Kamer. En *De Kamer is alles. Als je in de Kamer bent, bestaat de rest van de wereld niet langer. De mensen die je horen pitchen, móéten wel luisteren, zoals je...*

Michael steekt van wal, kijkt eerst Lydia aan, met een glimlach, een en al innemendheid. 'Dan moet jij het meesterwerk hebben geschreven dat we zojuist op de planken hebben gezien.' Hij steekt een hand uit. 'Serieus. Het was een prachtig stuk. Bijzonder ontroerend.'

'Dank u', zegt Lydia en ze schudt hem de hand.

Nu richt Deane zich weer tot Debra: *Richt als eerste het woord tot degene die het meest kritisch is.* 'Dee, zoals ik beneden al tegen je zoon zei, hij speelt fenomenaal. De appel valt niet ver van de boom, zoals het dan heet.'

Pat wordt een beetje ongemakkelijk van de lof, kijkt naar de grond en krabt wat aan zijn hoofd, als een kind dat net met zijn voetbal een lamp kapot heeft geschoten.

De appel valt niet ver van de boom – Debra huivert bij die woorden, de dreiging die ervan uitgaat maar die ze nog niet helemaal kan bevatten (*Waar is hij op uit?*) en de manier waarop Michael Deane alles naar zich toetrekt, die vertrouwde doelgerichtheid, de kille blik waarmee hij naar haar zoon kijkt, de gretigheid, de flauwe grijns op zijn chirurgisch-meedogenloze gezicht.

Pasquale voelt haar onrust. '*Mi dispiace*', zegt hij, en hij legt een hand op het aanrechtblok tussen hen in. '*Era l'unico modo.*' Het was de enige manier om haar te vinden.

Debra voelt hoe al haar spieren zich spannen, als bij een beer die haar jong beschermt. Ze concentreert zich volledig op Michael Deane, probeert haar stem zo vlak mogelijk te houden, alle emotie eruit te weren, waar ze niet helemaal in slaagt. 'Wat kom je hier doen, Michael?'

Michael Deane doet alsof het een neutrale vraag is naar zijn beweegredenen, een uitnodiging aan een handelsreiziger om zijn waren uit te stallen. 'Ja, misschien moest ik dat eerst maar even uitleggen, nu we je zo laat op de avond nog komen storen. Dank je, Dee.' Nadat hij Dee's verwijt op subtiele wijze heeft verdraaid tot een uitnodiging, richt hij zich tot Lydia en Pat. 'Ik weet niet of je moeder het ooit over mij heeft gehad, maar ik ben een filmproducent' – een glimlach vol valse bescheidenheid – 'van enige naam, zou je kunnen zeggen.'

Claire legt een hand op zijn arm. 'Michael...' (Niet doen. Je probeert net het juiste te doen, verkloot het nou niet door te zeggen dat je het wilt verfílmen.) Maar Michael is net zo min te stuiten als een tornado. Hij grijpt Claires handgebaar aan om haar erbij te betrekken, geeft een klopje op haar hand, alsof hij bijna zijn manieren was

371

vergeten. 'Ja, natuurlijk. Neem me niet kwalijk. Dit is Claire Silver, mijn senior development assistent.'

Sénior development assistant? Hij zegt maar wat. Evengoed is ze met stomheid geslagen – lang genoeg om zwijgend op te kijken en te zien hoe iedereen haar verwachtingsvol aanstaart, met name Lydia, die op de rand van het keukenblok is gaan zitten. Claire kan moeilijk anders dan Michaels woorden herhalen: 'Het was echt een fantastisch stuk.'

'Dank je', zegt Lydia nogmaals, met blosjes van blijdschap.

'Ja,' zegt Michael Deane, 'fantastisch.' En hij heeft De Kamer óm, dit rustieke boshuis verschilt in niets van de vergaderzalen waar hij heeft gepitcht. 'Daarom vroegen Claire en ik ons af... of je bereid zou zijn de filmrechten te verkopen...'

Lydia lacht nerveus, bijna duizelig. Ze kijkt even snel naar Pat, dan weer naar Michael Deane. 'Willen jullie mijn stuk kopen?'

'Het stuk, misschien wel de hele cyclus, misschien wel álles...' Michael Deane laat dit laatste even inwerken. 'Ik wil een optie nemen op het totaal.' Hij doet zijn best om het zo achteloos mogelijk te brengen. 'Het hele verhaal,' en hij draait zich heel subtiel naar Pat, om hem erin te betrekken, 'van jullie beiden', en mijdt Dee's blik. 'Ik wil een bod doen...' Hij laat zijn stem wegsterven, alsof wat volgt niet meer is dan een nuancering, '...op de rechten op jullie leven.'

We willen wat we willen.

'De rechten op ons leven?' vraagt Pat. Hij is blij voor zijn vriendin, maar hij vertrouwt deze oude man niet. 'Wat moet ik me daarbij voorstellen?'

Claire weet het precies. Boek, film, realityshow, alles wat ze maar aan de man weten te brengen van de diep gezonken zoon van Richard Burton. Dee weet het ook. Ze slaat een hand voor haar mond en weet nog één woord uit te brengen, 'Ho...' voordat haar knieën beginnen te knikken en ze houvast moet zoeken bij het keukenblok.

'Mam?' Pat schiet om het keukenblok heen en is op hetzelfde moment bij haar als Pasquale. Ze pakken haar tegelijkertijd vast, ieder bij een arm, terwijl zij ineenzakt. 'Hou een beetje afstand!' schreeuwt Pat.

Pasquale begrijpt niet wat hij zegt (*Hou een beetje afstand?*) en kijkt over het keukenblok naar zijn tolk, maar Shane is behoorlijk aangeschoten en behoorlijk wanhopig en kiest ervoor om het bod dat Michael Deane aan Lydia heeft gedaan van commentaar te voorzien. Hij buigt naar voren en zegt zachtjes: 'Ik zou maar uitkijken. Soms doet hij gewoon alsof, terwijl hij het eigenlijk klote vindt.'

Nog altijd van slag doordat ze zojuist promotie heeft gemaakt, pakt Claire haar baas bij de arm en trekt hem mee naar de woonkamer. 'Michael, waar ben je mee bezig?' vraagt ze op gedempte toon.

Hij kijkt over haar schouder, naar Dee en de jongen. 'Ik doe waarvoor ik gekomen ben.'

'Ik dacht dat je was gekomen om het goed te maken.'

'Goedmaken?' Michael Deane kijkt Claire aan met een blik vol onbegrip. 'Wat in godsnaam?'

'Jezus, Michael. Je hebt die mensen hun hele leven verziekt. Als je niet je excuses komt aanbieden, wat doe je hier dan?'

'Excuses?' Opnieuw kan Michael haar niet helemaal volgen. 'Ik ben hier voor het verhaal, Claire. Voor míjn verhaal.'

Aan de andere kant van het keukenblok heeft Dee haar evenwicht herwonnen. Ze kijkt naar Michael Deane en zijn assistent, die aan de andere kant van de kamer staan; ze lijken het oneens te zijn over iets. Pat is om het keukenblok heen gelopen en ondersteunt Dee. Ze knijpt even in zijn hand. 'Het gaat wel weer', zegt ze. Pasquale houdt haar andere hand vast. Ze glimlacht weer naar hem.

Er zijn maar drie mensen op de wereld die het geheim kennen dat zij de afgelopen achtenveertig jaar met zich mee heeft gedragen, een geheim dat haar heeft getekend sinds ze uit Italië vertrok, dat elk jaar groter werd totdat het nu de hele ruimte vult – een ruimte waarin zich nu de enige twee anderen bevinden die ervan weten. Destijds waren er zó veel redenen om het geheim te houden – Dick en Liz, het misprijzen van haar familie, de angst voor een schandaal in de roddelpers, en bovenal (dat kan ze nu wel toegeven) haar eigen trots, haar onwil om een schoft als Michael Deane als overwinnaar uit de strijd te laten komen – maar die redenen zijn in de loop der jaren weggevallen, en de enige reden dat ze het altijd geheim is blijven houden is... Pat. Ze dacht dat hij het domweg niet zou aankunnen. Is er ooit een kind van een filmster geweest dat een kans maakte in het leven? En dan ook nog een kind met Pats zwakten? Toen hij gebruikte was hij zo kwetsbaar en toen hij clean was leek het zo'n broos evenwicht. Ze nam hem in bescherming, en nu weet ze tegen wie: tegen deze man die haar al bijna vijftig jaar lang vervult van een diepe weerzin, die haar huis is binnengedrongen en alles in gevaar brengt door maar liefst te proberen hun leven te kopen.

Maar ze weet dat er een moment komt dat ze Pat niet langer kan beschermen. En dan is er nog het schuldgevoel dat ze zoiets wezenlijks voor hem heeft achtergehouden, en de angst dat hij haar erom zal haten. Dee kijkt naar Lydia. Dit gaat ook om haar. Dan kijkt ze naar Pasquale, en tot slot naar haar zoon, die haar met zo'n liefdevolle en bezorgde blik aankijkt dat ze weet dat ze geen keus heeft. 'Pat, ik moet... Je hebt er recht op... Er is iets wat ik je...'

En dan, als ze op het punt staat het hem te vertellen, voelt ze een golf van vrijheid, van optimisme, valt er een last van haar schouders.

'Het gaat over je vader...'

Pats blik gaat van haar naar Pasquale, maar Dee schudt haar hoofd. 'Nee', zegt ze alleen maar. Ze kijkt naar Michael Deane die in haar woonkamer staat en nog één keer wil ze iets van opstandigheid tonen. Die oude aasgier mag er geen getuige van zijn. 'Zullen we even naar boven gaan?'

'Goed', zegt Pat.

Debra kijkt Lydia aan. 'Ik vind dat jij erbij moet zijn.'

De gedoemde Deane Delegatie zal dus geen getuige zijn van de slotscène van hun onderneming; ze kunnen slechts toekijken hoe Lydia, Dee en Pat langzaam naar de trap in de keuken lopen. Michael Deane knikt even naar Keith, die er met zijn cameraatje achteraan gaat. De sprongen in de techniek en de schaalverkleining zijn verwarrend – dit kleine apparaatje, niet groter dan een pakje sigaretten, kan meer dan de loodzware camera's waar Dee Moray destijds voor speelde – en op het kleine schermpje is te zien hoe Lydia Dee ondersteunt op weg naar de trap. Eerst loopt Pat achter hen aan – maar dan blijft hij staan en draait zich om, voelt alle ogen in zijn rug – alsof iedereen wacht op het moment dat hij iets stoms zal gaan doen – en dan maakt een vertrouwd gevoel zich van hem meester, zoals hij dat kent van het toneel. Het verzwelgt Pat, en met een ruk draait hij zich om naar Keith.

'Weg met die kutcamera, zei ik', zegt Pat, en hij rukt hem uit zijn handen – op het schermpje zijn nu de laatste digitale beelden te zien die er ooit mee opgenomen zullen worden, de diepe lijnen van een handpalm terwijl Pat ermee door de woonkamer beent, langs de enge oude producent en het roodharige meisje, en die dronken vent met dat haar. Pat doet de schuifdeur open, stapt de veranda aan de voorkant van het huis op en gooit de camera zo ver mogelijk weg – kreunend als het ding zijn hand verlaat, door de lucht buitelt – en Pat blijft staan wachten totdat hij in de verte een plons hoort. Tevreden loopt hij de kamer weer in – 'Jezus man, respect', zegt de knul met het haar in het voorbijgaan – en met een licht verontschuldigend schouderophalen loopt Pat langs Keith en gaat dan naar boven, waar hij tot de ontdekking zal komen dat zijn hele leven tot dan toe een leugen om bestwil is geweest.

21

Schitterende ruïnes

Niets lijkt zo voor de hand liggend, zo tastbaar en concreet
als het moment waarin we leven. En toch ontglipt het ons volkomen.
Alle treurigheid van het bestaan ligt in dit gegeven besloten.

– Milan Kundera

Het is een liefdesgeschiedenis, zegt Michael Deane.
Maar geldt dat eigenlijk niet voor alles? De rechercheur wordt tenslotte ook gedreven door liefde voor het mysterie of de achtervolging, of voor de journaliste die overal met haar neus tussen zit en inmiddels zelfs wordt vastgehouden in een leeg pakhuis aan het water? De seriemoordenaar voelt ongetwijfeld een zekere liefde voor zijn slachtoffers, en de spion houdt van zijn slimme apparaatjes of van zijn land of van de exotische contraspionne. De *ice road-* trucker wordt verscheurd tussen liefde voor het ijs en liefde voor zijn truck, en de chefkoks die het tegen elkaar opnemen zijn verzot op sint-jakobsschelpen, en de lommerd is dol op allerlei oude troep, zoals het leven van de huisvrouwen lijkt te draaien om een blik op hun gebotoxte voorhoofd in de vergulde spiegel in de hal, en de gast die zichzelf helemaal heeft volgespoten met anabole steroïden niets liever wil dan op Hookbook de sloerie met de tattoo op haar onderrug verslinden, en omdat dit de realiteit is zijn ze allemaal verliefd – tot over hun oren en in alle ernst – op de microfoon die aan hun broekband is bevestigd, en de producent oppert heel achteloos een net iets andere hoek, en net iets pikanter shot.

En de robot houdt van zijn baas, het marsmannetje van zijn vliegende schotel, Superman houdt van Lois en van Lex en van Lana, Luke houdt van Leia (totdat hij erachter komt dat ze zijn zus is), en de exorcist houdt van de duivel, zelfs wanneer ze samen uit het raam springen, in volledige versmelting, zoals Leo van Kate houdt en ze allebei van het zinkende schip houden, en de haai – god, de haai houdt gewoon van eten, precies waar de maffiosi ook zo dol op zijn – eten en geld en Paulie en *omertà* – zoals de cowboy van zijn paard houdt, zoals hij van het meisje in het rijglijfje achter de piano houdt, en soms van de andere cowboy, zoals de vampier van de nacht en de hals houdt, en de zombie – begin nou maar niet over de zombie, sentimentele oude gek; niemand smacht heviger dan de zombie, die bleke, vale metafoor voor de liefde, een en al dierlijk verlangen en zwabberende, gestrekte armen, zijn hele bestaan niet meer dan een sonnet over de hunkering naar hersenen. Ook dat is een liefdesgeschiedenis.

En in de Kamer wachten de Nederlandse investeerders die bereid zijn veertig miljoen te steken in wat Michael Deane te melden heeft, maar hij zit alleen maar met zijn wijsvingers tegen zijn lippen gedrukt peinzend voor zich uit te staren. Een liefdesgeschiedenis. Zodra hij eraan toe is zal hij het woord nemen. De Kamer behoort hem toe, tenslotte; het enige wat hij betreurt is dat hij zijn eigen begrafenis niet kan bijwonen, want hij zou de zaal verdomme verlaten met een contract op zak voor een *network pilot* en een realityshow die zich afspeelt in de hel. Na de *Donner!*-pitch (dertig mille, dat had die knul slim aangepakt) wist Michael onder het wurgcontract met de studio uit te komen. Inmiddels maakt hij weer eigen producties – er staan al zes realityshows op de rails – en lukt het hem aardig het hoofd boven water te houden in het post-studiotijdperk, geen zorgen, het geld komt met bakken binnen. Tegenwoordig komen de financiële jongens naar hém toe. Hij voelt zich weer dertig. De Nederlandse investeerders wachten dan ook geduldig, totdat uiteindelijk Michaels wijsvingers langs zijn onnatuurlijk gladde lippen naar beneden glijden en hij het woord neemt.

'Het is een vierentwintig-uurs realityshow, getiteld *Rich* MILF / *Poor* MILF. En zoals ik al zei, is het vóór alles een liefdesgeschiedenis...'

Dat spreekt voor zich. En in Genua, in Italië, wacht een oude prostituee tot de deur dichtvalt en grist dan het geld dat de Amerikaan heeft neergelegd van de groezelige lakens – ergens bang dat het in rook zal opgaan. Ze kijkt om zich heen, houdt haar adem in en hoort hoe zijn voetstappen zich verwijderen op de gang. Ze laat zich tegen het smeedijzeren hoofdeinde zakken en telt het – vijftig keer wat ze normaal gesproken krijgt voor een pijpbeurt; ze kan haar geluk niet op. Ze vouwt de briefjes dubbel en stopt ze in haar jarretelgordel, zodat Enzo zijn deel niet zal opeisen, loopt naar het raam en kijkt naar beneden, en daar ziet ze hem staan, op de stoep, een verloren ziel: Wisconsin. Wilde een boek schrijven. Het is een flits, maar in die flits zijn de twee momenten die ze hebben gedeeld volmaakt en houdt ze meer van hem dan ze ooit van iemand heeft gehouden – misschien wel de reden dat ze deed alsof ze hem niet kende, om het niet te verpesten, om hem de schaamte over zijn tranen te besparen. Maar nee – er was nog iets, iets waar ze geen woorden voor heeft, en dat zorgt ervoor dat Maria, wanneer hij beneden op straat naar haar opkijkt, een hand tegen haar borst drukt, op de plek waar hij die avond zijn hoofd had gelegd. En dan loopt ze weg van het raam.

In Californië staat William Eddy op de veranda van zijn huisje van overnaadse planken te genieten van zijn pijp en zijn lekker volle maag na het ontbijt. Het is een decadente maaltijd – onverdiend. William Eddy is dol op eten, maar hij is echt verzót op het ontbijt. Hij blijft een jaar hangen in Yerba Buena, werk zat, maar dan is hij zo stom om zijn verhaal te vertellen aan mensen van de roddelpers en schrijvers van goedkope romannetjes – die zowel de taal als de gebeurtenissen aandikken, aasgieren die in de beenderen van zijn bestaan pikken, op zoek naar een schandaaltje. Als enkele van de anderen hem verwijten bepaalde dingen te overdrijven om zichzelf beter voor te doen, zegt Eddy dat ze allemaal kunnen doodvallen en trekt hij naar het zuiden, naar Gilroy. *Zichzelf beter voordoen* – Jezus Christus, beter dan wat, na alles wat er is gebeurd? Dankzij de goudkoorts in '49 is er werk in overvloed voor een wagenmaker en William verdient dan ook een tijdje vrij aardig, hertrouwt en krijgt drie kinderen, maar na enige tijd raakt hij weer op drift, laat zijn tweede gezin in de steek en neemt de benen naar Petaluma; soms voelt hij zich net een overhemd dat aan de lijn hangt te wapperen. Zijn tweede vrouw zegt dat er iets aan hem mankeert, 'er zit iets niet goed, en het zit heel diep, ben ik bang'; zijn derde vrouw, een lerares uit St. Louis, komt langzamerhand tot dezelfde ontdekking. Zo nu en dan vangt hij iets op over hoe het de anderen is vergaan: de Donners en de Reeds die het hebben overleefd, de kinderen die hij heeft gered; zijn oude vriend en vijand Foster heeft een saloon, ergens. Hij vraagt zich af of zij ook stuurloos zijn. Misschien is Keseberg de enige die het zou begrijpen – Keseberg die, zoals hij heeft vernomen, heeft berust in de schande en een restaurant heeft geopend in Sacramento. Die ochtend voelt Eddy zich koortsig en slap, en hoewel het nog een paar dagen zal duren eer het hem duidelijk wordt, is hij stervende, nog maar net drieënveertig, en slechts dertien jaar na de barre tocht door de bergen. Natuurlijk is een dergelijke overtocht van tijdelijke aard. William zit op zijn veranda en hoest, en de verandaplanken onder hem kraken wanneer hij zijn hoofd naar het oosten draait, zoals elke ochtend, met een schrijnend verlangen naar de diepe kleuren van de zon aan de horizon en naar zijn gezin, voorgoed gevangen in de kou...

De kunstschilder loopt de hele nacht in noordelijke richting door de donkere uitlopers van de bergen, naar waar hij de Zwitserse grens vermoedt. Hij mijdt de grote wegen, kamt de overblijfselen van een ander Italiaans dorpje uit op zoek naar overblijfselen van zijn eenheid, of naar Amerikanen om zich aan over te geven – wie of wat dan ook. Hij overweegt zijn uniform achter te laten, maar hij is nog altijd bang als deserteur te worden neergeschoten. Tegen het ochtendgloren, met in zijn rug de doffe dreunen van het granaatvuur in de verte, zoekt hij zijn toevlucht in de restanten van een uitgebrande drukkerij, zet zijn bepakking en zijn geweer tegen een muur die er nog een beetje stevig uitziet en kruipt met een paar graanzakken als hoofdkussen onder een oude tekentafel. Voordat hij in slaap valt geeft de kunstschilder zich over aan zijn nachtelijke ritueel en roept het beeld op van de man in Stuttgart van wie hij zoveel houdt, zijn oude pianoleraar. *Kom weer veilig thuis*, drukt de pianist hem op het hart, en de kunstschilder belooft het. Meer is het niet, een ongecompliceerde vriendschap, zoals mannen die kunnen hebben, maar die vriendschap is wat hem op de been heeft gehouden – de gedachte aan het moment dat hij veilig terugkeert – en dus denkt de kunstschilder elke avond voor het slapengaan aan de pianoleraar, net als nu, terwijl hij in de gloed van de morgenstond indommelt en vredig slaapt totdat er een groepje partizanen langskomt, die met een spade zijn schedel inslaan. Na de eerste klap is het gebeurd: de kunstschilder zal niet terugkeren naar Duitsland, naar zijn pianoleraar en naar zijn zus – die laatste is overigens een week eerder omgekomen bij een brand in de munitiefabriek waar ze werkte, zijn verwende zus van wie hij een foto heeft meegenomen toen hij ten strijde trok en van wie hij twee portretten heeft geschilderd in een geschutsbunker aan de Italiaanse kust. Een van de partizanen lacht als de Duitse kunstschilder begint te stuiptrekken en te rochelen, als een zombie, maar de partizaan met het hart op de juiste plaats geeft hem de genadeklap.

Joe en Umi verhuizen naar West Cork en trouwen; enkele jaren later scheiden ze, kinderloos, en verwijten elkaar dat ze zo oud zijn geworden en zo'n treurig bestaan leiden. Na een paar jaar komen ze elkaar weer tegen bij een concert en ze hebben nu meer begrip voor elkaar; ze drinken een wijntje, lachen om alles wat ze destijds niet in een breder perspectief wisten te plaatsen en belanden in bed. De hereniging houdt slechts een paar maanden stand en dan gaan ze ieder huns weegs, blij dat ze elkaar in ieder geval hebben vergeven. Met Dick en Liz is het niet veel anders: een onstuimig huwelijk van tien jaar en één echt goede film samen, *Who's Afraid of Virginia Woolf?* (zij krijgt de Oscar, wrang genoeg), gevolgd door een scheiding en een kortstondige hereniging (een stuk rampzaliger dan die van Joe en Umi) waarna ze ieder een andere weg kiezen, Liz die van de vele huwelijken, Dick die van de vele cocktails, totdat hij op zijn achtenvijftigste in een hotel logeert en niemand hem wakker weet te schudden en hij later die dag overlijdt aan een hersenbloeding, met

heel apocrief een tekst uit *De Storm* op zijn nachtkastje: 'Wees wel-
gemoed. Het spelen is ten einde...' Orenzio valt een keer dronken
in zee, midden in de winter, en verdrinkt, Valeria is de laatste jaren van haar leven gelukkig met Tomasso de Weduwnaar, de bruut
Pelle herstelt van de schotwond in zijn voet maar wil geen mensen
meer onder druk zetten, gaat aan de slag in de slagerij van zijn broer
en trouwt met een meisje dat stom is, Gualfredo krijgt syfilis, zijn
verdiende loon, en wordt blind, de zoon van Alvis' vriend Richards
raakt gewond in Vietnam, keert terug naar huis en gaat aan de slag
als pro-Deoadvocaat voor oorlogsveteranen en wordt uiteindelijk
gekozen tot senator in Iowa, de jonge Bruno Tursi studeert kunst-
geschiedenis en wordt restaurator, krijgt een baan bij een particu-
liere onderneming in Rome, waar hij kunstobjecten catalogiseert en
de perfecte medicatie vindt om zijn naar binnen gekeerde, lichte depressie het hoofd te bieden, en Gym Steve hertrouwt – met de lieve,
knappe moeder van een van de meisjes uit het softbalteam van zijn
dochter – en zo gaat het maar door, het verhaal schiet honderden
kanten op, en alles gebeurt tegelijk, in een grote wervelwind van het
heden, het moment...

Al die schitterende verwoeste levens...

En in Universal City, in Californië, dreigt Claire Silver ontslag
te nemen tenzij Michael Deane belooft Debra 'Dee' Moore en haar
zoon met rust te laten, en toezegt slechts één project in productie
te nemen van hun trip naar Sandpoint: een film die is gebaseerd
op Lydia Parkers stuk *Front Man*, het aangrijpende verhaal van
een verslaafde muzikant die doolt en uiteindelijk terugkeert naar
zijn vriendin en naar zijn moeder die al zo lang ziek is. Het budget is een kleine 4 miljoen, en nadat alle geldschieters en studio's
in Hollywood het hebben afgewezen, financiert Michael Deane het
hele project in zijn eentje, al zegt hij dat niet tegen Claire. De film
wordt geregisseerd door een jonge Servische striptekenaar en auteur,
die zelf het scenario schrijft, losjes gebaseerd op Lydia's stuk, of in
elk geval op het deel ervan dat hij heeft gelezen. De auteur maakt de
muzikant jonger en sympathieker, in brede zin. In deze uitvoering
heeft de muzikant geen problemen met zijn moeder, maar met zijn

vader – wat de jonge regisseur in staat stelt zijn eigen gevoelens voor zijn afstandelijke, veroordelende vader nader te onderzoeken. En de vriendin in kwestie is geen scenarioschrijfster uit het Noordwesten die haar stiefvader verzorgt, maar een tekenlerares die lesgeeft aan arme zwarte kinderen in Detroit, wat een betere soundtrack voor de film oplevert en waardoor ze ook nog eens kunnen profiteren van aanzienlijke belastingvoordelen voor films die worden opgenomen in Michigan. Het Pat-personage – wiens naam wordt veranderd in Slade – steelt in het uiteindelijke scenario geen geld van zijn moeder, bedriegt niet keer op keer zijn vriendin, maar schaadt alleen zichzelf met zijn verslaving, waarin cocaïne heeft plaatsgemaakt voor drank. (Het moet een man zijn in wie men zich kan verplaatsen en met wie men kan sympathiseren, vindt zowel Michael als de regisseur.) De veranderingen worden geleidelijk doorgevoerd, druppelsgewijs, als een bad dat wordt bijgevuld met heet water, en Claire weet zichzelf wijs te maken dat ze trouw blijven aan de wezenlijke elementen van het verhaal – 'de kern' – en uiteindelijk is ze trots op de film, en op haar eerste titelrolvermelding, als coproducer. 'Ik schoot helemaal vol', zegt haar vader. Maar niemand is zo diep geraakt door *Front Man* als Daryl, die nog in zijn relatie-proeftijd zit als hij met Claire meegaat naar de voorpremière. Tegen het einde van de film (als Slades vriendin Penny de confrontatie is aangegaan met de gangbangers die leerlingen bedreigen op de school waar ze lesgeeft) stuurt Slade Penny een sms'je vanuit Londen: *Laat ff horen of je ok bent*. Met stokkende adem buigt Daryl zich naar Claire en zegt: 'Dat heb ik jou toen ge-sms't'. Claire knikt: zij had de regisseur het idee aan de hand gedaan. De film eindigt ermee dat Slade wordt herontdekt door een platenbons die op vakantie is in Engeland, en hij lijkt succes te krijgen – maar nu op zíjn voorwaarden. Als Slade na een show zijn gitaar inpakt hoort hij een vrouwenstem. 'Ja, alles is oké', zegt ze, en wanneer Slade zich omdraait ziet hij Penny, die eindelijk antwoord geeft op zijn sms'je. In de bioscoopzaal begint Daryl te huilen, want de film is duidelijk een harde boodschap van zijn vriendin over zijn pornoverslaving, en hij belooft hulp te zoeken. Daryls behandeling blijkt een doorslaand succes; nu hij niet langer pas tegen twaalven wakker wordt en vervolgens het internet afstruint op zoek naar porno en 's avonds stiekem naar striptenten gaat, heeft hij een hernieuwde energie en levenslust – wat hij allemaal in zijn relatie met Claire stopt, én in de zaak die hij opent in Brentwood, samen met nog een andere voormalige decorontwerper. Ze maken meubels op maat voor mensen in het filmwereldje. *Front Man* draait op verschillende festivals, wint de publieksprijs in Toronto en krijgt lovende recensies. Met het buitenlandse succes houdt Michael er nog aardig wat aan over – 'Soms lijkt het wel of ik geld poep', zegt hij tegen een journalist van de *The New Yorker*. Claire weet ook wel dat er het nodige op de film valt af te dingen, maar dankzij het succes van de film geeft Michael haar toestemming om twee andere scenario's aan te kopen, en Claire is blij dat ze niet langer de zuivere perfectie nastreeft van museale kunst, maar dat ze de aangename chaos van het echte leven weet te waarderen. Na enige consternatie wordt *Front Man* niet genomineerd voor een Oscar, maar de film kan wel drie Independent Spirit-nominaties op zijn conto schrijven. Michael kan niet aanwezig zijn bij de uitreiking (hij zit in Mexico om te herstellen van zijn scheiding en om een omstreden behandeling met menselijke groeihormonen te ondergaan), maar Claire is maar al te graag bereid in haar eentje de producers te vertegenwoordigen, met Daryl aan haar zijde, in een dieppaarse smoking die zij in een tweedehandswinkel voor hem heeft opgedoken. Hij ziet er fantastisch uit, dat spreekt. *Front Man* sleept helaas ook geen Indie Spirit-award in de wacht, maar na afloop is Claire evengoed opgetogen over wat ze heeft bereikt (en opgetogen door de twee flessen '88 Dom Pérignon waar Michael haar tafel heel attent op had getrakteerd) en Daryl en zij doen het in de limo en weten vervolgens de chauffeur over te halen naar een drive-through KFC te rijden voor een bak Extra Crispy, en ondertussen frunnikt Daryl nerveus aan de verlovingsring die hij in de zak van zijn dieppaarse smokingbroek heeft zitten...

Shane Wheeler gebruikt het optiegeld van *Donner!* om een appartementje te huren in de Silver Lake-regio van Los Angeles. Michael Deane bezorgt hem een baantje bij een realityserie die gebaseerd is op Shanes idee, en die hij weet te verkopen aan Biography

Channel. *Honger,* heet de serie – een huis vol mensen met boulimia of anorexia. Maar de serie is te deprimerend, zelfs voor Shane – om van de kijkers nog maar te zwijgen. Hij krijgt een baantje als scenarioschrijver voor een ander programma, *Battle Royale* geheten, waarin beroemde veldslagen met behulp van computeranimaties opnieuw tot leven komen en geschiedenis een soort *Call of Duty* is, met de vlotte vertelstem van William Shatner, gebaseerd op het scenario dat Shane samen met twee anderen schrijft, in gewone spreektaal ('De Spartanen zijn het slachtoffer van hun eigen erecode en worden volkomen in de pan gehakt...') In zijn vrije tijd werkt hij verder aan *Donner!* totdat een concurrerend Donner-project – William Eddy wordt afgeschilderd als een laffe leugenaar – hem ineens het nakijken geeft en Shane het eindelijk voor gezien houdt met de kannibalen. Hij waagt nog een poging met Claire, maar ze lijkt heel gelukkig met haar vriend, en als Shane hem eenmaal heeft gezien kan hij daar ook wel in komen: die gozer is veel en veel knapper dan Shane. Hij betaalt Saundra de auto terug en doet er nog iets bovenop vanwege het verspeelde krediet, maar ze blijft hem afhouden. Op een avond gaat hij na het werk stappen met Wylie, een productie-assistente van tweeëntwintig die hem echt te gek vindt, en die hem uiteindelijk voor zich weet te winnen door een DOEN!-tattoo op haar onderrug te laten zetten...

In Sandpoint, Idaho, wordt Pat Bender om vier uur 's ochtends wakker, zet de eerste van drie potten koffie en vult de uren voor zonsopgang met allerlei klusjes in en om het huis. Hij vindt het prettig om vroeg te beginnen, voordat hij tijd heeft gehad om echt wakker te worden; zo komt de dag alvast op gang, blijft hij zelf ook in beweging. Zolang hij maar iets omhanden heeft voelt hij zich prima, dus hij snoeit takken of hij hakt hout of hij krabt verf af, schuurt en beitst de veranda voor het huis, of die aan de achterkant, of het schuurtje, of hij begint weer helemaal van voren af aan bij de veranda aan de voorkant: afkrabben, schuren, beitsen. Tien jaar terug zou hij het als een soort sisyfusarbeid hebben beschouwd, maar nu vindt hij niets lekkerder dan zijn laarzen aantrekken, koffiezetten en naar buiten gaan, de donkere ochtend in; hij vindt de wereld het prettigste als er verder niemand is, in de donkere rust van vlak voor de dageraad. Later op de ochtend gaat hij met Lydia naar de stad om te werken aan het decor voor de kindervoorstelling van die zomer. Dee heeft Lydia haar amateurtoneelfundraisergeheim meegegeven: probeer zo veel mogelijk aandoenlijke kinderen te casten, dan heb je vanzelf uitverkochte zalen, met alle rijke ski-ouders en dat hippe teenslippervolkje, en met die opbrengsten kun je weer mooie artistieke projecten financieren. Als je de geldkwestie even buiten beschouwing laat zijn het stukken die de meeste mensen 'ontwapenend' zouden noemen, en stiekem vindt Pat die kindertoneelstukken leuker dan de al te serieuze stukken voor volwassenen. Zelf neemt hij elk jaar één grote rol aan, meestal in een stuk dat Lydia voor hem uitkiest; voor komend jaar staat voor Keith en hem *True West* op het programma. Hij heeft Lydia nog nooit zo gelukkig gezien. Nadat hij die maffe zombie-producent heeft laten weten dat hij er niet over piekert 'de rechten op zijn leven' te verkopen en – zo beleefd mogelijk – heeft gezegd dat hij moest 'opflikkeren', koopt die vent alsnog de rechten op Lydia's stuk. Als *Front Man* in roulatie gaat is Pat niet van plan erheen te gaan, maar als hij hoort dat het verhaal ingrijpend is veranderd, dat het vrijwel geen overeenkomsten vertoont met zijn feitelijke bestaan, is hij intens dankbaar. Inmiddels geeft hij de voorkeur aan *onbekend* boven *mislukkeling*. Lydia wil een deel van het optiegeld gebruiken om een reis te maken – en misschien gaan ze dat ook doen, maar Pat kan zich ook zomaar voorstellen dat hij de rest van zijn leven in Noord-Idaho blijft. Hij heeft zijn koffie en zijn ochtendritueel, zijn werk in en om het huis, en met de nieuwe satellietontvanger die hij voor zijn verjaardag van Lydia heeft gekregen, kan hij negenhonderd zenders ontvangen en er is Netflix, waarmee hij in chronologische volgorde alle films van zijn vader bekijkt – hij zit nu in 1967, bij *The Comedians* – en hoewel het iets pervers heeft vindt hij het opwindend om dingen van zichzelf te herkennen in zijn vader, al ziet hij tegelijkertijd nogal op tegen het onvermijdelijke verval. Lydia vindt het ook leuk om naar die films te kijken – ze plaagt hem, dat hij de bouw van zijn vader heeft ('Ik dacht al, waar heb ik die kromme beentjes eerder gezien') – die schat van een Lydia, die alle losse eindjes aan elkaar knoopt tot een geheel. En op de dagen dat Lydia, het meer, zijn koffie, het timmeren en de Richard Burton-filmverzameling bij lange na niet genoeg zijn, op de avonden dat hij smacht – echt smácht – naar het wilde leven van destijds met een vrouw op zijn schoot en een lijntje op tafel, dat hij eraan denkt hoe de barista naar hem lachte in de coffeeshop tegenover het theater, of dat hij moet denken aan het visitekaartje van Michael Deane in de keukenla, aan de mogelijkheid hem te bellen en te zeggen: 'Hoe zie je dat precies voor je?' – op die dagen, waarop hij zich afvraagt hoe het zou zijn om de teugels heel even te laten vieren (*Zie: elke dag*) concentreert Pat Bender zich op de stappen. Hij denkt aan zijn moeder, die in hem gelooft, en aan wat ze tegen hem zei op de avond dat hij de waarheid over zijn vader vernam ('Laat je hier niet door beïnvloeden'), de avond waarop hij haar vergaf en haar bedankte – en Pat werkt zich in het zweet: afkrabben, schuren, beitsen – afkrabben, schuren, beitsen, afkrabben-schuren-beitsen alsof zijn leven ervan afhangt, wat natuurlijk ook zo is. En in de donkere ochtend staat hij altijd gelouterd op, vastberaden; eigenlijk mist hij alleen...

...Dee Moray, die met haar benen over elkaar geslagen op het achterste bankje van een watertaxi zit, terwijl de zon haar onderarmen verwarmt en de boot de grillige Ligurische kustlijn volgt van de Riviera di Levante. Ze draagt een roomwitte jurk en als de wind even opsteekt drukt ze haar bijpassende hoed stevig op haar hoofd. Het gebaar doet Pasquale Tursi, die naast haar zit, zoals altijd in pak, ondanks de hitte (ze gaan tenslotte uit eten, straks) bijna ineenkrimpen van weemoed. Hij koestert een van zijn melancholieke, speelse gedachten – dat hij geen vijftig jaar oude herinnering terughaalt aan het moment dat hij deze vrouw voor het eerst zag, maar het moment zelf. Het zijn tenslotte dezelfde zee, dezelfde zon, dezelfde rotsen en dezelfde twee mensen. En als een moment toch alleen in je eigen beleving bestaat, is het gevoel dat hem nu overspoelt misschien wel HET MOMENT, en niet slechts een afspiegeling. Misschien dient elk moment zich gelijktijdig aan en zullen ze altijd tweeëntwintig zijn, met hun leven nog voor zich. Dee ziet Pasquale peinzend voor zich uit kijken en legt een hand op zijn arm, vraagt: '*Cosa c'è?*' En hoewel ze betrekkelijk goed met elkaar kunnen praten dankzij de vele jaren Italiaanse les, zijn er ook nu weer geen woorden voor wat Pasquale voelt, dus doet hij er het zwijgen toe, glimlacht naar haar, komt overeind en loopt naar de voorplecht van de boot. Hij wijst naar de baai en de schipper kijkt hem vragend aan, maar rondt dan toch de rotspunt naar een verlaten inham, het steigertje allang vergaan, enkel nog wat restanten van vervallen funderingen, als hoopjes beenderen in het gras – het is alles wat er rest van het dorpje van toen, op die onwaarschijnlijke plek in een rotsspleet. Pasquale vertelt haar dat hij het Hotel Redelijk Uitzicht heeft gesloten en naar Florence is verhuisd, dat in 1973 de laatste visser is gestorven, dat het oude verlaten dorpje is opgekocht door het Cinque Terre National Park, dat alle families een bescheiden som geld kregen voor hun lapje grond. Tijdens het eten in Portovenere, op een terras met uitzicht op zee, vertelt Pasquale ook over andere dingen, hoe het leven zijn loop nam nadat hij haar die dag in het hotel had achtergelaten, over zijn aangenaam kabbelende bestaan nadien. Nee, het is niet de exotische verrukking van zijn droomleven met haar; in plaats daarvan leidt Pasquale het leven dat hij als zíjn leven ervaart: hij trouwt met de lieftallige Amedea en zij is een fantastische echtgenote, opgewekt en liefhebbend, een betere vriendin had hij zich niet kunnen wensen. Samen voeden ze die lieve kleine Bruno op, en niet lang daarna hun dochters Francesca en Anna, en Pasquale krijgt een goede betrekking in de holding van zijn schoonvader, waar hij de appartementengebouwen van de oude Bruno beheert en renoveert, en uiteindelijk neemt hij als familieoudste de zaak over, verstrekt baantjes, erfdelen en adviezen aan zijn kinderen en aan een heel legertje neven en nichten, en hij leidt een zinvoller en rijker bestaan dan hij ooit voor mogelijk had gehouden. Het is een leven met de nodige gedenkwaardige momenten, een leven dat steeds sneller gaat, als een kei die van een helling rolt, soepel en moeiteloos en als vanzelf, maar op een bepaalde manier ook oncontroleerbaar; het gaat allemaal zo snel, je wordt wakker als jonge man, bij de lunch ben je van middelbare leeftijd en tegen het avondeten is de dood niet langer een abstractie. *En, ben je gelukkig geweest?* wil Dee weten, en hij antwoordt zonder aarzelen, *Jazeker,* denkt er dan nog eens goed over na en voegt eraan toe: *Niet altijd, natuurlijk, maar meer dan gemiddeld, denk ik.* Hij hield oprecht van zijn vrouw, en hoewel hij weleens droomde van een ander leven of een andere vrouw – meestal van haar – had hij geen moment getwijfeld of hij de juiste beslissing had genomen. Het enige wat hij echt betreurt is dat het er nooit van is gekomen om te gaan reizen toen de kinderen het huis uit waren, voordat Amedea ziek werd, voordat ze zich onvoorspelbaar begon te gedragen – woedeaanvallen en verstrooidheid, met als uiteindelijke diagnose vroege alzheimer. Zelfs toen hadden ze nog een paar goede jaren, maar het laatste decennium van haar leven is voor hen allebei verloren gegaan, weggeglipt als zand door hun vingers.

Eerst vergeet Amedea domweg boodschappen te doen, of de deur dicht te doen, later weet ze niet meer waar de auto staat en nog weer later vergeet ze getallen en namen en de functie van allerlei voorwerpen. Hij treft haar aan met de telefoon in haar handen – en ze heeft geen idee wie ze wil bellen, of nog weer later, hoe het ding werkt. Een tijdje sluit hij haar op in huis en gaan ze domweg de deur niet meer uit – het ergste is nog wel dat hij merkt hoe ook hij wegglijdt uit haar bewustzijn, en hij voelt zich verloren in de schemerige mist van identiteit (*Houdt hij op te bestaan als zijn vrouw hem niet meer herkent?*). Haar laatste jaar is vrijwel ondraaglijk. Zorgen voor iemand die geen flauw benul heeft wie je bent, is een regelrechte hel – de loodzware verantwoordelijkheid, wassen en voeren en... álles, een last die steeds zwaarder wordt naarmate er minder herkenning is, totdat ze uiteindelijk is verworden tot een díng waarvoor hij moet zorgen, een lóódzwaar ding dat hij over de laatste hobbel in hun gezamenlijke leven zeult; en wanneer zijn kinderen hem eindelijk weten over te halen haar naar een verpleeghuis in de buurt te brengen, huilt Pasquale van verdriet en schuldgevoel, maar ook van opluchting, en uit schuldgevoel over zijn opluchting, en uit verdriet om zijn schuldgevoel, en als de verpleegster vraagt wat ze al dan niet moeten doen om het leven van zijn vrouw te rekken, kan Pasquale geen woord uitbrengen. Dus is het Bruno, die lieve Bruno, die de hand van zijn vader pakt en tegen de verpleegster zegt: *Het is tijd om haar te laten gaan.* En daar gaat ze, steeds verder weg, en Pasquale gaat elke dag op bezoek en praat tegen het uitdrukkingsloze gezicht, totdat hij op een dag, net op het moment dat hij naar haar toe wil gaan, wordt gebeld door een verpleegster, die zegt dat zijn vrouw is overleden. Hij is er meer van ondersteboven dan hij had verwacht, haar definitieve afwezigheid lijkt een wrange grap, haast alsof na haar dood de oude Amedea zou kunnen terugkeren; maar in plaats daarvan is er slechts het gat binnen in hem. Er gaat een jaar voorbij en eindelijk begrijpt Pasquale het verdriet van zijn moeder na de dood van Carlo – hij heeft zichzelf zo lang gezien als echtgenoot en deel van het gezin dat hij zichzelf nu helemaal kwijt is. Het is de dappere Bruno die in zijn vader zijn eigen gevecht tegen depressiviteit herkent, en hij zegt dat de oude man moet proberen zich te herinneren wanneer hij voor het laatst het gevoel had dat hij wist wie hij was, los van zijn dierbare Amedea, dat hij moet proberen zich zijn laatste moment van autonoom geluk of verlangen te herinneren – en zonder ook maar een seconde te aarzelen antwoordt Pasquale: *Dee Moray.* En Bruno zegt: *Wie?*, omdat de zoon het verhaal natuurlijk niet kent. Dan vertelt Pasquale zijn zoon alles, en weer is het Bruno die erop aandringt dat zijn vader naar Hollywood gaat om uit te zoeken wat er is geworden van de vrouw op de foto van zo lang geleden, en om haar te bedanken...

Mij bedanken? zegt Debra Bender en wanneer Pasquale antwoordt, kiest hij zijn woorden met zorg, bedachtzaam, in de hoop dat ze het zal begrijpen: *Ik leefde in een droom toen ik jou ontmoette. En toen ik de man ontmoette van wie jij hield, zag ik in hem mijn eigen zwakte. De ironie van het lot: hoe kon ik jouw liefde waard zijn terwijl ik mijn eigen kind in de steek had gelaten? Daarom ben ik teruggegaan. En het is het beste wat ik ooit heb gedaan.*

Ze begrijpt het: ze is zelf gaan lesgeven als een soort boetedoening, haar eigen dromen en verlangens opzijzetten om de dromen van haar leerlingen waar te maken. *Maar dan ontdek je dat er ook vreugde in schuilt en dat je je er echt minder eenzaam door voelt*, en daarom hebben de laatste jaren, waarin ze het theater in Idaho bestierde, haar zoveel voldoening geschonken. Dat is ook wat ze zo mooi vindt aan Lydia's stuk: het raakt aan het idee dat een waarachtig offer geen pijn doet.

Na het eten blijven ze nog drie uur zo zitten praten, totdat Dee moe wordt en ze terug lopen naar het hotel. Ze slapen ieder in een eigen kamer, weten nog geen van beiden wat dit precies is – of het überhaupt iets is, of zoiets nog mogelijk is in dit stadium van hun leven – en de volgende ochtend drinken ze samen koffie en hebben het over Alvis (Pasquale: *Hij had gelijk dat de toeristen het einde zouden betekenen*; Dee: *Hij is net een eiland waar ik een tijdje heb gewoond*). En op dat terras in Portovenere besluiten ze een wandeling te gaan maken, maar eerst maken ze nog plannen voor de rest van Dee's drie weken vakantie: ze gaan naar het zuiden, eerst naar Rome, dan naar Napels en Calabrië, en vervolgens weer naar het noorden, naar Venetië en het Comomeer, zolang haar conditie het toelaat – en tot slot gaan ze naar Florence, waar Pasquale haar zijn grote huis laat zien en haar voorstelt aan zijn kinderen en kleinkinderen en neven en nichten. Eerst is Dee jaloers, maar terwijl de een na de ander binnenkomt wordt ze overmand door blijdschap – het zijn er zó veel – en met een warm gevoel laat ze zich de rol aanleunen die Pasquale haar toebedeelt, houdt een baby in haar armen en vecht tegen de tranen als ze ziet hoe Pasquale een muntstuk achter het oor van zijn kleinzoon vandaan tovert (*Nu is hij de mooie jongen*) en misschien is het een dag later, of twee – wat zal het geheugen zich gelegen laten liggen aan de tijd? – dat ze de duistere duizelingen voelt opkomen, en nog weer een dag later dat ze te zwak is om uit bed te komen, en weer een dag later dat hydromorfon niet meer helpt tegen de stekende pijn in haar maag, en dan...

Na het ontbijt in Portovenere gaan ze terug naar het hotel en trekken hun wandelschoenen aan. Dee verzekert Pasquale dat ze het aankan en ze nemen een taxi naar het einde van de weg, waar het inmiddels vergeven is van de toeristen: auto's, wandelaars en fietsers. Bij een rotonde helpt hij haar uit de taxi, betaalt de chauffeur, en dan gaan ze opnieuw op pad, langs de wijnranken het park in, naar de gegroefde uitlopers van de bergen die het decor vormen van de door de zee uitgesleten rotsen. Ze hebben geen idee of de schilderingen helemaal vervaagd zullen zijn, of dat er graffiti overheen is gespoten, en of de geschutsbunker er eigenlijk nog wel is – sterker nog, of hij er überhaupt ooit is geweest – maar ze zijn jong en het pad is breed en goed begaanbaar. En zelfs als ze niet vinden waarnaar ze op zoek zijn, is het dan niet voldoende om samen in het zonlicht te lopen?

～

Dankbetuiging

Mijn oneindige dank gaat uit naar: Natasha De Bernardi, Monica Mereghetti, en Olga Gardner Galvin, die me hebben geholpen met mijn *brutto Italiano*; naar Sam Ligon, Jim Lynch, Mary Windishar, Anne Walter en Dan Butterworth, die het boek in diverse stadia hebben gelezen; naar Anne en Dan die alle wandelingen in de Cinque Terre hebben doorstaan; naar Jonathan Burnham, Michael Morrison en alle anderen bij Harper Collins; en bovenal naar mijn redactrice, Cal Morgan, en mijn agent, Warren Frazier, voor al hun werk, hun steun en hun goede raad.

Over de auteur

Een kort interview met Jess Walter
WESTON CUTTER

Oorspronkelijk verschenen in de Kenyon Review, 16 juli 2012

Om te beginnen: wie hebben jouw eigen werk beïnvloed, in de breedst mogelijk zin (en in welke context dan ook: als je enorm zou zijn beïnvloed door, bijvoorbeeld, Kirk Gibsons homerun tijdens de World Series van '88, lijkt me dat te gek; deze vraag levert eigenlijk altijd leukere resultaten op wanneer het niet alleen over boeken gaat)?

Los van boeken ben ik erg geïnspireerd door de Coen Brothers, met hun spannende mix van genres. Tijdens het schrijven luister ik ook naar muziek, en mijn playlists variëren van old funk tot R&B (William DeVaughn en de Delfonics), Bowie, Dylan, Steely Dan, veel alt-stuff met zware teksten (Beck, Jeff Tweedy, Richmond Fontaine, John Wesley Harding)... Maar als ik heel eerlijk ben, ben ik vooral beïnvloed door saaie, oude schrijvers; mijn heilige drie-eenheid is vermoedelijk Vonnegut, Didion en DeLillo, maar daarnaast zijn er honderden heiligen: Laurence Sterne, James Cain, Fitzgerald, een paar Richards (Heller, Price, Powers, Russo), een paar metafictieschrijvers (Barthelme, Coover en Millhauser), een paar verhalenschrijvers (Gaitskill, Wolfe, Carver), Cormac McCarthy, Elmore Leonard, William Kennedy, mijn vriend Sherman Alexie, Gabriel García Márquez, David Mitchell, Edward P. Jones, en zo zou ik nog wel uren kunnen doorgaan...

Dan nu persoonlijke vraag, al is het evenzeer een vraag voor het grote publiek: hoeveel werk gaat erin zitten om de verhaallijnen uit te werken, om alles kloppend te krijgen? Een van de fantastische dingen aan jouw werk is het ongekende genot van een verhaallijn die zo zorgvuldig is uit-

gedacht – iets wat je tegenwoordig niet zo heel vaak meer ziet, als je het mij vraagt, in ieder geval niet in de romans die ik lees. Gaat daar heel erg veel tijd in zitten? Werk je met schema's en grafieken? Kom je onderweg voor verrassingen te staan?

Schema's en grafieken: een grappig beeld. Zo kijk ik eigenlijk nooit naar een verhaallijn, ik zie het zeker niet als iets dat losstaat van... het feitelijke schrijven. Het verhaal is gewoon het verhaal, verpakt in stemmen en taal en personages. Ik geloof dat ik nadenk over wat er gebeurt terwijl ik de zinnen op papier zet; het moet wel ergens naartoe gaan, anders gaat het me vervelen. Ik scherp het verhaal aan terwijl ik de taal en de personages aanscherp. *Schitterende ruïnes* is in de loop van vijftien jaar ontstaan en keer op keer herschreven; het heeft heel wat voeten in aarde gehad voordat alle puzzelstukjes in elkaar pasten. Er zijn heel veel valse starts geweest en veel stukken zijn later weer geheel uit beeld verdwenen (waaronder een slecht uitgewerkt post modern hoofdstuk waarin ik opdook in mijn eigen roman om een film te pitchen). Ik werk de dingen niet echt van tevoren uit, al probeer ik wel elke dag naar een bepaalde gebeurtenis toe te schrijven (vandaag heeft iemand per ongeluk met een kruisboog zijn broer doodgeschoten). Ik vind het leuk om mezelf te verrassen. Ik schrijf het niet eerst in grote lijnen uit. Ik schrijf totdat ik vast kom te zitten, dan ga ik verder met iets anders, en als ik het dan weer oppak, begin ik weer helemaal bij het begin om er een glad, naadloos geheel van te maken. Als ik al een geheime werkwijze zou hebben, dan is het dat ik niets overhaast en dat ik een schrijflogboekje bijhoud waarin ik reflecteer op waar ik mee bezig ben, waarin ik mezelf suggesties aan de hand doe, mezelf uitfoeter en mezelf moed inspreek, probeer boven alles uit te stijgen, probeer de thema's en contouren te zien die opdoemen. Ik probeer me niet terughoudend op te stellen tegenover dat wat er in een roman 'gebeurt'. Een van de mooie kanten aan mijn journalistieke carrière is dat ik voortdurend verbazingwekkende, krankzinnige en onvoorstelbare dingen zag gebeuren. Ik heb geschreven over cults, schietpartijen, verkiezingscampagnes, moorden en liquidaties. 'Realisme' wordt weleens op één lijn gesteld met de dingen van alledag. Vermoedelijk schrijf ik over bepaalde personages op een bepaald moment omdat hen iets opmerkelijks overkomt... de moeite van het opmerken waard. Ik herinner me dat ik *Honderd jaar eenzaamheid* las en me erover verbaasde wat er alleen al in de eerste zin allemaal gebeurde. ('Vele jaren later, toen hij voor het vuurpeloton stond, zou kolonel Aureliano Buendía zich die lang vervlogen middag herinneren, waarop zijn vader hem liet kennismaken met ijs.') In die ene zin schuilt een complete roman.

Aangezien je zowel korte verhalen als romans schrijft, ben ik benieuwd wat voor jou het verschil is?

Het begin is altijd hetzelfde. Vroeg achter de computer. Vingers op de basisrij. Koffie en een enorme koek. Ik weet meestal pas welke kant het op gaat als ik een paar bladzijden heb geschreven. Ik heb honderden ideeën voor verhalen maar meestal weet ik aan het begin nog maar betrekkelijk weinig, zelfs niet of het een verhaal of een roman wordt. Mijn ideeën zijn meestal redelijk specifiek, maar niet echt heel erg ingevuld (stel dat een survival instructeur van de luchtmacht naar Las Vegas gaat om zijn stiefzus te redden van een bestaan als prostituee?). Meestal begin ik gewoon maar te schrijven, om uit te zoeken wie die mensen zijn, waarom ze doen wat ze doen. Volgens mij is de uitwerking van het personage cruciaal; als je aandacht besteedt aan de mensen, komt de actie vanzelf. Ik ben meestal met drie of vier dingen tegelijk bezig, een paar verhalen, soms zelfs twee romans, en als ik vast kom te zitten ga ik gewoon verder met iets anders. Dat doe ik vooral om te zorgen dat ik achter mijn bureau blijf zitten – en in de loop der jaren heb ik gemerkt dat ik zo niet alleen productiever ben, maar ook dat ik me minder zorgen maak als ik op een doodlopend spoor zit (en je komt altijd op een doodlopend spoor). Ik ben opgegroeid in een arbeidersmilieu en heb via kranten kennisgemaakt met fictie. Met diezelfde arbeidsmoraal sta ik nu in mijn schrijverschap. Als dit niets wordt, ga dan verder met iets anders, en als dat ook niets wordt, ga dan verder met weer iets anders. Mijn vader heeft veertig jaar in een aluminiumfabriek gewerkt. Ik geloof niet dat hij ooit met een 'aluminium-*block*' kampte. Mijn ene opa kwam om toen hij werd bedolven onder een kraan die omviel, mijn andere opa toen hij een omheining maakte op het veebedrijf van onze familie, dus je zult mij niet snel horen zeggen dat schrijven hard werken is.

Deze vraag is misschien iets lastiger te beantwoorden: je lijkt heel bewust bepaalde thema's aan te snijden in je romans. Schitterende ruïnes *is, zoals je in de persmap schreef, '...een verhaal over roem en het feit dat we er tegenwoordig allemaal naar streven te leven als een filmster, als een beroemdheid. We zijn allemaal onze eigen handige pr-medewerker die niet alleen onze loopbaan vormgeeft maar ook onze liefdes en ons kwetsbare zelfbeeld (onze Facebook-pagina en ons LinkedIn-profiel).' Ik weet dat "*The Financial Lives of the Poets*" *ging over de ineenstorting van de economie.*

In de breedst mogelijke zin: hoe vind je bij het schrijven van een roman een balans tussen enerzijds dat verlangen om je op een specifieke maatschappelijke kwestie te richten en anderzijds de roman zelf, die zijn eigen weg zoekt, die zich niet laat temmen, ongeacht waar hij zich uiteindelijk op zal richten? Is die dualiteit vals? Ik heb zelf bij lange na niet genoeg geschreven om daar iets over te kunnen zeggen, maar ik ben benieuwd.

Ik denk dat mijn journalistieke achtergrond deels een verklaring is voor de wil om vast te leggen wat er om me heen gebeurt. Maar ik hou ook domweg van boeken die raken aan een bepaald thema, boeken die in een breder verband ergens over gaan. Dat hoeft dan niet per se actueel te zijn; een boek zoals *The Known World* haalt alles onderuit wat we over slavernij meenden te weten, door gebruik te maken van feiten die als een soort documentairelaag over een prachtig gestructureerd en geschreven verhaal heen liggen. Zulke boeken raken mij als lezer en ze roepen het verlangen op om zelf te gaan schrijven. Ik herinner me dat ik *Resistance, Rebellion and Death* las, van Camus, met zijn aansporing om op zoek te gaan naar de 'inzet van onze generatie' en dat lijkt me een mooi streven voor een romanschrijver. Als het gaat om de balans tussen dat streven en de eisen van personages en verhaallijn... ja, ik probeer het verhaal te laten uitrazen, maar ik moet ook wel zeggen dat ik, zodra ik merk dat het verhaal de teugels overneemt, ervoor ga zitten om er een wilde galop van te maken. Volgens mij komt mijn schrijfverslogboek me daarbij goed van pas. Meestal kom ik de thematische lijnen vanzelf tegen als ik ergens mee verderga en de tekst herschrijf en daar aantekeningen van maak (bij *Schitterende ruïnes* schreef ik een keer: 'O, mijn god, dit boek gaat eigenlijk over spijt...') en bij het herschrijven scherp ik dat dan ook allemaal aan. Ik denk dat ik terugval op de aloude schrijversbeelden: dat elk boek zelf aangeeft wat het nodig heeft en dat schrijven eigenlijk neerkomt op ontdekken. Dat komt goeddeels overeen met mijn eigen ervaring Maar, dus kan ik er makkelijk aan vasthouden.

Heb je ooit gedichten geschreven?

Ik schrijf van alles en nog wat, korte verhalen, romans, non-fictie, scenario's, essays, recensies, journalistieke stukken, humoristische stukken en inderdaad ook gedichten, zij het met minder succes. Mijn besluit dat de protagonist van *The Financial Lives of the Poets* een slechte dichter moest zijn (hij schrijft eigenlijk financiële stukken voor een krant) was deels omdat ik geen keuze had. De enige twee gedichten van hem die ik mooi vind zijn gedichten van mij, die ik al had geschreven voordat het boek er was: 'A Brief Political Manifesto' en 'Dry Falls'. De overige bagger is allemaal van zijn hand. De schrijvers van wie ik het meest onder de indruk ben zijn de dichters met wie ik ben bevriend of met wie ik heb gewerkt: Robert Wrigley, Chris Howell, Nance Van Winckel, Dan Butterworth, Tod Marshall, Fleda Brown, Joseph

Millar, Kwame Dawes, Dorianne Laux, David St. John (ook hier geldt weer dat ik nog uren door zou kunnen gaan...)

Wat is het uitzicht uit je raam?

Ik werk boven de garage achter ons huis en ik kijk uit op de achtertuin en op de achterkant van ons huis (een bakstenen Tudorachtig pand uit 1906), met daarachter de kloof van de Spokane, die vlak langs ons huis loopt, en daar weer achter de contouren van Mount Spokane. De meeste ochtenden ga ik aan het werk zodra het licht wordt en dan zie ik de zon opkomen. We wonen in een stad, tien minuten met de fiets naar het centrum, maar vanwege die kloof is het hier een soort snelweg voor dieren, dus ik zie minstens een keer per week een beest in onze tuin – een hert, een coyote, een stinkdier, een kalkoen, een adelaar en ook een keer een broodmagere, verfomfaaide eland die eruitzag alsof hij al zes weken aan de speed had gezeten.

∾

Over het boek

In de tijd van de galeislaven

Ik heb er een hekel aan wanneer schrijvers dingen zeggen als: *Ik heb vijftien jaar over deze roman gedaan.* Of: *Het was alsof de personages het verhaal overnamen.*

Het lijken doorzichtige pogingen om een betrekkelijk alledaagse activiteit – schrijven – te mystificeren, om het iets magisch te verlenen, een aspect van bovenmenselijk afzien, of erger nog, om gewone mensen ervan te weerhouden zich er ook eens aan te wagen. Want heeft nou zin in tien jaar lang afzien in de vage hoop dat er een merkwaardig soort fictionele, chemische reactie zal plaatsvinden? Wie wil er nou vijftien jaar in een boek steken?

Nadat ik enkele boeken heb geschreven, durf ik inmiddels wel te zeggen dat een schrijver die zegt vijftien jaar aan een boek te hebben gewerkt, waarschijnlijk bedoelt dat hij het gedurende vijftien jaar van drankmisbruik en zelfverachting heeft weten klaar te spelen om ook nog twee of drie jaar te schrijven.

En wat die personages betreft die met het verhaal op de loop gaan, dat heb ik ook geprobeerd. Als jonge schrijver zat ik te wachten tot mijn zorgvuldig opgebouwde personages het van me overnamen, tot ze iets zouden doen, wat dan ook. Maar ze deden weinig anders dan mijn broer en ik: op de bank hangen, tv kijken, bier drinken. Een beetje overgooien met een rugbybal. Aan te raden voor de zaterdagmiddag. Af te raden wanneer je een boek wilt schrijven.

In 1967 werd Vladimir Nabokov geïnterviewd door Herbert Gold, voor de *Paris Review*, en Gold begon over dat beeld van 'personages die het verhaal overnemen'. Nabokov antwoordde: 'Dat clichébeeld van personages die het heft in eigen hand nemen... is al zo oud als de wereld... Mijn personages zijn galeislaven.'

In datzelfde interview beschreef Nabokov, een van de meest magische stilisten ooit, zijn werkwijze in allesbehalve magische termen: 'Voordat het werk zelf er is, zijn er de grote lijnen. Ik vul op willekeurige plekken de lege vakjes van de kruiswoordpuzzel in. Dat schrijf ik allemaal op systeemkaartjes, totdat de roman af is.'

Precies: galeislaven, kruiswoordpuzzels, systeemkaartjes. Een schrijver gebruikt taal om een stem te vinden en een verhaallijn neer te zetten en vervolgens past hij die toe op door hem geschapen personages wier ogenschijnlijke handelen in feite niet meer is dan de artistieke weerslag van menselijk gedrag, dat vorm krijgt in een proces dat eerder iets prozaïsch heeft dan iets magisch. Schrijvers schrijven. Personages roeien.

En zo heb ik de afgelopen twintig jaar proberen te schrijven, vanuit een hardwerkende arbeidersmoraal – niet zeuren – niet zozeer als een mysticus, maar eerder als een mijnwerker.

Daarom kost het me moeite om eerlijk te zijn over bepaalde aspecten van *Schitterende ruïnes*. Het heeft me vijftien jaar gekost om dit boek te schrijven.

En ik heb het pas weten te voltooien toen de personages met het verhaal op de loop gingen.

Volgens mij gaat elke roman tot op zekere hoogte over tijd.

Dat bedoel ik niet in de zin dat een roman over de Tweede Wereldoorlog gaat, of over huwelijkse twisten of over een reeks rodeo-clownmoorden. Ik bedoel dat er iets is met de manier waarop de tijd verstrijkt, binnen en buiten een roman, binnen en buiten onszelf terwijl we die roman lezen, en dat is typerend voor literatuur, het is iets ongeëvenaards, het tilt ons uit boven de drukte van alledag, het stelt ons in staat stil te staan bij het verstrijken van de tijd en de betekenis daarvan, het laat ons die melancholieke kracht en smartelijke verstoring ervaren. Naar mijn idee is dat in literatuur uitgesprokener en indringender dan in welke vorm van kunst ook.

Romans zijn in staat de tijd te vertragen, te versnellen, te verdunnen, sprongen te maken naar verleden of toekomst, om die zo helder te maken als de dag van vandaag of zo kronkelig als een verre herinnering. We lezen over een vrouw die in 1962 per boot arriveert in een klein plaatsje, waar een hoteleigenaar in zee staat en naar haar kijkt, en ondertussen worden we overspoeld door driehonderd jaar geschiedenis van dat plaatsje, en springen we acht maanden terug in de tijd, naar de dood van de vader van die man en vervolgens naar de dag waarop de man dat hotel overnam, en dan maken we weer een sprong naar precies het moment waarop we zijn begonnen, tien pagina's en dertig minuten en vijftig jaar eerder – de vrouw staat nog altijd op het punt uit die boot te stappen, de man staat nog steeds in het water naar haar te kijken. In fictie schiet de tijd heen en weer, terwijl in een paar honderd pagina's hele levens worden overpeinsd.

Zelfs het genot van de lezer is aan tijd gebonden. In veel van de alleraardigste mails en brieven die ik krijg wordt gerefereerd aan de tijd die men met het boek heeft doorgebracht: 'Ik heb het in twee dagen uitgelezen'. Of: 'Ik bleef lang bij bepaalde passages hangen omdat ik het anders te snel uit zou hebben.'

En inderdaad, als je het soort mens bent dat erg van lezen houdt (in alle objectiviteit: een betere soort is er niet), dan hebben je lievelingsboeken allerlei specifieke passages, haast alsof je er een memobriefjes in hebt geplakt, die herinneringen oproepen aan bepaalde momenten in je eigen leven: momenten van inzicht, tragische momenten, momenten waarop alles mogelijk leek. Als ik mijn ogen sluit kan ik moeiteloos de avonden terughalen waarop ik voor het eerst *Honderd jaar eenzaamheid* las, hoe ik de laatste bladzijden omsloeg naar dat grootse, tijdloze einde, terwijl mijn dochtertje slapend tegen me aan hing.

Een prachtige film speelt zich binnen een paar uur voor je ogen af, terwijl jij passief toekijkt. Hetzelfde geldt voor een prachtig toneelstuk of een prachtig televisieprogramma of zelfs een prachtige cd. Iedereen ziet dezelfde film, maar elke lezer leest een ander boek, want lezen vereist vele uren inzet, actieve en creatieve betrokkenheid – de personages, alles wat ze doen en denken krijgt opnieuw gestalte in je hoofd, je verbindt hun worstelingen en hun overwinningen aan die van jezelf, waardoor een boek uiteindelijk een muziekstuk wordt dat je hebt gespeeld – en soms zelfs, in een periode van dagen of weken, onder de knie hebt gekregen. Dat is een van de redenen dat we zo volkomen opgaan in een boek, een van de redenen dat we zo dol zijn op boeken, een van de redenen dat boeken, voor mijn gevoel, de meest meeslepende en aansprekende vorm van kunst zijn.

Voor de schrijver gaat tijd ook een steeds belangrijker rol spelen, zeker naarmate er een groter deel van het boek achter je komt te liggen. Het dringt tot je door dat het eindig is, de verhalen die je schrijft, en je bent dolgelukkig wanneer je er eentje... hebt voltooid.

Natuurlijk wilde ik geen vijftien jaar over *Schitterende ruïnes* doen. Telkens wanneer ik het boek weer weglegde, was het alsof ik een relatie beëindigde: een intens gevoel van spijt, verspilde tijd en kansen, zelfverwijten, het gevoel stom bezig te zijn, een gevoel van ontmoediging, vertwijfeling of het het allemaal wel waard was. Gedurende veertien van die vijftien jaar koesterde ik de roman als een gekoesterde mislukking, een spannende puinhoop van halve zinnen en personages die nooit helemaal uit de verf waren gekomen, een verhaallijn vol losse eindjes, waar ik ondanks alles enorm aan gehecht was, hoewel ik ervan overtuigd was dat het als roman nooit echt iets zou worden.

Ik werkte eraan, legde het dan weer weg, kon het dan toch weer niet laten het tevoorschijn te halen, probeerde een andere invalshoek, totdat het me ineens duidelijk werd dat al die verschillende ingangen van het verhaal eigenlijk gewoon het verhaal zelf vormden. Tussen 1997 en 2012 liep ik keer op keer stuk op dit boek, en in de tussentijd schreef en publiceerde ik vijf andere romans, naast nog een stuk of twintig korte verhalen en honderden andere dingen: essays, recensies, gedichten, toneelstukken en filmscenario's. Ik begon aan vier of vijf romans die ook op niets uitliepen – toen in ieder geval nog niet – half voltooide puinhopen die ik in mappen heb zitten, en waarvan de personages wachten op het moment dat ik ze nog één kans geef.

En nu, in de wazige mist van onzinnig geleuter, wat we wijsheid achteraf noemen, begrijp ik dat deze roman die vijftien jaar gewoon nodig had om eruit te halen wat erin zat – dat het nog niet eens zozeer een kwestie was van herschrijven, van structuur of systeemkaartjes of galeislaven, maar van... tijd. Dat ik tijd nodig had, als schrijver en als mens, als vader en als mislukking, om eindelijk te zien waar de roman echt over ging, om de personages echt te doorgronden.

Begin 1997 ging ik met mijn vrouw naar Italië. Ze had overal in de laars familie zitten en ik vond het allemaal even fascinerend. Ik was vooral gecharmeerd van de schilderachtige plaatsjes van Cinque Terre. In februari arriveerden we in het eerste plaatsje, Monterosso al Mare, in het laagseizoen, na een zware regenbui, en we waren de enige toeristen. De volgende ochtend was het stralend weer en toen we de houten luiken van onze hotelkamer opengooiden zagen we onder ons raam de Liturgische zee. We liepen over rotspaadjes en maakten foto's van elkaar, aten vis en brood, dronken wijn. We logeerden in Albergo Pasquale, en ik stopte een visitekaartje van de eigenaar in mijn portemonnee. Ik vond het prachtig klinken, Pasquale. Paasfeest. En dan was er nog de dubbele betekenis in het Engels: *Passover*. Een man die door het leven is overgeslagen. Het kaartje zit nog altijd in mijn portemonnee.

Niet lang nadat we terug waren kreeg mijn moeder te horen dat ze maagkanker had. Terwijl we haar om beurten verzorgden, begon ik aan een verhaal over een zieke jonge vrouw die terechtkomt in een dorpje in Italië waar kanker niet tot de dood leidt. De eerste zin die ik schreef luidde als volgt: 'Ze arriveerde in het dorp met de boot, de enige manier waarop je er rechtstreeks kon komen.' Ik verzon een ernstige, jonge man, Pasquale, die verliefd op haar werd en ik noemde zijn hotel HOTEL REDELIJK UITZICHT, omdat ik dat grappig vond – de reden voor ongeveer de helft van mijn redactionele beslissingen. Die zomer, nadat mijn moeder was overleden en ik me niet goed raad wist met Dee en Pasquale, legde ik met mijn Italiaanse roman aan de kant en stortte me op iets anders.

Maar in de loop der jaren kwam ik toch telkens weer bij die roman uit, meestal als ik vastzat met een van mijn andere romans. Ik werkte wat aan een filmscenario, en zodoende werd Dee actrice. Pasquale was een student die niet van huis kon omdat zijn vader onlangs was overleden. In die tijd heeft het boek vele titels gehad: *De mooie Amerikaanse*, *De glimlach van de hemel*, *De haven van de schaamte*, en, heel erg lang, *Hotel Redelijk Uitzicht*. Ik denk dat ik die eerste zin wel driehonderd keer heb herschreven, waarbij ik obsessief met de woorden schoof: 'De actrice arriveerde in Porto Vergogna met een boot, de enige manier waarop je er rechtstreeks kon komen... De actrice kwam met een boot naar Porto Vergogna... Ze kwam met de boot naar zijn geboortedorp... De eerste keer dat hij de actrice zag, zat ze in een boot...'

Het verhaal zelf was betrekkelijk eenvoudig, en draaide om een vraag die ik mezelf had gesteld: Wat zou een man kunnen doen besluiten een vrouw op te zoeken die hij in geen jaren meer heeft gezien? Ik vraag me af of de wetmatigheid uit de natuurkunde – dat een voorwerp over de meeste opgeslagen energie beschikt vlak voordat het in beweging komt (denk aan een gespannen boog) – ook opgaat in de liefde, of het potentiaal op een bepaalde manier ook de krachtigste vorm van liefde is. Terwijl ik aan dat verhaal werkte ging het steeds meer over verhalen vertellen, en schoot het alle kanten op: diverse personages en verschillende vormen. Maar altijd vormden Dee en Pasquale de spil. In sommige versies gingen ze met elkaar naar bed. In een versie was hij als een vader voor haar kind. In een andere versie ging zij terug naar Amerika en werd lesbisch. In weer andere versies was Dee al dood tegen de tijd dat hij naar haar op zoek ging. ('Klinkt een beetje nihilistisch,' zei een bevriende schrijver.) Toen ik vast kwam te zitten bedacht ik Alvis Bender, een personage dat vast komt te zitten in het eerste hoofdstuk van zijn boek. Toen ik in Hollywood vergaderingen bijwoonde, maakte ik geen aantekeningen over de slechte ideeën waar we iets nog slechters van wilden maken, maar maakte ik aantekeningen voor mijn roman. Ik ging naar Tate Modern in Londen en naar het Edinburgh Fringe Festival en naar Sandpoint in Idaho, en mijn personages gingen daar ook naartoe. Er waren steeds weer nieuwe dingen die ik leuk vond. Elke keer dat ik weer aan mijn roman verder ging, begon ik bij het begin: 'De actrice arriveerde...' Uiteindelijk gooide ik het meeste weg, waaronder een hele kladversie en een paar mislukte hoofdstukken. In een versie blijkt aan het einde dat het hele verhaal een pitch was voor een film; in een andere, nog veel postmodernere versie, was ik de schrijver die naar Michael Deane ging om zijn film te pitchen, en het verhaal dat ik pitchte was mijn eigen roman, *The Zero*. (Ik bleek het minst sympathieke en minst geloofwaardige personage dat ik ooit tot leven had gewekt.) In de loop der jaren verdwenen er personages en kwamen er weer anderen bij, veranderden sommigen van leeftijd en geslacht, vielen kilo's af of kwamen kilo's aan, kregen kinderen – maar Dee en Pasquale vormden onveranderlijk de spil en bleven merkwaardig genoeg zichzelf. Hun verlangen naar verbintenis was de enige constante in deze puzzel die ik probeerde te leggen zonder ook maar enig idee hoe het uiteindelijke plaatje eruit moest komen te zien.

Ik hou schrijflogboeken bij, waarin ik mijn ideeën noteer, de voortgang noteer en notities maak over de verhalen waaraan ik begin, die ik wegleg, die ik later weer oppak en soms zelfs voltooi. *Schitterende ruïnes* (of *De Italiaanse roman* of *Hotel Redelijk Uitzicht*, zoals ik het destijds meestal noemde) duikt in de loop van die jaren als een terugkerende droom op in een stuk of twintig logboeken, meestal een paar dagen na de voltooiing van een andere roman of een kort verhaal, wanneer ik op zoek was naar iets anders om mee aan de slag te gaan. Notitie van februari 2001: Verder met Italiaanse roman: als ik nou eens een deel situeer in het begin van de jaren '90, *grunge*... Ik moet alleen een goede titel hebben, en een voorgeschiedenis. Een notitie van maart 2007: Pasquale wil een beter mens worden... Kan kunst een leugen zijn? Kan het iets anders zijn dan een leugen?

Keer op keer heb ik in mijn logboek geschreven: Heb de Italiaanse roman aan de kant gelegd... weer vastgelopen in de Italiaanse roman. Maar – en ik bied bij voorbaat mijn excuses aan – hoe vaak ik het boek ook aan de kant heb gelegd, het was alsof Dee en Pasquale weigerden het veld te ruimen.

Lezers vragen me vaak, in verschillende bewoordingen: 'Hoe lang doe je over het schrijven van een roman?' Het is een uitstekende vraag, maar als ik in alle eerlijkheid antwoord geef – 'Een roman schrijven duurt zolang als het duurt' – voel ik me net een boeddhist. Of een eikel.

In 2007 had ik een humoristisch verhaal terzijde geschoven, over een gezin dat vee houdt, ergens in een buitenwijk, en ik had de Italiaanse roman weer opgepakt. Mijn goede vriend en collega-schrijver Dan Butterworth nodigde me uit om naar Florence te komen om zijn studenten college te geven. Ik besloot te gaan en mezelf er weer in onder te dompelen – als het ook nu weer op niets zou uitlopen, dan was het voor mij einde verhaal. Ik maakte vele pagina's aantekeningen terwijl Dan en ik door Cinque Terre trokken en in Florence verbleven en ons best deden om de plaatselijke wijnhandel te steunen.

De laatste avond in Italië lag ik in bed nog wat in mijn logboek te schrijven, ideeën en gedachten en schetsen. Ik was net in slaap gevallen toen ik wakker werd met een gedachte in mijn hoofd, die ik opschreef ('Schilderij-en in de geschutsbunkers?'). Ik had allerlei bescheiden epifanieën, dat we ons leven zien als een film of een roman. Personages kwamen aanzetten met allerlei nieuwe details over zichzelf ('Deanes assistente heeft op de film-academie gezeten!') Die nacht schreef ik dertig bladzijden in mijn logboek. De laatste notitie : 'O jee. Ik hoor de vogels fluiten. Ik heb de hele nacht zit-ten schrijven.'

Geïnspireerd door die reis heb ik vervolgens zo'n beetje anderhalf jaar onderzoek gedaan en *Hotel Redelijk Uitzicht* herschreven, waarbij ik weer bij het begin was begonnen ('De doodzieke actrice kwam naar zijn dorp...'). Ik merkte dat ik nauwelijks kon uitleggen waar het boek over ging. Ik trad een keer op, samen met een andere schrijver, en na afloop vroeg iemand in de zaal waar we op dat moment aan werkten. Ik zei dat ik een roman over veehouders in een buitenwijk aan de kant had geschoven voor een boek over verschillende generaties, met verschillende genres en verschillende vertel-perspectieven, over het Italië van de jaren '60, het moderne Hollywood, de Tweede Wereldoorlog en de Donner Party. Het was even stil en toen zei die andere schrijver: 'Misschien kun je beter dat van die veehouders weer op-pakken.'

Uiteindelijk had ik in de zomer van 2008 *Hotel Redelijk Uitzicht* af. Na meer dan tien jaar was het me dan toch eindelijk gelukt. Ik was uitzinnig van vreugde. Gedurende twee dagen. Toen begreep ik dat het nog niet echt af was. Ik had de meeste stukken bij elkaar, maar de puzzel was nog niet compleet. Ik kon het niet meer opbrengen en legde het boek aan de kant om aan een andere roman te beginnen, in de hoop dat ik iets heel anders zou gaan schrijven, iets chronologisch, zonder zijpaden, in de eerste per-soon. Acht maanden later, toen ik *The Financial Lives of the Poets* af had (het andere lullige antwoord op de vraag hoe lang het duurt om een roman te schrijven, luidt: ergens tussen de acht maanden en de vijftien jaar) moest ik denken aan iets wat mijn held Kurt Vonnegut had geschreven in een exem-plaar van *The Sirens of Titan*, dat hij me zes jaar daarvoor had gestuurd. 'Voor mijn collega auteur Jess Walter: Dit is mijn enige roman die zichzelf heeft geschreven. Alle andere weigerden.'

Ik wist precies wat hij bedoelde.

In 2009 ging ik dus weer verder met mijn roman die weigerde zichzelf te schrijven. En daar wachtten Dee en Pasquale me op. Ze hadden meer dan tien jaar geduldig gewacht (of nog langer, sinds 1962, het ligt er maar aan hoe je het bekijkt), en ik had bijna het gevoel dat ik het hen verschuldigd was om te kijken of ik niet een manier kon verzinnen ze eindelijk te herenigen. Ik keerde terug naar de eerste scène, de eerste zin, en herschreef die voor de zoveelste keer. ('De doodzieke actrice arriveerde in zijn dorp...') Ik gooide meer dan de helft weg van wat ik op papier had staan, herschreef elke zin en deed een nieuwe poging om twee personages recht te doen die ik al bijna een derde van mijn leven 'kende'.

Ik dook weer in mijn documentatie en stuitte op twee stukken die me hielpen om het nu eindelijk te volbrengen. Het eerste was een stuk over Richard Burton. Met elke nieuwe versie van de roman kreeg hij een belangrijkere rol (hij was ergens rond 2005 voor het eerst met Pasquale in de auto gestapt). In 2010 las ik in de *New Yorker* een stuk van Louis Menand over Dick Cavett, waarin hij refereerde aan de vier interviews die Cavett in 1980 met Burton had gehouden. De 54-jarige acteur uit Wales was al een 'schitterende ruïne', stond er.

Het was alsof die zinsnede, schitterende ruïne, zich loszong van het papier. Ik spitte de hele roman nog eens door en zag tot mijn verbijstering hoe vaak ik woorden als ruïne en puinhoop had gebruikt in mijn beschrijvingen van mensen en plekken, de overblijfselen van het Hollywood-systeem, de restanten van onze cultuur; de hele roman bestond uit artefacten, fragmenten uit films en boeken en toneelstukken. Ineens had ik de titel.

Later las ik *De kunst van de roman* van Milan Kundera en stuitte hierop: 'Niets lijkt zo voor de hand liggend, zo tastbaar en concreet als het moment waarin we leven. En toch ontglipt het ons volkomen. Alle treurigheid van het bestaan ligt in dit gegeven besloten.'

Ik begreep meteen dat dat het einde van het boek zou kunnen zijn, een manier om de macht van bepaalde momenten in ons leven te onderkennen. Het zijn de overblijfselen van onze herinneringen, die zich als het Partenon ergens in ons hoofd bevinden, al zijn ze vervallen en verweerd onder invloed van tijd en spijt. Ik hoopte duidelijk te maken hoe belangrijk zulke individuele momenten in ons leven zijn, te laten zien dat de eerste ontmoeting van Dee en Pasquale – die al sinds 1997 door mijn eigen hoofd spookte – zo ingrijpend kan zijn geweest dat Pasquale bijna vijftig jaar later naar haar op zoek gaat. Ik had bijna het gevoel alsof ik die mensen vijftien jaar lang overal mee naartoe had gezeuld en dat ik nu alle verhalen los kon laten, als zaadjes van een paardenbloem, al die concrete, haast tastbare momenten – of ze nou hadden plaatsgevonden in 1962 of in 2008 of in 1945 of in 1847 – die samenkwamen in één grootse ruïne van het heden... van dit moment in het heden.

En dus schreef ik naar dat einde toe, schoot ik heen en weer door de roman, en op een dag keek ik op van mijn werk was het af.

Natuurlijk kwam er veel meer bij kijken: nog een keer herschrijven, molto Italiaanse vertalingen, een paar continuity fixes – nog meer schema's, systeemkaartjes, kruiswoordpuzzels – maar dit keer had ik echt het gevoel dat ik klaar was. En de bevrediging leek op de een of andere manier te corresponderen met het aantal jaar dat ik erin had gestoken. Er zijn zoveel elementen waar een auteur elke dag tijdens het schrijven mee bezig is – dingen als verhaallijnen en personages, taal en stem, maar ook kleinere, technische dingen als vertelperspectief en werkwoordstijden – maar er was één element waarbij ik niet eerder had stilgestaan en dat was... tijd. Ineens leek tijd belangrijker dan wat ook.

Ik was eenendertig toen ik aan dit boek begon, toen Dee voor het eerst voet aan land zette en Pasquale door het water naar haar toe waadde. Ik was zesenveertig toen ik het eindelijk wist te voltooien, toen dit oude stel nog een laatste keer over de hellingen van Cinque Terre liep. Het klinkt misschien gek, maar telkens wanneer ik die laatste scène lees zie ik voor me hoe mijn oude galeislaven zich omdraaien en knikken, en ik ben oprecht blij voor hen.

∾

Colofon

Published by arrangement with HarperCollins Publishers
Oorspronkelijke titel: *Beautiful Ruins*
© 2012 Jess Walter

© 2014 Uitgeverij Marmer BV
© 2014 Nederlandse vertaling Nicolette Hoekmeijer

Vertaling: Nicolette Hoekmeijer
De vertaalster ontving voor deze vertaling een werkbeurs van het Nederlands
Letterenfonds

Eerste druk februari 2014
Derde druk mei 2014

Eindredactie: Meike van Beek
Omslagontwerp: Riesenkind
Foto omslag: © Stevanzz / Dreamstime.com
Foto auteur: Hannah Assouline
Kaart: Shawn E. Davis
Zetwerk: V3-Services
Druk: Ten Brink

ISBN   978 94 6068 158 5
E-ISBN   978 94 6068 900 0
NUR   302

Uitgeverij Marmer BV
De Botter 1
3742 GA BAARN
T: +31 649881429
I: www.uitgeverijmarmer.nl
E: info@uitgeverijmarmer.nl